3

欧洲藏汉籍目录丛编

Catalogues of
Ancient Chinese Classics
in Europe

⚜

张西平　主　编

谢　辉　林发钦　副主编

文化公所
Hall de Cultura

SPM
南方出版传媒
广东人民出版社
·广州·

图书在版编目（CIP）数据

欧洲藏汉籍目录丛编 3 / 张西平主编，谢辉、林发钦副主编. —澳门：文化公所；—广州：广东人民出版社，2020.1
ISBN 978-99981-36-64-9（中国澳门）
ISBN 978-7-218-13891-6（中国内地）

Ⅰ．①欧…　Ⅱ．①张…　②谢…　③林…　Ⅲ．①古籍—图书目录—汇编—欧洲　Ⅳ．①Z838

中国版本图书馆CIP数据核字（2019）第228770号

欧洲藏汉籍目录丛编 3

张西平　主编　　谢辉、林发钦　副主编

出　版　人：肖风华

策划编辑：梁　茵
编　　辑：赵香玲　王俊辉　李永新

出　　版：文化公所　广东人民出版社
发　　行：文化公所
　　　　电　　邮：macau.publish@gmail.com
　　　　网　　址：www.macau-publish.com
印　　刷：广东鹏腾宇文化创新有限公司
开　　本：787 毫米 × 1092 毫米　1/16
印　　张：256　　字　数：4760千
版　　次：2020年1月第1版
印　　次：2020年1月第1次印刷
定　　价：MOP360.00

Catalogus Librorum Bibliothecae Regiae Sinicorum（2）

皇家图书馆藏中国图书目录（2）

LIBRI APUD SINAS SACRI,

aliàs Canonici, aliàs Classici.

ANTEQUAM de hisce Libris, quinam sint, à quonam scripti, & cujusnam ætatis videantur, aperiam; docendum est, quinam eorum ordo sit, & quænam uniuscujusque generatim materies. Discat ergo Lector Libros Sinarum *Canonicos* aut *Classicos* numerari vulgò quinque tantum, sed à plærisque Authoribus, propter reverentiam Confucio semper habitam, addi huic eidem Canoni τὸν chūn ciēu solere; reverâ tamen non esse nisi quinque, atque ideo vocari ù kīm, quod est *Libri quinque.*

Sunt autem, ac nuncupantur hoc ordine,

1	yĕ kīm,
2	xū kīm,
3	xī kīm,
4	lì kí,
5	sū xū,

quarum appellationum significatio hæc est,

1. yĕ kīm,

Combinationum, seu *permutationum Liber,* quod in sequentibus latius exponetur tibi.

2. xū kīm,

quasi diceres, *Librorum,* seu *memoralium Liber,* est autem chronicus, aut melius *Liber ex aliis excerptus,* neque enim aliud hoc nomine voluerunt.

3. xī kīm,

Carminum Liber, quod veteres *Odas,* & *Carmina* de veterrimis Sinæ Imperatoribus, item de aliis quibusdam magnis Viris, Reginisque illustribus, imo & de Populorum moribus decantatas contineat.

4. lì kí,

Liber Rituum ac Ceremoniarum, in quo de variis Sinarum Ritibus, eorumque ratione, sive apud Imperatores & in Palatiis, sive apud privatos, atque in

populis conversandi; nam apud Sinas, non modo suo quivis, neque ad arbitrium suum vivit, sed juxta mores, à primis Gentis Authoribus sancitos: neque ulla gens *Traditionum* suarum hâc in re, & ferè in omnibus tenacior.

Veniunt nunc,

| 5 | sū xū, |

seu *Libri quatuor,* in quibus inest moralis quædam Philosophia, non illa quidem disputatrix, ac litigatoria, quæ inter Græcos, Arabes, Majores nostros Scholasticos viguit, sed prudentiæ ac sapientiæ unicæ, & amatrix & sectatrix, ita ut per principia quædam, è sensu communi eruta incipiat, in sectaria, ad animi ac corporis directionem & conformationem, hoc est, hominem à ferino cultu & ineptitudine, ad mores humanos atque intelligentiam retrahendum pertinentia, desinat. Talis est hujus Philosophiæ Sinicæ ratio, à nostrâ omnino aliena. Atque hæc illa ediscenda tibi, antequam ad Libros ipsos amplius cognoscendos accederes.

XCVII.

Cat. Bibl. Reg. n. 7. p. 370.

Liber inscriptus,

yĕ, ў	易
kīm	經
civên	全
chì,	旨

id eft , τῦ yĕ kĭm , feu *Libri combinationum ampla & totalis expofitio.*

Hic Liber inter Libros Canonicos
primus , Authorem , ut traditio Sinarum
eft , antiquiffimum Monarchiæ Sinicæ
Fundatorem habet fŏ hĭ , atque in principio combinationes linearum exhibet
64. de quibus multa multi fibi , tum
inter Sinas , tum inter noftros confin-
xêre.

1°. Certum eft , aut faltem videtur ,
quæ eft Gentis totius ab Avis , Atavif-
que , & quafi à mundi Sinici exordio ,
confenfio , Librum tunc exaratum , cum
Litteræ adhuc nullæ effent , ne hiero-
glyphicæ quidem , unde manifeftò rerum ferè antiquiffimus..

2°. Quid per hafce *lineas* ab Authore
fŏ hĭ defignatum omnino fuerit , id verò
vix ac ne vix quidem divinatur , alii ergo de naturâ ejufque formatione ac com-
binationibus cogitavêre , quafi Author
non nifi rerum creatarum , vel *mutuos*
nexus , focietatefque , vel *diffociationes* ac
pugnas hoc ænigmate indicaffet , neque
aliud defcribere in animo habuiffet ,
quam quod *Cælo , Terra , Homini* , quæ
tria Sinis Philofophis maximè confide-
rantur , folitum accidere : alii ad mora-
lia , & Reipublicæ adminiftrationem
traxêre , quod cogitatu difficile fatis ,
aut fenfus admodum profundos conti-
neret. Sunt etiam , qui ad *Magiam* nefcio quam , ac *prophetandi artem* ref-
picere arbitrentur , indeque & *fortes* ,
& omnium humanæ vitæ *actionum ratio-*
nem deducant , quæ apud Sinas turba
plurima.

Homines ferè cunctos *divinationi*
cuidam per fortes dirigendæ addictos ,
res eft per Authores antiquos frequen-
tiffima , eaque non apud Orientales & Perfas folum , fed etiam apud Græcos , La-
tinofque : eundem ergo hunc morem
apud Sinas vigere , qui Idololatriæ tenebris etiamnum offufcati , aut etiam in
hâc eâdem Gente ab omni memoriâ vi-
gêre potuiffe , nemo inficias ierit ; at
eum in finem inventas à fŏ hĭ *lineas* Libri yĕ kĭm , ex abufu quanquam per
Sinam vulgatiffimo , cave inferendum
omnino judices , quemadmodum enim
Alcorani ope inter Mahummedanos :
Veteris Teftamenti variarumque Mo-
fis aut Davidis fectionum auxilio apud
Judæos : item per ignorantiæ fæcula ,
ex facris novi Inftrumenti paginis , e-
ventus rerum , variafque hominum for-

tunas , prædici poffe , multi arbitrati funt ;
imo in eofdem Libros , in eundem ufum
Annotationes ac Commentarios quidam
confcripferunt ; fic apud Sinas *lineas*
τῦ yĕ kĭm , eo confilio inventas , ut
divinationes , ac rerum futurarum præ-
dictiones fierent , fi qui dixerint : item
quamquam inter Commentatores etiam
ii compareant , qui de *Sortibus* , ac fimili
rerum ariolatione tractavêre : tamen ,
ne ob id quidem decidendum quidquam
exiftimem. Adderem ego , quot in ufus ,
Homeri & Virgilii Poëmata à veteribus
aut illuftrata , aut detorta ? Jam verò
Librum yĕ kĭm , ante jacta Sinici Imperii fundamenta , fcriptum , item à Pa-
triarchis noftris , verbi gratiâ , Heno-
cho concinnatum , quomodo nonnulli
putârunt , id verò in animum inducere
quis potuerit ? Quæ ab antiquis Authoribus mandata memoriæ , & quemadmodum , ex quovìs in Virgilium aut Ho-
merum commentario ethnico licet , atque ethnicis notis referto quidquid fani
eft ; item , ficut ex antiquis Philofophis ,
licet huic ætati fere odiofis ; licèt fyftemata minus colligata offerentibus , quidquid à ratione confequentis , iftud fine ullâ dubitatione haurimus : ita etiam è Libro
yĕ kĭm , ejufque Commentariis , adop-
tanda , quæ ad Phyficam fpectant , funt-
que & numero complura & ingeniosè
excogitata : repudianda , quæ ad *fortes* ,
*artem*que illam *divinandi* fuperftitiofam
collimare invenientur. De *Phyficâ* dicuntur ȳn & yâm *frigus & calor* , rerum
principia , feu , ut Cupletius tradit pag.
42. *imperfectum & perfectum* , ut cætera
hujufmodi , item de *fortibus* funt pă kuâ ,
8. *fortes* , & variæ extant ad hanc artem
defcriptæ tabellæ ; fed redeundum nobis , Libellus hic , à fŏ hĭ exaratus dicitur , annis , ut perhibent , ante Chriftum 2961. figuras ejus 64. multis poft
fæculis conatus eft explicare Imperator
vên vâm ; fed fecit breviter adeoque
perobfcurè : at filius ejufdem Imperatoris cheū kūm latiori quodam Commentario eafdem illuftravit ; cum autem à
Sinis , eæ figuræ tanquam Imperatoris
antiquiffimi fimul ac fapientiffimi monumentum , abftrufius licet ac procul
dubio à quibufdam etiam Philofophis
non femel attentatum , fummâ curâ
femper confervatæ fint , atque etiamnum fummo in pretio habeantur : *Confu-*
cius notis quoque fuis eas adornare voluit. Sed , quò tendebat Philofophi ingenium ,

nium, plæraque de moribus ritè conformandis, homineque ad virtutem deducendo expofuit, & quas hinc inde, five de Cælo, ejufque Domino, five de tempeftatibus per eundem Dominum, ad certum finem inceſſanter directis, interſperſit Sententias, quas de *tonitru*, *ventis*, *pluviis*, *montibus*, *ſpeluncis*, *fluviis*, ac cæteris ejuſmodi Naturæ appendicibus, in eodem Commentario adjunxit, eæ femper ad rerum humanarum gubernationem tendunt, reciduntque.

At non eodem modo, ſaltem ubique, recentioribus Commentatoribus, iis præſertim qui Familiâ ſûm imperante vixerunt, atque ad naturam referebant omnia, tractatus eſt hic Liber: plæraque enim illîc ad Phyſicam relata; unde Liber Phyſicis & Naturæ Indagatoribus pretioſiſſimus. Quod ſi quis de ipſâ *linearum* formâ conqueratur, quæ non niſi *linea*, aliæ longæ, aliæ breviores, aliæ unicæ, aliæ duplices, aliæ integræ, aliæ ſectæ; item de figuris 8. apud Sinas vocatis,

kièn	quæ deſignat	*Cælum*
tuí	quæ	*Aquas montium*
lì	quæ	*Ignem*
chín	quæ	*Tonitrua*
ſuèn	quæ	*Ventos*
kàn	quæ	*Aquam*
kén	quæ	*Montes*
kuēn	quæ	*Terram*

Cùm toto Libro yĕ kīm, ejuſque Commentariis profundius nihil, nihil quoque hîc mirum, etiam ex humanæ Gentis indole. Sciat 1°. Quæ antiquiſſima, ea ferè magni facere ſolet ac libentius amplexari. 2°. confiderandus etiam veterum Magiſtrorum mos. Nam quæ de naturâ, ejuſque partibus ſtatuebant Philoſophi, idque in Gentibus plæriſque, ea ſimùl involucris quibuſdam vix ac ne vix quidem retegendis occultabant, ſic quæ de Philoſophiâ, ac naturâ, Theologiâque ſublimiori cogitabant Hebræi, Chaldæique, ea inter ſe & in Scholis tantum agitabant; quod certum eſt item de Ægyptiis, & veteri Pythagoreorum, Ægyptios hâc in re imitantium Scholâ: quæ vulgatiora & populis ad Hiſtoriæ ſuæ cognitionem omnino neceſſaria, edebant in publicum; cætera diligentiſſimè occultabant. 3°. Ex ipſâ principiorum 2. ac figurarum 8. nuncupatione, unde poſtea 64.

unaquæque iterum nomine ſuo à Doctis appellata, Naturam evidenter totam, ac proinde, eam quam nos dicimus *Phyſicam* exurgere, & revera quæ ad mundi ſyſtema, ad *Solem*, *Lunam*, *Aſtra*, *Meteora*, &c. pertinent, ea ferè omnia figurarum illarum 8. occaſione deduci atque explicari. Sæculo Chriſti 13. à celeberrimo Doctore chū vên kūm Commentario quodam uberiori illuſtratus eſt yĕ kīm. Editio autem hæc curata eſt, regnante kām hī, anno ejus 7°. quæ invol. 1. volum. 3.

XCXVIII.

Cat. Bibl. Reg. n. 8. p. 370.

Liber inſcriptus,

yĕ, ў

kīm

çiĕ. çў

kiái.

易經直解

In yĕ kīm, ſeu *Librum combinationum, variorum Commentarii*. Alia eſt editio Libri Canonici ejuſdem; additi autem in hâc editione Commentarii Authorum duorum, alter ſupra, alter infra paginas; qui infra, is Authorem habet Philoſophum vām ſú kueī, qui infra, eſt à Philoſopho chīm moêi compoſitus.

Vivebat autem Philoſophus uterque ſæculi 16. initio, & ſub finem Familiæ tá mîm, & Liber impreſſus anno 1623. imperante ván liĕ, ejuſdem Familiæ ultimo. Invol. 1. vol. 5.

XCIX.

Cat. Bibliot. Reg. n. 9. pag. 370.

Liber inſcriptus,

Kkkkk

yĕ

kĭm

gĕ

kìam,

易經日講

id eſt, τȣ yĕ kĭm *expoſitio diurnalis.* Editio hæc propter impreſſionem magnifica & admirabilis, & á Doctoribus Collegii hàn lĭn, regnante kăm hĭ, Commentario ornata ; ſed cum vulgò ſit voluminum 16. deſunt 8. ac ſuperſunt 8. vol.

C.

Cat. Bibliot. Reg. n. 16. *p.* 394.

Liber inſcriptus,

yĕ

kĭm

mûm

ўn,

易經蒙引

id eſt, *Introductio ad res occultas* τȣ yĕ kĭm.

Explicatio eſt rerum arcanarum in variis yĕ kĭm *lineis* contentarum.

Editio charactere currenti, neque admodum eleganti. volum. 12.

CI.

Cat. Bibl. Reg. n. 19. *p.* 395.

Liber inſcriptus,

gĕ

kìam

yĕ

kĭm

kiaí

ў,

日講易經解義

id eſt, *Diurnalis expoſitionis* τȣ yĕ kĭm *Commentarius & ſenſus.*

Relege quæ ſupra annotavimus n°. 97. de yĕ kĭm, ejuſque ſenſu & Commentatoribus.
Hîc volumina ſunt 9.

CII.

Cat. Bibl. Reg. n. 17. *p.* 394.

Liber inſcriptus,

yû

chi

御製

gĕ

kĭam

yĕ

kĭm

kiaĭ

ÿ,

日講易經解義

chí

c'heŭ

yĕ

fŷ

chŭm

製周易折中

hoc eft, *Senfus* τ~ yĕ kĭm, *ad explicationem quotidianam magnificentiffimi imperatoris juffu datus.* yŭ chí, ut alibi dictum, vel de Libris ad ufum Imperatoris dicitur, vel de Libris Imperatoris juffu & authoritate publicatis. Eft autem impreffus anno kăm hī 22. continetque Commentarios in yĕ kĭm ampliffimos. Volum. 7.

CIII.

Cat. Bibl. Reg. n. 18. *p.* 395.

Item alius, impreffione nitidiffimâ, in quo idem gĕ kĭam, 2. volumina, quæ funt lŭn yú, & mêm çŭ.

CIV.

Cat. Bibl. Reg. n. 6. *p.* 428.

Liber infcriptus,

yŭ

御

id eft, cheŭ yĕ, feu yĕ kĭm τῶr cheŭ, è *Typographiâ Imperiali*, unà cum annotationibus. Editio eft magnificentiffima à R. Patre *Premaro*, in honoris ac grati animi memoriam illuftriffimo Viro Johanni-Paulo *Bignon*, Bibliothecario Regio, miffa, quamvis τ~ yĕ kĭm Commentarii in Bibliothecâ Regiâ multi jam haberentur. *Charta* eft multò majoris quam Editiones cæteræ, *characterum*, quales ferè funt in magno tá mîm hoéi tiēn. *Indicationes* Commentariorum, characteribus albis in fundo nigro, *textus* characteribus maximis; uno verbo, nitidiffima ac pulcherrima omnia, ita tamen ut ad kŭ vên, qui inter Regios n°. 2. nondum attingat, cum illic characteres omnes fint chím, id eft, *recti*, hîc omnes fint *proni*, atque ad fcripturam accedant propius. Invol. eft 2. panni ferici ornatiffimorum, volum. 10.

CV.

Cat. Bibliot. Reg. n. 59. *p.* 422.

Liber infcriptus,

yĕ

易

kīm *

tá

civên,

經大全

yĕ

tî

chŭm,

易折中

id eſt, τᷓ yĕ kīm, ſeu *Libri mutationum & combinationum*, itemque *Commentariorum in eundem Librum exaratorum magna collectio*. De yĕ kīm non dicendum amplius, cum de eo ſupra, n°. 97. 98. & 99. egerimus ſatis.

Editio hæc à Collegii *hán lîn* Mandarinis procurata eſt, *Kam hi* jubente, atque inſpectore.

Titulus generalis eſt ú kīm tá civên, τᷓ ú kīm *magna collectio*, & revera in primâ Præfatione ejuſdem mentio fit, tanquam ſecundæ commentariorum à chŭ çù aliàs chŭ hī Scriptorum editionis.

Sed hoc ideo factum, quia yĕ kīm in capite eſſe ſolet; quod autem dicatur chŭ yĕ, alluſio eſt ad yĕ kīm, tanquam ab antiquiſſimâ Familiâ chŭ traditum, cum in yĕ kīm commentarios ediderit chŭ kŭm.

Commentarios habuit ſub ſŭm, τòy hu gan kīm & hu chīm kŭm; ſub mîm, xŭ húm yŏ; ſub iiſdem mîm, *yam xi kiao, lien yuen van*, cham çù chum.

Sub cîm, ſeu Dynaſtiâ hodiernâ, *vam hum çhen*, qui figuras yĕ kīm explicare conatus eſt. Item *ho kīm* qui Doctores, τᷓ hán lîn, Miniſtro *li kuam ti* facti duce, invol. 1. vol. 12. Videbis alibi horumce nominum characteres.

CVI.

Cat. Bibliot. Reg. n. 58. pag. 422.

Liber inſcriptus,

chŭ

周

id eſt, τᷓ yĕ cheŭ, (yĕ à cheŭ *traditi, media compenſata*, id eſt, *ſufficientibus commentariis repleta & illuſtrata*.

Commentarius ampliſſimus in ultimis τᷓ Kām hī annis elaboratus, idque à Doctoribus Collegii hán lîn, & Præſide magno cŏ laŏ, ſeu primo Miniſtro lî kuâm tí.

Textus yĕ kīm eminet & litteris majoribus impreſſus eſt; Commentarii minori quidem charactere, & litterâ quaſi pendente ac ſuſpenſâ, ſed perſpicuâ ſatis, & quæ lineas characteris uniuſcujuſque omnes repræſentet optimè; commentatio ubique triplex, & quadratis nigris, litterâ albâ indicata. Invol. 1. vol. 12.

CVII.

Cat. Bibliot. Reg. n. 10. pag. 370.

Liber inſcriptus,

xù

kīm

tá

civên;

書經大全

id eſt,

id eft, *magna & totalis* τῦ xŭ kīm *collectio.*

Liber xŭ kīm de iis tractat potiffimum, quæ à tempore Imperatorum yaô & xún, ufque ad chîm vâm, & tutorem ejus cheŭ kŭm, per Legiflatores mandata funt : Legiflatores dico, neque enim eft Hiftoria hujus aut illïus fæculi ; fed ut alibi oftendi, *Réflexions Critiques fur les Hiftoires des anciens Peuples*, *liv.* 3. *chap.* 21. item in Differtatione gallicâ *de Annalibus Sinarum*, excerpta funt tantummodo ex *Annalibus* tunc temporis, per tribunal hiftoricum, jam inde ab yaô inftitutum continuatis. Reperies ergo 1°. Librum xŭ kīm in libellos divifum effe *fex* ; 2°. Moralem quodammodo magis quàm Hiftoricum effe, & inde confiliis ac monitis, de *Agriculturâ*, de Reipublicæ *gubernatione*, de *Artibus*, earumque *inventione* refertum, fcilicet τῦ yaô Imperatoris ac Legiflatoris fapientiffimi gefta, per annos ferè 100. quia ad regendum Imperium, atque edocendos Magiftratus plæraque fpectant, non fine notis ubique politicis repræfentat. Multa de xún, ac præfertim de magno yŭ narrat, is enim ille eft yŭ, quem perpetuò in ore ac fcriptis habent Geographi Sinæ, cujus induftriâ ufi erant yaô & xún, cum diluvium apud Sinas, fub yaô maximum extitiffet, qui aquis ejufdem Diluvii in mare, fummâ arte derivatis, Agriculturæ in Provinciis compluribus intermortuæ, loca tandem ficca præftitit, qui ftellarum in cælo, & in unâquaque cæli parte fixarum, cognitione fatis jam perfectâ, *divifionem Imperii* ferè immenfi, in Provincias quindecim primus terminavit ; atque hæc in duobus prioribus τῦ xŭ kīm Libellis, non fine tantæ antiquitatis veneratione legere eft. Agit Liber tertius de fecundâ Familiâ xãm, *aliàs* ÿn chaô dictâ, de impii kiĕ primæ Familiæ ultimi *ejectione*, quod annis ante Chriftum 1766. aut circiter factum eft, de cŏ laô chŭm hoéi, ejufque ad chîm tãm & τῦ chîm tãm nepotem taí kiã, directis *præceptis*, ut de ÿ ÿn nominis apud Sinas fempiterni viro. Tum fequitur *Oratio* Imperatoris puôn kĕm, ejufdem Familiæ 17. ad populos τῦ hoãm hō fluminis inundationibus moleftatos, in quâ uniufcujufque, ex antiquo illo Legiflatorum concionandi more, Officia & Privatorum, & Magiftratuum refricantur, item magnorum virorum *fu ÿue* colai, Princi-

pis *vi çu ki*, atque aliùs colai *çu y*, documenta præclariffima. Quæ Libellis pofterioribus tribus habentur, ea ad Familiam cheŭ, feu tertiam, pertinent omnia ; comparet ergo illic & *vù vâm*, hujus Familiæ conditor, qui Sinas fibi tunc nuper fubjectos, orationibus nonnullis ad vitam rectè ac beatè ducendam adhortatur, & *cheu kum* Princeps, ac Regulus *ki çù*, alter Imperatoris vù vâm Frater, ac Tutor τῦ chîm vâm, vir propter integritatem ac fapientiam commendatiffimus, alter ob virtutem *Coreæ* Rex creatus. Hæc atque alia quædam in xŭ kīm enarrata, ex Annalibus illorum temporum defumpta, quis non videt, cum præceptiones fint meræ, nec vel Imperatorum fe invicem confequentium, res geftas indicent ; fed ad hunc vel illum, pro ut exemplo fuo, aut ad virtutem colendam, aut ad vitium declinandum idonei vifi funt, manifeftè referantur ?

Cæterum in eodem Libro mentio quoque fit eclipfeos cujufdam, antiquis illis temporibus obfervatæ ; de quâ, itemque aliis rebus Mathematicis, videfis *Cupletium*, *Soucietum* ac *Gaubilium*.

Commentariis autem illuftratus eft xŭ kīm ab Authoribus plurimis, inter quos celebres funt kŭm ngãn kuĕ, unus è *Confucii* nepotibus, ifque imperante apud Sinas kuãm vù tí, ex Familiâ hán, & chãm pŏ feu pŭ, fæculo 15. dum Imperium teneret Familia tá mîm. Hîc autem primùm quidem antiquos τῦ kŭm ngãn kuĕ præcedentis commentarios denuò edidit, deindè etiam addidit fuos, atque hinc eft quod editionem fuam infcripferit tá čivên.

Involucra hîc funt duo tantum, fed volumina 12.

CVIII.

Cat. Bibliot. Reg. n. 60. pag. 423.

Liber infcriptus,

xŭ
kīm
tá
čivên.

Habes characteres n°. antecedenti.

Id eft, τῦ xŭ kīm *magna collectio* à Collegio.

hán

lîn,

翰林

idque authoritate Regiâ, & fub τοῖς tá mîm, procurata, quod indicatur hîc & alibi multoties charactere

hoâm;

黃

fed denuo edita fub kâm hî.

Adfunt autem Præfationes complures, in quibus de antiquiffimis temporibus agitur, nempe de primis Imperii Sinici Habitatoribus, de vetuftiffimis Scriptoribus, &c. tum ad cheû κûm, atque illius ætatis Doctores defcenditur, quos excipiunt alii innumerabiles. Poftea loquuntur Authores de Philofophis *Confucio*, *Memcio*, de iis qui fub hán vixêre Doctis; tum multa addunt de chú hì, & iis, qui fub fûm degebant, Scriptoribus.

Præfationibus fuccedit *Catalogus* ferè immenfus, eorum, qui in xù κîm commentati funt, Authorum, & præterea additur τȣ̃ hoâm tí genealogia, & mappæ aliæ quàm plurimæ, five orbis, qualis tunc concipiebatur, five variorum inftrumentorum, à primis illis Sinis repertorum. Sed vide quæ de xù κîm annotavi nᵒ. præcedenti. Invol. 1. vol. 10.

CIX.

Cat. Biblioth. Reg. n. 11. *pag.* 371.

Liber infcriptus,

xù

κîm

書經

cȳ

chuên,

集傳

id eft, *varii in* xù κîm *Commentarii.*

Hi Commentarii Authorem habuêre Doctorem çaì chìn; vixit autem çaì chìn, imperante Familiâ fûm, & anno τȣ̃ nîm çûm ejufdem Familiæ 13. circa annum Chrifti 1190. impreffufque eft annis poftea fat multis, nempe fub finem Familiæ 21. tá mîm, idque fæculi 17. initio, invol. 1. vol. 4.

CX.

Cat. Bibliot. Reg. n. 21. *p.* 371.

Liber infcriptus,

xù

κîm

chím

κiaì,

書經正解

id eft, τȣ̃ xù κîm *recta expofitio.*

Editio hæc Commentariis illuftrata eft duobus; prior, opus eft Doctoris inter Sinas notiffimi & maximi kùm ngān κuě; pofterior, à Doctore chuên fún concinnatus, ita ut in prioris commentarios ubique notas interferat fuas; unde exurgit Commentarius ferè triplex.

Impreffus eft anno Imperatoris kâm hî 24. Itaque Chrifti 1689. Involucr. 1. vol. 8.

CXI.

Cat. Bibl. Reg. n. 12. p. 385.

Liber inscriptus,

xăm

xŭ

kĭm

tă

ciuên.

尚書經大全

Xŭ kĭm *Commentariis multorum Philofophorum eximiis illuftratus.*

Liber eft Sinarum Canonicus, ut fcis, & fecundus; judicarunt plærique, quod antea annotavi, xŭ kĭm Annalium Sìnicorum πρωτοτυπον effe, fed falfum id ego, & fupra, & peculiari differtatione demonftravi, imo ex Annalibus antiquorum temporum excerptum conftat.

Editio hæc pulcherrima, & adornata eft, ac correcta à Mandarinis. Primum volumen totum in figuras infumitur earum rerum, quæ ab antiquis hominibus Sinis inventæ : Sunt autem omnia volumina 12. Vide fupra n°. 107.

CXII.

Cat. Bib. Reg. n. 13. p. 371.

Liber inscriptus,

xĭ

詩

kĭm,

經

Hoc eft, *Odarum* feu *Verfuum Liber.* De eo hîc etiam dicendum pauló generalius ; primùm quidem Librum hunc antiquiffimum effe conftat; pertinet enim totus ad Regna xām chaô, aliàs ȳn chaô, & ad cheŭ chaô, id eft, ad tertiam & quartam Familiam Imperatoriam, quas in Sinâ non præceffère, nifi Familia hiâ & σ. Gentis Fundatores.

Deinde, fciendum tamen ad Familiam cheŭ referri Odas plæralque.

Cæterum, cum jam antea Imperium in multas partes divifum effet, ac fub uno eodemque Imperatore Regna exifterent plurima, cuncta nihilominus è Sinis conftantia; illic mores confpicias, Gentis ejufdem & Provinciarum Imperii vetuftiffimi omnium, multaque legas, quæ ut eft, femperque fuit Sinarum ingenium, ad virtutis laudem, graviter dicta, fummâ quâdam veneratione femper amplectentur Sinæ; inferta autem, lapfu temporum, fpuria nonnulla, atque Odas, temporum prifcorum gravitate non fat dignas, non diffitentur Interpretes, imo Fabulas Genealogiarum non verifimiles, quod nimiâ in Reges ac Magnates adulatione factum opinantur. Odæ numerantur 300. & quoniam *trecentorum illorum Poëmatiorum doctrinam totam eo duntaxat reduci ftatuebat Confucjus*, ne quid pravum aut turpe cogitetur, inde judicavit Cupletius apocrypha illic ineffe multa : reperiri enim impura quædam, quædam non fatis pia in *Cælum & Deum*, à quibus prifca Odarum monumenta, eo Confucii teftimonio adductus, omnino abhorruiffe exiftimat; fed pace magni Viri, id etiam affirmare poffumus, feveritatem hîc comparere nimis fcrupulofam, cum in Poëtis ex bonorum, malorumque permixtâ mentione, exempla ducantur eadem ; atque ex vitiis aptè defcriptis, atque etiam ineptè laudatis, ut ab iifdem Poëtis, apud omnes Gentes factitatum, virtus una eademque femper veneranda non raró elucefcat.

Authores harum Poëfeων illuftriffimi plærique ; fuère enim & *Imperatores*, & *Reginæ*, & *Miniftri* celebres, fic nonnullæ, Imperatorum vên vâm, vŭ vâm, chîm vâm, & ejus, quem jam

LIIII ij

multoties appellavimus, cheû kúm nominibus, inſcriptæ ſunt; quæ res propter ſolitam virorum Principum apud Sinas eruditionem omninò veritati conſen-
tanea; ſic nonnullæ etiam & à *Reginis*,
& pro *Reginis* concinnatæ, quales fuêre
τῶ vên vâm & τῶ vù vâm conjuges,
fœminæ doctæ ac virtutis cultrices.

Quod ad *Verſuum* texturam, ac tam
veterem *Poëticam* attinet, cum præter ea,
quæ in Grammaticâ noſtrâ ſummatim at-
tigimus, tractatum de Poëſi peculiarem
emittere animus ſit, hoc loco id tantummodo annotandum nobis.

1°. Species *Carminum* varias eſſe nimirum ſex. 2°. Carmina plæraque è pau-
cis ſyllabis, ac proinde characteribus
compoſita. 3°. Ita diſtributum eſſe Librum xī kīm, ut quaſi ex materiæ ordine digeſtus ſit. 4°. ſicut apud Orientales cæteros, Hebræos, Arabas, Per-
ſas, *phraſim* in multis *metaphoricam*, ita
in plurimis etiam inveniri, 5°. inde ortam
ſummam quandam *obſcuritatem* quam Sinæ *Commentariis*, *Notiſ*que diſſipare ſemper conati, 6°. atque hinc eſſe etiam profectò, quòd editiones hujus Libri multas,
eaſque alias aliis auctiores publicarînt.

Liber hic Commentarium habet Authoris celeberrimi chû vên kûm, eſtque
denuo impreſſus, imperante τῶν tá mìm
Familiâ, ineunte ſæculo Chriſti 16.
Involucrum eſt 1. volum. 4.

CXIII.

Cat. Bibliot. Reg. n. 14. *pag.* 371.

Liber inſcriptus

kién

puèn

xī

kīm,

id eſt, *Liber* xī kīm, *è Typographiâ
Imperiali, quæ vocatur* kién puèn.

Editio eſt in Urbe pě kīm, Imperatoris kām hī juſſu procurata, anno
Chriſti 1685. kām hī 24. Involucrum
1. vol. 4.

CXIV.

Cat. Bibl. Reg. n. 61. *p.* 423.

Liber inſcriptus,

xī

kīm

tá

ćivên,

id eſt, *Odarum Libri Collectio magna;
ſeu quæ Commentarios etiam repræſentat.*

Præfationes ſunt multorum Authorum, quos inter chû hī.

Figuræ ſunt rerum, de queis Odæ loquuntur, mirabilium.

Catalogi ſunt, & eorum qui in xī kīm
ſcripſerunt Authorum, & eorum, de
queis Oda unaquæque exponitur, Imperatorum.

Textus Libri ubique eminet, ſed eſt
abſque ullâ virgulâ, ut & Commentarius, quod valde incommodum. Editio
tamen kām hī tempore. Involucrum 1.
volum. 10.

CXV.

Cat. Bibl. Reg. n. 13. *p.* 385.

Liber inſcriptus,

xī

chuēn tá ćivên.

chuěn

tá

civén,

傳大全

id est, *Versuum & illustrium in Versus seu Odas Commentariorum magna Collectio.*

Videbis 1°. quæ annotavimus n°. 112, 113; ubi Authores illorum Poëmatiorum nosti Imperatores, Imperarices, Reges, Reginas, Administros Imperii, &c. quod si de Poësi curam habueris, consules *Grammaticam* nostram sub finem.

Moneo tamen editionem hanc, & amplissimam esse, & Commentariis amplissimis coornatam, idque ita ut Commentarii nunc litterales sint, & quasi interlineares, nunc per omnem Historiam divagentur, quo Poëseos sensus dilucidior fiat; unde in legendis ejusmodi *annotationibus*, fructus non nisi maximus, sive ad Poësim cognoscendam; hæc enim, licet vetusta, apud Sinas veneratione quâdam acceptissima, sive ad Historiam; nam hujus aut illius Versûs occasione, quæ ad Heroum facta, quæ ad virtutem, quæ ad Imperii gubernationem, ex omnibus omninò Authoribus, ex omnium temporum Historiis, exempla referuntur infinita. Volumina sunt ejusmodi 16.

CXVI.

Cat. Bibliot. Reg. n. 15. pag. 372.

Liber inscriptus,

lì

xí

禮記

çí

xuě,

集說

hoc est, *Varii discursus in Librum Rituum, seu Officiorum.*

De lì kí Libro, Sinici Canonis quarto, animadvertenda quædam, 1°. Eum Libris constare decem, quorum collectio ex variis priscorum Sinarum monumentis facta. 2°. *Confucio* vulgò tribui, quod tamen incertum est. 3°. Cum vulgò è traditione Antiquorum, in omnibus mores suos component Sinæ; illic agi, non solùm de variis Religionibus, ac proin de Sacrificiis, de Templis, de Sacerdotibus, de Funeribus, de Aulis Defunctorum & privatis & publicis, quo apparatu, vel Imperatores, vel Reges, vel Magistratus, in suâ quisque Urbe, aut sacrificare, aut munera sua obire oporteat; sed etiam de officiis Liberorum erga parentes, Parentum erga Liberos, Subditorum erga Magistratus, Reges aut Imperatores, Magistratuum, Regum atque Imperatorum erga Populos, Discipulorum erga Magistros, ac vice versâ; deinde Conjugum, Amicorum, Hospitum, imo de re Militari, de Musicâ, ac de infinitis Artibus, ita ut omnia humanæ vitæ munera complectatur.

Cæterum post Confucium nonnulla eidem addita, non diffitentur Sinæ ipsi; & quod quædam imperfecta videant, ad famosum idem tû xî hoâm tì incendium recurrunt: cur autem, nisi vel à Confucio, vel generatim à Majoribus suis, nihil nisi perfectissimum profectum esse arbitrantur? Authorem tû lì kí præcipuum statuunt, tòv cheû kûm, Regis vên vâm Filium, Regis vù vâm Fratrem, Patruum ac Tutorem Regis chîm vâm, qui cheû kûm etiam Regni lù Princeps; sed præterea à Confucio auctum ac locupletatum volunt.

Ab eo tempore lapsa res, seu vitæ regendæ cura, ad Philosophos Confucii sectatores, quorum unus chîm haô, imperante Familiâ sûm, sæculo Christi duodecimo, Librum hunc lì kí edidit; sed impressus est denuò anno 1685. sub kâm hî. Continet invol. 2. vol. 10.

Mmmmm

CXVII.

Cat. Bibl. Reg. n. 16. p. 372.

Liber inſcriptus,

lĭ
kí
cĭ, cĭě
xuě,

Habes characteres nᵒ. præcedenti.

Id eſt, *In Librum* lĭ kí, ſeu *Rituum &*
Officiorum Commentarius ad manum.

Editio alia τῦ lĭ kí unà cum Notis &
Commentariis Doctoris vân ỳm kueĩ ;
hic autem florebat Imperantibus tá mîm,
ejuſque opus impreſſum eſt anno Chriſti
1626. τῦ çûm chĭm anno 4. Involucr.
eſt 1. volum. 4.

CXVIII.

Cat. Bibl. Reg. n. 14. pag. 385.

Liber inſcriptus ,

lĭ

kí

xuě

ỳ

禮記說義

Senſus Orationum , ſeu *Sermonum* τῦ lĭ
kí , ſeu *Cæremonialis* , aut quod idem
eſt , *Liber Rituum explicatus.*

Repetantur hîc, quæ de lĭ kí dicta ſunt
nᵒ. 116. & 117. neceſſe non eſt ; ſcito
id tu tantummodo , editionem hîc aliam
eſſe , anno kầm hĩ 14. publicatam , in
quâ tomus primus , ſed ſeparatus ,
Præfationes de Officiis quàm plurimis
continet , ubi multa de cheũ kũm , &

antiquis Sinarum Sapientibus.

Poſt Præfationes ſequitur Index materiarum in lĭ kí contentarum.

In cæteris tomis , Liber ipſe , nec
ſine Commentariis luculentis , & volumina debent eſſe 16. Sed reperiuntur tantum 1. 2. 3. 4. 5. 6. 7. 8.
Et habentur 10. 11. 12. 13. 14. 15.
Cum ergo 16. eſſe debeant , ſunt tantum 15. deeſt 9.

CXIX.

Cat. Bibliot. Reg. n. 62. p. 423.

Liber inſcriptus,

lĭ

kí

tá

ćivên.

禮記大全

Et interius.

lĭ

kí

cĭě

xuě

禮記集說

tá

大全

civên,

id eft, *Magna tŭ lĭ kí*, feu *Libri de Ritibus collectio, unà cum diftinctione Orationum.* Author hujus editionis vocabatur chím haŏ.

De lĭ kí vide quæ annotavimus n°. 116. & 117.

Adfunt hîc Commentatorum, rerum, editionum Indices. invol. 1. vol. 16.

CXX.

Cat. Bibl. Reg. n. 17. p. 371.

Liber infcriptus,

fŭ

四書

xŭ,

id eft, *Libri quatuor.*

Hi funt, Libri quatuor, quos vulgò Confucii Libros appellamus. Vidifti huc ufque, quid fentiendum de yĕ kĭm, de xŭ kĭm, de xĭ kĭm, de lĭ kí; fi addatur fŭ xŭ, erunt qui vulgò vocantur ŭ kĭm, id eft, quinque Libri; nam quod aliquando dicantur lŏ kĭm, inde eft, quod, ut diximus, chûn ĉieŭ non raro adjungatur.

Commendantur autem hi quatuor Libri, non folùm quod, quidquid in præcedentibus prudentiæ ac fapientiæ eft, graphicè repræfentent, fed etiam, quod ad *Doctorius* Sinici Gradus, ac proinde ad Magiftratum apud Sinas admittatur nemo, nifi & ex illis unum colluerit, quem ipfi ad arbitrium fuum feligunt, & hunc à capite ad calcem totum didicerit, ac memoriter teneat.

Dicunt tamen vulgò ideo nominari Libros quatuor, quia à Philofophis 4.

editi, qui funt *Confucius*, *kum fu çu*, primus Author; *çu çu*, aliàs *se tius*, *Confucii* Nepos, *çem çu*, ex aliâ Familiâ Philofophus, *mem çu tŭ çu çu*, itidem *Confucii* Nepotis Difcipulus : Ut ergo partes hafce quatuor cognofcas,

Prima, quæ omninò *Confucii* nuncupatur tá hiŏ, *magna feu magnitudinis fcientia*, quod alii *Magnatum*, alii *Adultorum* fcientiam vertunt; quod fi *Adultorum*, id nempe eft, eorum qui *Ratione* fuâ jam uti poffunt; hic enim eft Libri fcopus, ut ex illo nobis innato lumine, inter homines per libidinum ac cupiditatum impetum fæpius obfufcato, animum ad fe, ac proinde ad ftatum, homine ratiocinante dignum reducat, indeque, tanquam è fonte, varia ejus officia, non quoad animum tantummodo, fed etiam quoad corpus, cujus difpofitio ex animi ftatu pendet, abfque difficultate aut ullâ repugnantiâ deriventur. Hæc autem non fiunt, nifi per Sententias gravitatis plenas, & aliquando etiam veterum Librorum, aut Hiftoriarum authoritate fuffultas.

Tá verò per Magnates malè converti cave credideris, namque etfi ad omnes homines rationi conformandos dirigatur Philofophi Oratio, tamen ad Magiftratus ac Reges præcipuè fpectat, quod ex bonis Superiorum moribus, populos etiam ad meliòrem frugem retrahi ubique infinuet. Liber eft profectò brevis, fi molem, fed fi Majeftatem quandam Philofophicam fpectes, admirabilis. Hæc autem pars τῶν fŭ xŭ eft omninò *Confucii*, ut dixi.

Secunda, quæ çŭ çù τ̀ cĕm çŭ, eft chŭm yûm, & eft & tractat iterum de hominum *officio*, fed fcopus ex ipfâ ejus denominatione judicandus; nam chŭm fignat *medium*, & yûm *ufum*, *officiumque*; eft ergo Liber de illo *medio*, quod tantopete inculcavit Ariftoteles, de aureâ illâ *mediocritate* quam fuadet Horatius, aut de eo, quod Terentius in Proverbium convertit, ut *ne quid nimis*. Sed juxta Interpretes, quod tamen expendemus aliquando xρiτικωτέρῶς, in hâc parte defunt non pauca, & fuperfunt tantum Libri longioris fragmenta. Adjudicatur etiam *Confucio.*

Pars tertia, feu lún yù, feu *ratiocinantium colloquia*, aut *fermones* : in hoc nimirum Libro, fermocinantur inter fe Philofophi, & multa de virtutibus, de vitiis differunt, difputantque, fed bre-

viter, ac Sententiis quibufdam ponde-
rofis, non longo orationum circuitu,
nec per argumentationem fcholaſticam,
hæc enim & quidquid ad ratiocinationem pertinet, quodammodo fupponunt
Sinæ, in plærifque operibus Philofo-
phicis, ac per exempla & Hiſtorias fæ-
piſſimè docent : illic ergo de multis aliis
Philofophis, non de Confucio folùm
agitur, fed Heros tamen ubique *Confu-*
cius, five de virtutum exercitatione,
five de vitiorum culpatione ac fugâ,
five etiam de bonis ac malis Magiſtratibus, Regibus, Imperatoribus, feu denique de Reipublicæ gubernatione,
exempla afferantur. Quæ omnia mêm çù
collegit, ita ut fæpe Philofophorum
antiquorum fermones ac verba, qualis
fuit apud Orientales docendi mos, non
rarò etiam ex eorum operibus excerpta quædam, memoriæ tradat. Hujus Libri *phrafis* nitidior ac fimplicior quam
priorum, ideoque ab incipientibus aſſi-
duè atque accuratè legatur, neceſſe eſt,
ut & mêm çù, de quo nunc agendum.

Quarta pars igitur, cujus Author hic
mêm çù, oratione itidem eleganti, (nam
Confucium eloquentiâ vicit) *Moralis*
etiam tota eſt, & fi ad molem fpectes,
reliquas tres una æquat, fcriptaque eſt
annis poſt Confucium 100. τον mêm çù
autem Difcipulum τζ çú çù, Confucii
nepotis, fuiſſe diximus, inde Doctrinam
ubique eandem eſſe conjicis.

Et reverâ una eademque eſt, &
à Sinis Doctoribus ita adoptata, ut ex
his Libris, quos ideo *Claſſicos* vocant,
ea depromantur omnia, quæ ad Gradus
Baccalaureatûs, *Licentiatûs* & *Doctora-*
tûs confequendos, inferviant, quod nec
mirum eſſe cuiquam debet, propter
fummam hujus Philofophi elegantiam
ac fubtilitatem.

Illinc etiam profecta cæterorum
Sinicæ Gentis Scriptorum, tum veterum, tum recentiorum opera tot ; funt
enim, fiuntque quotidie in hos eof-
demque Libros numero infinita. Itaque Commentariis longe doctiſſimis il-
luſtrati olim prodiere, & à chù vên kûm
& à multis aliis Philofophis, inter quos
fuit chîm kiaǒ chîm Regni Adminiſter
ac Præceptor τζ ván liě. Familiæ tá
mîm ultimi, quod in hâc editione confpicere eſt, eo fcilicet confilio procu-
ratâ, ut hujus Imperatoris tum *mi-*
noris ſtudia atque inſtitutionem adju-
varet.

Eſt autem involucr. 2. vol. 12.

CXXI.

Cat. Bibl. Reg. n. 16. *p.* 386.

Liber inſcriptus,

日 gě

講 kiàm

四 sũ

書 xũ

解 kiaì

義 ý,

id eſt, *Senfus explanatorius* τζ sũ xũ
quatuor Librorum, ad explicationes quoti-
dianas, editus anno Kam hì 16.

In Principio *Præfationis* funt duo
characteres yũ chî, queis Imperatorum
felicitas & magna in regnando virtus indicatur : id vulgò apponitur, cum Imperatorum juſſu vel Liber, vel Editio
publicatur. Vide fupra n°. 1.

Præfatio hæc eſt magnifica, de antiquis
Philofophis, eorumque doctrinâ ac virtutibus, de tá hiǒ, chũm yũm, lún yù,
mêm çù; contendit etiam Author, additis τζ û kîm, feu aliis quinque Libris Canonicis, Legem ac Doctrinam
Sinarum totam componi.

Tum adfunt Doctorum tum *Pekimen-*
fium, tum *Nankimenfium* Approbationes
& figna.

Poſtea in tá hiǒ incipit *Paraphrafis*,
quæ facilis & quafi fermone familiari,
certè ex aliis eorumdem Librorum locis
defumptu**s**

desumptus hic sermo, & methodo omnino commoda, atque à paragrapho ad Paragraphum progreditur. Vide numerum 120. ubi hujus editionis occasione, de Libro generatim locuti sumus. Cæterum volumina sunt 26. desunt tamen 3. 12. 13. 14. 16. 18. 22.

CXXII.

Cat. Bibl. Reg. n. 22. p. 395.

Liber inscriptus,

sïa
puón
fuēn
chàm
fuēn
çiĕ
sú
xũ
chím

新判分章分節四書正

vên, 文

id est, sù xũ, seu *Confucii Librorum apta & recta compositio, partibus eorum & paragraphis, novo quodam modo & judicio collocatis.*

Habetur hujusmodi tá hiŏ tantum, idque characteribus malè exaratis. Vol. I.

CXXIII.

Cat. Bibl. Reg. n. 23. p. 395.

Liber inscriptus,

cĕm
pù
sú
xũ
kiàm
ý
yĕ
kién

增補四書講意一見

Nnnn

nêm

kìai,

能解

id est, *Additiones & Supplementa ad Librum* sŭ xŭ kiàm, *ita ut uno intuitu intelligi sensus possit.*

Sunt autem Libri Confucii tá hiŏ, lûn yú, mêm çù, character est minutior, sed nitidus, & commentarius facilis; sed desunt aliquot volumina, & sunt hic 10.

CXXIV.

Cat. Bibliot. Reg. n. 66. p. 424.

Liber inscriptus,

sŭ

xŭ

chŭ

çù

ý

tûm

tiâo

四書朱子異同條

---

pién,

辯

id est, *Librorum quatuor loca differentia & similia,* à chŭ hí *notata & conciliata.* tiâo pién propriè numerus præfixus.

Est ergo editio Librorum Confucii & mêm çù, unà cum concordiâ à chŭ vên kŭm, seu chŭ hí concinnata, cujus Procurator

lì

poeî

lîn,

李裘裕

chŭ çù, ut sæpe dixi, vivebat sub τῶν sûm Dynastiâ: facta est Imperante kām hĭ, anno ejus 44.

Invol. 2. quorum prius Libros tá hiŏ & chŭm yūm, posterius mêm çù tantum, & deest lûn yù. vol. 14.

CXXV.

Cat. Bibl. Reg. n. 25. p. 395.

Liber inscriptus,

tá

hiŏ

chím

vên,

大學正文

id eft , τὺ tá hiŏ *primi Libri Confuciani apta compofitio.*

Apud Sinas inolevit opinio vetus, quæ Fabula , Libros olim incenfos , idque illi incendio attributum, quod frequenti tranfcriptioni apud nos & verè datur; itaque reperti funt multi , qui Paragraphorum Confucianorum ordinem quafi interverfum repararent. Hinc illi Tituli. vol. 1. parvulum, & fat malè exaratum.

CXXVI.

Cat. Bibl. Reg. n. 67. p. 424.

Liber infcriptus ,

chãm

張

xŏ

閣

laó

勞

chĕ

直

kiaì,

解

id eft , τὺ *Colao cham textûs Librorum 4. explicatio fincera.*

Author ergo hujus explicationis

chãm

張

kiù

居

chím,

正

qui primus Regni Adminifter, Imperantibus mîm.

In primo volumine eft tá hiŏ in fecundo chũm yũn. In 3. 4. 5. 6. 7. 8. lũn yù. In 9. & cæteris mêm çù. Invol. 2. vol. 16.

CXXVII.

Cat. Bibliot. Reg. n. 63. pag. 423.

Liber infcriptus ,

chũn

春

cieũ

秋

tá

大

civên,

全

ift eft , *Libri à Confucio editi , & Veris atque Autumni nomine infcripti , collectio magna , five unà cum variorum Commentariis.*

Quid fit chũn cieũ , habes fupra n°. 48. inter Libros Hiftoricos, quod reverâ de Hiftoriâ agat.

Hic eo ordine pofuimus , in quo à Sinis vulgo ponitur, editus eft fub kãm hî , & interpres eft fũm mûm sũm.

Eft autem in primo volumine *Index* rerum ampliffimus , imo diffectio & ordinatio *chronologica* , unà cum *Mappâ geographicâ* eorum, queis de , in chũn cieũ agitur , locorum. Eft involucr. 2. vol. 8.

Nnnnn ij

CXXVIII.

Cat. Bibl. Reg. n. 13. *p.* 429.

Liber infcriptus,

chûn

cieû

çð

chuên;

春秋左傳

id eft, *Ver & Autumnus*, feu opus *Confucii* ita vocatum, unà *cum Annotationibus & Commentariis à latere pofitis.* Commentarii funt variorum, ac præcipuè кúm ŷn tǎ. invol. 1. vol. 24.

CXXIX.

Cat. Bibliot. Reg. n. 14. *p.* 429.

Liber infcriptus,

chûn

cieû

kú

leâm

春秋穀梁

chuên

ûlh

yà

傳爾雅

id eft, chûn cieû, *unà cum annotationibus* 785 xù leâm, fupra nᵒ. 48. 49. 50.

Invol. eft unius & vol. 6. fed quibus fubjungitur ejufdem 785 xě sān ultimum opus, quod vocavimus ûlh yà, & Dictionarium eft antiquum. ejufdem cum fuperiori involucri, & vol. 2.

CXXX.

Cat. Bibliot. Reg. n. 15. *p.* 429.

Liber infcriptus,

chûn

cieû

кûm

yâm

chuên.

春秋公羊傳

Alius eft commentarius in chûn cieû. invol. 1. vol. 10.

CXXXI.

CXXXI.

Cat. Bibliot. Reg. n. 16. pag. 429.

Liber infcriptus,

mém

çù.

lún

yù.

&

hiaò

kīm,

孟子論語孝經

id eft, *Liber* 孟 mém çù, *Liber* lún yù, & *Liber* hiaò kīm, ejufdem editionis, & unà fimul compacti, feu in eodem involucro.

Mém yù eft voluminum 6.
Lún yù eft voluminum 4.
Hiaò kīm eft voluminis 1.

CXXXII.

Cat. Bibliot. Reg. n. 68. pag. 424.

Liber infcriptus

kūm

xí

孔氏

kiā

yú.

家語

De Familiâ & Domo Confucii, Oratio, feu de Confucio, ejufque verbis & apophtegmatibus. Liber, quo vita Confucii tota, licèt breviter, ac præterea ejus Scientia Moralis, imò etiam de elementis ac naturâ opiniones. Involucrum 1. volum. 4.

CXXXIII.

Cat. Biblioth. Reg. n. 20. pag. 395.

Liber infcriptus,

ù

kīm

pām

hiún.

五經旁訓

id eft, *Commentarius lateralis* τῶν ù kīm, feu *quinque Librorum.*

Notæ funt marginales ad unumquemque Librum Canonicum; fcilicet ad yĕ kīm, xū kīm, xī kīm, lì kí, sù xû & chūn cieū.

De quibus vide fupra numeris 97. 106. 112. 116. 120.

Sunt ergo hîc ad yĕ kīm volumina 2.
Ad xū kīm volumen 1.
Ad xī kīm volumina 2.
Ad chūn cieū volumina 2.
Ad lì kí volumina 5.

CXXXIV.

Cat. Bibliot. Reg. n. 21. pag. 395.

Liber infcriptus ,

Xǔ kīm , lì kí , xī kīm & chūn cieū , itidem pām hiún , unà cum marginali, feu potius laterali commentario.
Sunt autem volumina
　　xǔ kīm 2.
　　xī kīm 1.
　　lì kí 3.
　　chūn cieū 2.
Itaque vol. 8. nam defunt & yě kīm & sū xǔ hujus editionis.

CXXXV.

Cat. Bibliot. Reg. n. 15. pag. 386.

Liber infcriptus ,

kīm

yên

xě

kiaí ,

經筵直解

Hoc eft , *In Libros Clafficos expedita & vera expofitio.*
　Commentarius eft duplex , in tá hiǒ, chūm yūm , lún yù & mém çù ; alter eft fuperior , inferior alter. Cæterum ex ipfius *Confucii* & *Memcii* verbis conflantur , ut folet , fed tamen minus accuratè , & minus ad verbum quam gě kiām : chūm yūm eft unà cum tá hiǒ in primo volumine. Liber verò impreffus anno kām hī 22. fed ita ût characteres negligentius fculpti ac peffimè exarati fint : unde mala editio. Volum. 5.

Commentaria vulgò infcripta ,

xě

sān

kīm

十三經註疏正義

id eft , *Libri* 13. *vulgò vocati* kīm. Etfi in hunc numerum relati fint , qui propriè non Canonici, unde exurgit numerus 13. Sunt autem ita compofiti : in plærifque *Commentarius* & *Paraphrafis* , interpretatio vocatur.

chú　　commentarius

&

sū　　penetratio.

Paraphrafis dicitur

chím　　rectus

ý.　　fenfus.

In ipfo commentarii corpore ; primus ergo eft.

CXXXVI.

Cat. Bibl. Reg. n. 45. p. 421.

Liber infcriptus ,

周易

cheũ

yĕ,

id est, yĕ τῶν cheũ, aut à cheũ kũm olim illustratus.

Qui Liber primùm unà cum interpretatione editus à

vàm

pí,

恮此

sub τῶν goéi Dynastiâ; postea etiam cum paraphrasi à

孔

kùm

ỳm

穎

iă

達

regnantibus tâm. Invol. 1. vol. 6.

CXXXVII.

Cat. Bibl. Reg. n. 46. p. 421.

Liber inscriptus.

xũ

書

ктм

經

Iterum unà cum chím ý, seu paraphrasi, Authore

孔

kùm

氏

xí,

qui sub Dynastiâ τῶν hán vixit, & præterea cum interpretatione ejusdem kùm ỳm tă, sub tâm factâ. Inscriptio autem est xám xũ ктм, ubi xám vel abbreviatus character, pro xám chaõ, & erit των xám xũ kĩm, quale à Dynastiâ xám traditus est, vel est pro *magnificentiâ*, & tunc erit, τῶ xũ kĩm editio magnifica: additur in plærisque *Commentarius* aliàs vocatus chuên. Involucrum 1. vol. 8.

CXXXVIII.

Cat. Bib. Reg. n. 47. p. 421.

Liber inscriptus,

毛

maò

詩

xĩ

註

chũ

疏

sũ,

id est, xí kĩm unà cum τῶ chím xí, chũ sũ, seu *Commentario*, & τῶ kùm ỳm tă, chím ỳ, seu *Paraphrasi* ad rectum sensum; alter sub hán, alter sub tâm scripsit. Invol. 2. vol. 20.

CXXXIX.

Cat. Bibl. Reg. n. 48. p. 421.

Liber inscriptus,

Oooooij

 chūn

春秋

cieŭ,

vel infcriptus chūn cieŭ çō chuên, id eſt, *Liber* chūn cieŭ, ſeu *Veris & Autumni*, cujus Author Confucius, commentariis ad marginem illuſtratus ab hī hī ĸú.

In eo etiam reperitur commentarius à ĸūm y̆m tă, qui ſub tâm, & paraphraſis hī hī ĸú, qui ſub hán. Involucr. 3. vol. 30.

CXL.

Cat. Bibl. Reg. n. 49. p. 421.

Liber infcriptus,

ĸŭ

穀梁公

leâm

ĸím,

aliàs ĸú leâm.

Opus aliud, etiam in eundem chūn cieŭ, cum çŭ sŭ, ſeu *commentario*, & chìm y̆, ſeu *paraphraſi* ad ſenſum enucleandum. Commentarius eſt à fán nín çhï, & paraphraſis à

yâm

楊士

sŭ

hiŭn.

勛

Invol. 1. vol. 6. videtur imperfectus.

CXLI.

Cat. Bibl. Reg. n. 50. p. 421.

Liber infcriptus,

chūn
cieŭ
ĸūm
yâm
chuên.

Habes characteres ſupra n°. 130.
Commentarius τŭ̆ ĸūm yâm in chūn cieŭ. Author *Commentarii* tú xì, qui ſub cýn, *paraphraſeos*, ĸūm y̆m tà, qui ſub tâm vixit. Invol. 1. vol. 12. vid. tú xì, n°. 152.

CXLII.

Cat. Bibl. Reg. n. 51. p. 421.

Liber infcriptus,

chēu

周禮

li,

Liber de Ritibus Sinarum antiquiſſimus.
Commentario & *paraphraſi* ornatus eſt; *Commentarius* Authorem habet chím xI, qui regnantibus hán vixit. *Paraphraſis*

ĸūm

公彦

yén

sĭn,

sũ,

疏

qui sub tâm.

Impreſſio facta eſt ſub çùm chín, anno ejus 12. invol. 1. vol. 9.

CXLIII.

Cat. Bibliot. Reg. n. 52. p. 422.

Liber inſcriptus,

lĭ

禮

kí

記

Liber lì kí, de quo vide ſupra nº. 116. 117. unà cum *Commentaris* tũ chím xî, hán regnantibus, & *Paraphraſi* tũ xũm ỳm tà, ſub tâm. Invol. 3. vol. 28.

CXLIV.

Cat. Bibl. Reg. n. 53. p. 422.

Liber inſcriptus,

ý

儀

lì

禮

Commentarius eſt à chím xî, hán regnantibus; *Paraphraſis* à

kià

賈

kũm

公

---

yén,

彥

ſub tâm. Volumina 14.

CXLV.

Cat. Bibliot. Reg. n. 54. p. 422.

Liber inſcriptus,

úlh

爾

hiá,

雅

id eſt, úlh hiá *ad aurium ſenſum recta pronuntiatio* : Dictionarii neſcio quid, antiquum certè, kuó pù Author, erat ſub cýn : *Paraphraſten* habuit

nă

那

pìm,

昺

idque ſub ſũm; unde Liber vetus, ſed ordo *characterum* miſerrimus, ita ut hunc vel illum characterem & quærere & reperire difficillimum ſit, cum phraſes potius quædam explicatæ, quam verum Dictionarium aut vocabularium videatur, ac præter nullus index ſubjectus ſit. Invol. 1. vol. 4.

CXLVI.

Cat. Bibl. Reg. n. 55. p. 422.

Liber inſcriptus,

hiaó

孝

ḱìm,

經

De obedientiâ filiali. Author fuit ná pìm, de quo supra, & vixit sub súm. vol. 1.

CXLVII.

Cat. Bibliot. Reg. n. 56. pag. 422.

Liber inscriptus,

lûŋ

論語何憂那晃

yŭ.

Commentatores

hó

yeú

sub Dynastiâ guéi, &

ná

pìm,

sub súm, Invol. idem consequentis, sed vol. 4.

CXLVII.

Cat. Bibl. Reg. n. 56. p. 422.

Liber inscriptus,

mém

孟子趙氏孫奭

çú,

De quibus vide Commentatores

chaó

xí,

sub hán, &

fān

xě,

sub súm.

   Atque hæc sunt volumina nuncupata xě sān ḱIm, Libri 13. quod reverâ pulchra sint, charactere quidem exiguo, sed nitido satis.

CXLIX.

Cat. Bibl. Reg. n. 5. p. 428.

Liber inscriptus,

周易

cheû

yě,

id est, yě τȣ̂ν cheû, seu à cheû ḱûm olim *Commentario illustratus*, unà cum

notis τ῏ kŭm ўm tă, &c. eſt invol. 1.
vol. 6.

Editio, cujus characteres non magni,
ſed nitidiſſimi, & Liber τ῏ν xĕ sān kīm
primus. Vide poſt numerum 135.

CL.

Cat. Bibliot. Reg. n. 7. p. 428.

Liber inſcriptus,

xám

xŭ,

尚書

id eſt, *Libri xŭ kīm*, *Editio magnifica*,
quod jam obſervavimus ad xĕ sān, n.
137. Invol. eſt 1. vol. 8.

CLI.

Cat. Bibl. Reg. n. 8. p. 428.

Liber inſcriptus,

maò

xī

chú

ſŭ,

毛詩註疏

id eſt, xī kīm *Commentarius illuſtratus*,
Vide ſupra n°. 101. 102. & ſeq. Invol.
2. vol. 20. Editio eſt pulcherrima.

CLII.

Cat. Bibl. Reg. n. 9. p. 428.

Liber inſcriptus,

tú

xī

ćivên

ciĕ,

杜詩全集

id eſt, τ῏ xī kīm, ſeu *Libri Odarum*,
omnes partes à fù, aliàs ſù kŭm, & lì,
aliàs lì kín commentariis illuſtratæ, editio nova, in quâ Indices multi, tum
Odarum, tum eorum, qui in eaſdem Odas
ſcripſerunt, Authorum, ac præterea rerum ac Perſonarum, de quibus in iiſdem
faɕta mentio eſt : additus eſt novus *Index* Chronologicus. Invol. 1. vol. 12.

CLIII.

Cat. Bibl. Reg. n. 10. p. 428.

Liber inſcriptus,

cheŭ

lì,

周禮

id eſt, lì kīm, τ῏ν cheŭ, cui additi
Commentarii & Paraphraſes, Authoribus kŭm yên, &c. Vide quæ ſupra annotavimus in xĕ sān kīm. Invol. eſt 2.
vol. 16.

CLIV.

Cat. Bibl. Reg. n. 11. p. 429.

Liber inſcriptus,

Ppppp ij

lì

kí

chím

ý

禮記正義

id eft, *tū lì verus fenfus*, in quo *tū kūm ỳm tă Commentarii*, idem eft qui fupra inter *xĕ sān*. In vol. 2. vol. 24.

CLV.

Cat. Bibl. Reg. n. 29. *p.* 395.

Liber infcriptus,

mém

孟

çù.

子

Pars eft quarta Librorum Confuciano-rum, fed peffimè impreffa. 1. vol. cæterum idem eft, qui alibi *Commentarius.*

CLVI.

Cat. Bibliot. Reg. n. 64. *p.* 382.

Liber infcriptus,

mém
çù.

Habet characteres nº. præcedenti.

id eft, mém çù, unà cum *Commentario* perpetuo. Liber imperfectus, vol. 1.

CLVI.

Cat. Bibl. Reg. n. 65. *p.* 382.

Liber Claffaicus vulgò dictus mém çù, unà cum antiquorum Magistrorum *Commentariis.* Propriè eft *tū* Libri mém çù kivên 7.

Commentarius duplex eft, & duplici charactere. Vol. 1.

De Jure & Officiis.

DE JURE ET OFFICIIS.

CLVIII.

Cat. Bibl. Reg. n. 41. pag. 377.

Liber inscriptus,

xim

聖
語

yŭ,

id est, *Sancta Institutio.*

Norunt omnes, qui Historiam vel à limine salutarunt, in Orientalibus Regibus atque Imperatoribus superbiam semper summam fuisse, darìque ipsis eos titulos, unde è cælo descendisse judicares: sic & olim & nunc Persidis Reges, *Solis Filii*, sic Turcarum Sultanus, *Marium ac Terrarum Dominus supremus*, quam jactantiam inter Christianos, non semel imitati etiam sumus. Itaque ab Imperatoribus Sinarum eum quoque morem assumptum, aut etiam ab initiis usitatum, eo minus mirum esse debet, quo Imperium majus, latiusque. Monarcha ergo est Imperator Sina, potentissimus, Terrarumque solus partem sane optimam ac potentissimam possidet, præterea jussa ejus irrefragabilia, & quasi unus homo esset, ita, quæ in totâ Sinâ fiunt, ad ejus unius nutum geruntur, omnia. Addemus hîc quoque id ita insitum, atque in mente repositum altius, Imperatoribus Sinarum cunctis, ut dum *Cæli Filios* à subditis appellari se non dedignantur, seipsos tamen eorumdem subditorum *Patrem*, *Matrem*que nuncupent, quod nomen vigilantiâ suâ, & summo quodam erga eosdem subditos amore, imo, quod alibi rarissimùm, scriptis eo consilio Libris, cum plærique Litterati sint, meritò consecutos constat.

Inter tantos Imperatores, kām hī maximè illustrem fuisse itidem non negant, qui per longum illud, quo regnavit temporis spatium, Sinas adière: illic enim non solùm Litteras florere in primis, ac per omnes Imperii partes, in

summo honore esse, verùm etiam tot Litteratorum gregibus, qui ex ipsâ Imperii constitutione infiniti, fuisse sciunt cognitionum ac Scientiarum gloriâ, superiorem Imperatore tanto neminem.

Inde opera generis cujusvis, Philosophorum, Poëtarum, Oratorum, Historicorum, Politicorum, Artificum ac Mathematicorum, &c. ejus jussu recognita, ac denuò edita innumerabilia.

Inde scripta ab ipso etiam plurima, & elegantissima & magnâ rerum ferè omnium cognitione refertissima: sed qui est illic regnandi scopus, ut singula Imperii membra, per tantum corpus munere unaquæque suo rite fungantur; præter varias aliûs generis lucubrationes, hanc quoque institutionem adornavit, quæ summo in pretio habita est, Sinâsque omnes, ad honestam vitæ rationem, brevi officiorum uniuscujusque conditionis expositione traduceret: est autem id uno hoc Libro executus.

In cujus decursu, de variis Religionum Sinicarum Sententiis cum disserat, non mirabitur Lector, si quid, in Christianâ quoque Religione reprehendendum indicarit. kām hī enim, vir profectò maximus, atque inter Philosophos etiam magnos numerandus, quamquam Religionem Christianam, inter subditos suos jam repertam non contempserit, imo laudabili quâdam patientiâ crescere in Imperio suo sineret, quòd ejus dogmata ad virtutem ferant omnia, nec quidquam rectæ Regnorum gubernationi obstent, tamen cultum ac Religionem Mandarinicam profiteri non cessavit, Litteratorum ipse Princeps, non omnino Christianus.

Liber est elegantissimè impressus, & volum. I.

CLIX.

Cat. Bibliot. Reg. n. 42. pag. 377.

Liber inscriptus,

siaò

小

hiŏ.

學

seu titulo ampliori.

hiăŏ

孝

kīm

經

siaŏ

小

hiŏ

學

ciĕ

集

chú,

註

id eft, *Parvulorum inftitutio*, feu *Liber obedientiæ, in quo, quidquid ad puerorum inftitutionem pertinet, continetur.*

Hic autem Liber non aliud, quam collectio ex ampliori tractatu, cujus titulus vên kūm kiă lí.

Jam vidifti supra vên kūm nomen esse, quo insigniri solet chū hī, qui aliter vulgò chū vên kūm, sed quod chū hī apud Sinas, inter Philofophos habeatur ferè summus, & de omnibus Litteraturæ partibus optimè meritus sit; idcircò quæ de morali difciplinâ, & rectâ morum conformitate scripsit, ea apud eofdem Sinas semper facta funt maximi: atqui ad capita ferè quinque omnia à Sinis Philofophis relata funt in *Moralibus.*

Tractant igitur 1°. De *officiis Princi-*

2°. De *officiis Parentum* erga liberos, & liberorum erga parentessuos, quâ de materiâ apud cæteras Gentes differitur.

3°. De *officiis Viri* erga uxorem, & uxoris erga virum.

4°. De *officiis Fratrum* majorum erga fratres natu minores, quo in loco ea etiam officia enarrantur, quæ funt *Superiorum* erga inferiores, & vice versâ, inferiorum erga fuperiores.

5°. De *officiis amicorum* inter fe, & generatim civium, hoc eft, hominum in eâdem republicâ, in eodem Imperio inter fe viventium.

Hic Liber Authorem habuit chū ū piĕ, fæculo Chrifti 13°, Imperante Familiâ fúm 19. Impreffus autem eft fub kām hī, & volumina funt 2.

C L X.

Cat. Bibl. Reg. n. 43. *p.* 377.

Liber infcriptus,

tá

大

çīm

清

lŭ,

律

id eft, *Lex magna puritatis.*

Magna puritatis, feu tá çīm nomine, intelligunt eam, quæ nunc apud Sinas regnat, Familiam Tartaram: quo modo enim, qui præceffère Sinæ vocati funt tá mīm, *magna claritatis*, ita qui nunc Imperium habent Tartari, dicuntur tá çīm, *magna puritatis.*

Hic Liber ab iis, qui Tribunali Rituum præfunt Mandarinis, confcriptus eft, complectiturque variá Imperatoris xún chí & kām hī *Edicta*, & *Commentarios* ad ea ftabilienda neceffarios. Vol. eft 6.

C L X I.

Cat. Bibl. Reg. n. 17. *p.* 286.

hiaò

kīm

yĕn

ȳ,

孝經衍義

id est, *τᵘ* hiaò kīm, seu *Libri de obedientiá, sensus ad omnia exundans.* Hæc est enim vera vocis yĕn notio.

Non repetam hoc loco, de officiis hîc agi, quæ apud Sinas habentur 5. Vide quæ annotavi ad eundem Librum n°. 159. vol. 1.

CLXII.

Cat. Bibl. Reg. n. 47. p. 378.

Liber inscriptus.

ŭl

xĕ

sù

hiaò,

二十四孝

id est, *τῶν* 24. *obedientia.*

Fit hic mentio amplissima Antiquorum quorumdam magni nominis Virorum, qui veneratione erga Patres suos

ac matres suas summâ & admirabili, toti Imperio admirationi fuerunt : explicatur, quî officia *obedientiæ* omnia Patribus ac Matribus præstiterint, quæ apud Sinas laus maxima, non solùm in singulis ac privatis hominibus, sed etiam in Magnatibus, Principibus, Imperatoribus ipsis ; & hujus aut illius occasione veniunt *Historiolæ* à Magistris puero unicuique accuratè inculcandæ, è quibus, tanquam exemplis obedire discant : quæ virtus reipsâ per totam Sinam mirum in modum exercetur, ita ut, quod apud nos tam frequens, in Sinâ, filius patri refractarius monstri loco habeatur, & sæpius hîc *furem* aut *latronem* reperire sit, quam apud Sinas natum genitori inobsequentem. Vol. 1.

CLXIII.

Cat. Bibl. Reg. n. 64. p. 423.

Liber inscriptus,

ȳ

lì

kīm

chuên

tûm

kiài,

義禮經傳通解

id est, *Commentariorum* ȳ lì *explicatio generalis.*

Inter xĕ sān kīm n°. 144. habes ȳ lì kīm, unà cum *Paraphrasi* & *Commenta-*

Q q q q q ij

CATAL. DE JURE ET OFFICIIS.

432

rio fub hán & fâm fcriptis. Hîc Commentariorum eorumdem , & aliorum poftea Scriptorum enarrationes vides ampliffimas , idque ex *traditionibus* , quam vim infert vox chuên hoc loco ufurpata ; funt autem *Præfationes* plurimæ , in quibus de antiquâ Sinarum adminiftratione, & variorum, quæ intra Sinam funt, Regnorum ritibus.

Annotabis autem poft vol. 6. titulum effe paulò alium , fcilicet

ỳ

ù

ciĕ

chuên,

義禮集傳.

quafi dicas τῶν ỳ lì *Sectionum & Articulorum partitio* , quæ per vol. 7. & 8. perpetua. Itaque involucr. 1. tituli 2. volum. 8.

CLXIV.

Cat. Bibl. Reg. n. 65. *p.* 424.

Liber infcriptus ,

ỳ

lì

kīm

義禮經

chuên

tûm

kiĕ

sŭ , sŏ,

傳通解續

id eft , *Ad expofitiones Commentariorum ac Traditionum in* ỳ lì kīm, *additiones ac fupplementa.*

In hoc Libro, rerum ferè omnium , id eft , omnium vitæ officiorum declaratio eft , item quæ ad Religionès ac fuperftitiones Sinicas fpectant: illîc ergo leges, quæ de xám tì, de *Sole* , *Lunâ* ac *Stellis*, de variis *Terræ* , atque aliarum *Naturæ* partium Spiritibus, de *Sacrificiis* ab Imperatore Cælo ac Terræ faciendis, Sinæ & nunc & antiquitus agitarunt. Vide interim, quæ de lì kí annotavi n°. 116. 117. 118. 119. Involucra funt 2. vol. 16.

CLXV.

Cat. Bib. Reg. n. 12. *p.* 429.

Liber infcriptus ,

ỳ

lì,

義禮

id eft , *Liber* ỳ lì, in quo fenfus τᾶ lì kí aperitur , unà cum novo Commentario.

Idem eft, qui impreffus inter xĕ sān , n°. 144.
Involucrum 1. volumina 12.

CLXVI.

CLXVI.

Cat. Bibl. Reg. n. 44. p. 378.

Liber inscriptus,

ćïn

xïn

pién

lán,

縉紳便覽

id eſt, *Eorum, qui ad Mandarinatum per-venerunt & magnum cingulum, commoda & ad manum inſpectio.*

Catalogus eſt omnium omnino Mandarinorum, ſeu Imperii Sinici Magiſtratuum. Imprimuntur hujuſmodi quotannis; ſed cum ſint Libri hice è genere Almanachico, ſæpe impreſſio eſt peſſima & abominanda, & talis eſt, quæ in hoc Libro conſpicitur. Cæterum Liber eſt per ſe curioſus ſatis, cum officia ſingula, ac præterea loca aſſignet, Imperiique hinc totius, quoad Magiſtratus & functiones Magiſtratuum mentionem faciat, eſt autem volum. 1.

CLXVII.

Cat. Bibliot. Reg. n. 15. pag. 394.

Liber inſcriptus,

tǒ

xǔ

hiún

kiaì,

鐸書訓解

id eſt, *Expoſitio & explicatio rerum cam-panâ (dignarum.)* Senſus eſt, *earum rerum, ob quas ad Limen Regium accedere poſſunt Sinæ.*

Sciunt omnes negotia, vel potius ſcelera quædam eſſe, quorum causâ aditum ad ſe Reges ſubditis ſuis permittunt; ſic apud Sinas, à ſubjectorum ſuorum conſpectu non refugit Imperator, quoties urget neceſſitas. Sed hæc eſt Sinas inter & alios Populos differentia, quod Sinæ Imperatorem ipſum adeant non rarò, Imperatoris ipſius causâ, hoc eſt, ut ipſum de vitiis quibuſdam, aut peccatis reprehendant, idque etiam cum vitæ ſuæ periculo. Hujuſmodi reprehenſionum plenæ ejuſdem Gentis Hiſtoriæ. Impreſſio ſub Kām hī, vol. 1.

LIBRI THEOLOGICI.

CLXVIII.

Cat. Bibliot. Reg. n. 57. pag. 381.

Liber inscriptus

xím

kiaó

sín

chím,

聖教信證

id est, *Sancta Religionis fidele testimonium.*

Liber hic nihil aliud, quam Catalogus Patrum Societatis Jesu, qui ab anno 1581. ad annum 1681. id est, per annos centum, in Sinâ Jesu Christi Domini nostri Fidem annuntiarunt, propagaruntque, ubi singulorum nomina, Patria, Prædicatio, Mors, Sepultura, Libri Sinicè editi, recensentur. Optandum omnino esset, aut Reverendi Societatis Jesu Patres iidem, aut cæteri aliarum Congregationum Missionarii, similem suorum Catalogum ederent: sic enim quæ à nostris ad tantam Gentem convertendam facta, haberemus. Multa enim eximia, neque iis minora, quæ apud veteres Ecclesiæ Patres reperis, cum Græcos ac Latinos eruditione ac sapientiâ omnino præcellat Sinica Gens, neque apud ipsam quidquam, nisi admodum Philosophicè cogitatum dictumque valeat: cæterum Catalogos ejusmodi maximè necessarios sentiet, quisquis id animum induxerit suum, statim atque Imperium Sinicum introgredi volunt Missionarii, eâ omnes lege teneri, ut nomen Familiæ alicujus Sinicæ assumant, ac proinde antiquum Domûs suæ Nomen, aut permutent, aut saltem in

aliud Sinicum, quàm fieri possunt, proximè accedens refingant. vol. 1.

CLXIX.

Cat. Bibl. Reg. n. 139. p. 411.

Liber inscriprus,

tiĕn

chŭ

xím

kiaó

xím

gìn, jìn

hìm

xĕ,

天主聖教聖人行實

id est, *Eorum, qui sanctam Dei Legem prædicarunt, Virorum opera & actiones, seu vita.*

Hîc videre est, non sine admiratione, ut in cæteris Libris, quantum Sinæ extraneorum nomina detorqueant, vix enim ac ne vix quidem cognosci possunt, qui hic nuncupantur Apostoli.

Author Sacerdos è Societate Jesu, volum. 1.

CLXX.

Cat. Bibl. Reg. n. 54. p. 381.

Liber inscriptus,

tiēn

chū

xï, xě

ỹ,

天主實義

id est, Cæli Domini, vera idea, seu expositio.

Qui Librum hunc composuit, fuit R. P. Matthæus Ricci, vulgò Riccius, Vir profectò maximus, si quis unquam: hic ad Sinas ingressus, postquam per annos plurimos in Regionibus Meridionalibus vitam unà cum quibusdam sociis transegisset, Pekimum tandem anno 1598. delatus est; sed & eam Urbem, propter Bella, relinquere coactus, tandem anno 1600. redux, ibi quoque Evangelium prædicavit: anno itaque salutis humanæ 1601. inquit Cupletius, mense Januario, qui postremus erat mensis anni Sinici 28. Imperantis ván liě, ex Familiâ tá mîm, ordine decimi tertii. Ingressus Pekimensem Regiam Riccius, obtulit munera Principi ván liě; cum ea favore non vulgari ac libentissimè accepisset, accensis omnium studiis, ad novum Hospitem consalutandum convenère certatim Sinæ cujuscumque Ordinis ac Dignitatis; quibus inter sermocinandum gratiosè ac comiter auditis, nonnulla ipse primùm de tái kiě, postea de lì, deinde de xám tí apud veteres Scriptores memorato disseruit: tum de kūm, seu vacuo, de yn & yâm, frigore &

calore, juxta plærosque, Rerum principiis, atque, ut uno verbo dicam, de variis Sectarum trium Dogmatibus, cum multa quotidie colloquendo enarraret, eo tandem adducta res est, ut, perspectâ summâ illâ Sinarum omnium ergâ Majores suos reverentiâ, atque hâc opinione maximè permotus, apud Sinas homines ita Traditioni addictos, prædicationem Christi non admodum profuturam, nisi quid, illi ipsi prædicationi congruum, apud Majores suos reperirent. Ingenio Riccius laudabiliter audaci & ardentissimo, Mandarinis, hoc est, Litteratis Imperii totius id probare in animum induxit. 1°. Recentiores esse eas, quæ inter Sinas Philosophos ætatis suæ defendebantur, Sententias. 2°. Easdem Sententias Antiquorum omnium Scriptis contrarias. Judicabat enim Riccius, quomodo apud Gentes, à Diluvio non omnino remotas, cultus Dei, saltem aliquandiu intactus, integerque remanserat; ita apud Sinas, coloniam Noacho fere proximam, cognitionem veri Dei, per magna temporum spatia durasse; hinc, quia apud antiquos illos Authores xám tí nomen, quod Sinicè est, Locorum altorum seu cælestium Imperator, usurpatum videbat; in Annalibus enim jam ab xún, id est, tō yaŏ Successore, memorantur Sacrificia tō xám tí facta, & hoc scriptum est, si Cupletio credideris, à Regio illius temporis Scriptore, anno antè Christum circiter 2220. Addit, Quare nunc, si placet, aliud in aliâ Orbis Gente monumentum vetustius, aut magis authenticum.) putavit quoque Riccius, cum metaphoræ apud omnes in usu sint frequentissimo, Cælumque per alias Gentes pro Deo non rarò sumptum, tiēn, eâ, quæ in scriptis Antiquorum non rarò invenitur Cæli voce, aliud nihil, quam Deum ipsum significari, quod ipsis Authorum Sinicorum Dictionariis, verbi gratiâ, çù guěi & chím çù tūm, omninò confirmatur: ubi cum vocis tiēn, sive Cæli, multiplex usus & acceptiones afferantur, tum & hoc præter alia disertè traditur litteram tiēn, cum Cæli Dominum & Gubernatorem indicare volueris, aliâ item voce tí (id est) supremi Imperatoris designari. His, quæ jam dicta, omnibus adjiciebat, adoratos à Sinis esse Spiritus Fluminum ac Montium, item Spiritus Urbium tutelares, qui simpliciter chím hoâm, Muri & Fossæ, cum revera Sinæ non nisi murorum ac fossarum custodibus Geniis sacri-

ficarint unquam. Hæc atque alia his fimi-
lia affert Cupletius, ut vocem xám ti à
Riccio è mortuis quafi fufcitatam, de vero Cæli Imperatore, hoc eft, vero Deo,
ab antiquis ufurpatam comprobet, di-
citque editum effe ab eo Librum ťiēn hiŏ
xĕ hí, in ipsâ Imperii Aulâ, Imperantis ván liĕ anno 31. Cycli Sinici 72.
anno 40. vocato ᴋueì maò, & falutis
ñoſtræ 1603. quod verum.

At Liber hic noſter, qui ťiēn chù xĕ
ý, *Cæli Domini vera idea*, feu *verus
fenfus*, eratque antea editus (vide Præfationem primam) tunc denuo publicatus eſt (quod videre itidem eſt Præfatione 3.) agit, quomodo plærique à Miffionariis poſtea confcripti, de Dei naturâ, de Creatione, de Hominis origine,
de Animæ immortalite, de Metempfychofi *Secta* táo, vel Pythagoricâ, de
Paradifo poſt mortem Bonis præparato,
&c. Cæterum apud Chriſtianos Sinas,
in confeffo eſt, cum Doctori Paulo sû
ᴋuām ᴋì, Librum hunc legendum tra-
didiffet *Riccius*, atque à Paulo animad-
verfa quædam effent, quoad phrafim,
non omnino Sinica, correctum ab eodem Paulo effe, antequam ederetur,
imo in Dialogi formam redactum: De
Pauli correctionibus lectum mihi nefcio
quid, & idem dici de Miffionariorum
omnium Operibus volebat *Hoamgius*,
Libros eorum, non nifi Doctorum Sinarum auxilio elucubratos; atqui hoc egò
·de quibufdam neceffariò credi, de omnibus negari exiſtimo oportere. Ut redeam, ván liĕ eſt Familiæ tá mîm, feu
21ª. decimus quartus, fæculo Chriſti
16. Volumina hujus Libri funt 2.

CLXXI.

Cat. Bibliot. Reg. n. 41. pag. 390.

Liber infcriptus,

ťiēn
chù
xĕ
ý,

Habes characteres fupra nº. 170.

id eſt, *Cæli Domini vera intellectio, quid
per Deum, aut nomine Dei, apud Sinas*
ťiēn chù *appellati, intelligendum fit ?*

Hujus Libri, hîc non nifi fecunda pars,
fed tractatur de *Animâ rationali*, de ejus
reminifcentiâ, de ejus naturâ à Brutarum

animantium animis differenti: de tribus
Metempfychofeos, juxta Indorum ac
Bonziorum opiniones, gradibus: de
cogitatione, eamque in cætera præter
hominem animantia, non cadere: de
alterâ poſt mortem vitâ, de Mundo fu-
turo, id eſt, de Paradifo, Bonis, Inferno, Malis deſtinato: Libros Sinarum
antiquos (cap. 28.) de iifdem locis
non tacuiffe; uno verbo, multa illîc
de foĕ Sectâ, ejufque Dogmatibus, de
Litteratorum xám tí, de Verbi Incarnatione apud Occidentales, de Miffionariorum Prædicatione. 2. vol. Defidera-
tur prima pars.

CLXXII.

Cat. Biblioth. Reg. n. 61. pag. 401.

Liber infcriptus,

ťiēn
chù
ʼxĕ
ý,

Adfunt characteres nº. 170.

id eſt, *Vera Dei notio.*

Opus illud nobiliffimum Matthæi
Riccii, è Societate Jefu Miffionarii il-
luſtriffimi, qui Miffionis Jefuitarum
Sinicæ Fundator, atque omnibus apud
Sinas Litteratorum honoribus decora-
tus eſt.

Editio hujus Libri multiplex: hæc
autem charactere non tam magno, fed
nitidior. Volumen 1.

CLXXIII.

Cat. Bibliot. Reg. n. 62. pag. 401.

Liber infcriptus,

ťiēn.

hiŏ

天
學

xĕ ý.

xě

ý,

實義

id eſt, *Cæli Scientiæ ſolidus ſenſus*, aut ex titulo inferiori, *Cæli Domini ſolidus ſenſus*. Editio ſecunda.

Liber eſt Matthæi Riccii, idem qui ſupra, vol. 1.

CLXXIV.

Cat. Bibl. Reg. n. 122. p. 409.

Liber inſcriptus,

tiēn

chù

xím

xiaó

ſiaò

ỳn,

天主聖教小引

id eſt, *Ad ſanctam Dei Legem parva introductio*.

Præparatio eſt ad Catechiſmum, idque fit, dum de Cæli & Terræ Creatore, dum internâ hominum conſcientiâ diſſertatur Author, qui Author non dicitur. Volum. 1. 2. exempl.

tiēn

chù

xím

kiaó

yǒ

yên,

CLXXV.

Cat. Bibl. Reg. n. 76. p. 403.

Liber inſcriptus,

天主聖教約言

id eſt, *Sanctæ Dei Legis congregata verba, ſeu Sanctæ Legis abbreviatio & quaſi compendium*.

Yǒ congregare in unum, ita ut res conſpici tota poſſit. Eſt enimverò expoſitio Legis Divinæ Philoſophica & compendioſa, idque impreſſionis admirandæ. vol. 1. exemplaria 2.

CLXXVI.

Cat. Bibliot. Reg. n. 25. p. 387.

Liber inſcriptus,

tiēn
chù
xím
kiaó
yö
yên,

Habes characteres n°. præcedenti.

Sſſſſ

CATAL. THEOLOGIA.

id eft, *Sancta Dei Legis abbreviata*, aut *congregata verba*, feu *fumma & confpectus*.

Tractatulus eft de Dei exiftentiâ, Providentiâ, Legibus, ab uno è Miffionariis Societatis Jefu, volum. 1.

CLXXVII.

Cat. Bibliot. Reg. n. 97. p. 406.

Libellus infcriptus,

tiēn
chù
xím
kiaó
yŏ
yên,

Characteres, ut antea nº. 175.

id eft, *De fanctâ Dei Lege verba abbreviata.*

Doctrinæ Chriftianæ datur hîc fynopfis. Author Sacerdos è Societate Jefu. 1. vol. 4. exempl.

CLXXVIII.

Cat. Bibl. Reg. n. 27. p. 388.

Liber infcriptus,

tiēn

chù

xīm

kiaó

kì

天主聖教啟

mûm,

蒙

Inftrumentum, id eft, *Clavis ad aperiendam Dei Legem.*

Hic Liber Catechifmus eft, per modum Dialogi inter Magiftrum & Difcipulum, de Hominis Chriftiani officiis. Author Miffionarius è Societate Jefu, vol. 1.

CLXXIX.

Cat. Bibl. Reg. n. 78. p. 403.

Liber infcriptus,

xím

kiaó

yaô

lì,

聖教要理

id eft, *Sancta Dei Legis fcopum rationi confentaneum effe.*

Refponfio quædam ad objectiones contra Legem Dei propofitas. Author, è quâ fit Familiâ, non defignatur. vol. 1. exemplar. 3.

CLXXX.

Cat. Bibl. Reg. n. 79. p. 403.

Liber infcriptus,

xím
kiaó
yaô
lì,

Habes characteres fupra nº. 179.

id eft, *Sancta Legis fcopus & ratio.*
Parvus eft Catechifmus, & præcedens abbreviatus, 1. vol. exemp. 3.

CLXXXI.

Cat. Bibl. Reg. n. 103. *p.* 406.

Liber infcriptus,

初會問答

çŏ hŏéi uén tă,

id eft, *Interrogationes & Refponfiones ad Chriftianorum initiationem.*
Opus eft à Francifcano compofitum, ad erudiendos Catechumenos, in quo capitibus 14. quæ ad Chriftianum informandum, ea profequitur, fusè fatis. 1. vol. exemplar. 2.

CLXXXII.

Cat. Bibl. Reg. n. 120. *p.* 409.

Liber infcriptus,

天主聖

tiĕn chù xím

教百問答

kiaó pĕ vén tă

id eft, *Refponfio ad Quæftiores centum, de fancta Dei Lege.*
Catechifmus eft, in quo Doctrina Chriftiana ferè tota, per Quæftiones & Refponfa.
Author Sacerdos è Societate Jefu. vol. 1.

CLXXXIII.

Cat. Bibliot. Reg. n. 28. *pag.* 382.

Liber infcriptus,

天主聖教豁

tiĕn chù xím kiaó hŏă

ỳ, nhỳ

lûn,

疑論

id eft, *Cæli Domini fanɛta Legis vallis pervia & dubitationum, difceptatio.* Verti de verbo ad verbum, fignificatio eft : *Sermonem five Orationem hîc effe, de rebus iis, quæ fanɛtam Dei Legem non claufam teneant, fed quafi perviam vallem relinquant aut efficiant,* fcilicet de xám tí, de taí kiĕ, hîc nonnulla proponuntur. vol. I.

CLXXXIV.

Cat. Bibl. Reg. n. 86. *p.* 404.

Liber infcriptus,

tiĕn
chù
xím
kiaó
hoă
ỳ, nhỳ

Habes charaɛteres nº. præcedenti.

id eft, *De fanɛtâ Dei Lege perplexitates & dubia propofita.*

Agitur de tiĕn, de xám tí, & ad controverfias Sinicas pertinet. I. vol.

CLXXXV.

Cat. Bibliot. Reg. n. 36. *p.* 389.

Liber infcriptus,

tiĕn

chù

xím

天主聖

kiaó

xĕ

kiaí

kivén

lûn

xím

ciĕ,

教十誡勸論聖蹟

id eft, *Ad decem Præceptorum in fanɛtâ Dei Lege traditorum obfervationem, exhortatoriarum orationum fanɛti Loci, feu punɛta, Prædicationi utilia.*

Liber eft ab altero omnino diverfus; cæterum *Loci* appellantur hîc, Rhetorum more, & funt eæ, queis in Chriftianæ Religionis exhortationibus, Oratores aut Concionatores uti pouffnt *materia* in certos locos digeftæ : de variis Chriftianorum officiis agitur, idque juxta Mandatorum in Pentateucho memoratorum ordinem. Author Miffionarius è Societate Jefu. I. vol.

CLXXXVI.

Cat. Bibl. Reg. n. 37. *p.* 389.

Liber infcriptus,

tiĕn chù

tiēn

chŭ

xím

kiaó

xĕ

kiaí

chĭn

ćivĕn,

天主聖教十誡眞詮

hoc eſt, *Cæli Domini (ſeu Dei) ſanctæ Legis decem Præceptorum vera expoſitio, aut eorum, qua à Deo in ſanctâ ejus Lege data ſunt, Præceptorum decem vera expoſitio.*

Author Sacerdos è Societate Jeſu. volum. I.

CLXXXVII.

Cat. Bibl. Reg. n. 139. pag. 411.

Liber inſcriptus,

xím

聖

kiaó

çhŏ

yaô,

教撮要

id eſt, *Sanctæ Legis proſpectus & ſcopus.*

Author, qui Miſſionariorum extraneorum unus, de iis agit generatim quæ ad Dei cognitionem, creationem Mundi, Hominis formationem, Animæ immortalis conditionem, Fidei ſubſtantiam, &c. pertinent, refutatque Sectarum, ac præcipuè Sectæ *Focanæ* errores, impreſſ. ſub kăm hī, & optimè, vol. I.

CLXXXVIII.

Cat. Bibliot. Reg. n. 38. pag. 390.

Liber inſcriptus,

xím

kiaó

kièn

yaô,

壽教簡要

id eſt, *Sanctæ Legis placita abbreviata.*

Summa eſt earum rerum, quas de Deo ſciri ac credi oportet.

Opuſculum à Miſſionario è Societate Jeſu concinnatum, atque optimè impreſſum, vol. I.

Ttttt

CLXXXIX.

Cat. Bib. Reg. n. 92. p. 405.

Liber infcriptus,

xím
kiaó
kièn
yaô,

Habes characteres fupra n°. 188.

id eft, *Sancta Legis placita abbreviata.*
Oratio eft fat brevis de Religione, ejufque Dogmatibus. Author è Societate Jefu, 1. vol. optimè impreſſum.

CXCX.

Cat. Bibl. Reg. n. 65. p. 401.

Liber infcriptus,

chù

kiaó

yaô

chì,

id eft, *Dei Legis fcopus & mandata*, feü *quid fit, & quonam confilio data fit Dei Lex.*
Capitum eft 12. quæ de naturâ & atributis Dei, de rerum origine, de hominis debitis, de bonarum actionum remuneratione, atque inde Paradifo & Inferno. 1. vol.

CXCI.

Cat. Bibl. Reg. n. 66. p. 401.

Liber infcriptus,

lûm

çù

ŷ

civèn,

id eft, *Explicatio Symboli à lûm çù.*
Hîc Liber nihil aliud, quam Symboli Apoftolici explicatio Theologica, cui additus eft Tractatus de Angelis & Animâ rationali : Eft igitur duorum kivên.
Author Miſſionarius è Societate Jefu, *Hifpanus*, cujus nomen Sinicum lûm çù. 2. vol.

CXCII.

Cat. Bibl. Reg. n. 39. p. 390.

Liber infcriptus,

yùm

fǒ

tiēn

kiù,

id eft, *Æterna Felicitatis in Cælo poſſidenda via, &c.*

龐子遺詮

主教要旨

永福天衢

Commentatio eft in Symbolum Apoftolorum, à Francifcano edita, in quâ, quæ ad Fidem Chriftianam fpectant, omnia enarrantur.

Characteribus eft pulcherrimè fculptis, & impreffus ꞣām hī anno 19. vol. 1.

CCXIII.

Cat. Bibliot. Reg. n. 135. *p.* 411.

Liber infcriptus,

yùm
fŏ
ꞇiēn
ꞣiû,

Habes characteres fupra n°. 192.

id'eft, *Æterna Felicitatis, ac Cæli via, feu Modus, quo ad felicitatem æternam ac Cælum pervenire quis poffit.*

Opus de Fide Chriftianâ, variifque ejus Articulis, exaratum, idque juxta ordinem Symboli.

Author Francifcanus, 2. vol.

CXCIV.

Cat. Bibl. Reg. n. 72. *p.* 402.

Liber infcriptus,

xím

kiaó

sꞇ̃

kŭēi,

聖教四規

id eft, *Sanċta Legis Regula quatuor.*

Agit de Mandatis Dei, quæ in partes dividit duas, alteram quæ ad Deum, Deique cultum; alteram quæ ad Homines, Hominumque inter fe conferva-

tionem fpectet.

Author Sacerdos è Societate Jefu, & à fuis, aliifque eft approbatus. 1, volum. & exemplar duplex.

CXCV.

Cat. Bibl. Reg. n. 98. *p.* 406.

Liber infcriptus.

xím

kīm

chĕ

kiaí,

聖經直解

id'eft, *Librorum Sanċtorum expofitio vera & folida.* Titulus paulo alꞇer, nempe: *Domini noſtri, qui (-e Cælo) defcendit & natus eſt, Libri Sanċti vera expofitio.*

Hîc varia Scripturæ loca exponuntur, neque aliud fit per Librum totum, fed juxta dies Feftos, & prout fe offerunt.

Præfatio eft in Scripturæ commentationem. *Indices* in Feftorum notitiam. Sculptus eft Imperante çūm chīn. Volumina funt 8

CXCVI.

Cat. Bibl. Reg. n. 102. *p.* 406.

Liber infcriptus,

ꞇiēn

chù

天主

kīm

經
解

kiaí;

id eſt, *Orationis Dominicæ explicatio*, ſeu *Commentarius in Orationem* Pater noſter.
Author Sacerdos è Societate Jeſu.
I. vol.

CXCVII.

Cat. Bibl. Reg. n. 33. *p.* 389.

Liber inſcriptus,

mâ

彌
撒
祭
義

ſǎ

çǐ

ÿ,

id eſt, *Miſſæ Sacrificii ſenſus aut explicatio*.

çǐ apud Sinas eſt *ſacrificare*: voces duæ priores, ad hanc ſignificationem, ſonum tantummodo præbent, ut factum eſt de *animâ*, de jô ſǔ, de *Mariâ*, de *Joſepho*, &c.

Impreſſus eſt τǎ çǔm chǐn ætate, & Author è Societate Jeſu Miſſionarius.
I. vol.

CXCVIII.

Cat. Bibl. Reg. n. 112. *p.* 407.

Liber inſcriptus,

mî
ſǎ

çï
ý,

Habes characteres ſupra n°. 197.

id eſt, *Miſſæ Sacrificii ſenſus & expoſitio*.

Tractatus eſt de nomine, origine, excellentiâ, ordinatione Miſſæ, & adduntur cap. 7. 8. 9. 10. de Sacrificio ac Sacrificii naturâ multa.

Compoſuit Sacerdos Italus, è Societatis Jeſu Collegio, doctiſſimus, ac Librorum quorumdam jam ſupra memoratorum Author, idque cùm chǐn, τῶν tá mîm ultimi temporibus, circa annum 1628. vol. I.

CXCIX.

Cat. Bibl. Reg. n. 121. *p.* 409.

Liber inſcriprus,

çín

kiaó

進
教
領
洗
健
錄

lìm

sièn

cié

lǒ,

id eſt, *Conſenſus* (Chriſtianorum omnium) *eos, qui in Religionem admittuntur, baptiſari ſtatim oportere*.

Tractatus eſt de Baptiſmi neceſſitate, & diſſerit de Trinitate, quatenus inter Baptiſmi

Baptifmi verba , adhibentur *Pater, Filius, & Spiritus Sanctus.*

   Author Miffionarius è Divi Francifci Familiâ , vol. 1.

C C.

Cat. Bibliot. Reg. n. 128. *pag.* 410.

Liber infcriptus

tỉ, tiĕ

çui

chím

kuĕi,

滌罪正規

id eft , *Lavandi peccata recta Leges.*

   Tractatus eft de Baptifmo & Pœnitentiâ , & hinc de Religione Chriftianâ generatim, tum de Pœnitentiâ, quâ poft Baptifmum ac Regenerationem , ad conciliandam Dei benevolentiam utimur. Author, qui è Societate Jefu , poftquam in Præfatione de Fide egit , diftinctis in varias fpecies Gentis humanæ peccatis , allatifque, tum ex morali difciplinâ , tum ex Religione Chriftianâ , auxiliis : quæ ad varia hominum delicta fpectant, ea fusè perfequitur. 1. vol.

C C I.

Cat. Biblioth. Reg. n. 34. *pag.* 389.

Liber infcriptus ,

   tỉ, tiĕ
   çui
   chím
   kuĕi,

Adfunt characteres n°. 200.

id eft, *Lavandorum peccatorum recta regula.*

   Tractatus eft de Baptifmo , & præfertim de Pœnitentiâ , feu Confeffione , capitum eft fermè 38. Author Miffionarius è Societate Jefu. 1. vol.

C C I I.

Cat. Bibl. Reg. n. 56. *p.* 400.

Liber infcriptus ,

xén

sēm

fŏ

chūm

chím

lú,

善生福終正路

id eft , *Via recta vita bona , & finis beati.*

   Tractatus de vitæ Regulâ , & multis obfervationibus , tum quoad corpus, tum quoad animam.

   Præfatio eft de vitæ curfu ac fine ampliffima , ubi de virtutis viâ. in fecundâ parte afferuntur multa de Beatâ Virgine, ac de bonâ morte.

   Author Sacerdos è Societate Jefu. Liber *in*-4°. magno & optimè impreffus. 1. vol.

   Itidem Liber idem de bonæ mortis viâ , minori formâ : 2. exemplaria , fed partis fecundæ de Beatâ Virgine. 2. vol.

C C I I I.

Cat. Bibliot. Reg. n. 58. *pag.* 400.

Vuuuu

Liber infcriptus,

tî

chím

piền,

提正編

id eft, *Sermo, in quo Juftitia exaltatur,* feu *Juftitiæ veræ laudes.*

Author Jefuita Theologus, doctuf-que vir : In Præfatione agit de Peccato originis, atque Incarnationis neceffitate.

In Libro ipfo, per kiuên, feu Sec-tiones 5, quæcumque ad Dogma pri-mûm, & Dei attributa; deinde, quæ ad Virtutis cultum pertinet, breviter at-tingit. 1. vol.

CCIV.

Cat. Bibliot. Reg. n. 90. pag. 405.

Liber infcriptus,

tiền

kiāi,

天偕

id eft, *Gradus Cæli.*

Agitur de variis Virtutibus ad Cælum hominem ducturis, quifquis eas colue-rit. 1 vol. exemplaria 2.

CCV.

Cat. Bibl. Reg. n. 35. p. 397.

Liber infcriptus,

xĭ, xě,

十

guéi,

慰

id eft, *Decem Confolationes.*

Liber eft omnino Moralis, de iis, quæ hominès tanquam fortunæ ac confola-tionis fuæ fundamenta exiftimant, & amittunt tamen, quibus, ne iidem homi-nes frangantur, opponuntur *Confolatio-nes decem.* Author Sacerdos è Societaté Jefu. 1. vol.

CCVI.

Cat. Bibliot. Reg. n. 55. pag. 381.

Liber infcriptus,

çiě

kě,

七克

id eft, *Septem carnis afflictiones,* gallicè, *mortifications,* feu Tractatus de feptem peccatis capitalibus, & iis, queis devi-tari poffent, mediis.

Compofitus eft à R. Societatis Jefu Patribus. 1. vol.

CCVII.

Cat. Bibl. Reg. n. 67. p. 401.

Liber infcriptus,

çiě
kě,

Habes characteres fupra n°. 206.

id eft, *Septem victoriæ,* feu *feptem morti-ficationes, per quas vincere feipfe homo po-teft.*

Liber à lûm çù, feu lûm yéu ngò, Je-fuitâ Hifpano, fic apud Sinas appellato, confcriptus. vol. 1.

CCVIII.

Cat. Bibl. Reg. n. 91. p. 405.

Liber infcriptus,

yŭm   *æterni*

&

çán   *temporalis*

tīm   *determinativum*

hēm.   *Librile.*

永暫丁衡

id eft, *Librile ftatera, æterna à temporalibus (fuppliciis) determinans.*

Tractatus de igne Inferni perpetuo, & fuppliciis Purgatorii defituris. Impreffus Imperatoris kām hī anno 35. 1. vol.

CCIX.

Cat. Bibl. Reg. n. 132. p. 410.

Liber fculptus apud Sinas, in quo etiam characteres quidam Sinici & Tartari, infcriptus :

Brevis Relatio eorum, quæ fpectant ad declarationem Sinarum Imperatoris kām hī, *circa Cæli, Confucii & Avorum cultum. Accedunt Primatum, doctiffimorumque Virorum & antiquiffima traditionis teftimonia. Operâ Patrum Societatis Jefu,* Pekimi *pro Evangelii propagatione laborantium.*

Librum ipfum, fi quis infpexerit, agit totus de cultu Cæli, Confucii, Avorum, de Sacrificiis in eorum Templo fieri folitis, quæ non nifi politica effe contendunt Authores, adducuntque ex multis Sinarum, & præfertim antiquorum Sinarum Libris teftimonia, ex quibus xám tí & tiēn voces à Sinis, Dei fignificatione acceptas volunt. 2. vol. exemplaria 2.

CCX.

Cat. Bibl. Reg. n. 134. p. 411.

Liber infcriptus,

chím

hiŏ

lieû

xĕ,

正學鏐石

id eft, *Pumex, feu (la Pierre de touche) recta fcientia.*

Liber eft à Francifcano compofitus, de verâ Religionis Chriftianæ fcientiâ, & eas præcipuè quæftiones tractat, quæ controverfias in Sinâ movére, an tiēn chŭ, feu *Deus,* dici poffit xám tí, an hîm tiēn, an li kí, &c. Capitum eft paucorum, fed eâ de re multa habet lectu digna. 1. vol.

CCXI.

Cat. Bibl. Reg. n. 133. p. 410.

Liber infcriptus,

xín

sŭ

lŏ,

慎思錄

id eft, *Diligentis cogitationis affenfus, feu ingenii acute & accuratè cogitantis affenfus.*

Liber eft totus de xám tí, & contro-

448 CATAL. THEOLOGIA.

verfiis Sinicis : Author Miffionarioru n eorum aliquis, qui vocantur hoaî кiaó : Vide ergo, quæ affert de xám tí, de tién, aliifque vocibus olim inter Chriftianos communibus, nunc cautius ufurpari folitis, ex quo fcilicet natæ illæ quæftiones, de queis differere noftrûm non eft, præfertim hoc loco. Vidimus jam opera in eam rem plurima. tom. 1. vol. 1.

CCXII.

Cat. Bibl. Reg. n. 63. p. 401.

Liber infcriptus,

chīn

chû

lîm

ʼsím

ů

chím ,

真主靈性理證

id eft, *Demonftratio per rationem, veri Dei naturam, effe intellectualem.*
Ad hanc demonftrationem partes naturæ omnes, generationem Animantium omnium in auxilium advocat. Author à Societate Jefu Sacerdos. 1. vol.

CCXIII.

Cat. Bibl. Reg. n. 64. p. 401.

Liber infcriptus,

chù

chí

kiûn

chím ,

主制羣徵

id eft, *Res omnes à Deo fummâ curâ gubernari ac dirigi, probatio, feu oratio comprobans.*
Chí & Kiûn, his characteribus funt prius *gubernare, dirigere,* & pofterius, *accuratè ac diligenter.*
Reipsâ naturam omnino omnem excurit Author, & hinc Providentiam in Deo fummam effe arguit. Capita Libri funt 15. partes duæ. vol. 1.

CCXIV.

Cat. Bibliot. Reg. n. 69. pag. 402.

Liber infcriptus,

chîm

gîn

yaô

ciě, cî

成人要集

id eft, *Articuli, in quibus quæritur quomodo Deus*

Deus homo fieri possit, ac verus homo eva-dere.

Præfatio agit de controversiâ Bonzios inter ac Missionarios, seu Christianos Sinas, quænam sit homini ad perfectionem via. Itaque hîc de variis spirituum, juxta Bonzios, incarnationibus agitur, ac proinde de Incarnatione Christi, ac præcipuè de gratiâ, quæ hominem perficit, & ad bene agendum incitat.

Author Libri Franciscanus, vide Approbationes, 1. vol. exemplaria 2.

CCXV.

Cat. Bibl. Reg. n. 71. p. 402.

Liber inscriptus,

tiēn

chǔ

xím

kiaó

xĕ

lǒ,

天主聖教實錄

id est, *Sanctæ Dei Religionis verus color, seu genuina adumbratio.*

Tractatus est de præcipuis Religionis Christianæ fundamentis, de Deo tanquam omnium rerum principio : de ejus gubernatione ac providentiâ, de hominum genere non æterno, de Cæli ac Terræ creatione, de Adami formatione, (*cap.* 5.) de animâ increatâ, & hominum à bestiis differentiâ, de Dei sanctitate, &c.

Postea disserit de Naturâ Divinâ, &c. de Præceptis, de Baptismo.

Author est Sacerdos è Societate Jesu. vol. 1.

CCXVI.

Cat. Bibl. Reg. n. 73. p. 402.

Liber inscriptus,

tiēn

xîn

hoêi

kó,

天神會課

id est, *Methodus cognoscendi & associandi Spiritus cælestes.*

Agitur hîc de Deo & Angelis. Norunt omnes, Christianos à Mahummedanis vocatos esse *Associatores*, quod juxta eosdem Sectarios, Deo aliquem associent Christiani, nempe *Christum*. Apud Sinas, aliter sumitur *associatio* eadem, nimirum, non quod, Deo agnito, Angelum aut Genios associent, sed quod, vel Deum & Angelos nullo modo agnoscant, vel agnitorum naturam & attributa ignorent, ac *materiales* potius quàm verè *spiritales* faciant. 1. vol. exemplaria. 2.

CCXVII.

Cat. Bibliot. Reg. n. 74. p. 402.

Liber inscriptus,

tiēn
xîn
hoêi
kó,

Habes characteres n°. præcedenti.

X xxxx

450   CATAL. THEOLOGIA.

id eft, *modus fefe adjungendi Spiritibus caleftibus.*

Tractatus eft de cognitione Dei , de Lege Dei , de Angelorum naturâ , de Mariâ Virgine , de quatuor hominis finibus , &c. Totus in modum Catechifmi à Jefuitâ compofitus dicitur , & à multis fimul Miffionariis approbatus. vol. 1. & funt exemplaria 4.

CCXVIII.

Cat. Bibl. Reg. n. 75. p. 403.

Liber infcriptus,

chĭn

眞福直指

tŏ

chĭ

chì,

id eft, *Vera felicitatis certa & recta demonftratio.*

Impreffus anno Chrifti 1673. Demonftrat 1°. in terris beatum effe poffe neminem. 2°. Eâ, quæ in nobis eft, ratione *felicitatem* detegi poffe. 3°. Eum , qui homines creavit, Deum, efficere quoque poffe , ut beatus homo fiat. 4°. Hominem , fi decem mandata obfervet, fieri beatum poffe. 5°. eundem hominem , fi virtuti operam det , beatitudinis capacem reddi , &c.

Poftea agit de Incarnatione Chrifti , de peccatis, eorumque remiffione , ac de æternâ Beatitudine , &c.

Author Sacerdos è Societate Jefu. 1. vol. exemplaria 4.

CCXIX.

Cat. Bibl. Reg. n. 105. p. 407.

Liber infcriptus,

tûm

yeú

kiaó

yŏ;

童幼教育

id eft, *Legem effe atque obligationem debiti à Deo, ut pueri & puellæ alantur atque educentur.*

Tractatus eft totus de *alitione* atque *educatione* ; quamquam enim Sinæ amorem Filiorum in Patres, atque obedientiam perpetuò prædicent , tamen fæpe & infantes exponunt , & Liberos, inopiâ coacti occidere.

Eft autem partium duarum & capitum 21. & Author dicitur , Patrum Societatis Jefu Congregatio omnis. Res enim momenti fuit maximi , & à Chriftianis fortiter tenenda ac defendenda. vol. 1.

CCXX.

Cat. Bibliot. Reg. n. 24. p. 387.

Liber infcriptus,

,chù

kiaó

yuèn

kì.

主教緣起

id eſt, *Cur Lex Dei Cœli*, vel *Dei Chriſ-tianorum ſemper aſſurgat?*

Tractatus eſt à Miſſionario editus, in quo præcipuæ Religionis Chriſtianæ partes doctè aſſeruntur, idque capitibus 24. illinc ergo diſcere eſt, quod apud Sinas Authores noſtri philoſophicè, atque argumentis è rerum naturâ peti-tis, inculcare coguntur, mundum hunc à ſeipſo fieri aut conſtrui non potuiſſe, Cælum Mundi authorem dici non poſſe, rerum tamen ab omnibus agnoſcendum Authorem : rerum unum tantummodo eſſe poſſe, non duos; eundem ſpirita-lem eſſe, nec percipi ſenſibus; præterea ſine principio fuiſſe, ſine fine eſſe, ac futurum ſemper.

Capite 7. primæ partis agit Author de Trinitate, & rerum quidem Creatorem aſtruit unum eſſe, Perſonarum tamen trium.

Parte ſecundâ de Angelis diſſerit, tum de Morte, ejuſque cauſis atque ef-fectis; quo facto ad animam rationalem tranſit, quam contendit à Deo creatam, atque ejus immortalitatem capite 6. de-fendit.

Parte tertiâ, de Lege *naturæ & gra-tiæ* ſermonem habet, earumque Legum, Moſaicæ ſcilicet ac Chriſtianæ funda-menta ac differentias expendit.

Denique in quartâ parte, Incarna-tionem, Incarnationis neceſſitatem, pec-cati deletionem, ac proinde vitam Chriſ-ti, Reſurrectionem, atque in Cælum Aſcenſionem proſequitur.

Liber eſt çũm chín aliàs hoaî çũm Imperatoris, τῶν tá mîm ultimi, anno 15. impreſſus, Authore

iăm

jŏ

vâm,

湯若望

id eſt, Patre *Adam Schall*, è Societate Jeſu Sacerdote, qui tunc temporis, hoc eſt, dum Sinam occupabant Tartari, inter tumultus Bellicos Evangelium

prædicavit. Kivên ſeu partes Libri tan-tum quatuor, licet apud *Kirckerum* me-morentur quinque; ſed diviſio eſt in quatuor, neque ulla eſt amplius. Ita-que volum. 4.

CCXXI.

Cat. Bibliot. Reg. n. 46. p. 391.

Liber inſcriptus,

lîm

yên

lì

chŏ,

靈言蠡勺

id eſt, *Ratiocinantium & loquentium me-dicina.*

Norunt omnes hominem apud omnes Orientales dictum *Animal loquens*, dum apud nos vulgo definitur *Animal ratio-nale*: eundem in ſenſum accipere, vi-detur Author Lîm philoſophicè *rationa-litatem*, & yên *loquelam* ſeu *loquendi fa-cultatem*, quæ *locutio* & adjectivè & ſub-ſtantivè ſumi poteſt, ut è Grammaticis diſcitur.

Tractatus ergo eſt de *Animâ rationali*, quam Author ubique appellat, etiam Sinicè, *ya-ni-ma.* Expendit autem 1°. Animæ naturam, ejuſque à cæteris ſub-ſtantiis ſpiritalibus, hoc eſt, Angelis (Sinicè tién xîn) differentiam. 2°. Ejus immortalitatem. 3°. Quod titulo occa-ſionem dedit, animæ peccantis, & in varia peccata labentis, remedium, ſeu Dei *gratiam*, vol. 1.

CCXXII.

Cat. Bibl. Reg. n. 45. p. 391.

Liber inſcriptus,

chaó

sím

hiŏ

yaô,

超性學要

id eſt, de verbo ad verbum, (*Rerum*) *Naturam ſuperantium placita.*

Quâ phraſi indicatur *Metaphyſica*, & reverâ Metaphyſica eſt ampliſſima, in quâ reperiuntur eæ, quæ de Dei naturâ, ejuſque attributis moveri ſolent, quæſtiones omnes, non quales apud Authores hujus temporis, ſed quales apud Scholaſticos, & quales etiamnum 'ab Hiſpanis agitantur ſummâ quâdam ſubtilitate.

Liber ᴛꞷ xūn chí ætate compoſitus, & nitidiſſimè impreſſus. Author Miſſionarius Jeſuita, vol. 2.

CCXXIII.

Cat. Bibl. Reg. n. 35. *p.* 389.

Liber inſcriptus,

kī

gîn

xĕ

畸人十

pïēn,

篇

id eſt, *Decem capita, hominis characterem determinantia.*

Capita hæc illa ſunt, de quibus *Kirkerus*, Chinæ illuſtratæ pag. 159. à Matthæo *Ricci* concinnata, & apud Sinas, Philoſophiæ Moralis ſemper curioſos multùm celebrata.

1°. De tempore, quàm rectè conſumendum ſit, & quàm ſit irreparabìle.

2°. De hujus vitæ neceſſitatibus atque ærumnis.

3°. De morte, eſſe unicuique homini debitam, & unicuique accidere.

4°. Quantum homini proſit, de morte ſæpius cogitare.

5°. Aliquando tacere, aliquando loqui hominem oportere, idque ſemper opportunè faciendum.

6°. De tribus Pœnitentiæ finibus, & quare homines omnes jejunare deceat.

7°. De conſcientiæ examine, idque ab unoquoque homine quotidie fieri debere.

8°. De Paradiſo & Inferno, & alterum bonis, malis alterum eſſe deſtinatum.

9°. Quantum in eo peccati ſit, ſi quis divinatione, re apud Sinas frequenti, utatur.

10°. De malis eos in æternum ſecuturis, qui, avaritiæ dediti, divitias in theſauris congerunt.

Editio eſt ſecunda, & Præfatio characteribus eſt liberioribus.

CCXXIV.

Cat. Bibl. Reg. n. 117. *p.* 408.

Liber inſcriptus,

ngái

tĕ

愛德

chŭm ý &c.

chûm

ý

lí

chī

piên.

中義利之辯

id eſt, *Quod virtus amabilis ſit, reſque eſſe in medio poſitas, idque nonniſi ſenſus acuti ope diſtingui poſſe.*

Diſputatio eſt Philoſophica ac Theologica, de virtutis naturâ, non ſolùm per ſe, & in ſe, ſed etiam in Religione Chriſtianâ, & citantur Ariſtotelis, Epicuri, ac cæterorum Philoſophorum opiniones. Author Miſſionarius Dominicanus, vol. 1.

CCXXV.

Cat. Bibl. Reg. n. 40. p. 390.

Liber inſcriptus,

vân

vĕ

chīn

yuên,

萬物眞原

id eſt, *Rerum omnium vera origo.*

Sunt in hoc Libro kivên 11. quæ capita argumentis ac tractatulis totidem deſtinata.

Primum eſt, res omnes, ſeu hanc rerum univerſitatem incipere debuiſſe.

Secundum, res humanas per ſe exiſtere non potuiſſe.

Tertium, à Cælo & Terrâ hominem creari aut fieri non potuiſſe.

Quartum, ab yuên kí, ſeu primario aere Cælum & Terram, eâ, quâ ſunt formâ, conſtrui non potuiſſe.

Quintum, à lì, ſeu ratione illâ univerſali, à Sinis litteratis jactatâ, formari ac conſtrui res mundanas nequiviſſe.

Capitibus ſequentibus agit Author de eâ, quæ in hoc orbe aſpectabili ubique apparet, pulchritudine.

Deinde concludit, eſſe ergo, qui eum creaverit ac gubernet, Dominum.

Ac demùm, qui res eas omnes creaverit, eum & principio & fine carere oportere.

Author itidem è Societate Jeſu, & idem, qui Tractatûs sān xān ſupra memorati. 1. vol.

CCXXVI.

Cat. Bibliot. Reg. n. 89. pag. 405.

Liber inſcriptus,

vân
vĕ
chīm
yuên,

Habes characteres ſupra n°. 226.

id eſt, *Rerum omnium vera origo.*

Tractatus ergo eſt, de rerum principio, Theologicè ſumpto, quod non eſt niſi Deus, & tranſigitur ea res tota capitibus undecim, in queis generatim oſtenditur, res omnes à ſe non factas, hominem à ſe ipſo creatum non eſſe, hominem neque à Cælo, neque à Terrâ creari potuiſſe.

Per id, quod Sinæ vocant yuên kí, Cælum & Terram, ita ut nunc ſunt, diſtribui non potuiſſe, neque à lì creata hæc eſſe. His omnibus poſitis, in capitibus ſequentibus colligitur, Gubernatorem ergo aliquem eſſe, qui originem ipſe non habuerit, &c.

Author Sacerdos è Societate Jeſu. 1. vol. 2. exempl.

CCXXVII.

Cat. Bibl. Reg. n. 115. *pag.* 408.

Liber manuscriptus inscriptus,

xím

sŭ

 li

tiēn,

聖 事 禮 典

id eft, *Liber cæremonialis negotiorum,* feu *rerum ad Sanctos pertinentium,* feu *Proprium Sanctorum digeftum per anni dies.*

    Hîc multò melius quam ullibi de Sinicâ nominum noftrorum fcripturâ judicare eft, cum Divorum ferè omnium ac Feftorum nomina characteribus Sinicis reddita fint. 1. vol.

CCXXVIII.

Cat. Bibl. Reg. n. 114. *p.* 408.

Liber infcriptus,

sŭ

tŏ

tiēn

司 鐸 典

yaô,

要

id eft, *Officii Ecclefiaftici collectio,* feu *de officio Ecclefiafticorum.*

    Manufcriptum ferè *in folio,* in quo multa de Officiis generatim, de Miffa, dê præparatione ad Miffam, de Cæremoniis, aliifque rebus omnibus ad munera Ecclefiaftica pertinentibus differuntur. 2. vol.

CCXXIX.

Cat. Bibl. Reg. n. 113. *p.* 408.

Liber infcriptus,

mî

sǎ

kím

tiēn,

彌 撒 經 典

id eft, *Miffarum Liber & collectio,* feu *Miffale.*

    3. Vol. ferè *in fol. Mf.* quorum in uno funt Indices, in aliis Miffæ.

CCXXX.

Cat. Bibl. Reg. n. 116. *p.* 408.

Liber infcriptus,

tím

mî

聽 彌

să

kt

liĕ,

撒亓侧

id eft, *Audiendi Miſſam*, (&) *Menſa* (ſanctæ) *ordo.*

Libellus eft, quam noſtri *Miſſæ Ordinarium* vocant, à Miſſionario Franciſcano compoſitus. vol. 1.

CCXXXI.

Cat. Bib. Reg. n. 110. *p.* 407.

Liber inſcriptus,

xím

kiaó

gĕ

kuó,

聖教日課

id eft, de verbo ad verbum, *Exercitium diurnale Sanctæ Religionis* , hoc eft, *Preces Horaria unoquoque die recitandæ* , Pater noſter, Ave Maria, Credo, decem Præcepta, &c. vol. 1. exemplaria 3.

CCXXXII.

Cat. Bibl. Reg. n. 107. *p.* 407.

Liber inſcriptus,

xím
kiaó
gĕ
kuó ,

Habes characteres ſupra n°. 231.

id eft, *Sancta Dei Legis preces quotidianæ.* Editio hæc majori formâ quàm aliæ. vol. 1.

CCXXXIII.

Cat. Bibliot. Reg. n. 108. *p.* 407.

Liber inſcriptus,

tien

chù

xím

kiaó

kím

vên,

天主聖教經文

id eft, *Sancta Dei Legis precum compoſitio,* quales nempe Neophytis tradi ſolent. vol. 1.

CCXXXIV.

Cat. Bibl. Reg. n. 109. *p.* 407.

Liber inſcriptus,

tien
chù
xím
kiaó

Yyyyy ij

kīm
vên,

xím

聖
教
總
牘
內
經

Habes characteres supra n°. 233.

id est, *Domini Cæli*, seu *Dei sanctæ Legis Preces & Catechismus.*

Continet ergo Orationem Dominicam, Salutationem Angelicam, Symbolum Apostolorum, Confessionem, Præcepta Decalogi, parvum Catechismum, quales Proselytis suis tradunt Missionarii. vol. 1.

kiaó

çùm

CCXXXV.

Cat. Bibl. Reg. n. 137. *p.* 411.

tù

Liber inscriptus,

tiēn

nuỳ

天
主
教
要

chù

kím,

kiaó

id est, *Sanctæ Legis preces generales*, quæ in Scripturà reperiuntur. Sunt tantum *Pater*, *Ave*, &c. 1. vol.

yaô,

CCXXXVII.

Cat. Bibl. Reg. n. 32. *p.* 389.

Liber inscriptus,

id est, *Scopus Religionis Christianæ.*
Opusculum est, in quo, *Pater*, *Ave*, *Credo*, & aliæ quædam preces. 1. vol.

xím

聖
母
經
解

CCXXXVI.

Cat. Bibl. Reg. n. 95. *p.* 405.

mù

Liber inscriptus,

tiēn

天
主

kīm

chù

kiaì,

hoc est,

hoc eft, *Sancta Matris Preces*, feu *Preces ad Sanctam Matrem.*

Preces funt variæ ad Virginem Mariam directæ, & funt multiplices; aliæ ad alium diem; aliæ ad aliam diei horam; nonnullæ ab Authore fcriptæ; nonnullæ ex Libris Ecclefiafticis defumptæ. Author Jefuita Italus. vol. 1.

CCXXXVIII.

Cat. Bibl. Reg. n. 118. *p.* 408.

Liber manufcriptus infcriptus,

ў

chù

chí

kí,

依 主 至 範

id eft, *Conformandi nos Domino, fuprema exaltatio, feu Liber, in quo modus nofmet erigendi ad fupremam Chrifti conformitatem traditur* : Eft ergo *Imitationis* verfio in Linguam Sinicam. 4. vol.

CCXXXIX.

Cat. Bibliot. Reg. n. 126. *pag.* 409.

Liber infcriptus,

ŭ

xĕ

五 十

yên

yû,

言 餘

id eft, 50. *verba nimis*, fcilicet ad verba Riccii referuntur Socii Jefuitæ verba, fi 25. non fuerint fatis, 50. dubio procul fuperflua effent. Multa hîc plena pietatis, tum ex Evangelio verfa, tum ex aliis Libris defumpta. 1. vol.

CCXL.

Cat. Bibl. Reg. n. 60. *p.* 400.

Liber infcriptus,

vên

miaó

lì

yŏ & lŏ

chí,

文 廟 禮 樂 志

id eft, *Mens* (feu *fcopus & intentio*) *cæremoniarum & Mufica, quæ in Templis Litteratorum ufurpantur.*

Author Sina eft, & multa habet de Sinarum Muficâ, de formâ & cæremoniis Templorum; funt etiam illic tonorum Muficorum tabulæ, ac præterea eorum, quæ in Templis adhibentur, Inftrumentorum omnium figuræ. 1. vol.

Zzzzz

CCXLI.

Cat. Biblioth. Reg. n. 42. pag. 390.

Liber infcriptus,

sān

xān

lûn

hiǒ

kì

三山論學記

id eft, *Trium montium fermonis fcientifica Hiftoria*, feu potius *Ejus, qui inter Montes tres habitus eft, fermonis Hiftoria & recordatio.*

Phrafis hæc *Montium trium* è Sinarum Fabulis defumpta eft (nifi Authoris nomen fit.) Hîc, cum de tribus Religionibus agatur, quæ funt, Sectæ Litteratorum cultus unicè politicus : Sectæ Bonziorum cultus, religiofus quidem, at fuperftitionis plenus: pietatis Chriftianæ divinus, hoc eft, à Deo ipfo profectus cultus : difceptatioque hæc ab uno quoque Doctore fiat, quænam cæteris præferenda Secta aut Religio fit, afferuntur ex hâc vel illâ parte argumenta ad unamquamque Religionem tuendam maximè probabilia, & fub finem vincit, rationis authoritate, Philofophus, feu Doctor Chriftianus. Inveniuntur ergo in hoc fermone quàm plurima de lî, feu *ratione* illâ generali Mundi hujus, fecundùm Litteratos, motrice, de taí kiě, feu chaó, & materiâ illâ primâ, quæ juxta eofdem Litteratos Mundi origo, de Metempfychofi & aliis Bonziorum Dogmatibus illis,

quæ ab India Indorumque Brachmanibus orta jam diu, & à multis retro fæculis, inter Bonzios Sinenfes regnant. Tum fequitur utrorumque refutatio folida & efficax, & Religionis tum Mofaïcæ, tum Chriftianæ laus ; earumque veritatis demonftratio.

Author hujus Libri Sacerdos è Societate Jefu, Italus. 1. vol.

CCXLII.

Cat. Bibliot. Reg. n. 43. pag. 591.

Liber infcriptus

sān
xān
lûn
yǒ
kì.

Habes characteres fupra n°. 242.

Liber idem, fed ex aliâ editione. Item Præfatione priori & novâ ornatus. 1. volum.

CCXLIII.

Cat. Bibl. Reg. n. 131. p. 410.

Liber infcriptus,

sān
xān
lûn
yǒ
kì,

Adfunt characteres n°. 241.

id eft, *Recitatio* feu *Commemoratio trium Montium inter fe difputantium.*

Tres Montes Proverbium quoddam eft apud Sinas, idque è Sinarum Fabulis ortum, in quibus nominantur etiam eorumdem Montium Reges, & Regum tria nomina.

Liber eft à Jefuitâ compofitus. 1. vol. 2. exempl.

CCXLIV.

Cat. Bibl. Reg. n. 129. p. 410.

Liber infcriptus,

pië

vám,

闢妄

id eſt, *Falſitas contradictionis*, ſeu *Aperta falſitas*.

Tractatulus contra Infernum *Foiſtarum*, quem Author omnibus modis exagitat, quoad durationem, quoad locum, &c. 1. vol.

CCXLV.

Cat. Bibl. Reg. n. 127. p. 410.

Liber inſcriptus,

pién

辯學遺牘

hiŏ

ÿ

tù, tŏ

id eſt, *Diſputatio ſcientifica, & ſcriptura Teſtamenti loco relicta.*

Tractatus eſt de Deo, & de Religione Chriſtianâ adversùs Sectas Sinarum, præcipuè Sectam Foë. 1. vol.

CCXLVI.

Cat. Bibl. Reg. n. 96. p. 406.

Liber inſcriptus,

pién
hiŏ
ÿ

tù, tŏ,

Habes characteres ſupra n°. 244.

Tractatulus de Controverſiis Sinicis. vol. 1.

CCXLVII.

Cat. Bibliot. Reg. n. 29. pag. 388.

Liber inſcriptus,

taí

代疑篇

ÿ, nhÿ

pién,

id eſt, *Dubiorum ab aliis Sectis propoſitorum, aut de aliis Sectis naſcentium diſceptatio.*

Hic tractatus ex iis eſt, quos à Miſſionariis legendos judicavit Author, & rectè; nam ſi ad errores Sectariorum Sinarum refutandos, cognitio eorumdem errorum neceſſaria, ut & argumentorum, in utramque partem adduci ſólitorum; agitur hîc de Sectarùm Sinenſium opinionibus, & quæ de Diis Idololatræ diſputant, quæ de Inferno aut Paradiſo, poſt varias in varia corpora migrationes acquirendo, ea omnia in Sectâ Foë, ſeu Indicâ decantata, diſcutiuntur. Kivên primæ partis ſunt *9*, & ſecundæ itidem *9*. Præfationes liberiori charactere exaratæ. vol. 1.

CCXLVIII.

Cat. Bibliot. Reg. n. 87. pag. 404.

Liber inſcriptus,

taí
ÿ, nhÿ
pién,

Habes characteres n°. præcedenti.

id eſt, *Tractatus de iis dubiis, qua à Lit-*

Zzzzz ij

terato *Sinà adverfus Religionem Chriftia-*
nam proponi folent ac poffunt.

Author Chriftianus, qui Doctrinam
Litteratorum Sinarum , ac præterea
Foiftarum apprimè calluit ; quæcunque
ergo à Litteratis vulgò proponuntur, ea
fine fuco , & abfque ullâ hæfitatione
fibi ipfe objicit, ac poftea, momentis
è ratione defumptis , refellit. Tractatus
eft eam ob rem curiofus. Præfatio *litte-*
ris fluentibus ac neglectis fculpta ; cætera *charactere vulgato* , eoque nitidif-
fimo , impreffa. 1. vol.

CCXLIX.

Cat. Bibl. Reg. n. 85. *p.* 404.

Liber infcriptus,

tă

kĕ

vén,

答客問

id eft, *Refponfio extraneis interrogantibus.*
Non femel , fed fexcenties à Miffionariis quæfierunt Sinæ Bonzii , Foiftæ
& Laotaniftæ, cur tandem Patriam fuam
relinquerent , loca Afiæ tam remota pe-
terent, idque, ut Gentibus , Leges alias
tenentibus , Legem quandam novam an-
nuntiarent , quæ an melior ac divinior
effet, non cognofceretur fatis. Ejufmodi
ergo interrogationibus refpondere co-
natur Author, & quidquid ad Legis divinæ ab aliis differentiam, quidquid ad
dignitatem Chriftianæ Religionis facit,
latè difcutit, tractatque. 1. vol.

CCL.

Cat. Bibl. Reg. n. 130. *p.* 410.

Liber infcriptus,

tă
kĕ
vén,

Habes characteres n°. præcedenti.

id eft , *Refponfiones extraneorum quæftio-*
nibus, hoc eft , *Sinis , hæc vel illa adver-*
fus Religionem Chriftianam objicientibus.

Cum ergo adverfentur non rarò Sinæ
Litterati , Chriftianis advenis , differentiam inter Sectas Sinicas & Religionem
Chriftianam, non magnam effe, neque
hanc illis fuperiorem videri , propterea
quod communia habeant multa , refutat
Author hujufmodi objectiones , illa-
rumque falfitatem , hujus veritatem
confirmat. 1. vol. exempl. 3.

CCLI.

Cat. Bibliot. Reg. n. 83. *p.* 404.

Liber infcriptus,

jên

fiăm

xîn

kŭm,

然想紳功

id eft , *Spiritum igneorum meritum* , feu
Quid cogitandum fit de Spiritibus igneis.
Liber eft à Francifcano compofitus ,
de *rebus* in Chinâ *controverfis* : hic
propriè ad *igneos fpiritus* pertinet, eos
nempe , quos Sinarum Sectæ, five quæ
Foĕ , five quæ laŏ tăn eft , folent ad-
mittere. Fuit à multis aliis Miffionariis
comprobatus, quorum Familias , cum
nominibus earum Sinicis. vide apud ipfum Authorem. 1. vol.

CCLII.

Cat. Bibl. Reg. n. 80. *p.* 403.

Liber infcriptus ,
　　　　　　　piĕ vàm

<table>
<tr><td>

piĕ

vàm

xŏ

pŏ

hô

kĕ,

</td><td>

闢妄候駁合刻

</td></tr>
</table>

id est (*vŏ hô kĕ Missionarii*) *Declaratio vanitatis & rerum fortuitò dictarum refutatio.*

Opus adversus Sinarum Sectas, præcipuè *vŏ* Foĕ Discipulos compositum. Agit enim præsertim de animarum revolutionibus, & Sectæ illius Inferno, 1. vol.

CCLIII.

Cat. Bibl. Reg. n. 30. p. 388.

Liber inscriptus,

tiĕn

xĕ, xï

mîm

天釋明

---

pién,

辨

id est, *De Foĕ Familiâ, ejusque placitis discursus, seu disputatio,* propt.è *elucidationes ac distinctiones.*

Agitur de Cælo & Inferno, prout à Foĕ Sectâ intelliguntur, quam pedetentim refutat Author capitibus 28. Disserit ergo de omnibus hujus Sectæ dogmatibus, de magnâ Mente quæ totam hanc molem agitat, de Metempsychosi, de tribus Generationibus, de 30 Cælis, &c. Vide præsertim cap. 2. 9. 13. 14. 15. 16. vol. 1.

CCLIV.

Cat. Bibl. Reg. n. 59. p. 400.

Liber inscriptus,

tiĕn
xĕ, xï
mîm
pién,

Habes characteres n°. præcedenti.

id est, *Elucidationes & distinctiones, Sectæ vŏ Foë oppositæ.* Xĕ sic scriptum, est *ignoscere, peccatum condonare.* Hic de Sectâ Foë dicitur, quæ ita solet indicari, & Tractatus hic totus est contra Foĕ Sectam, & eos, qui varias per multa sæcula Metempsychoses fingunt. Disputat ergo de peccatis, de pænis, de Paradiso, de Inferno, & hoc modo Religionem Christianam astruit, Sectam Foĕ & alias Bonziorum Religiones aut opiniones refellit. 1. vol.

CCLV.

Cat. Bibl. Reg. n. 84. p. 404.

Liber inscriptus,

tiĕn

chù

天主

xīn

kiaó

mûm

ŷn

yaó

kién,

聖教蒙引要賢

id est, *Ad Sancta Dei Legis obscuritates introductio, iis, qui introspicere volunt.*
Tractatus est reverâ sublimis, de naturâ, existentiâ atque attributis Dei, de Providentiâ, de Personis Divinis, de præmiis bonorum & malorum suppliciis, &c. & contra Foïstas. 1. vol.

CCLVI.

Cat. Bibliot. Reg. n. 82. p. 404.

Liber inscriptus,

vàm

chēn

pién,

妄占辯

id est, *Sortes mittere, rem omnino vanam esse, disputatio.* Chēn est *Sors* qualis apud Sinas frequens, ita ut, etiam ex yĕ kīm divinent, cui rei multa à Missionariis opposita.

Videtur contra yām kuàm sién compositus. 1. vol. exempl. 2.

CCFVII.

Cat. Bibl. Reg. n. 77. p. 403.

Liber inscriptus,

uàm

chuī

kiĕ

hiūm

pién,

妄推吉凶辯

id est, *Disputatio, falsè urgeri, vel kiĕ prosperitatem, vel hiūm infortunia;* neque enim hæc quidquam adversus Religionem probare, contra verò Religionī favere: quamquam tractatus non adeo amplus sit, tamen reperiuntur sat multa de felicitate & infelicitate, de sortibus, variisque figuris apud Sinas ad rerum ac fortunæ divinationem adhiberi solitis. 1. vol.

CCLVII.

Cat. Bibl. Reg. n. 101. p. 406.

Liber inscriptus,

tiēn

chǔ

kiaó

yaô

chù

天主教要註畧

id est, *Explicatio*, seu *Oratio brevis*, in quâ *Legis Dei placita exponuntur*

Propriè, nihil aliud hîc reperitur, quàm preces *Pater noster*, *Ave Maria*, *Credo*, *Mandata decem*, unà cum expositione brevissimâ. Author Missionarius Franciscanus, impressio parum nitida. 1. vol. 2. exempl.

CCLIX.

Cat. Bibl. Reg. n. 138. *p.* 411.

Liber inscriptus,

mǒ

laî

未來

piēn

lūn,

辯論

Oratio, in quâ probatur *distinctionem nondum venisse*.

Sensus est, homines his in terris vivere nunc permixtos, & Bonos unà cum Malis ita confundi, ut distingui non possint; sed venturum postea *Judicium*, &c. quo omnes aut omnia discernentur. 1. vol.

CCLX.

Cat. Bibl. Reg. n. 125. *pag.* 409.

Liber inscriptus,

二十五言

úlh

xě

ú

yên,

id est, 25 *verba*.

Oratio est parvula, in quâ de hominis felicitate, & Religionum differentiâ ac discretione, contra Bonzios disputatur. Author est famosus Matthæus Riccius. Impressus est Liber imperante vân liě. 1. vol.

CCLXI.

Cat. Bibl. Reg. n. 124. *p.* 409.

Liber inscriptus,

Aaaaaa ij

tiĕn

chù

xím

síám

liŏ

xuĕ,

天主聖像略說

id est, *Oratio parva de sanctâ Dei imagine.* Sumitur hîc metaphoricè, neque ulla est figura, sed de Christo ejusque actis ac prædicatione, tantummodo agitur. 1. vol.

CCLXII.

Cat. Bibl. Reg. n. 123. *p.* 409.

Liber inscriptus,

kiaó

yaô

síü

教要序

lûn,

論

id est, *Oratio in formam Prologi,* vel *Præliminaris, de iis, quæ ad Legem Dei spectant.*

Hoc opus longè elegantissimum est, & magnificè sculptum. Ut ad Dei Legem veniat, Creationem *primò,* deinde Gubernationem Dei ac Providentiam probat, tum ad hominis peculiarem formationem descendit, eamque è Scripturâ describit, qualem esse debere dixerat; postea, de peccato originis, atque hominis lapsu multa habet; ac tandem de Vitâ futurâ loquitur, quam contra Indos & Bonzios, æternam, ac bonorum *remunerationem* statuit. Author Sacerdos è Societate Jesu. 1. vol.

CCLXIII.

Cat. Bibl. Reg. n. 119. *p.* 408.

Liber inscriptus,

tiĕn

chù

xím

kiaó

liŏ

xuĕ,

天主聖教略說

id est,

id eft, *De fanctâ Dei Lege , Oratio brevis.*

Præfatio de hominis perfectione, ac Religionis hominem perfecturæ neceffitate agit , Librum ipfum in varios paragraphos diftribuit. *Primùm,* creationem Cæli & Terræ, non nifi à Deo proficifci potuiffe oftendit. *Deinde*, ad varia Chriftiani officia, procedit. *Poftea,* Foë & Bonziorum opiniones refert , refutatque. Tum hôminis in cætera animantia dominationem ex Scripturâ , ejufque inde gratitudinem , & varia officia profluere contendit.

Author è Societate Jefu Sacerdos : opus editum anno Chrifti 1674. vol. 1.

CCLXIV.

Cat. Bibl. Reg. n. 104. p. 406.

Liber infcriptus

kuèn

kîm

liên

lîm

xuě,

哀矜鎌靈說

id eft , *Oratio , in quâ probatur divites & magnates ,* (veftitu Regio decoratos) *pauperibus compati, eifque eleemofynam erogare debere.*

Hortatio eft, quâ divites ad eleemofynam incitantur.

Author Miffionarius Francifcanus. 1. vol.

CCLXV.

Cat. Bibliot. Reg. n. 81. pag. 405.

Liber infcriptus ,

chîm

xî

liǒ

xuě,

拯世略說

id eft , *Orationem non longam effe , fi quis fæculum & generationes confideret.*

Senfus eft, ex rerum mundanarum confideratione , Chriftianæ Religionis capita comprobari & afferi.

Author non indicatur ; cæterum hæc omnia tractat philofophicè , & contra Ethnicos argumentis agit validiffimis , oftenditque & mundi hujus originem , & generationem hominum unam , & animæ immortalitatem. 1. vol.

CCLXVI.

Cat. Bibl. Reg. n. 56. pag. 381.

Liber infcriptus ,

fiên

chù

kiám

sēm

天主降生

466   CATAL. THEOLOGIA.

言行記像

yên

hîm

kí

fiám,

id eft, *Figuræ Domini ad nos è Cælo delati, verba & acta denotantes, feu Imago vitæ Domini noftri Jefu-Chrifti, quoad* naturam humanam.

Sub unâquâque figurâ, in quâ hæc aut illa Chrifti actio, hoc aut illud miraculum depinguntur, apparet ftatim Sinicè actionis aut miraculi brevis expofitio.

Liber eft itidem à R. Patribus Jefuitis, in gratiam Neophytorum fuorum fculptus ac publicatus. 1. vol.

CCLXVII.

Cat. Bibl. Reg. n. 94. p. 405.

Liber infcriptus,

fiēn
chù
kiám
sem
yên
hîm
kí
fiám,

Habes characteres fupra n°. 267.

id eft, *Figura, queis notantur Domini noftri verba & actiones.*

Jam Librum hunc habuimus, Præfatio eft de Incarnatione & Incarnationis loço: Tum fequuntur *imagines*, in quibus Vita Chrifti tota continetur, additis ad imam paginam figuræ aut imaginis uniufcujufque explicationibus. Fi-

guræ ab Europæo pictæ. Author Sacerdos è Societate Jefu. 1. vol.

CCLXVIII.

Cat. Bibl. Reg. n. 26. p. 388.

Liber infcriptus,

天主降生言行記畧

fiēn

chù

kiám

sēm

yên

hîm

kí

liŏ,

id eft, *Memoria & notatio Domini, poftquam è cælo defcendit & natus eft.* Aut aliter, *Chrifti poft Incarnationem inter mortales degentis Hiftoria.*

Ex multis kivên funt hic tantùm 5. 6. 7. 8. in quibus plurima ex Evangeliis excerpta, non κατὰ πόδας tamen. Liber eft ab eo, quem jam vidifti, omnino diverfus, illic enim non nifi imagines ac picturæ, hîc orationes ac fermones tan-

rum, Author Miſſionarius è Societate Jeſu. 1. vol.

CCLXIX.

Cat. Bibliot. Reg. n. 70. pag. 402.

Liber inſcriptus,

tiēn
chù
kiáus
sēm
yên
hîm
kí
liŏ,

Habes characteres nᵒ. præcedenti.

id eſt, *Narratio brevis actionum & verborum Cœli Domini (id eſt hoc loco) Domini noſtri, poſtquam de Cœlo deſcendit, & incarnatus eſt, ſeu Tractatus brevis de Verbi Incarnatione.* Author Sacerdos è Societate Jeſu., Italus, ex Catalogo pag. 9. Multa hîc loca è Scripturâ allata. 1. vol. exempl. 1.

CCLXX.

Cat. Bibliot. Reg. n. 68. pag. 401.

Liber inſcriptus,

tiēn

chù

kiàm

sēm

yu

天主降生引

ý,

義

id eſt, *Introductio ad intelligendam Domini Deſcenſionem & Nativitatem,* hoc eſt, *Incarnationis Myſterium.*

Tractatus eſt de Incarnatione, & partes habet duas. Author Sacerdos è Societate Jeſu. 1. vol.

CCLXXI.

Cat. Bibl. Reg. n. 111. p. 407.

Liber inſcriptus,

xím

mŭ

hîm

xě,

聖母行實

id eſt, *Sanctæ Matris actiones veræ.*

Kivên, ſeu Sectiones ſunt tres : In primâ, ut Præfatio exponit, ea ſunt, quæ de Mariæ nativitate ac vitâ dici ſolent : In ſecundâ agitur de eâ, quâ per omne tempus, & Viri ſancti, & Doctores, fuêre, in Mariam veneratione : Tertia eſt de cultu Mariæ, ejuſque interceſſione, atque aliis ejuſmodi rebus. Narratur etiam aliquid de Foĕ Matre, quæ apud Sinas in honore eſt. Author Jeſuita. 1. vol. exempl. 2.

CCLXXI.

Cat. Bibl. Reg. n. 31. p. 388.

Liber inſcriptus,

xím
mŭ

Bbbbbbij

468 CATAL. THEOLOGIA.

hîm
xĕ,

Habes characteres nᵒ. præcedenti.

id eſt, *Sanctæ Matris actionum foliditas,* ſeu *Mariæ Virginis vera vita* , propriè, *Laus eſt beatæ Virginis* , quæ laus , cum per omnes Litaniarum partes excurrat, continet, quidquid ad Virginem ſpectat, ſive ex origine , ſive ex animi dotibus , ſive quatenus Mater Meſſiæ fuit , imo quæ in hunc vel illum beneficia , meritis ſuis atque interceſſione contulit.

Author Sacerdos è Societate Jeſu, hîc tantùm pars tertia. 1. vol.

CCLXXIII.

Cat. Bibl. Reg. n. 99. p. 406.

Liber inſcriptus,

xím
mŭ
hîm
xĕ,

Habes characteres ſupra nᵒ. 271.

id eſt, *Sancta Dei Matris acta vera.*
Author Sacerdos è Societate Jeſu. 2. vol.

CCLXXIV.

Cat. Bibl. Reg. n. 100. p. 406.

Liber inſcriptus,

xím

jŏ

sĕ

hîm

聖若瑟行

xĕ,

實

id eſt, *Divi Joſephi actiones & vita.* Adduntur ejuſdem Litaniæ.
Author unus è Societate Jeſu. 1. vol. 2. exempl.

CCLXXV.

Cat. Bibl. Reg. n. 106. p. 407.

Liber inſcriptus,

xím
jŏ
sĕ
hîm
xĕ,

Adſunt characteres nᵒ. 275.

id eſt, *Vita & Officium Sancti Joſephi.*
Oratio eſt de Sancti Joſephi vitâ & moribus. Sequuntur poſtea Litaniæ, quales in Libris noſtris quàm plurimis. 1. vol.

CCLXXVI.

Cat. Biblioth. Reg. n. 29. pag. 431.

Liber abſque inſcriptione,

Divo Joſepho Oratio panegyrica , à Premaro olim, cum Miſſionarius adhuc juvenis eſſet, compoſita. 1. vol.

CCLXXVII.

Cat. Bibliot. Reg. n. 93. p. 405.

Liber inſcriptus,

xím

niŭ

聖女

lŏ ſai, &c.

lŏ

羅

faì *vel* xà

洒

.hîm

行

xĕ,

實

id eſt, *Sanctæ mulieris* lŏ faì, aut lŏ xà (appellatæ) *vita, feu actiones vera.*

Nomen eſt mulieris, fed videtur non aliud quam *Rofæ*: imo hæc *Rofa* non *Sinenfis* fuit, fed *Americana*, ex Urbe *Limâ*; cæterum impreſſus eſt fub k̄am hī, & charactere quodam pulcherrimo. I. vol.

CCLXXVIII.

Cat. Bibl. Reg. n. 44. pag. 391.

Liber inſcriptus,

t̃am

唐

k̀ım

景

xiaó

教

poĕi

碑

gĕ

額

chím

正

ɛivēn

詮

id eſt, *In illuſtris atque amæna Legis-Lapidis frontem vera explicatio*, feu quod idem, *vera explanatio lapidis, illuſtrem & venerabilem Legem in fronte inſcriptâ repræfentantis.*

Lapidem in Urbe *Siganfu* repertum, anno Chriſti 1625, à Mandarinis ipfis effoſſum, non fine quâdam admiratione à Chriſtianis Sinenfibus ac Miſſionariis confpectum, jam tum illic ab iifdem Miſſionariis commentario illuſtratum, à *Semedone* & aliis memoratum, allatam denique è Sinâ ejus inſcriptionem à *Boymo*, atque à *Kirchero* editam, norunt quicumque Litterati. Difcimus ergo illinc, jam prifcis Eccleſiæ fæculis ad Sinas ufque perveniſſe Evangelii ac Religionis Chriſtianæ prædicationem, idque à Syris, hoc eſt, Eccleſiæ Syriacæ Sacerdotibus. Conferes eâ de re, non folùm Mulleri obfervationes, fed etiam, quæ *Renaudotus*, vir Litterarum quidem Sinicarum ignarus, fed Syriacarum, atque Arabicarum rerum imprimis peritus, quoad epochas, ac Monumenti perfonas, non fine eruditione adverfus Mullerum annotavit.

De eodem lapide apud *Kircherum* Sinicè & Latinè expreſſo, jam diu nos quoque multa fcripferamus, in quibus Kirkeri fphalmata quàm plurima, characteres Sinicos fat malè exaratos, voces Sinicas fat malè redditas, accentus in multis vocibus malè appofitos, denique loca quædam, aut malè verfa propter Hiſtóriæ ignorantiam, aut propter Linguæ Sinicæ infcitiam corrupta, defignaramus; fed acceſſère ad hunc laborem noſtrum duo: 1°. *primùm* quidem, Lapidis ipfius quafi effigiem, apud Sinas tunc temporis, quantus eſt lapis, imitatione excerptam, ad nos mifit amicus noſter, Sacerdos è Societate Jefu, optimus ac doctiſſimus Premarus: 2°. deinde verò, quæ ad difficultates ejufdem monumenti enucleandas, elaboraverat vir fupra laudes omnes, olim etiam è Societate Jefu Sacerdos, nunc Clau-

C c c c c

diopoleos Epifcopus D. Vifdelou, ea in Europam, qui nunc mortuus, fed tum ad Indos, Regis juffa, profectus erat, vir morum comitate, atque eruditione imprimis colendus Cl. Didierius, fecum allata fratri itidem doctiffimo, meique etiam amantiffimo, atque omnibus ob fummam Philofophiæ ac Mathefeos peritiam venerando Abbati Didierio reliquit; quam ob caufam *Monumentum* hoc Religionis Chriftianæ pulcherrimum, multò accuratiùs quàm cæteri, edere nunc poffumus: atque edemus, fi quis è Typographis Rempublicam Litterariam, tanto munere donare in animo habuerit. 1. vol.

CCLXXIX.

Cat. Bibl. Reg. n. 88. *p.* 404.

Liber infcriptus,

kìm

kiaó

lieû

hìm

chūm

kuĕ

poĕi

景教流行中國碑

fúm

chím

ćivēn,

id eft, *Explicatio, quâ amana Legis* (quæ Sinæ Regnum pervafit) *Lapideum monumentum*(eam)*laudans elucidatur,* feu quod idem eft, *In laudem magnifica Legis* (quæ, cum ad Sinæ Regnum ufque penetraffet) *ibi fufcepta erat, Lapis teftimonii gratiâ pofitus-*

De Lapide *Siganfu,* quis eft qui non dixerit? 1. vol.

CCLXXX.

Cat. Bibl. Reg. n. 31. *p.* 431.

Liber abfque infcriptione.

Folium, quod Lapidem xên sī, quantus repertus eft, tantum ac totum characteribus magnis exhibet, fed papyrus adeo tenuis, ut in partes quodammodo per fe abeat. 1. vol.

CCLXXXI.

Cat. Bibl. Reg. n. 70. *p.* 425.

Liber infcriptus,

çù

çù

pîm

頌正詮

楚辭評

林

lin,

id eft, τῦ çũ çũ (Authoris antiqui fic appellati) *difceptationum fylva.*

Author hic reverâ antiquus, fed de multis *Articulis* fcepticus, quos breviter & audaciori quodam ftylo confodiebat; quam ob caufam ab Interprete chũ hĩ illuftratur (fub fũm) ac reprehenditur : inde eft, quod in unoquoque volumine, Index primò fefe offerat *articulorum* in volumine expenforum à çũ çũ, & à chũ çũ expendendorum. çũ çũ ergo Philofophus antiquiffimus, cujus fenfus non cuivis obvii. invol. 1. vol. 4.

CCLXXXII.

Cat. Bibl. Reg. n. 19. *p.* 430.

Liber infcriptus,

çũ
çũ
pĩm
lĩm.

Habes characteres fupra nº. 281.

Idem Liber, etiam inter Libros anno **1723** allatos. Philofophus eft propter obfcuritatem, ac cogitationes liberrimas, famofus, & apud Sinas, ob Sententiarum fingularitatem, magno in pretio. Invol. 1. vol. 3.

CCLXXXIII.

Cat. Bibl. Reg. n. 71. *p.* 425.

Liber infcriptus,

ciĕ

xĕ

七
十
二

ũlh

家
評
註
楚
辭

kiã

pĩm

chũ

çũ

çũ,

De verbo ad verbum, 70 *Domorum,* feu *Sectarum difceptationes & explicationes exponere & explicare* çũ çũ, feu *clarius earum opiniones à çũ çũ expofitas.*

Senfus eft, çũ çũ Authorem fummè obfcurum efle, & in eo enucleando jam defudaffe Interpretes 72. quorum in Indice indicantur 12. Editor ejus dictus lĩ lú xĩ, imperante kãm hĩ. involucr. 1. vol. 4.

CCLXXXIV.

Cat. Bibl. Reg. n. 72. *p.* 425.

Liber infcriptus,

çũ

çũ

Hi duo characteres iidem qui numeris præcedentibus.

tĕm,

燈

id eft, *Lampas τῦ çũ çũ, feu ad illuftrandum τῦ çũ çũ Librum.*

Cccccc ij

CATAL. THEOLOGIA.

Interpres

lîn

sī

chŭm,

林西仲

qui τοῖς cÿn regnantibus vixiſſe dicitur. invol. 1. vol. 2.

CCLXXXIV.

Cat. Bibl. Reg. n. 73. p. 425.

Liber inſcriptus,

choăm

çǔ

nân

hoă

kīm

莊子南華經

id eſt, τῦ choăm çǔ *Liber*, dictùs *Flos Meridionalis*, ita Orientali more inſcriptio eſt.

Opus eſt famæ apud Sinas maximæ: id enim diſcas, neceſſe eſt, Libros tá tĕ kīm, qui è taó kiă, ſeu è τῦ taó sù Scholă; nàn hoă kīm à choăm çǔ compoſitum, qui etiam è taó kiă; xān haì kīm, cujus Author certè antiquus,

ignoratur; lì faô kīm, à çǔ çǔ, de quo ſupra, obſcurè, ut diximus, contextum; Libros, inquam, eos quatuor apud Philoſophos Sinas magni ſemper factos, licèt apud alium, aliă de causă. Sunt enim táo tĕ kīm, & nàn hoă kīm, de homine interiori, & quaſi ab hujus mundi vanitate ac quiſquiliis ad ſe aut ad virtutem ſublimiorem recollecto, quod de lì faô etiam fortè dicendum: de xān haì kīm aliter fortè judicandum eſt, qui Liber idololatriæ fortaſſè patrocinatur; certè Idololatriam Sinicam quodammodo ſuffulcit. Nàn hoă Commentatores habuit multos, præſertim fú mĕ & lú ſi ſim, ſub Dynaſtiă mîm. Eſt invol. 1. vol. 4.

CCLXXXVI.

Cat. Bibliot. Reg. n. 74. pag. 425.

Liber inſcriprus,

choăm

çǔ

ÿn.

莊子因

Explicatio eſt τῦ nàn hoă kīm: Commentator lîn sī chŭm, qui kăm hī regnante ſcripſit, de virtute & variis virtutis gradibus agit: explicat præſertim, quid ſit apud Sinas tiĕn taô, & vita interior & exterior. Invol. 1. vol. 4.

CCLXXXVII.

Cat. Bibl. Reg. n. 75. p. 425.

Liber inſcriptus,

choăm

çǔ

莊子

kiaì,

解

τῦ choām çŭ *expoſitio.*

Authores duo ciĕ sän cieū, & кuŏ ſiām : agunt præſertim de vitâ *interiori & exteriori.* Impreſſus eſt кãm hī regnante, involucr. I. vol. 3.

CCLXXXVIII.

Cat. Bibl. Reg. n. 69. p. 424.

Liber inſcriptus,

laŏ

çŭ

ciĕ

kiaì,

老子集解

Explicatio articulorum τῦ laŏ çŭ.

Scito τὸν laŏ kiún, laŏ çŭ & laŏ tän, eundem, & hominem extitiſſe nunquam, juxta quoſdam ; ſed revera & Philoſophus & Sectæ Author fuit.

Qui vitam hanc & 7ε̃ laŏ tän articulos ſcripſit, ac videtur tá nîm кiù, Libros ejus omnes ad duo capita redigit, quorum unum taŏ кīm dictum ſit, alterum tĕ кīm, alterum ſcilicet de *normâ morum,* ſeu taŏ, alterum de tĕ, ſeu *verâ virtute ;* ſed hi Libri & perbreves ſunt, & per Sententias tantummodo propoſiti ; ideŏ antiquitatem quandam redolent, unus eôrum in 1°. vol. alter in 2°. invol. I. vol. 2.

CCLXXXIX.

Cat. Bibl. Reg. n. 28. p. 431.

Liber inſcriptus,

xàm

lūn,

上侖

id eſt, *Imperatoris* yūm chím, ſeu *ultimi, Oratio Imperialis,* in quâ Articulos 15 ſubditis ſuis rectè & accuratè conſiderandos proponit. Cum autem illic de variis Imperii Sectis obiter loquatur, id maximè notandum, Religionem Chriſtianam, ſeu Sectam Chriſtianorum, unà cum cæteris confuſam, ab ipſo fuiſſe. Unde ejus eâ de re mentem, & in Chriſti cultores odium ſtatim perceperunt, qui in Sinâ Miſſionarii ; mihi à *Premaro* miſſa eſt anno 1733. & ab eo reipsâ tempore quæ de Sinâ ad nos relata ſunt, non niſi Miſſionariorum exilia & miſerrimas perſecutiones repræſentavêre. I. vol.

LIBRI PHILOSOPHICI.

CCXC.

Cat. Bibl. Reg. n. 31. p. 418.

Liber inscriptus,

chù

çũ

civên

xũ,

朱子全書

id est , τᷢ chù çũ *Librorum collectio.*

Titulus horumce Librorum generalis , sed opus unumquodque peculiari quodam titulo gaudet ; nempe ,

Primum est yuên kĭm , quod est *Abyssi speculum* , speculum , quo in abyssum penetrare possimus , id est , *in cor humanum.* Ita inscripsit suos in tá hiŏ , aut generatim in sû xũ Commentarios Doctor chù vên kũm.

Hùc verò *Litteraturam* ferè omnem adducit breviter ; nam de xí , seu *Poësi* , de lì , seu *de Officiis* , de yŏ , seu *de Musicâ* , de sĭm lì , seu *de Naturæ ratione* , ac præterea lì & kí , seu *ratione per universum diffusâ* , idque sat fusè agit ; præterea de lûn yù , de mêm çũ , de chũm yũm , per volumina 4 ; tum Librum yĕ kĭm assumit vol. 5. 6. 7. Et postea de Familiâ xām loquitur , nimirum de ý ŷn , & cheú kũm , cujus ultimi extant Commentationes in yĕ kĭm , imo agit de Authoribus quibusdam antiquissimis , aut qui res manifestò antiquissimas scripserint , ut liĕ taí , de quo supra scriptum hoc τᷢ chù hĭ. invol. est 4. vol. 40.

Cat. Bibl. Reg. n. 32. p. 419.

Secundum est , cujus inscriptio : τᷢ

mŏ

gān ,

脢庵

additiones ad chù hĭ ; miscellanea sunt itidem Philosophica , sed omnino varia , & de cæterorum Philosophorum in varia Philosophiæ problemata opinionibus , quæ sæpe in utramque partem proponuntur. Multa illic liberrima , ut quæ à Philosophis Sinis ,
Nullius addictis jurare in verba Magistri. Involucr. 5. volum. 50.

Cat. Bibl. Reg. n. 33. p. 419.

Tertium est , cujus inscriptio túm pién , *similium & differentium* , opus quoque latissimum , in quo infinita sunt , quæ tum ad Antiquitatis notitiam , tum ad Philosophorum dogmata spectent , ita ut propter hujusmodi lucubrationes , τὸν chù hĭ , vel chù vên kũm , hominem quendam quasi cælitus delapsum suspexerint. Opus hoc ultimum involucr. 3. volum 26. sed spissorum.

CCXCI.

Cat. Bibl. Reg. n. 41. p. 420.

Liber inscriptus,

chù

çũ

諸子

hûm

çǎo,

鴻藻

id eſt, 18 chù çù *Vocum magnarum*, ſeu *auctè & magnè dictarum compoſitio & collectio Rhetoricè ornata.*

Apophtegmata ſunt *Veterum*, præſertim Magnorum Imperatorum, Litteratorum ac Philoſophorum ; Liber verè elegans, ac brevitatis & profunditatis Sinicæ laude admirabilis. Incipit à vèn vâm, & videtur Author in pluribus τῇ τῶν laò sù faviſſe. Invol. 1. vol. 6.

CCXCII.

Cat. Bibl. Reg. n. 18. *p.* 373.

Liber inſcriptus,

ſim   *natura*

lì   *rationis*

tá   *magna*

civên.   *collectio.*

性理大全

Id eſt *Rationalis natura expoſitiones, à variis Philoſophis data.*

Ita inſcribitur Liber apud Sinas nominatiſſimus, ubi propriè de totâ Mundi machinâ, de rerum principiis, de Cæli, Terræ, Hominum naturâ, de Metaphyſicâ, Morali, Phyſicâ, Matheſi ; eſtque Philoſophiæ totius, & materiarum ad Philoſophiam ſpectantium, collectio, expoſitioque.

Authores autem habet Philoſophos 40, quorum Anteſignani, præcipuè

cheū çù, & duo fratres chìm çù vocati, qui anno Chriſti 1070, imperante xîm çum, Familiæ ſum 6° vixêre ; item chù çù, aliàs chù hī, mortuus anno Chriſti 1200, imperante ejuſdem ſum Familiæ 13°. Nîm çūm, Vir celeberrimus, qui cum maximis Imperii muneribus defunctus eſſet, propter inſignem Litterarum, in omni genere, gloriam : Titulo eſt vên κūm ornatus, quaſi *Litteratorum Principem* diceres.

Floruêre etiam alii variis temporibus, ſed præſertim ſub yúm lŏ, Familiæ 21 tá mîm 3°, quâ ætate, qui degebant *Interpretes*, ſat magno numero, omnes ferè, juxta principia, 1°. cheū çù, 2°. Primorum 4. 1. cheū çù, 2 fratrum chìm çù, 3°. chù hī, philoſophati ſunt, quomodo apud nos *primùm* quidem in Magiſtrum Sententiarum, *deinde* in Thomam & Scotum, five in Theologiâ, five in Philoſophiâ juratum eſt, uti nunc etiam, quoad rerum *Naturam*, alii in *Carteſium*, in *Neutonem* alii ; ſed tamen, ut è multis conſpicio, nihil etiam hodie apud Sinas ferè illuſtrius quàm chù hī, cujus ſcientia, vel in proverbium abiit, *doctus ut* chù hī, *eruditus ut* vên κūm : Quo primùm tempore edita fit, Philoſophicorum horumce Operum tanta hæc collectio, ſi Cupletio credas *Proœmialis declarationis* pag. 36, ad annum Chriſti 1415 τ yúm lŏ 13° referenda fuerit ; at enim, explicetur id neceſſe eſt ; nam lucubrationes ſuas publicarant ætate unuſquiſque ſuâ Philoſophi, neque unquam vel in yĕ κīm, alioſque Libros Canonicos, vel in ſú xŭ, ſeu Claſſicos, ac cætera priſcorum Opera, defuêre *Enarratores*, quod è traditione atque Hiſtoriis certiſſimum ; ſed in chù hī ipſum Commentarios conſcripſère poſtea plurimi, quos inter eminet lì kieù ngŏ. Hic è Provinciâ fŏ kién oriundus, Urbe civên cheû, idque ſub tá mîm, deſinente ſæculo Chriſti 15°, Opus ſuum uni è Diſcipulis ſuis hû quàm nomine reliquit. Editio ergo ejuſdem Operis procurata eſt anno 1419, ſub yúm lŏ.

Quod ſi nunc ex illâ ampliſſimâ Philoſophicarum opinionum expoſitione, delibare quid, aut generatim cognoſcere, in animo habueris, ſcito primùm, quoad Theologiam, de iiſdem Philoſophis aliter ab aliis cogitatum ; ſunt enim hîc variæ admodum Sententiæ, cùm ab aliis Atheiſmi inſimulentur, ab aliis hujuſmodi crimen, ex omni Sina-

Ddddddij

rum Scholâ femper exulaffe defendatur. Deinde, fi ad *Naturæ* principium, feu *Materiæ* effentiam & qualitates refpexeris, ut apud Græcos, alia alii *Principia* rerum admifêre; ita etiam ftatue non eam effe inter Philofophos Sinas confenfionem, ut eundem *Naturæ* ortum, eundem curfum ftabilierint; ut apud Græcos, aliter Pythagoras, aliter Anaxagoras, aliter Stoïci, aliter Epicurei, feu de *Naturâ*, ejufque Phænomenis, feu de *Moribus*, eorumque cultu, differuêre; fic etiam apud Sinas, licèt in aliis rebus *Traditioni* deditos, aliam ab aliis initam viam, neque ab omnibus idem de ỹn & yâm, de tái kiě, feu *Mundi fyftemate*, aut *orbe illo immenfo*, feu de lì ac *Ratione* univerfam molem animante atque agitante, judicatum; præterea illic etiam, non folùm ꝛ̃ jû kiâo, feu Sectæ Litteratorum, Sententias, verùm, & τῶν foě, feu xě kiū, Japonicè xaka *Adoratorum*, & τῶν láo kiūn, & mě & yûm, antiquorum Philofophorum dogmata & opiniones relatas; ita ut quidquid viri Philofophi, à fæculis triginta & amplius, idque, quomodo apud Græcos, imò liberiùs quàm apud Græcos, abfque ullo Dogmatum præcedentium & retrahentium fræno, animo concepêre; illud omne, hoc eft, nudas humani ingenii vires confpicere fit, quod fanè curiofum ac perutile: neque enim confiderandum hîc eft, accuratiufne, aut fubtilius, aut fublimius quàm nos philofophati funt? quid? Ignoramufne eam, quæ nunc viget, *Philofophiam*, aut quod verius dicetur, eas, quæ nunc in honore *opiniones*, vel olim contemptas, vel in pofterum commutandas, & quas hifce etiam ultimis temporibus in pretio habitas effe fcimus, has eafdem jam vilefcere? Itaque hic quærenda potius quædam humani ingenii, variorumque aut Moralium, aut Phyficorum ac Metaphyficorum Syftematum Hiftoria, item quomodo excogitata, quomodo defenfa.

Hæc atque alia ejufdem generis infinita reperiuntur in collectione hâc Sinicâ, unde titulus fím lì tá civên, *magna collectio*, &c. Hæc eft in vol. 2. vol. 20.

CCXCIII.

Cat. Bibl. Reg. n. 26. p. 396.

Liber infcriptus,

sîm
lì
tá
civên.

Habes characteres n°. præcedenti.

Vide n°. 292. involucrorum 2. vol. 12.

CCXCIV.

Cat. Bibl. Reg. n. 28. p. 396.

Liber infcriptus,

sím
lì
tá
civên.

Habes characteres fupra n°. 292.

Libri sím lì tá civên tractatus trigefimus fextus imperfectus, 1. vol.

Cat. Bibliöt. Reg. n. 29. p. 396.

Idem Liber, fed vol. 22. invol. 2.

CCXCV.

Cat. Bibl. Reg. n. 37. pag. 420.

Liber infcriptus,

yú

chí

sím

lì

tá

御製性理大

civên xù,

civên

全

xŭ,

書

id eſt, *Librorum de Naturæ ratione Phi-*
loſophicorum magna collectio.
Impreſſionis Imperialis eſt, & Authores Mandarini Collegii hán lín. Vide quæ annotavimus n°. 292. involucr.
4. volum. 42.

CCXCVI.

Cat. Bibliot. Reg. n. 19. *p.* 373.

Liber inſcriptus,

sím 性

lì 理

chú, 註

id eſt, *Commentarius in Rationem univer-*
ſalem.
Editio eſt recens, & imperante kām
hī, anno Chriſti 1685. procurata. Author autem Commentarii eodem tempore in vivis fuit, & vocabatur cheû hoaî.
invol. eſt 2. vol. 12.

CCXCVII.

Cat. Bibl. Reg. n. 27. *p.* 396.

Liber inſcriptus,

sím 性

lì 理

tá 大

civên 全

xŭ 書

ciĕ 輯

yaô, 要

id eſt, *Directorium ad magnam Librorum*
sím lì *collectionem legendam & intelligen-*
dam.
Commentarius eſt in eandem Philoſophiam Sinicam, variaſque Philoſophorum Sinarum opiniones. Vide ſupra
n. 292. vol. eſt 4.
Idem Liber aliæ editionis, vol. 3.

CCXCVIII.

Cat. Bibl. Reg. n. 30. *p.* 396.

Liber inſcriptus,

sím 性

lì 理

tá 大

civên 全

CATAL. PHILOSOPHIA.

478

çúm

yaó,

綜要

id eſt, *Collectio aut concordantia* τῦ ſim li tá civên, ſive *Opinionum Philoſophicarum in* ſim li *contentarum.*

Vide, quæ de hoc Libro, ejuſque Commentariis diximus nº. 292. volumina ſunt 12.

CCXCIX.

Cat. Bibliot. Reg. n. 38. pag. 420.

Liber inſcriptus,

ſim

li

tá

civên

hoéi

túm,

性理大全會通

id eſt, *De Naturâ collectio generalis & perfecta,* ſeu quod idem eſt, *quæcumque ad intelligendos* τῦ ſim li tá civên *Libros omnes facere poſſunt, unà ſimul breviter congregata.*

Liber idem, editionis aliûs antiquioris; eſt enim ſub Dynaſtiâ τῶ mîm, idque Imperium tenente yûm lŏ procurata. Authores etiam Collegii hān lìn Mandarini. Vide etiam ſupra n. 292. involucr. 4. vol. 34.

CCC.

Cat. Bibl. Reg. n. 18. pag. 429.

Liber inſcriptus,

ſim
li
tá
civên
hoéi
túm.

Habes characteres ſupra nº. 299.

id eſt, *Philoſophie,* ſeu potius *Phyſica, & eorum, quæ ad Phyſicam pertinent, Operum collectio ampliſſima.*

Idem Liber eſt qui ſupra n. 292. involucr. 2. volum. 40.

CCC.

Cat. Biblioth. Reg. n. 39. pag. 420.

Liber inſcriptus

ſim

li

hoéi

túm,

性理會通

id eſt, τῦ ſim lì, ſeu *Librorum de Naturâ,* ſeu *Phyſica Philoſophicorum collectio generalior.* invol. 1. vol. 6.

CCCIJ.

Cat. Bibliot. Reg. n. 17. pag. 429.

Liber infcriptus,

sím
lì
hoéi
túm,

Habes characteres fupra n°. 301.

id eft, τὰ sím lì, feu *eorum*, *qui* sím lì, feu *Scientiam naturalem aut Phyficam componunt, Librorum, collectio generalis.*

Hæc collectio facta eft fub tá mîm, regnante yûm lŏ. Vide quæ fupra annotavimus de sím lì generatim. invol. 1. vol. 14.

CCCIII.

Cat. Bibl. Reg. n. 40. p. 420.

Liber infcriptus,

sím

lì

goéi

yaô,

id eft, *variarum, quæ in* sím lì *continentur opinionum, brevis collectio & fcopus.*

Author chèn hoái, editio τὰν mîm temporibus, & fub çum chim. invol. 1. vol. 9.

CCCIV.

Cat. Bibliot. Reg. n. 34. pag. 419.

Liber infcriptus,

çín

tái

pî, mî

xǔ,

id eft, τὰ pî xǔ, *Porta Draconis tacta & cuftodita.*

E Sinarum *Fabulis* defumptus hic *Titulus*: fingunt enim locum beatitudinis ac veræ fcientiæ, ac vitæ undequaque circumfeptum, & ab immenfæ magnitudinis *Dracone* cuftoditum, ne quis impius, ne quis è non *adeptis* ingrediatur; & hinc, qui in arte magnâ, feu lapide, ut aiunt, Philofophico, inveniendo, operam ponunt, quod apud Sinas eodem prorfus modo fit, quo apud Gentes cæteras: (Philofophi enim ejufmodi extitêre, atque etiamnum exiftunt multi,) ii illam eandem artem tenebris, atque impenetrabili caligine offufcare folent; fed quemadmodum apud Cabbaliftas Hebræorum ac Muhammedanorum, v. g. Gecatilia, feu Caftilienfem, quemadmodum apud noftros Capnionem, Fluddum, Vanhelmontem, Rofenrothium, ac cæteros: Cabbalæ atque *Artis* occafione, idque arcanorum nomine exponuntur *Quæftiones*, atque Hiftoriæ numero infinitæ; ita hic apud magnum hunc Sinarum Cabbaliftam, feu potius Cabbaliftas, (nam collectio eft) innumerabiles tum *Naturæ*, tum *Artis*, aut potius artium inventiones, quin reperiantur, cave diffidas, aut dubitaris.

1°. Opus eft per fe quafi immenfum, cum partium fit 15 magnarum. Continet autem varia fublimis illius Philofophiæ *Monumenta*, ita ut in involucris 20. habeas volumina 163.

E e e e e e ij

CCCV.

Cat. ibl. Reg. n. 31. *p.* 396.

Liber inscriptus,

tí
ù
çaĭ
çŭ
xŭ,

第五才子書

id est, *Tractatus singularis de 5 elementis.*
Elementa apud Sinas, ut jam didicisti, habentur quinque, *Aqua, Terra, Aer, Ignis,* ut apud Græcos Philosophos ; & præterea *Lignum* : quâ de re videsis Dissertationem R. Patris Longobardi, &c.

Author non nominatur, sed vixit, aut potius opus ejus impressum est, imperante apud Sinas çûm chin, id est, ꓔꓪ tá mîm ultimo, vol. 16.

CCCVI.

Cat. Bibl. Reg. n. 35. *p.* 419.

Liber inscriptus,

vãm
yâm

王陽

mîm
vên
çiĕ,

明文集

id est, ꓔꓪ vâm yâm mîm *Operum collectio.*
Propriè Miscellanea sunt philosophica, seu Historicophilosophica, per Articulos quosdam non longos, sed numero ferè circiter 500 divisa, in quibus de antiquis Libris & Historiis liberè & criticè agit ; sunt etiam Antiquorum monumenta quædam excerpta, & multa reperies de quorumdam Regum Historiâ, ac de Philosophorum illustrissimorum vitâ & moribus, imo de hoc vel illo Historiæ articulo, quem aut rejicit Philosophus, aut calculo suo confirmat. Vixit autem vâm yâm mîm, regnante ꓔꓪ mîm illustri Familiâ. Involucr. sunt 2. volum. 16.

CCCVII.

Cat. Bibl. Reg. n. 37. *p.* 397.

Liber inscriptus,

tâĭ
pîm
vân
niên

太平萬年

xŭ,

書 hán

id est, tǔ tái pīm *Liber omnium annorum.*
Liber est Miscellaneus, seu Regiſtrum n fine Diſſertatio eſt de tái kiě, sed non perfecta, sculpturæ menda etiamnum corrigenda, illic indicantur. 1. vol.

CCCVIII.

Cat. Bibl. Reg. n. 39. p. 398.

Liber inscriptus,

書經蒙引大全

xû, kīm, mūm, ʃu, tá, civên,

id est, *Magna Collectio, comprehendens quidquid ad abstruſa* tǔ xû kīm *explicanda, conferre poteſt.*
Editio non eſt nitida. 16. vol.

CCCIX.

Cat. Bibl. Reg. n. 36. p. 419.

Liber inscriptus,

漢魏叢書

hán goêï çūm xû,

id est, *Opuſculorum* τῶν hán & τῶν goéi, *ætatibus editorum, collectio ſeu coacervatio.*
In hanc collectionem contributa, opera quædam, non ampla quidem, sed à magnis Viris aut elaborata, aut recuperata, è quibus in antiquorum Sinarum doctrinam atque artes redundat non exigua lux. Multa ergo illic de cheū kūm, de taì kia, de taì pě, de ý ỹn, aliiſque quàm plurimis, aut *Colais*, aut Doctoribus, quo circa in voluminis ferè uniuſcujuſque capite Præfatiunculæ sunt, quæ de unoquoque opuſculo, quid sit, & unde venerit, doceant. Author Collectionis tū lūm, idque τῶν mím tempore. involucr. 5. volum. 60.

CCCX.

Cat. Bibl. Reg. n. 32. p. 396.

Liber inscriptus,

朱子家

chū çū kiā

ñ, 禮

id eft, tǎ chū çù, *aliàs* chū vên kŭm ritus domūs, *feu qua ab homine domui obfervanda.*

Tractatus eft moralis, de iis omnibus, quæ à Sinis domi fiunt, aut fieri debent, ut mores Familiæ uniufcujufque ad virtutem dirigantur. Agitur de variis hominum, in hâc vel illâ conditione politorum, officiis, fed præcipuè de vitâ domefticâ. Voluminum eft 2.

CCCXI.

Cat. Bibl. Reg. n. 34. p. 297.

Liber infcriptus,

vên kŭm kiä ñ, 文公家禮

id eft, tǎ vên kŭm, *aliàs* chū çù, *Ritus, feu Modus vivendi domefticus,*

Opus apud Sinas magni femper factum: quæcunque enim viro Sinæ agenda, ea per omnem vitæ curfum dirigit, five ad mutua viri ac mulieris, parentum & natorum, item propinquorum & amicorum inter fe officia; five ad Religionem, Aulas Majorum, Sacrificia, & generatim cultum Religiofum. 4. vol.

CCCXII.

Cat. Bibliot. Reg. n. 33. p. 396.

Liber infcriptus,

kŭm çù kiä yû, 孔子家語

id eft, *Difcurfus, feu Differtationes in Domum feu Familiam Confucii.*

Per totum hunc Librum, referuntur facta, dictaque Philofophi *Confucii*, (Kŭm fù çù) & quidquid five domi, five inter amicos, etiam dum Reipublicæ operam dabat, fecit, dixitve. Ita ut propriè *Confucii* vita dici poffit. Volum. eft 1.

CCCXIII.

Cat. Bibl. Reg. n. 38. p. 397.

Liber infcriptus,

hiaó kīm yèn ý, 孝經衍義

id eft, o hiaó kīm, *feu Tractatus de obedientia, apud Sinas commendatiffimus, extenfione debita auctus & ornatus.*

Hoc opus in totâ Sinâ nominatiſſimum, ab Imperatore Kám hi anno ejus Regni 29, atque ex Typographiâ Imperiali impreſſum eſt, & *titulus* apprimè convenit; nam Voluminum eſt 30, & Capitum, aut potius Sectionum 100. Inveſtigat autem officia mortalium omnia, & quæcumque homines ex obedientiâ exequi neceſſe eſt, ſi officio, ex rationis dictamine, fungi, ac proinde ad hujus vitæ tranquillitatem ac felicitatem pervenire voluerint.

Eſt igitur 1°. Præfatio triplex, eaque ampla, & quæ ad virtutis laudem, præſertim ex Antiquorum inſtitutis tota referatur. Nam Author id ſtatuit, quod à Sinis vulgo credi video, Gentem ſuam totam, à primâ antiquitate ſemper eandem permanſiſſe, nec diverſis unquam uſam eſſe Legibus. Loquitur etiam de Libris, quos Sinæ identidem ediderunt, de hiáo, ſive virtute illâ, quæ apud eos ſumma habetur, *obedientia* nimirum: indicant enim, ex eâ oriri bona ſocietatis humanæ ferè omnia, cum Terra nihil homini ad vitam tuendam deneget, rebuſque neceſſariis nunquam careat, niſi mutuâ charitate offenſâ; quod ſi terrarum Incolæ ſibi invicem divinâ providentiâ ſubjecti, eâ, quâ debent, comitate ac bonitate erga fratres, erga propinquos, erga Imperatorem viverent, accidere nullo modo poſſet, cum ex mutuo illo nexu, cuncta cuncti inter ſe concederent.

Operis ordo hic eſt: Agit 1°. de Juſtitiâ, Fide & cæteris Virtutibus, atque Urbanitate generatim. Deinde ad paternitatem, ſeu ea officia deſcendit, quorum in Patrem ac Matrem debitores ſumus, idque, Naturâ ipſâ duce: tum ad fratrum amorem ac concordiam procedit; inde ad matrimonium mariſque ac fœminæ conjunctionem delapſus, principium quoddam ſocietatis atque urbanitatis ſtatuit; inde Cæremoniarum ac Rituum uſus; inde harmonia, honor, & contra, ſuppliciorum quædam ex eâdem naturâ neceſſitas; poſtea ad debitam Imperatori, Magiſtris & Magiſtratibus obedientiam progreditur, atque illìc campus rerum infinitus, quem totum doctè ac ſapientiſſimè percurrit. Itaque volum. ut dixi, Liber eſt 30.

LIBRI MEDICI.

CCCXIV.

Cat. Bibl. Reg. n. 36. p. 397.

Liber inscriptus,

hoâm

tí,

núy

kīm

līm

chū,

黃帝內經靈樞

id est, *Excavatio spiritalis* (inquisitio profunda) *in* núy kīm, (Librum inscriptum núy kīm ; hoàm tí, (seu ab hoàm tí) *de Medicina compositum.*

Hic Liber forte eorum, quos cognoscimus, omnium antiquissimus est, nisi forte lineas yĕ kīm primis illis temporibus jam tum expositus, ac Commentariis illustratus, dixeris. 1. vol.

CCCXV.

Cat. Bibl. Reg. n. 33. p. 431.

Liber inscriptus,

hoâm
tí
núy
kīm

līm
chū,

Habes characteres n°. præcedenti.

Pars est τῦ núi kīm, eaque 6p. scilicet Libri & Commentariorum ejus â sŏ yên editorum.

Liber ex iis, quos à privatis quibusdam emi. 1. vol.

CCCXVI.

Cat. Bibl. Reg. n. 34. p. 376.

Liber inscriptus,

cém

pù

kù

kīm

ý

kién,

增補古今醫鑑

id est, *Ad antiquum ac novum Medicorum speculum, supplementum.*

Lûm sín, cum Medicus esset, & famâ apud Sinas celebris, multaque ipse & ab aliis auditu didicisset, & in Libris tum veterum, tum ætatis suæ Medicorum legisset, imo & inter plebem, quæ ad ratiocinationem tantummodo & methodum

thodum reducenda videbantur, experientiâ factâ comprobaffet, ea omnia, in hunc Librum, fed fuo quæque ordine collegit, & habet non pauca, quæ *Arcanorum* nomine tradit, tanquam ab aliis Medicis aut neglecta, aut ignorata.

Fuit autem lûm sín Medicus unius è tá mîm, ejufque Liber impreffus eft imperante xún chí ?? Kām hī patre. 4. volùm.

CCCXVII.

Cat. Bibl. Reg. n. 33. p. 375.

Liber infcriptus,

醫宗必讀

ỹ

çûm

piĕ, pĭ

tŏ,

id eft, *Quod à Medicis, tanquam in eorum Arte præcipuum, oportet legi, feu Medicorum ftudium principale ac neceffarium.*

In hoc opere ea inquiruntur, quæ 1°. per fe ac præcipuè à Medico legantur ac difcantur, neceffe eft; quod non folùm ad Libros ac ftudia, fed etiam ad dirigendos Medici mores, totamque vitæ rationem fpectat. Scriptum eft autem à fummo Medico, cui nomen lì chûm çù, quique erat Imperatoris çûm chĭm, aliàs hoaî çûm, Familiæ tá mîm 17. Medicus, circa annum Chrifti 1626.

Impreffum eft eodem ferè tempore, & eft volum. 4.

CCCXVIII.

Cat. Bibl. Reg. n. 18. p. 386.

Liber infcriptus,

外科樞要

vaì

kŏ, kuŏ

chū

yaô,

id eft, *Extraneorum, feu in locis extraneis colligi folitorum remediorum cardo feu methodus.*

Dofes funt, feu variæ rerum, herbarum fcilicet, mineralium, &c. ad fanandos morbos, à Medicis adhibendarum quantitates: quemadmodum enim apud nos, ita apud Sinas Medici, ad eos, qui apud Sinas nafcuntur, morbos expellendos, remediis ferè extraneis utuntur.

Procedit autem Tractatus hic, ita ut 1°. genus morbi apponat, deinde varias Remediorum *receptiones* indicet, quâ in re id etiam præftat, ut loca Remediorum, id eft, eas, è quibus afferuntur Regiones, indicet. Cæterùm, hic non nifi Kivên, feu pars Libri totius quarta. I. vol.

CCCXIX.

Cat. Bibl. Reg. n. 61. p. 382.

Liber imperfectus infcriptus,

萬病

ván

pím,

id eft, *Omnes morbi.*

Continet tantummodo quædam Libri

Gggggg

capita, id eſt, vol. ſecundum & quintum, ſed præcedunt variæ *morborum*, & *ventorum*, & *plantarum* enumerationes. 2. volum.

CCCXX.

Cat. Bibl. Reg. n. 30. pag. 375.

Liber inſcriptus,

luí

類 經

kīm,

id eſt, *Anatomia Liber*.

Sciunt omnes in Sinicâ Gente, propter venerationem quandam, quæ apud nos, aut Gentes, Sinis paulò ferociores, ſuperſtitio potius diceretur, ut reverâ eſt, nobiliſſimam illam Medicinæ partem, quæ *Anatomia* vocatur, diutîus nimiſque neglectam; ex quâ tamen humani corporis partium ignoratione, mirum eſt, quanta enaſcantur pericula; quod ſi ad internam corporum curationem, morboſque minus pertinere videatur, ad vulnera ſaltem, & eos, qui corpori infliguntur ictus, imo ad omnes omnium membrorum luxationes, uſui eſt maximo, quod Medicis Sinis, ab omni ætate perſuaſum quis non exiſtimet? Sed Genti cedendum toti, nec, quidquam adverſus tam conſtantes parum, avorumque ſuorum cultores vel tentandum.

Itaque hâc de parte Medicinæ Scripta extant pauciora, aut ſi in omnibus de Medicinâ Libris, eâ de re agatur, ut reverâ eſt factum; id minutius, neque eâ, quam oportuit, diligentiâ, de quo non queſti ſemel Medici Sinæ: Gens enim Medica ubique Sapientum nomine venit, & qui *Sapientem* dicit, *non nimis ſuperſtitioſum* indigitat.

Scito autem hunc, quo de agitur, Librum, vocari kīm, quæ vox Libris ſacris quodammodo propria, idque inde etiam ortum, quod primus de Anatomiâ ſcriptus Liber, hoâm ti Authore ante Chriſtum 2705. compoſitus nuí kīm appellaretur: De nuí kīm videſis *Cleverum*.

Luí kīm 1°. exaratus eſt, imperantibus tá mîm, 2°. ſub Imperatore tiēn ki, aliàs hī çūm, ejuſdem Familiæ 15. 3°. à Doctore chām kiaí pīn; conſcripſit autem, ita ut à principiis τῦ nuí kīm, non omnino recederet, (quæ antiquis apud Sinas reverentia eſt,) ſed veriſimilia adductis argumentis novis comprobaret, à veritate, & experimentis aliena, vetuſtate excuſatâ, & prætenſâ Mundi & Artium novitate quaſi molliret. Cæterum impreſſus eſt, imperante eâdem 21 Familiâ tá mîm, & continet involucris 3. volumina 15.

CCCXXI.

Cat. Bibl. Reg. n. 59. p. 381.

Liber imperfectus inſcriptus,

xām

傷 寒 掌 圖

hân

chàm

fû,

id eſt, *Tabula* ſeu *Index rerum ad compeſcendam vulnerum tyrannidem idonearum.*

Liber eſt Chirurgicalis, & non ſolûm de vulneribus, ſed etiam de earum curatione, & variis ad eam rem neceſſariis herbis agit. 1. vol.

CCCXXII.

Cat. Bibl. Reg. n. 58. p. 381.

Liber inſcriptus,

chīn

針

kieù

çĕ

yaô,

灸摘要

id est , *Ars pustulas acū Chirurgicâ tollendi.*

Non impressus est, sed manuscriptus, procul dubio ab Europæis, qui illic Chirurgicam exercuêre : *pag.* 5. 6. 7. Tabulæ sunt *anatomicæ* variorum manûs aut brachii situm, cum eorum locorum indicatione, qui pungendi. 1. vol.

CCCXXIII.

Cat. Bibl. Reg. n. 32. *p.* 375.

Liber inscriptus,

íaí

fó, fú

mĕ

kiuĕ,

太素脉訣

id est , τῶ íaí fú *pulsûs motus.*

A Sinis cognitionem pulsûs eximiam expectari posse, judicare debent omnes, cum in hâc Medicinæ parte, experientiam Sinæ Medici acquirere sibi cogantur multò majorem, quam apud cæteras Gentes solitum sit; itaque hîc mira quædam de pulsu, aut potius variis variorum corporis membrorum *pulsibus*; nam

pulsum in toto ferè corpore inquirunt, atque ex eâ perquisitione, sæpe diuturnâ, morbos mirum in modum persentiscunt, ut notum est, & ab omnibus Relationum Authoribus dictitatum. Postquam íaí fú Librum hunc Juris fecisset publici, Commentatorem reperit Pĕ ciãm, à quo Liber mĕ kiuĕ Commentariis illustratus est, idque imperante Ván liĕ, aliàs xín çûm, Familiæ 21. 14°. fæculo post Christum natum 16°. Habet autem invol. 1. vol. 4.

CCCXXIV.

Cat. Bibl. Reg. n. 60. *p.* 382.

Liber imperfectus, sine titulo, & laceratus, cujus inscriptio est,

íaí

fó, fú

mĕ

kiuĕ,

Habes characteres n°. præcedenti.

id est , *Pulsûs determinatio.*

Norunt omnes apud Sinas cognitionem pulsûs semper cultam, idque ita, ut Medicos Orbis Terrarum universos, hâc illâ pulsûs, seu potius variorum pulsuum detegendorum dexteritate superarint : eâ de re legendi, & Jesuitæ in Epistolis, & præsertim *Cleyerus.* Dolendum, quod Liber ad nos allatus sit mutilus; 1. vol.

CCCXXV.

Cat. Bibl. Reg. n. 27. *p.* 374.

Liber inscriptus,

puèn   *proprietatis*

çaò   *herbarum*

kãm   *caput*

&

本草綱

mŏ.   *oculus.*   目 | xî

chīn,

時

珍

id eſt, *Medicinalium herbarum ac plantarum repraſentatio, ſeu principia.*

Quanquam non niſi de *herbis,* *plantiſque* Librum hunc agere ex inſcriptione judicari poſſet, tamen id inde factum, quia, quæ de Medicinâ apud Gentes plærasque ſcribuntur, ea à Botanicâ incipiunt; nam *ſcire poteſtates herbarum* voluêre primitùs, qui vel morbos corporis internos, vel vulnera corpori humano inflicta, curare ſatagebant: itaque in hâc Medicâ Sinarum collectione, *Artem* quodammodo totam incluſerunt; neo de *herbis* ſolùm, ſed de *plantis* omnino omnibus, *arboribus,* *fruticibuſ*que, de *ſeminibus,* de variis *granorum* generibus, de *leguminibus,* de *fructibus,* de omni *rádicum* ſpecie, imo de *foſſilibus* ac *mineralibus,* ac præterea de *animalibus* agitur, quorum omnium reperire illic deſcriptionem poteris accuratam, quænam uniuſcujuſque proprietas, & quæ inde fieri conſueverint medicamenta. Primus rerum harumce Collector ac proinde Medicus fuiſſe dichur ipſe Imperator hoâm tî, ante Chriſtum 2706. nam primi illi Imperatores, hoâm tî, xîn nûm, yaô & alii, ſi Sinis credas, non regnavêre ſolùm, ſed etiam, *Artium* præſertim generi humano *utilium, inventores* extitêre, quod in Gente, Litteris atque paci addictâ ſat veriſimile. De Medicinâ Sinicâ, videndi ſunt *Mullerus,* Commentatione alphabeticâ *pag.* 40. *Gruberus,* *Trigaltius* & alii, ſed præſertim *Cleyerus,* & quæ eâ de re *Duhaldius.* Sed tamen narrationibus Viatorum fabuloſis plæriſque, cave omnino credas: neque enim audiendi, qui hiſtoriolas ſæpe ridiculas, de hoc vel illo potius Medico ignaro quam de vero Medicinæ ſtatu è Libris Medicorum Sinarum unicè petendo, narravêre. Ut redeam, Collectio hæc nihil, niſi opus variorum Medicorum antiquorum, ab aliis Medicis ac Philoſophis per diverſa tempora auctum, amplificatumque, quorum ultimus

lî

李

cujus operâ impreſſum eſt, imperante apud Sinas xùn chî, ꝛꝛ kām hî patre. Continet autem ſub invol. 4. vol. 32.

CCCXXVI.

Cat. Bibl. Reg. n. 19. *pag.* 386.

Liber inſcriptus,

     puèn
     çaò
     kām
     mŏ,

Habes characteres ſupra n°. 325.

id eſt, *Vera idonearum Medicinæ herbarum aut plantarum repraeſentatio, ſeu ea principia, queis datur ſua unicuique plantæ proprietas.*

Liber idem quo ſupra, de quo leges notitiam. Impreſſus eſt autem imperante xùn chî ꝛꝛ kām hî patre, & adſunt initio *Praefationes* complures, in queis de primis *herbarum* collectoribus fŏ hî, hoâm tî, xîn nûm, & antiquiſſimis Medicis, de *herbarum ordinatione* per *claſſes,* primum quidem generum, deinde ſpecierum: introductio parva ad *Herbarium:* ſequitur *herbarum* ipſarum, deinde variarum *plantarum,* atque etiam *animantium* repraeſentatio.

Volumina eſſe deberent multa, ſed ſunt tantum 26. & præterea tomus 31. itaque deſunt tomi 27. 28. 29. 30. 32. neque alii è Sinâ allati.

CCCXXVII.

Cat. Bibl. Reg. n. 44. *p.* 421.

Liber inſcriptus,

     puèn
     çaò
     kām
     mŏ.

Adſunt

Adfunt characteres nº. 325.

id eft, *Principia neceffaria ad proprietates herbarum cognofcendas*, vide fupra. Hic invol. 4. vol. 40.

CCCXXVIII.

Cat. Bibl. Reg. n. 63. p. 382.

Liber imperfectus infcriptus,

    puèn
    çaó
    kām
    mŏ.

Habes characteres nº. 325.

τῷ puèn çaò caput 18.
    Editio eft peffima, & agitur tum de *herbis*, *plantis*que, tum de *animalibus*, quæ omnia illic depinguntur, fed parum accuratè : volumina funt tria, id eft, 4. 12. & 13.

CCCXXIX.

Cat. Bibl. Reg. n. 62. p. 382.

Liber imperfectus, fine principio & fine, cujus tamen titulus fuit,

puèn

çaò

iûm

hiûen ,

本草通玄

id eft, *Libri feu Tractatûs de plantis penetratio excitata.*
    Adeft tamen Præfatio triplex, prima charactere liberiori, fecunda & tertia iis characteribus, qui *vulgares & recti*

appellantur. Ibi autem de Libri Authoribus ac famâ, itemque de Botanicæ utilitate agitur.
    Sequitur Catalogus Librorum Medicinæ complurium, fermè ad 29, eâdem de re ab antiquis Medicis editorum
    Poftea eft alius etiam Index variorum, qui de *Botanicâ* fcripferunt, *Authorum*, & indicantur ferè 46.
    Tum memorantur *herbarum* innumerabilium nomina, quarum deinde *proprietates* exponuntur, patriâ non folùm commonftratâ, fed quoad foli naturam, indolemque defcriptâ. 1. vol.

CCCXXX.

Cat. Bibl. Reg. n. 28. p. 374.

Liber infcriptus ,

puèn

çaò

mûm

civên ,

本草蒙全

id eft, *Inftrumentum quafi pifcatorium & fagena ad excerpenda*, quæ funt in puèn çaò.
    Hic Liber, non nifi abbreviatio quædam eft, amplæ illius collectionis Medicæ, de quâ fuprà; itaque tomo primo quafi per Catalogum dantur nomina *herbarum* omnium, item Indices rerum aliarum multiplicium, in τῷ puèn çaò contentarum.
    Tomi cæteri de ipfis *plantis*, aliifque materiis agunt, fed brevius.
    Scriptus autem eft, & Commentariis illuftratus à chîm kiā mŏ. Qui Author fæculi 16 initio vixit, idque imperante apud Sinas kiā çīn, Familiæ 21. tá mîm 12°. Impreffus verò Liber fub kām hī, & eft voluminum 5.

            Hhhhhh

CATAL. MEDICI.

CCCXXXI.

Cat. Bibl. Reg. n. 29. p. 375.

Liber inſcriptus,

fuĕn

pú

puèn

çaò,

分部本草

id eſt, *Tractatus particularis de plantarum proprietate.*

Cum in puèn çaò digreſſiones multæ ſint, reſque à ſe invicem diverſiſſimæ, licèt ad materiam Medicam omnes referantur, Kú húm pĕ, inter Medicos ætatis ſuæ illuſtris, quæ de plantis, huc illuc ſparſæ, aut Diſſertationibus longioribus explicatæ erant de *plantarum* naturâ & ſpeciebus *Notæ*, eas in unum hunc Tractatum concludere in animo habuit, ut Medicorum filiis, cognitionem *Botanicæ* faciliorem redderet. Revocavit ergo *plantam* aut *herbam* unamquamque ad genus aut ſpeciem ſuam, diviſitque per *claſſes*, ita ut, quam libuerit, reperias ſtatim, remotis, quæ per immenſa illa volumina tædio erant, inquiſitionibus.

Author, qui item magni nominis Medicus, vixit imperante çûm chîm, çûm chîm verò fuit ᷓ tá mĭm, id eſt, Familiæ 21. Imperator 17 & ultimus, qui etiam vocatus eſt, ut jam alibi diximus, hoaî çûm, ſæculo Chriſti 17°.

Impreſſus eſt ſub xún chí, & continet involucr. 1. volumina 3.

CCCXXXII.

Cat. Bibliot. Reg. n. 31. p. 375.

Liber inſcriptus,

tûm

gîn

chĭn

kieù

tû

kĭm,

銅人針灸圖經

id eſt, tûm gîn, *Bubonum* ſeu *Puſtularum acû aperiendarum Tabula*, ſeu *Liber Tabularum Chirurgicarum.*

Liber hic totus figuras varias exhibet, ſive virorum, ſive fœminarum, idque eâ mente, ut diverſi hominum à Chirurgis pungendorum, in omnibus corporis partibus ſitus cognoſcantur, quales apud nos Libri Chirurgici plærique. Scriptus autem Liber ſæculo Chriſti 11. cum in Sinâ imperaret Familia ſûm, & ſub gîn çûm, ejuſdem Familiæ 4°. Cyclo 63. Author fuit ejuſdem Imperatoris Medicus, ſed impreſſio anni 1442. anno ᷓ chîm tûm 4°. qui Familiæ tá mĭm Imperator 6. Sunt autem ejus Libri vol. 3.

LIBRI ARTIUM.

CCCXXXIII.

Cat. Bibl. Reg. n. 43. p. 398.

Liber inscriptus,

uám

chén

pién,

妄 占 辯

id est, *De malâ usurpatione disceptatio.*

Expostulatio est τὸ yām kuăm siēn, de Tribunali Mathematico, à Societatis Jesu Patribus, ut ipse dicebat malè ac contra jus omne usurpato, cum ab Imperatore, ob majorem Mathematicorum scientiam, asciti sunt ad Matheseως Tribunal. 1. vol.

CCCXXXIV.

Cat. Bibl. Reg. n. 25. p. 374.

Liber absque inscriptione,

Liber organicus Astronomiæ apud Sinas restitutæ, sub Imperatore Sino-Tartarico kăm hī appellato, Authore P. Ferdinando *Verbiest*, Flandro Belgâ *Brugensi*, è Societate Jesu, Academiæ Astronomicæ, in Regiâ *Pekinensi*, Præfecto, anno salutis 1663.

Opus hoc totum machinis variis tum ad *Sphæram*, tum ad cæteras Matheseως partes attinentibus exhibendis, delineandisque occupatur.

Præit tantum *Præfatio* Sinica, quæ figurarum illic contentarum, & modum, quo modo fieri debeant, & usum ad has vel istas Artes, ad hæc vel illa opera, idque generatim tantummodo exponit. Multa sunt quæ ad *Geographiam*, *Tabulas*que Geographicas conficiendas, multa quæ ad luminis *refractio-*

nem, itemque ad *specula* elaboranda, eorumque species diversas, imo ad *Hydraulicam* & *Agriculturam* referantur. 1. vol.

CCCXXXV.

Cat. Bibl. Reg. n. 22. p. 373.

Liber inscriptus,

yuĕ

lím

kuám

ý,

月 令 廣 義

id est, *Lunarum ordinationis lata expositio.*

Sæculis abhinc non multis, invectam à nobis *Astrologiæ* & *Astronomiæ* differentiam, easdemque & ab antiquis Mathematicis, & à doctis Orientalibus omnibus hactenus confundi, notius est quam ut commemorari debeat. Sinæ ergo, quomodo Gentes Asiæ cæteræ, scientiam utramque, sive in *Kalendariis* suis, sive in aliis Matheseως tractatibus adhibent; præterea, cum ad Rempublicam illic vulgò referantur, quæcumque de *Cælo* & *Syderibus* observata, Historias etiam varias, & Imperii mutationes & Bella ante easdem exorta, in memoriam reduci, atque in iisdem Libris, minutim, ac ferè per singulas Dominationes pertractari, nemo non videt. Talis ergo hic liber, è quo non solum, quæ ad *Astronomiam* Sinicam, *Astrologiam*que spectant, sed etiam, quæ ad Annalium Sinicorum materiem, resque per varia sæcula, & Regibus, & Imperatoribus gestas, cognoscendas, conferunt, abun-

Hhhhhh ij

ce haurire est, imo, quod maximè notatu dignum, adducuntur etiam de antiquis Mundi & Astrorum systematibus, quam plurima, ex queis, saltem Astrologiæ, & Astronomiæ apud Sinas Historiam discas, quam deinde, unà cum Græcis, Arabibusque, & nostris postea compares.

Author hujus præcipuus (nam multorum esse opus vulgo autumant) eorumque vetustissimorum, fuit lù pŭ guéi, eratque, ut ex Annalibus patet, τῶ xì hoâm tí tempore, Imperii Administer. xì hoâm tì, is est, quem muri illius famosi ædificatorem scimus, hostem, ut vulgò contendunt, Librorum, Authorumque, quique, Litterarum odio, opera Veterum omnia concremari jusserit; sed & fabulam esse jam monui, quam arguit impossibilitas, & præterea ex hoc, similibusque aliis Libris, eodem regnante, exaratis, mirum est quàm refutetur. Cæterum, commemorantur hic, qui in hunc Librum incubuerint Commentatores multi, inter quos antesignanus, Author, de quo sæpius dictum, totàque Sinâ adhuc celederrimus, chū vên kŭm, is ergo, sæculo Christi 13°. cum memoriam τῶ lù pŭ guéi apud Astronomos non obscuram, suscitare quodammodo, atque inter Sinas, tanquam Authoris apud antiquos venerandi, propagare in animo haberet, quod in alios multos, immensâ illâ suâ scientiâ, beneficium contulit, non solùm opus ejus correxit, atque edidit in publicum, sed etiam Commentariis & Additionibus maximis locupletavit.

τὸν chū vên kŭm secutus est alius Commentator, cui nomen hûm ým kīn, ejusque extant Notæ elegantes. Denique sæculo 16°. Imperante ván liě, Discipulus ejusdem hûm ým kīn, taí gín nomine, expositionem Magistri sui, animadversionibus etiam suis illustravit; unde est inscriptio uě lìm kuàm ý, quam τῶ ván liě dedicavit; quam ut condecoraret Imperator, Præfationem ipse adjunxit.

Impressus verò Liber anno Christi 1587, τῶ ván liě 20°. estque involucri 1. volum. 8.

CCCXXXVI.

Cat. Bibliot. Reg. n. 23. pag. 374.

Liber inscriptus,

崇禎曆書

çŭm

chīm

liě, lì

xŭ,

id est, τῶ çŭm chīm, seu *Imperatoris* çŭm chīm *Kalendarii Liber.*

Vox liě, seu lì, apud Sinas cursum *Dierum*, eorumque per totum annum successionem. Significat itaque liě xŭ, *Kalendarium*, quæ vox est usitatissima.

Cæterum, ad mentem Sinarum, non est Tractatus hîc, sed de Astronomiâ, qualis apud Europæos tunc vigebat, itemque de aliis Matheseos partibus, quidquid habet, id è *Clavio*, ex *Euclide* & antiquis Mathematicis Græcis, Latinisque desumtum; nimirum est à doctis è Societate Jesu Astronomis compositus. 10. vol.

CCCXXXVII.

Cat. Bibl. Reg. n. 42. p. 420.

Liber inscriptus,

天文大

tiēn

vên

tá

chīm,

chím ,

成

id eft , *Cæli fcientiæ magnum opus* , quafi diceres , *Almageftum.*

Agitur enim præcipuè de Aftronomiâ & Aftrologiâ , quæ fcientiæ apud Orientales , imò apud antiquos omnes femper conjunctæ fuerunt. Hic figuras videre eft multas , & *Globorum* , & *Aftrorum* , *Solis* , *Lunæ* , &c. *Fixarum* , &c.

In 1°. volumine , poft Præfationes , *Catalogus* eft , & enumeratio eorum , qui apud Sinas , Aftris obfervandis , operam dedere , omnium ; & funt ad minus 150. Tum fequitur rerum Aftronomiæ & Aftrologiæ fubjectarum Index , qui etiam infinitus. Author hoâm lö gän , alias hoâm tîm yö ùlh , alias hoâm tîm yö. In vol. 2. vol. 24.

CCCXXXVIII.

Cat. Bibl. Reg. n. 20. p. 387.

Liber infcriptus ,

tĭĕn

muên

lĭŏ ,

天問畧

id eft , *Cæli porta parva* , hoc eft , *parvus de Sphærà Tractatus.*

Author Jefuita Lufitanus : agit de *Sphærà* , *Planetis* , *Circulis* , &c. idque juxta Antiquorum fyftemata , & per figuras. *Præfatio* eft triplex , ad Libri commendationem , ac materiæ , per fe non facilis , elucidationem. 1. vol.

CCCXXXIX.

Cat. Bibl. Reg. n. 45. p. 398.

Liber infcriptus ,

tĭĕn
muên
lĭŏ ,

Habes characteres n°. præcedenti.

id eft , *Cæli porta parva.*

Tractatus eft de *Sphærà* , juxta principia Antiquorum. Author Sacerdos è Societate Jefu , idque tê vân liĕ temporibus. 1. volum.

CCCXL.

Cat. Bibliot. Reg. n. 44. p. 398.

Liber infcriptus ,

tĭĕn
muên
lĭŏ.

Liber & Characteres iidem qui fupra , fed non eadem editio. 1. vol.

CCCXLI.

Cat. Bibl. Reg. n. 42. p. 398.

Liber infcriptus ,

kĭă

çù

hoéi

kí ,

甲子會記

id eft , *Cyclorum* (queis Chronologia Sinarum tota nititur) *collectio & commemoratio.*

In Præfatione hujus Libri , agitur de cyclis , ac præcipuè de cyclo annorum fexaginta , atque Authore ejus hoâm tí , annoque ejus 8°.

CATAL. ARTES.

494

Poſtea ſequitur indicatio eorum, in quibus Cyclus unuſquiſque incipit, annorum, ab ejuſdem hoâm tí anno 8°. idque per omnes Imperatores, ex Hiſtoriâ deſignatos, ab hoâm tí, ad ultima uſque tempora.

Adduntur etiam Diſſertatiunculæ de primis ante hoâm tí ſæculis, de fó hī, ejuſque prædeceſſoribus ac ſucceſſoribus. Impreſſus eſt Nân ᴋīmi, & eſt volum. 3.

CCCXLII.

Cat. Biblioth. Reg. n. 46. pag. 378.

Liber inſcriptus

tí

cīm

ᴋām

hī

xě

pă

niên, &c.

大清康熙十八年

id eſt, *Ephemerides Sinicæ*, ſive *motus 7 Planetarum anni Chriſti* 1674, *Imperatoris Sino-Tartari* ᴋām hī appellati 18. calculati ad mediam noctem meridiani Pekinenſis, Authore R. Patre *Verbieſt*, Societatis Jeſu, Aſtronomiæ in

Regiâ Pekinenſi Præfecto. Liber eſt imperfectus. 1. vol.

CCCXLIII.

Cat. Bibl. Reg. n. 50. p. 399.

Liber inſcriptus,

lûn

y̆n

chî

tièn,

綸音持典

id eſt, *Codex dans ſenſum rota annua.*

Eſt *Almanach* Eccleſiaſticum, ſeu Chriſtianum, qualia apud Sinas à Chriſtianis, ut inter ſe utantur, imprimuntur quotannis. Pertinet hoc ad ᴋām hī annum 44. & ſunt exemplaria 20.

CCCXLIV.

Cat. Bibl. Reg. n. 51. pag. 399.

Liber αχεφνλ☉, & ſine titulo.

Sed eſt è genere Almanachico, eoque juxta Aſtrologiæ principia, in quo videre eſt Cyclum, & quidquid ad anni ac menſium ordinem pertinet, unà cum prædictionibus. 1. vol.

CCCXLV.

Cat. Bibliot. Reg. n. 48. pag. 399.

Liber inſcriptus,

kuōn

觀

ya

lim

kud,

音靈課

id eft, *Documentum, quo res longè prospicere aut providere intelligens possit.*

Eft opusculum quoddam ex Almanachicorum genere, de *Sortibus*, & ad artem divinandi adaptatum. 1. vol.

CCCXLVI.

Cat. Bibliot. Reg. n. 67. pag. 382.

Liber imperfectus manufcriptus, cujus inscriptio gallicè,

Dénombrement des Eclipses.

Videtur autem inter *Schedas* Adami *Schâl*, vel *Verbiefti*, repertus; non defunt, quæ ad Hiftoriæ cognitionem faciant, præfertim illorum temporum, cum Imperium τῶν tá mîm jam nutaret, fit etiam ejus anni mentio; quo inventus eft, atque è terrâ effoffus *Lapis* Urbis *Siganfu*, de quo *Semedo*, *Kirkerus*, & alii.

CCCXLVII.

Cat. Bibl. Reg. n. 24. p. 374.

Liber latinè infcriptus,

Cæli Phenomena.

Habet autem partes duas, quarum altera agit de Lunæ cum cæteris Planetis conjunctionibus, & vice verfâ, itemque de iis conjunctionibus, quæ funt ejufdem Lunæ ac cæterorum planetarum cum fixis; notabis autem id, nonnifi ad annum Chrifti 1674. pertinere. In alterâ funt *Ephemerides Sinicæ*, five motus Planetarum 7. ad annum Chrifti 1679.

Prima pars manufcripta eft, quæ fcilicet ad 1674.

Secunda impreffa, quæ ad 1679. refertur. Sunt autem utráque R. P. *Verbiefti*, è Societate Jefu. 2. vol.

CCCXLVIII.

Cat. Bibl. Reg. n. 25. p. 374.

Liber infcriptus,

kî

hô

yaó

fã,

幾何要法

id eft, *Geometriæ neceffaria principia*, feu *Primarum Geometriæ Regularum fundamenta.*

Author hujus Libri eft P. *Aleni*, è Societate Jefu.

CCCXLIX.

Cat. Bibl. Reg. n. 47. p. 399.

Liber infcriptus,

yuén

kîm

xuĕ,

遠鏡說

Iiiiiii ij

id eſt, *Diſſertatio*, ſeu *Oratio de ſpecillis longè proſpicientibus.* (Des Lunettes d'approche.)

Præfatio eſt de *ſpecillorum* utilitate, iis omnibus, qui Aſtronomiam rectè tractare volunt, & per totam Diſſertationem agitur, de *vitrorum* eam ad rem confectione, atque inciſione ; præterea objectorum elongationem atque appropinquationem lucis, gradus ac colores, ſimilitudinem ac diſſimilitudinem, pro hâc vel illâ diſtantiâ, & linearum ex hâc vel illâ conficiendarum, rationem expendit Author. Scripſit autem ſub ṫiën ḳ1, τᾶν tá mîm 15°. & anno ejus 6°. Europæus fuit, cum *Ariſtotelem*, ejuſque Librum ἀκροάσεων appellet. 1. vol.

CCCL.

Cat. Bibl. Reg. n. 43. *p.* 420.

Liber inſcriptus,

cēm

pù

ſuón

fã

iùm

çûm

civên

會補算法統宗全

xů,

id eſt, *Collectio Librorum ad generales numerandi regulas facientium.*

Tractatuli ſunt complures breves & manci, de antiquâ Sinarum Arithmeticâ. invol. 1. vol. 4.

CCCLI.

Cat. Bibl. Reg. n. 41. *p.* 398.

Liber inſcriptus,

má

tiaŏ

ḳiaí,

馬吊譜

id eſt, τᾶ má tiaō *Univerſalia*,

In hoc opuſculo multa ſunt de *Arithmeticâ*, de *Ponderibus*, de *Menſuris*, de *Muſicâ* & *Tonis* ; ſed peſſimè & nimium feſtinanter impreſſum eſt, ita ut characteres plærique truncati. 1. vol.

CCCLII.

Cat. Bibl. Reg. n. 37. *p.* 376.

Liber inſcriptus,

nûm

chím

civên

農政全

xů,

xû,

書

id est, *Agricultura perficienda Liber totalis five abfolutiffimus.*

Agriculturam in fummo honore apud Sinas haberi, norunt, qui Hiftoriam Sinicam legerunt omnes, & recte id fieri apud Gentem omnium fapientiffimam, quis non videt? cum hominum etiam Urbanorum, etiam Aulicorum, etiam Regum atque Imperatorum victus hinc totus pendeat. Itaque in Libris Sinarum vetuftiffimis, qualis eft xû кīm, Agricultura maximè commendatur. Hoc autem, de quo nunc agitur, opus, à Neophyto Chriftiano Paulo, Doctore illuftri, Imperiique Adminiftro, compofitum eft, qui cum negotia publica, fub finem vitæ, ut Deo uni ferviret, ac Religionem Chriftianam liberius profiteretur, omnino reliquiffet, hortos colere, naturamque herbarum, leguminum, atque arborum, ea demùm, quæ vitam rufticam fpectant, omnia, ut varia granorum ac feminum genera, Bombicum nutritionem, cognofcere voluit; item, quod effet omni doctrinarum genere excultiffimus, & varias Sinarum Scientias apprimè didiciffet, multa de rebus *Mathematicis*, de *Aftronomiâ*, *Geometriâ*, *Hydraulicâ* addidit.

Liber eft figuris ornatus quàm plurimis, & nomina *florum* atque *arborum* recenfet plæraque. Invol. 2. vol. 12.

CCCLIII.

Cat. Bibl. Reg. n. 20. p. 373.

Liber infcriptus,

vù

武

kīm,

經

id eft, *Bellorum*, aut *Artis Militaris Liber.*

Cum Familia τῶν yuên, feũ *Ginguifkamdum* in Sinâ regnaffet diu, hoc eft,

à taí çù, aliàs hŏ pí liě, feu ut apud Arabes ac Perfas vocatur *Cublaio*, ufque ad xún tí, Sinæ avorum fuorum tandem memores, in illam, quæ ab anno 1280, ufque ad annum 1367, fummâ cum gloriâ regnaverat Familiam Tartaram, propter ultimi ejufdem xún tí ignaviam infurrexêre : factum autem illud ab hûm vù, primùm quidem *Latrone*, deinde, Gentis fuæ magno vindice; nam cum ad ejus caftra confugiffent, qui tunc in Sinâ, ob Regis imbecillitatem, numero erant maximo, homines perditi, vagique, & res peffimè adminiftratas, jamdudum conquererentur Sinæ ferè univerfi, delectus eft, qui facinus incœptaret, & *Nanzimi* declaratus Imperator; ftatimque Legibus optimis, & ad antiquorum Sinarum mentem promulgatis, rectâ *Pekimum* perrexit; Bella tunc gefta fumma, & orti magni nominis Duces, quos inter, pûm çù Exercituum ab hûm vù collectorum, Præfectus generalis.

Atqui à pûm kí yaó, cujus Præfectus idem patruus, poft tanta Bella confcriptus eft, anno Chrifti 1637. Additus autem Commentarius, Authore chìm kièu hŏ, qui imperante ván liě, Familiæ tá mîm 14°. extitit. Jam hæc editio procurata fub кām hī, eftque involucri 1. vol. 2.

CCCLIV.

Cat. Bibl. Reg. n. 21. pag. 373.

Liber infcriptus,

cém

增

pù

補

vù

武

kīm,

經

Kkkkkk

id eſt, *Supplementum ad Bellorum*, ſeu *Rei Militaris Librum.*

Liber idem eſt, ſed Commentariis illuſtratus à lîn çû hoân, qui Author, annis poſtea, quàm plurimis, hoc eſt, ſub finem Familæ tá mîm, cum notas præcedentium, variaſque hominum ætatis ſuæ Militarium obſervationes ſummâ curâ collegiſſet, addere etiam ſuas voluit, impreſſus verò Liber anno 1633, imperante çûm chîm, aliàs hoaî çûm, ejuſdem Familiæ tá mîm 17°. Sunt autem hic, invol. 1. vol. 4.

CCCLV.

Cat. Bibl. Reg. n. 40. p. 377.

Liber inſcriptus,

ǩiûn

xû

pí

ǩaò ,

群書備考

id eſt, *Variorum Librorum accuratum examen.*

Opus eſt eximium, nam varia è variis antiquorum Libris excerpta repræſentat, expenditque; item multas Hiſtorias in mentem revocat, quæ ab aliis Authoribus omiſſæ, etiam diligentibus atque illuſtribus, ita ut aut volumina eorum indicatis fontibus ſuppleat, aut res prorſus novas, nominatis intereà Scriptoribus, referat, addatque ut plurimum judicium de unâquâque re ſyncerum ac criticum. De Libris veteribus non unam quæſtionem movet. Vid. à *pag.* 50. ad 56. item de characteribus, & lŏ xû *pag.* 59. & ſequentibus.

Authores autem multi fuêre, ſed præſertim yuèn hoâm. Cæterum ejus opus à poſteriore quodam Philoſopho,

quem vocant yuèn niên, Commentariis illuſtratum eſt, brevibus notis, idque ita, ut de omnium ferè Librorum priſcorum authoritate Philoſophicè ac criticè agat.

Vixit yuèn niên ſæculi 17. initio, & ſub tá mîm, volum. 4.

CCCLVI.

Cat. Bibl. Reg. n. 23. pag. 387.

Liber inſcriptus,

ǩiŏ

xí

yà

yên ,

覺世雅言

id eſt, *Conſiderandum eſſe ſæculum.*

Oratio pulchra; ſenſus eſt, *Qui ſæculum, aut res humanas attentè conſiderarit, eum optimè facere:* Miſcellanea ſunt Hiſtorica & Geographica, peſſimè impreſſa. 1. vol.

CCCLVII.

Cat. Bibl. Reg. n. 39. p. 376.

Liber inſcriptus ,

xí

'ſú

世事

tûm

kɑò,

通考

id eſt, *Sæculi negotiorum generale examen,* ſeu *cognitio univerſalis.*

Tractatus hic per ſe curioſitatis plenus; etenim multa offert omnino ſingularia, & quæcunquè ad Imperium Sinicum cognoſcendum faciunt, quodammodo complectitur : tractat nimirum de rebus ferè omnibus, de variis Sinicæ Gentis Populis ac Nationibus, de eorumdem Populorum enumeratione, de eorumdem moribus, uſibus, muneribuſque; item, quot ſint apud Sinas Artes, & quænam aut ardentiſſimè colantur, aut utiliſſimæ ſint : præterea de mutuo inter Sinas commercio, de itinerum ſuſceptione : admiſcet quoque nonnulla de Medicinæ occultioris remediis, de Grammaticâ, aut potius de quibuſdam Genti Sinicæ propriis phraſibus, ad Sinarum mores, ut inde earum convenientia illuſtretur, ubique relatis, ita ut opus ſuum Author εγκυκλοπαιδ'ειαν quandam rerum apud Sinas, & in humano ſermone uſitatiorum eſſe voluerit. Author vocatur ſiû ſān ſèm, vivebat autem imperante Familiâ 22. tá mîm. 1. vol.

CCCLVIII.

Cat. Bibl. Reg. n. 38. p. 376.

Liber inſcriptus,

tiēn

kûm

kái

天工開

vĕ,

物

id eſt, *Rerum à Cælo factarum in Artibus patefactio.*

Hic Liber arcana ferè omnia & *Naturæ* & *Artium* continet, verbi gratiâ, de *Porcellanis*, de *Sericis*, de *Tincturis*, de *Atramentis*, quomodo & ex quo fiant; item, quâ ratione *Gemmæ* è mari extrahantur, quî excidantur, aliaque ejuſmodi infinita.

Author ſûm ỳm ſīm, Doctor Sina, qui Artium admodum curioſus, vitam omnem ſuam, in earum cognitione, & rerum artificialium inquiſitione conſumpſit. Voluminum debet eſſe trium, ſed ſecundum allatum non eſt.

CCCLIX.

Cat. Bibl. Reg. n. 21. p. 387.

Liber inſcriptus,

tiēn
kûm
kái
vĕ,

Habes characteres ſupra n°. 358.

id eſt, *Rerum à Cælo formatarum in Artibus patefactio.* 3. vol.

CCCLX.

Cat. Bibl. Reg. n. 40. p. 398.

Liber inſcriptus,

tiēn
kûm
kái
vĕ,

Habes characteres ſupra n°. 358.

id eſt, *Operatio Cæli in aperiendis rebus.* Locutio eſt è Philoſophiâ Sinarum deſumpta, quâ *Artes à Cælo* derivatæ dicuntur. Eſt tantum 1. vol. ſeparatum.

CCCLXI.

Cat. Bibl. Reg. n. 22. p. 387.

Kkkkkkij

CATAL. ARTES.

500

Ejufdem Libri, fed ex aliâ editione malè fculptâ, pars fecunda. 1. vol.

CCCLXII.

Cat. Bibl. Reg. n. 49. p. 399.

Liber infcriptus,

sīn

kĕ

pĕ

sīn

ċhaó

xuān

nân

xuí

çĕ

li,

新刻比新鈔關南稅則例

id eft, *Novæ editionis, Pequimi novum*

Regiftrum, ad Nankini rectum confenfum, feu pacta conventa pro vectigalibus.

Senfus eft, novam editionem factam Indicis, feu Catalogi hujus, qui eft, & mercium quæ inter duas Urbes *Pekimum* & *Nankimum* ultro citroque comportantur, & vectigalium pro unâquâque merce folvendorum. 1. vol.

CCCLXIII.

Cat. Bibl. Reg. n. 46. p. 398.

Liber infcriptus,

hoá

tă,

畫答

id eft, *Refponfio de Picturâ.*

Cum apud nos picturæ modus à Sinarum picturâ quàm maximè remotus fit, præfertim quoad figuras, & veftes, & lineamenta, fæpe interrogantur noftri de verâ pingendi & fculpendi Arte: quam *Natura* confentaneam effe, cum certò certiùs fit, mirum eft, cur Sinæ alioqui *Natura* fautores acerrimi, aliud tamen nefcio quid, quod in rerum naturâ non eft, fectentur.

In Præfatione, quæ eft de *Sculptoribus* & de *Pictoribus* generatim, Sinæ veteres reprehenduntur, quod figuras 10, 20 brachiorum, & alia ejufmodi monftra depinxerint contra omnem *Naturæ* viam.

Impreffio facta fub çŭm chīn, & Author Sacerdos è Societate Jefu. 1. vol.

CCCLXIV.

Cat. Bibl. Reg. p. 431.

Libri Sinìci *Hoamgici*, feu qui *Hoamgii* fuerunt, & Opera poft ejus mortem reperta.

1°. Horæ Sinicæ, mf. pelle rubeâ contextæ, 1. vol. *in-12.*

2°. Preces aliæ feparatæ. 2. vol.

3°. Catechifmus per Quæftiones & Refponfa. 1. vol.

4°. Libellus, in quo characteres aliquot cum eo titulo, *Eclairciffemens*, fed

fed Sinicus totus, & eorum temporum, cum ad Galliam nuper appulfus *Hoamgius*, gallicè difceret.

5°. Volumen quoddam parvulum ac fine titulo, in quo phrafes multæ merè Sinicæ, cifris notatæ, nimirum ut alicujus Miffionarii Operibus, fortè Rofalienfis, infervirent. 1. vol.

6°. Libellus, qui non aliud quàm Regiftrum diurnale, per menfes diftributum, ad annum 1709. 1. vol.

7°. Codex parvulus, in quo loca quædam de Incarnatione, qualia *Neophytis* à Miffionariis tradi folent.

8°. Codices quidam, in quibus phrafes 4, aut 5, aut 6, aut 7, aut 8 vocum & characterum, ab *Hoamgio* fortè ad ufum privatum collectarum. 1. vol.

9°. Verfio incepta & imperfecta Fabulæ cujufdam, ex earum genere, quas vocamus *Romans* gallicè.

10°. Volumen quoddam mf. cui Titulus, *Reflexions fur l'état prefent de la Chine*, quas *Hoamgius*, tanquam refponfa eâ de re, ad quæftiones ipfi à me propofitas, confcripferat..

11°. Fafciculus Foliorum Sinicorum, tàm manufcriptorum quàm impreffo-rum, fed fine titulo & ordine. 1. vol.

12°. Initia Dictionarii Sinici, ejus nempe, quod ordinem Clavium fequitur, & in quo quædam tantum Claves, & quidam tantum ex illis Clavibus Characteres felecti. 1. vol.

13°. Schedæ quædam, in queis preces quotidianæ *Pater*, *Ave*, *Credo*.

14°. *Dialogi* inter Bonzium & Miffionarium atque inter duos Mercatores, alterum extraneum, alterum Sinenfem.

15°. *Nominum & Verborum* quorumdam Catalogus, feu Vocabularium, quod ut & cætera, Sinicè quidem, at Latinis tantum Litteris, ac fine ullo charactere., ita ut, finicè difcenti prorfus inutile fit, quomodo Dictionarium à *Kirkero* in fine *Chinæ illuftratæ* editum. Quidquid enim finicè fcieris, Latinis Litteris expreffum, id omne vanum, ac fenfûs vacuum, propter incommodam monofyllaborum Sinicorum ambiguitatem, cum hoc vel illud monofyllabum etiam ejufdem toni, femper multis, fæpe 10, fæpe 20, fæpe 30, fæpe 100 characteribus correfpondeat.

Ufus eft *Hoamgius* Dictionariis duobus, merè Sinicis, fed DD. Illuftriff. erant Millionariorum Extraneorum, apud quos diu manferat, & ab iis pofteà requifiti, cæterum erant merè Sinici,

fcilicet çû luỳ & pìn çù ciên.

16°. Libellus infcriptus kiã hiûn, &c. *De gubernandâ domo.* invol. 1. vol. 6. parvulorum.

LIBRI TUNQUINENSES.

CCCLXV.

Cat. Bibl. Reg. n. 140. *p.* 411.

Meditationes de Dominicis primæ claffis. 1. vol.

CCCLXVI.

Cat. Bibl. Reg. n. 143. *p.* 411.

Quæftiones de Articulis Fidei, fcripturâ Tunquinenfi. 1. tom.

CCCLXVII.

Cat. Bibl. Reg. n. 144. *p.* 411.

Tractatus de pietate erga parentes. 1. vol.

CCCLXVIII.

Cat. Bibl. Reg. n. 145. *p.* 411.

Secundus Liber Confolationum. 1. vol.

CCCLXIX.

Cat. Bibliot. Reg. n. 148. *p.* 412.

Index peccatorum ad examen confcientiæ, eorum præfertim quæ homo contra fe ipfe admittit. 1. vol.

CCCLXX.

Cat. Bibl. Reg. n. 147. *p.* 412.

Meditationes ad tempus Pafchæ, fcripturâ Tunquinenfi. 1. vol.

CCCLXXI.

Cat. Bibl. Reg. n. 149. *p.* 412.

De vita Chrifti Liber fecundus.
De vitâ Chrifti Liber tertius.
Item vita Chrifti tomus 4. 7. 8.
Nonus Liber de vitâ Chrifti ex Evangelio.
Decimus Liber de vitâ Chrifti.

CATAL. TUNQUINENSES.

CCCLXXII.

Cat. Bibl. Reg. n. 150. p. 412.

Liber αχεφαλ℗ , fed , ut ex fequentibus patet, Ecclefiafticus, atque etiam Officiorum Divinorum pars , charactere Tunquinenfi : fuit olim Tunquinenfis cujufdam vocati *Francifco*. 1. vol.

CCCLXXIII.

Cat. Bibl. Reg. n. 151. p. 412.

Libri Tunquinenfis pars tertia , qui videtur Militis cujufdam vita. 1. vol.

CCCLXXIV.

Cat. Bibliot. Reg. n. 152. pag. 412.

Liber Tunquinenfis omnino mutilus, & αχεφαλ℗ , de Religione tamen. 1. vol.

CCCLXXV.

Cat. Bibl. Reg. n. 153. p. 412.

Vitæ Sanctorum.
    1. Januarii. 1. vol.
    2. Februarii. 1. vol.

    3. Martis. 1. vol.
    4. Aprilis. 1. vol.
    5. Maii. 1. vol.
    6. Junii. 1. vol.
    7. Julii. 1. vol.
    8. Augufti. 1. vol.
    9. Septembris. 1. vol.
    10. Octobris. 1. vol.
    11. Novembris. 1. vol.
    12. Decembris 1. vol.

CCCLXXVI.

Cat. Bibl. Reg. n. 141. p. 411.

Vita Beatæ Virginis, Sinicè , fed fcripturâ Tunquinenfi. 1. vol.

CCCLXXVII.

Cat. Bibl. Reg. n. 142. p. 411.

Vita S. Ignatii Sinicè , fed fcripturâ Tunquinenfi. 1. vol.

CCCLXXVIII.

Cat. Bibl. Reg. n. 146. p. 412.

Vita Sanctarum Domini Mulierum , charactere Tunquinenfi. 1. vol.

LIBRI JAPONENSES.

Tres Libri , qui fequuntur , in Catalogo Bibliothecæ Regiæ fupplendi.

CCCLXXIX.

Liber imperfectus , infcriptus ,

Sinicè. Japonicè.

gĕ   ni

puèn   fon

kuĕ   kuni

日本國

Sinicè. Japonicè.

tí   dei

hi   ki

liŏ.   rio ku.

id eft , *Imperatorum Japonicorum fuccefsionis compendium.*

Liber in Japoniâ , charactere Sinico

帝糸畧

& Japonico, *catta canna* dicto, impreſſus, & in novâ *Bataviâ* repertus. Continet Synopſin Chronologiæ Sinicæ, & brevem Imperatorum Japoniæ Catalogum, videtur autem Operis majoris volumen ſecundum, 1°. Imperatores Japoniæ & Sinæ quoſdam omnino fabuloſos repræſentat. Poſtea, in unâquâque paginâ, duas veluti columnas habet, unam de Imperatoribus Japonicis, quæ ſumma eſt, alteram de Imperatoribus Sinicis, quæ ima, & pergit uſque ad *tu hán chaô*, Imperatorem decimum quintum, qui eſt *hoâi yâm vâm*. Annotantur in unâquâque paginâ, non ſolùm Cycli anni, ſed etiam, quot annos regnaverit Imperator unuſquiſque.

CCCLXXX.

Liber inſcriptus,

Guida de los Peccadores.

Japonicè. Impreſſus in Collegio Japonico Societatis Jeſu, anno 1599.

CCCLXXXI.

Liber inſcriptus,

Ra cu yo xu.

Sive Dictionarium Japonicum. Impreſſus eſt in Collegio Japonico Societatis Jeſu, anno 1598. Charactéres habet, hinc Sinicos, illinc Japonicos; ſed Sinicos ſcripturâ liberiori, & qualem uſurpant Japones, & quandoque Sinæ ipſi in quibuſdam Præfationibus, omnino à characteribus chín, ſeu rectis, diverſam.

LIBRI TARTARICI.

Sive eorum, qui Sinæ nunc regnant, Tartarorum.

CCCLXXXII.

Volumina magna & ſpiſſa, quæ à Tartaris de Hiſtoriâ & Moribus Majorum ſuorum compoſita, Tartariam, & proinde Sinam ipſam, earumdemque Regionum mutationes, ac bella, fuſè repræſentant. Si Librorum quorumdam Sinicorum interpretationes adjunxeris, ſunt voluminum 48.

CCCLXXXIII.

Libri longè pulcherrimi, & tum impreſſione, tum compactione, è pannis ſericis admirabiles, in Bibliothecam Regiam ex Telonio, id eſt, magnâ Publicanorum Domo illati, idque in arcâ ſemi-ligneâ, ſemi-chartaceâ, in quâ reperta eſt Nota ſequens.

Primò, Libros hoſce Tartaricos omnes, nihil aliud continere præter Opera quatuor vaſta & magnifica.

Deinde, Primum eſſe in involucris 6. ſericis, & ea, quam gallicè *Satin* appellamus, telâ, ſed flavis, ad rubeum colorem vergentibus. Voluminum 36.

Secundum in involucris 2, eâdem telâ, ſed flaviore, & partim rubeâ, voluminum 26.

Tertium in involucris 2, adhuc flavioribus, voluminum 20.

Quartum, in involucris 4 ſed cæruleis, voluminum 31.

Ita ut ſumma ſit voluminum in eâdem arcâ contentorum 113. Quæ omnia, præter Libros in tertio involucro contentos, floribus ſunt in telâ ipſâ pictis intertexta.

Tertiò, Quoad Linguam ipſam, & ea quæ commemoramus Opera, eos qui *Pekimi* nunc, & per totum Sinarum Imperium regnant, Tartaros, qui vulgò Tartari *man cheu* appellantur, etſi id à multis ita putatur, nihil minus fuiſſe quàm Barbaros, eâ ipſâ ætate, quâ in deſertis ac ſolitudinibus vagari dicebantur, quæ res cum è Martinio teſte αυτοπια certa ſit, ac præterea tanti Imperio ſubjugatio, divinâ quâdam ſapientiâ à Tartaris concepta ſit ac perfecta, judicat Lector, 1°. eos non fuiſſe απαιδευτυς, 2°. Iſtud etiam è Tartarico charactere conſtare, qui cum ad Syriacum vergat, jam diu ſaltem, & multò ante *Um kam* & *Genguiskanis* tempora, apud ipſos viguerit; hinc eſt igitur, quod Tartari effecti Sinæ, ac Sinicos mores, abſque ullâ hæſitatione amplexati ſint; nam niſi ſatis civiles ipſi, & urbanitate quâdam, licèt minori præditi eſſent, non ſe ipſi ad Sinarum comitatem ac conſuetudines tam facilè applicaſſent.

L l l l l l ij

Cæterum Linguæ in Tartariâ multæ funt, & non folùm character harumce Linguarum omnino alius, fed Linguæ etiam multum diftantes, ut è Grammaticâ apud Thevenotium impreffâ patet, quam fi cum vocabulis Theberthanis contuleris, iis nimirum, quæ apud Bayerum, & à me olim verfa; illicò Linguas eafdem, fi non toto Cælo, faltem maximè diverfas effe confenties; fed hæc alias & alibi.

Quartò, Quoad Opera tantis ac tam magnificis voluminibus contenta, verfiones effe Librorum quorumdam Sinicorum, præfertim eorum, qui Sacri & Canonici appellantur, ut & ý lì kīm, ac cæterorum ad vitam dirigendam, ac mores conformandos pertinentium: nonnulla tamen ineffe hiftorica Tartariæ præfertim τῶν *Mantcheu*.

CCCLXXXIV.

Dictionarium Tartaro-Sinicum, eâ mente compofitum, ut à Tartaris in Sinâ morantibus, vel è Tartariâ in Sinam venientibus, Lingua Sinica facilus addifcatur. 3. involucra vol. 14.

CCCLXXXV.

Dictionarium Tartaro-Sinicum, à R. Patre Domengio, è Societate Jefu, ad me miffum, fed quod maris aquas in duobus ferè voluminibus omnino obliteravit, ac præterea mucore abfumpfit; fed idem eft, qui fupra. Vol. 14.

CCCLXXXVI.

Aliud Dictionarium Tartaricum, hoc eft, τῶν *Mantcheu*, eorum nempe Tartarorum qui nunc apud Sinas Imperium tenent; eft autem ampliffimum, & voluminum 16. & à R. Patre Domengio ad me miffum eft anno 1733.

Hæc verò eft hujus Dictionarii natura, 1°. ut Tomi quatuor fint, in quibus ea, quæ in Dictionario explicanda funt, vocabula, ordine quodam alphabethico, quì à noftro omnino diverfus, in Indice generali, *Oug heri hægen* vocato, continentur.

2°. Qui fequuntur Tomi, rerum ordinem habent, vocabulariorum noftrorum inftar; incipiunt autem à Cælo, & quod Cælo convenit, nimirum, *tempus, tempeftates, pluvia*, &c.

3°. Tum ad Imperium acceditur, & hic funt, quæcumque ad exercituum divifionem, ad centurias, ad figna, &c. pertinet.

4°. Poftea de Officiis ac Magiftratibus agitur, atque eodem in loco de Examinibus apud Sinas fieri folitis.

5°. Hinc ad cæremonias tum publicas, tum privatas, quæ Religionem Sinicam quodammodo conftituunt.

6°. Unde tranfit ad Muficam, quia Religionis pars quædam.

7°. Defcendit poftea ad Liberorum educationem, ad Studia, ad Scientias.

Sed hoc generatim annotandum, 1°. Author hujus Dictionarii Imperator kām hī ipfe, nec Præfationem folùm (ejus enim eft, non aliûs) compofuit, fed vocabula plæraque collegit & ordinavit. Dictionarium eft vol. 21. fed propriè tomorum 10, quæ volumina 20, quòd in uno quoque tomo volumina duo conclufa fint, & in 1°. eft adhuc *Præfatio*, quæ tomus primus, & Index uniufcujufque tomi, feu voluminum duorum, in capite primi illius voluminis eft, ita ut *Indices* fint tot, quot volumina duplicia, fed neque hoc obftitit, quin poft Præfationem, *Index* etiam generalis poneretur, unde ad cætera diverteres; in hoc enim Dictionario Imperator rationis unius ordinem, & naturalem rerum concatenationem in animo habuit, perfuafus viam hanc unam effe ad comprehenfionem facilem, doctam ac philofophicam; fed notitiam ejufdem operis, fi non commodam, faltem ampliorem, aliàs iri à nobis datum fperamus. Volum igitur eft 20.

CCCLXXXVII.

Liber infcriptus,

tchouan
tchoue
outchou
pitghé,

id eft, *Alphabethum Tartaricum* τῶν *Mantcheou*. 2. vol.

CCCLXXXVIII.

Liber infcriptus tartaricè,

Compendium Legis Chriftiana. Volumen 1.

Liber omiffus.

Liber omissus.

CCCLXXXIX.

Cat. Bibl. Reg. n. 34. *p.* 431.

Liber inscriptus,

sû 四

xû 書

túm 通

id est, τῷ mêm çù *secunda pars.*

Hæc empta est à me Parisiis, commentario illustrata est interlineari. 1. vol.

Authorum Grammaticorum Sinarum Catalogus.

Apud Sinas, Libros in Grammaticam Artem, non solùm non deesse, verùm etiam abundare persentisces.

1°. ex variis iis quæ hinc inde colliguntur Authorum appellationibus, confici potest Bibliotheca quædam amplissima, scientiarum omnium; sed Libros exspectamus, neque huc nisi Regiâ authoritate adduci unquam possunt,

exemplum hujusce rei unum tantummodo afferemus: attende Lector.

Qui ab Authore τῷ chím çù túm, *significationum* testes adhibiti, Grammatici apud Sinas noti, eorum sicut in nostrâ Præfatione promissum est, quamvis Opera ipsa allata ad nos non sint, tamen Catalogum Sinicè attexum hinc apponemus.

Titulus Titulorum.

正字通引證書目

1. 許慎說文解字
2. 徐鉉說文集註
3. 徐鍇說文繫傳
4. 吳淑說文五義
5. 周伯琦說文字原
6. 趙宧炎說文長箋
7. 釋曇域說文補
8. 唐玄度九經字樣
9. 張參五經文字
10. 陸德明經典釋文
11. 婁機班馬字類
12. 歐陽融分毫正字
13. 李濤刊誤

Mmmmmm

35	36	37	38	39	40	41
潘廸石鼓文音訓	薛尚功鐘鼎篆韻	釋道泰鐘鼎古今韻	李陽氷六書刊定	顏師古刊繆正俗	張有復古編	伺承天篆文

42	43	44	45	46	47	48
顧野玉玉篇	張揖古今字詁	呂忱字林	王安石字說	宋儞楊時字說辨	鄭樵六書略	鄭樵字始連環

49	50	51	52	53	54	55
孫强玉篇增補	丁度類篇	吳棻字林音義	阮孝緒文字集略	許謙假借論	洪武正韻	孫吾與韻會定正

98	99	100	101	102	103	104
章黼韻學集成	王柏正始音	米帝大宋五音正韻	李登音義便考	陸法言廣韻	孫愐唐韻	李燾五音譜

105	106	107	108	109	110	111
呂靜韻集	武元之韻銓	張諒四聲韻林	李縢音韻決疑	丘雍禮部韻略	楊朴禮部韻拾遺	宋祁景祐集韻

112	113	114	115	116	117	118
毛晃增修互注韻略	程迥古韻通式	柴氏古韻通	王該聲玉典韻	劉善經四聲指歸	李嘉紹切圖四法	李士謙免疑字韻

119 李元壽韻要

120 張貴謨聲韻補

121 鄭升卿四聲韻類

122 王宗道切韻指玄

123 崔山切韻聲原

124 陳第毛詩古音考

125 陳第屈宋古音考

126 楊慎轉注古音略

127 吳元滿諧聲指南

128 劉鑑切韻指南

129 周德清中州音韻

130 呂坤交泰韻

131 蕭雲從韻通

132 釋神珙等切譜

133 釋處忠元和韻譜

134 釋智猷補修加字切韻

135 釋宗彥四聲等第圖

136 釋靜洪韻英

137 釋眞空輯直旨玉鑰匙門法

138 蒙古韻略

512.

Excerpta è variis Premari ad Amicum suum Fourmontium Epistolis.

In Epistolis Premari.

7. *Septembre* 1728.

» Je ne quitterois pas si-tôt cette ma-
» tiere, si je n'avois à vous envoyer
» un Traité Chinois, que je fis il y a
» neuf à dix ans. Vous verrez-là ce que
» c'est que les lŏ xū, dont tant de gens
» se mêlent de parler, mais que la plû-
» part, & même parmi les Chinois,
» n'entendent guéres.

Du 29. *Août l'année suivante.*

» J'ai très-bien fait de vous envoyer
» mon petit Traité Chinois sur le lŏ xū.
» Je le fis autrefois, pour montrer aux
» autres Missionnaires, que je ne crai-
» gnois ni leur critique, ni celle des
» Chinois même. Je n'ai pû le faire im-
» primer, faute de Réviseur; car nos
» gens sont ici, par rapport à ces ma-
» tiéres-là, ce que sont vos Imprimeurs
» par rapport à l'Hebreu & à l'Arabe.

Ce 4. *Décembre* 1728.

» Je vous envoye plusieurs Lettres
» de moi sur differens sujets.
» Un *Dictionnaire Chinois*, recüeil de
» toutes les manieres, dont les caracteres
» Chinois ont jamais été écrits.
Cat. Bibl. Reg. p. 426. *n.* 80. 81. *& 84.*
» *Explication des* 16. *articles* par l'Em-
» pereur régnant, où il met la Religion
» Chrétienne parmi les fausses Sectes,
» *pag.* 20.
» Un Panegyrique de S. Joseph en
» Chinois, de ma façon.
» La pierre du Chensi.
» Les instructions de l'Empereur ré-
» gnant, Xam lun.
Le Livre du P. Ricci. 2. *vol.*
» Les noms de familles rangez par le
» feu Empereur.
Cat. Bibl. Reg. p. 427. *n.* 1.
» Le Pere Domenges vous envoye le
» Dictionnaire Tartare fait par les or-
» dres de l'Empereur kăm hĭ.

Du 27. *Août* 1728.

» Pour répondre à la plûpart de vos

» difficultés sur l'yĕ kím, je vous en-
» voye *un assez long manuscrit*, dont je
» n'ai point d'autre Exemplaire. J'aime
» mieux qu'il soit entre vos mains, que
» d'être rongé des vers après ma mort.

Ibid.

» Dans un coffre de cuir de la Chine,
» que j'ai pris la liberté d'envoyer à Mr.
» Pelletier, Controlleur des Finances,
» vous avez là dedans la *Chronique Chi-*
» *noise*, depuis puôn koú, jusqu'à hoâm
» tí. Mon dessein étoit de vous donner
» le reste de cette année, mais outre que
» j'ai presque toujours été malade, on
» m'a obligé de travailler à un *Diction-*
» *naire Latin-Chinois*, à l'usage des nou-
» veaux Prêtres, à qui nous apprenons
» le Latin. *Ailleurs*, je ne le garantis
» point sans faute. «
(Hinc Dictionarium est Europæis
ferè inutile, cum characterum Sinicorum pronunciatio absit omnis.)

Du 16. *Octobre* 1728.

» On a offert à l'Empereur kăm hĭ,
» de deux jours en deux jours, pendant
» plus de quarante ans, tous les Livres
» qu'on pouvoit déterrer, encore ne
» sçai-je, si on a pû déterrer tout. «
(Hinc quæ sunt à me, de Librorum
Sinicorum multitudine dicta (*Medit. Si-*
nic. Præf.) ad amussim exacta esse, discere est. Vide & Semedonem, & alios
quàm plurimos de Examinibus & Litteratis.

Du 28. *Novembre* 1730.

» Vous n'avez qu'à regarder comme
» votre bien propre, tout ce que je vous
» ai envoyé & vous envoyerai dans la
» suite. «
(Hoc à meis moribus omnino alie-
num, neque unquam feci, nec faciam:
suum cuique tribuatur, quidquid hîc
Sinicum, à me uno est, nec quidquam
Hoamgii, nec Premari, neque aliùs
ulliûs.

Catalogue

Du 10. *Décembre* 1728.

Catalogue pour Mr. Fourmont.

» Un paquet affez gros, enveloppé
» de papier huilé, dans lequel font di-
» vers Livres Chinois, des Ecrits, mes
» Lettres, & du papier de trois fortes.
» Un Dictionnaire Chinois.

» Le chán haì kím, dans un paquet
» féparé, en un feul tome.

» Une Hiftoire, *ou* Nouvelle Chi-
« noife, en fix volumes.

» Notice de la Langue Chinoife, en
» cinq tomes. Il y a là un paquet de
» Lettres, deux boëtes de pinceaux
» Chinois, une livre d'encre de la Chi-
» ne, trois boëtes mifes en un paquet,
» une petite boëte d'encre pour écrire
» en rouge.

» Quatre éventails dans deux boëtes.

» Une écritoire pour broyer l'encre
» rouge.

» Une autre pour l'encre ordinaire.

» Une petite machine pour repofer le
» pinceau, en attendant qu'on le re-
» prenne.

Du 4. *Décembre* 1728.

» Vous irez enfemble (le P. le Camus
» & vous) chez Mr. l'Abbé Raguet,
» pour partager les petits riens que je
» vous envoye.

(Factum id in Bibliothecâ Regiâ ipfâ,
coram CC. Viro Paulo Bignonio, Bibliothecæ ejufdem Præfecto.

Du 10. *Décembre* 1728.

» J'ai ajoûté depuis, un recüeil Chi-
» nois des anciens Philofophes, qu'on
» appelle tfée : *item* un chán haì kím :
» *item* hoã tou yuen, en 6. vol. *item* le
» broüillon d'un ancien traité fur les
» hiéroglyphes.

Ibid.

» Vous verrez dans le manufcrit dont
» je parle plufieurs endroits, ou effacez,
» ou barrez, j'ai mieux aimé déférer au
» goût d'autrui, qu'au mien propre.
» Je crois que vous jugerez, qu'en plus
» d'un endroit j'ai été trop complaifant.
» Au refte, je vous abandonne entiere-
» ment cet écrit, auffi-bien que mon dif-
» cours Chinois fur la même matiere.

» Un Dictionnaire Tartare & des re-
» marques fur l'écriture & la prononc-
» ciation Tartare. L'un & l'autre, c'eft
» le P. Domenges, qui vous en fait pré-
» fent, & qui travaillera de plus à une
» Grammaire Tartare, s'il voit que cela
» vous faffe plaifir. Il a de plus un Dic-
» tionnaire Tartare Chinois, mais il eft
» difficile de trouver un bon Copifte,
» & d'ailleurs il coûteroit cher. Ici les
» Miffionnaires n'ont précifement que
» le vivre & le vêtement, & partant ils
» ne peuvent faire ce qu'ils fouhaitent.

Du 10. *Novembre* 1731.

» J'adreffe à Mr. l'Abbé Bignon un
» petit coffre, dans lequel vous avez la
» meilleure part.

Le 4. *Décembre* 1731.

» J'envoye cette année à Paris les Li-
» vres fuivans.

» 1°. L'y kim de l'Empereur kâm hî,
» pour Mr. l'Abbé Bignon.

» 2°. Les Opufcules de ngheou yam
» fieou, pour vous, par Mr. le Cheva-
» lier Robufte.

» 3°. L'Hiftoire des Femmes illuftres,
» à Mr. le Chevalier Robufte, pour Mr.
» fon Oncle.

» 4°. Les Comédies de la Dynaftie
» des yuen, en 4. tao, pour vous, par
» Mr. du Velaer.

In eâdem.

» ayant achevé toutes mes Lettres,
» & confié à Mr. du Broffay mes écrits
» pour vous, j'ai cru avoir encore affez
» de tems pour vous donner quelque
» nouvelle connoiffance Chinoife, & de
» peur que vous ne vous imaginiez qu'-
» on ne peut tirer de moi que des hiéro-
» glyphes ou des koua, je vous envoye
» un Livre Chinois nommé yûen gîn pë
» tchong, en 40. vol. C'eft un recüeil
» des cent meilleures piéces de Théatre
» qu'on ait faites fous la Dynaftie des
» yuên.

(Narrat deinde Premarus, à fe mei gratiâ verfam effe Tragicocomœdiam &,
quæ gallicè infcripfit : *Le petit Orphelin
de la Maifon de Tchao.* Et paginis fequentibus addit : *Si vous le jugiez digne
de paroître, vous pourriez le faire imprimer fous votre nom, fans craindre qu'on
vous accufe de larcin, puifqu'entre amis*

O o o o o o

514

tout est commun , puisque je vous le donne ,
& puisque vous y aurez la meilleure part
si vous vous donnez la peine de le revoir.
Timuitne hoc Duhaldius ? scilicet , E-
pistolâ subdolè interceptâ , Librum
suum , hâcce meâ , & ad me destinatâ
Tragicocomœdiâ, ornare non dubitavit.
Atqui eam , si à me petiisset , dedissem
ultrò ; & si me de Linguâ Sinicâ inter-
rogasset , monuissem quoque , neque
imaginariis , ac omnino falsis notis , pul-
chrum illud & nobile volumen conspur-
cari essem passus.)

Du 4. Décembre 1731.

» Pour entendre les Ouvrages écrits
» dans ce stile familier , qu'on appelle
» le *petit langage* , il faut absolument
» sçavoir les *Particules* : vous en serez
» absolument convaincu par la lecture
» d'une seule Comédie , ou du Roman
» que je vous envoyai il y a quatre ans.

Et infra.

» Les deux cents francs *de gratifica-*
» *tion* qui me sont venuës cette année,
» s'en sont presque allés en differentes
» empletes : faites donc qu'on ne m'ou-
» blie pas à l'avenir. *Vid. Ep.* 30. *Août*
1731. 300 réduits à 200 par le change.
(Hinc eam quæ ad Premarum è Bibliothecâ Regiâ à me missa est , pecu-
niam , discere est , non ideò missam , ut
solverentur Libri ulli ; nam & quos pro
Rege emerat , ii antea & jam pridem so-
luti fuerant ; sed in beneficii & remu-
nerationis [*gratification*] locum fuisse ;
alioqui nihil omnino exspectare debuis-
set amplius , sed & illustrissimo Abbati
Bignonio , & mihi Amico suo intimo ,
Libros dono , non tunc emptitios , sed
suos , mittebat lubens. Mortem enim
mox futuram pertimescebat , quod ad
me in multis Epistolis scriptitat , præsertim in ultimis anni 1731. » J'avois
» déja eu deux attaques fâcheuses , qui
» faisoient craindre pour la paralysie ,
» cela est revenu ce mois de Septembre.
» On dit que l'Etude du Chinois m'a
» épuisé , & que si je continue à m'y ap-
» pliquer si fort , je suis perdu. . . . . .
» Ne laissez pas toujours de m'écrire ,
» jusqu'à ce que vous apreniez ma
» mort. « Vitam autem produxerat annos quosdam , & identidem per anni
curriculum , relaxationis & consolatio-
nis suæ ergo ad me scribebat. Sed eæ

Litteræ omnes , aut mari in navibus ,
aut aliquâ tandem viâ , interceptæ , pe-
rierunt.)

Du 27. Août 1731.

» Je vois que vous avez lû avec soin
» une infinité de Livres , qu'on a impri-
» mez en Europe sur les choses de la
» Chine ; mais j'espere que vous recon-
» noîtrez bientôt, qu'on ne peut pas faire
» grand fond sur tout cela , on n'y ga-
» gne que des préjugez , dont on a de
» la peine à se défaire. Le P. Martini
» surtout est rempli de fautes , & quand
» il traduit le Chinois , il fait voir à ceux
» qui l'entendent , qu'il ne l'entendoit
» pas. Vous en serez aisément convain-
» cu , si vous cherchez dans le *chu kim*
» les endroits qu'il en a traduits au com-
» mencement de son Histoire. Kircher
» étoit un homme curieux , qui rece-
» voit à bras ouverts tout ce qu'on vou-
» loit lui donner , & qui n'étoit pas en
» état de reconnoître , si on lui disoit
» vrai. Le Pere Couplet & ses Compa-
» gnons sont un peu plus croyables ,
» parce qu'on voit bien, qu'ils entendent
» la Langue ; mais leur Abbregé Histo-
» rique , &c.
(Hæc illa omnia ipse jam diu anno-
târam , sed à Premaro , ejusdem Societatis Missionario , & Sinicè doctissimo
scripta esse , id verò nonne acceptius ?
cæterùm Premari opinationes de Historiæ Sinicæ initiis , approbare nondum
potui.)

Du 10. Novembre 1731.

» Je vous remercie des objections
» que vous me communiquâtes dans la
» même Lettre du 10. Septembre. «
(Quod in aliis Epistolis multoties re-
petitum.)

A Macao , ce 6. Octobre 1733.

» Il y a dans le coffre que j'adresse à
» Mr. l'Abbé Bignon 217. volumes Chi-
» nois. Les *xë san kim* en comprennent
» 139, les autres Livres divers en font
» 65 , & le Dictionnaire *kam hi tsè tien*
» en devroit avoir 39 , si je ne l'avois
» pas fait pour ma commodité relier en
» 13 , excepté ce dernier Ouvrage , qui
» peut demeurer comme il est, j'ai fait
» partager les autres en 22 taó. Les *xë*
» *san kim* en 14 , & les autres Livres
» en 8. C'est Mr. le Chevalier Robuste

» qui fera les frais de la relieure, car je
» ne puis faire cela ici à Macao, faute
» d'Ouvriers, & quand je serois à Can-
» ton, je ne le pourrois faute d'argent.

» Le Dictionnaire est pour vous.
» Pour ce qui regarde la connoissance
» de tous ces Livres, je vous renvoye
» à une de mes anciennes Lettres, dans
» laquelle je vous parle presque de tous.
» Les Poësies de Tou pou & de Li tài
» pe, font en grande & belle impres-
» sion; mais ce qu'ils ont de précieux,
» c'est quelques remarques du Sçavant
» Lieou ell tchi, & la peine qu'il a prise
» en les lisant, de distinguer toutes les
» phrases par des points & des virgules.
(*Hæc quam innuit Epistola sic habet.*)
Nᵒ. 2. » Il y a en Chine d'amples ré-
» cüeils, où l'on parle de toutes sortes
» de sujets, c'est comme autant d'ab-
» bregez de Bibliotheques entieres, tel
» est, par exemple, celui de Tamg king
» tchuen, imprimé en 1581, la 9 année
» de Van li, en soixante volumes assez
» gros, grandes planches, beaux cha-
» racteres & bon papier. Le Tung kao
» qui va à 348 kuen, &c. On trouve
» dans ces sortes de ramas, une infinité
» de beaux Discours, faits par des Au-
» teurs, qu'on chercheroit en vain chez
» les Libraires. J'ai eu par hasard un
» recüeil des plus belles Poësies Chi-
» noises, il est en 20 gros volumes,
» belle impression, avec des Commen-
» taires, il s'appelle Lou tchin tchu ven,
» il renferme des piéces de plus de cent
» Poëtes differens, il est imprimé en
» 1578, la 6 année de Van li.
Nᵒ. 3. » Après les king, il n'y a point
» de Livres plus anciens & plus curieux
» que ceux qui composent le taó tsang,
» mais ne l'a pas qui veut, c'est un su-
» perbe & vaste recüeil, qui se vend
» sept cens vingt *taels*: jugez par ce prix
» de la beauté & de l'étendüe de l'Ou-
» vrage, vous avez là tous les anciens
» Auteurs, qu'il est impossible de trou-
» ver ailleurs. Les planches sont fort
» grandes, les characteres magnifiques, le
» papier Royal & la relieure brillante;
» rien de plus digne de la Bibliotheque
» du Roi. Il y a quatre Mandarins uni-
» quement destinez à garder ce thrésor.
» Quand l'Empereur veut en faire des
» présens, on en fait tirer les Exem-
» plaires qu'il demande, & c'est alors
» que ces Mandarins en peuvent avoir
» quelques-uns, mais qu'ils ne vendent
» pas encore publiquement.

Du 10. Décembre 1728.

» Les Tartares Occidentaux ont des
» mines qui méritent d'être creusées.
» Leurs Prêtres se nomment *Lamas*, &
» gardent une espéce de Hierarchie. Le
» grand *Lama* demeure à *Lassa*, Ville
» capitale du *Thibet*, & c'est comme le
» Pape. Les *Houtontou* font comme les
» Evêques. Outre leurs Lettres & leur
» Langue ordinaire, qui n'ont que fort
» peu de rapport aux Lettres & à la Lan-
» gue des Tartares Orientaux, ils ont
» de plus des characteres antiques & sa-
» crez, qui ne sont connus que des plus
» sçavans d'entre eux. C'est dans ces
» caracteres, que sont écrits des Livres,
» qui ne se trouvent que dans les Biblio-
» theques de leurs grands Monasteres.
» L'Empereur kām bī disoit que les ha-
» biles *Lamas* parlent comme nous de la
» Trinité & de l'Incarnation, & aucun
» Missionnaire n'a encore jamais tenté
» la conquête de ce thresor.

Du 17. Décembre 1728.

» Les Tartares Maîtres de la Chine,
» n'ont aucuns Livres de leurs Païs. La
» Langue dont ils se servent est belle,
» ils l'ont beaucoup enrichie depuis
» qu'ils sont Souverains à la Chine. Il
» faudroit 2 ou 300 pataques pour ache-
» ter les Livres Chinois que les Tarta-
» res ont traduits.

Du 16. Octobre 1728.

» La plûpart des Livres dont j'ai par-
» lé jusqu'ici, sont dans le Catalogue
» que vous m'avez envoyé l'année pas-
» sée, j'y en ai trouvé plusieurs de
» moindre conséquence, plusieurs au-
» tres que vous avez dans le xē sān kīm,
» plusieurs autres aussi qu'il est très-
» difficile de trouver, plusieurs enfin qui
» me sont inconnus.

Adjicere hîc ego plurima, & ea quidem infinita; quot enim lectitando, Au-
» thores Sipenses reperi, ita ut eorum
nomina non complecteretur Index am-
plissimus?

Sed hîc tandem terminandus Catalogus noster, cujus texendi causæ multæ;
nam 1ᵒ. post Grammaticam, cognoscendi etiam Libri: saltem qui aut lectu
dignissimi, aut in manibus hominum

Oooooo ij

516

frequentiſſimi. 2°. Notitiæ Catalogi Bibliothecæ Regiæ, quales dederam, truncatæ in plærifque, quia nomina Operum & Authorum ſola neceſſaria viſa ſunt, quod non erat ſatis. 3°. Illîc quidem, juxta materiem, diviſio Librorum facta, ſed pro uno quoque anno, ita ut obſerventur tempora queis è Sinâ allati, atque in Bibliothecam Regiam illati fuerunt : hîc in unum, ad Doctrinam accuratè collecti omnes, qui ejuſdem *Scientiæ* aut *Artis*, quod poſt Grammaticam & in Studioſorum gratiam oportuit. 4°. In Catalogo Bibliothecæ Regiæ, *pag.* 427. nᵒ. v. is quem poſueram Titulus, mutatus eſt, neſcio quam ob cauſam, & ii, qui ſequebantur Libri, loco emoti, & qui *mei*, ad Libros *Regios* adjuncti à me fuerant, non ſolùm confuſis ab Amanuenſi foliis, hinc illinc, ſed *titulo*, qui ſequentibus paginis inſeri debuerat, planè *omiſſo* diſperſi ſunt, & oblivioni omnino traditi ; idcirco eoſdem hic commemoratos, & quod conſequens, Epiſtolas *Premari* in teſtimonium exceptæ vides. Qui ergo in præcedente Catalogo deerat Catalogus, id eſt, meorum, & ad me à *Premaro* è ſuis ipſis Libris miſſorum & dono datorum, indicatio hæc eſt.

1 lŏ xŭ, *Cat. Bibl. Reg. pag.* 431. *art.* 27. 1. vol.
2. chuèn çù luì mŏ, *Cat. Bibl. Reg. p.* 420. *art.* 25. 121. 1. vol.
3. xam lun, explicatio art. 16. 1. vol.
4. xìm yo ſe chuen, Divi Joſeph Oratio panegyrica, *Cat. Bibl. Reg. pag.* 431. *art.* 29. 1. vol.
5. Lapis xen ſi, *Cat. Bibl. Reg. p.* 431. *art.* 31. 1. vol.
6. xam lun, vel imperat regnantis documenta, *Cat. Bib. Reg. p.* 431. *art.* 28. 1. vol.
7. yu chi pe kia, *Cat. Bibl. Reg. pag.* 427. nᵒ. 1. 1. vol.

8. Dictionar. Tartaro-Sinicum ad me à Patre Domengio deſtinatum & dono miſſum, *Cat. B. Reg. p.* 432. 14. vol.
9. xan haì kím, *Ibid. pag.* 430. *art.* 12. 1. vol.
10. Hiſtoria, *une nouvelle*, Ibid. *p.* 430. *art.* 23. 6. vol.
11. lao cu cie kiai, Philoſophorum Sectæ tao collectio, *Cat. Bibl. Reg. p.* 424. *art.* 69. 2. vol.
12. cu cu pim, *Cat. Bib. Reg. pag.* 425. *art.* 70. 4. vol.
13. ce xe ulh kia, &c. *Ibid. art.* 71. 4. vol.
14. çu çu tem, *ibid. art.* 72. 2. vol.
15. choam çu nan hoa kim, *ibid. art.* 73. 4. vol.
16. choam çu yn, *ibid. art.* 74. 4. vol.
17. choam çu kiai, *ibid. art.* 75. 3. vol.
18. hoa tou yven, Fabula Romanenſis, quam omiſiſſe videmur in Bibliothecæ Regiæ Catalogo, 6. vol.
19. Dictionarium Tartaricum, *Cat. B. Reg. pag.* 433. *art.* 5. 20. vol.
20. ngheu yam ſieu ven cie. *Cat. B. Reg. p.* 427. *art.* 1. 2. 24. vol.
21. yven gin ça kie pe chum, Comœdiæ, ſive Tragicocomœdiæ, *Catal. Bibl. Reg. p.* 430. *art.* 22. 40. vol.
22. Fabula quæ *art.* 22. memoratur, eadem quæ nᵒ. 10.
23. kãm hī tſe tien, *Cat. Bibl. Reg. p.* 426. *art.* 79. 40. vol.

Summa eſt volum. 172.

Qui è *Meditationibus Sinicis* Dictionariorum ordinem, uſumque, & Tribunalium, id eſt, Clavium 214. Doctrinam ſemel perceperit, ſi *Grammaticæ* hujus *Mandarinicæ*, ex unâ parte, ſi ex aliâ *Librorum Sinicorum* tot, tamque excellentium cognitionem adjunxerit, quomodo in Sinicis, dicetur hoſpes ? At eodem Regis Chriſtianiſſimi beneficio, & eodem libore noſtro, Dictionaria brevi conſequutura, ſperet Lector.

FINIS.

LETTRE DE MONSEIGNEUR L'EVESQUE
d'Ecriné *, Vicaire Apoftolique du Yûn nân.

Reçûë par M. Fourmont en Août 1742.

De Tchîng toû, *Capitale de la Province de* Sú tchoüen *en Chine, le* 9. *Août* 1741.

L'Honneur que vous me faites, Monfieur, & la part que vous voulez bien prendre à celui que je viens de recevoir du S. Siége, m'ont été d'autant plus fenfibles, qu'ils me viennent d'une perfonne que fa réputation me faifoit défirer de connoître, fans pouvoir prefque l'efperer. Je ne fçaurois donc affez vous remercier, Monfieur, de l'avantage que vous me procurez fi gracieufement. Les premieres années que je me trouvai à Canton, je fus fort furpris d'apprendre du feu P. de Premare, que vous aviez, Monfieur, compofé à Paris une Grammaire de la Langue Chinoife; & ce qui eft de plus extraordinaire, qu'elle fe fût trouvée prefque conforme à la *Notice* que ce Miffionnaire, qui avoit vieilli en Chine, y avoit compofée. Je fus encore bien plus étonné, lorfqu'on me dit que vous tiriez toutes ces connoiffances de votre fond feul, & d'une application étonnante aux Livres Chinois, fans y avoir eu aucun Maître. Je regardois cela comme un fait prodigieux, & j'étonnai furieufement tous les Chinois à qui je le racontai. Mais quand je reçus l'année paffée vos *Meditations Chinoifes*, & que je les leur montrai, ils furent obligés de reconnoître la vérité de mon rapport, qu'il avoient, je penfe, d'abord regardé comme une fable, tant la chofe eft extraordinaire.

Il faut affurément que Dieu vous ait donné des talens bien particuliers, & que vous ayez eu, Monfieur, une patience opiniâtre, pour ainfi dire, pour venir à bout de furmonter tant de travaux : mais en revanche, le plaifir que vous fentez à préfent dans ces connoiffances, doit être bien doux, & la réputation qu'elles vous acquierent, va être bien glorieufe, furtout fi vous donnez au Public les Livres que vous lui promettez. La Grammaire dont vous parlez, fera un Ouvrage de la derniere utilité; elle donnera à plufieurs le defir d'apprendre une Langue des plus belles, en leur en donnant toutes les facilités. Il feroit à fouhaiter, que l'étude de cette Langue vint en vogue parmi les Sçavans, ils découvriroient dans fes Livres, des connoiffances auffi utiles que curieufes, & la Religion en retireroit un avantage effentiel; ce feroit la traduction des Livres facrés, qui manque abfolument à l'Eglife de la Chine; c'eft pour cela que je defire, Monfieur, que Dieu beniffe vos travaux, & ceux des autres, que votre Exemple excitera à l'étude de cette Langue, je voudrois de tout mon cœur être en état de pouvoir profiter de vos lumieres, & de vous faire part même du peu de connoiffance que j'ai de cette Langue; mais jufques à préfent je fuis fi occupé, que je n'ai pas la moindre commodité pour faire ce que je defirerois là deffus. Je n'ai jamais entendu parler du receuil de l'Imprimerie Impériale dont vous écrivoit le P. de Premare. Il y a quelques Livres qui traitent de l'*éloquence*, & de la maniere de compofer; mais je ne fçache pas, qu'il

* M. de Martillac.

*

y en ait de *Grammaire*, du moins je n'en ai jamais vû, ni entendu parler, hors ce qui est à la tête des Dictionnaires, qui est uniquement pour servir à la connoissance des caracteres, la maniere de les prononcer & les chercher dans leur Dictionnaire. Je chercherai pourtant, & je serois ravi de trouver quelque Livre assez curieux pour mériter d'être presenté aux personnes illustres dont vous me parlez, Monsieur, & d'augmenter les richesses littéraires de la Bibliotheque du Roi : dès que j'en trouverai de tels, je profiterai avec plaisir de l'occasion, pour vous marquer en particulier, Monsieur, l'estime & la considération dont je suis rempli pour votre personne, & combien je desire entretenir le commerce d'amitié dont vous avez bien voulu faire les avances.

J'ai l'honneur d'être avec beaucoup de respect,

MONSIEUR,

Votre très-humble & très-obéissant serviteur, † JOACHIM, Evêque d'Ecriné, & Vicaire Apostolique du Yûn nân.

PRIVILEGE

En faveur de l'Académie Royale des Inscriptions & Belles-Lettres, pendant 30 ans, pour l'Impression, Vente & Débit de ses Ouvrages.

LOUIS, PAR LA GRACE DE DIEU, ROI DE FRANCE ET DE NAVARRE : A nos amez & feaux Conseillers les Gens tenans nos Cours de Parlement, Maîtres des Requêtes ordinaires de notre Hôtel, Baillifs, Sénéchaux, Prevôts, Juges, leurs Lieutenans, & à tous autres nos Justiciers & Officiers qu'il appartiendra, SALUT. Notre Académie Royale des Inscriptions & Belles-Lettres, nous a très-humblement fait remontrer, qu'en conformité du Reglement ordonné par le feu Roi notre Bisayeul, pour la forme de ses exercices, & pour l'impression des divers Ouvrages, Remarques & Observations journalieres, Relations annuelles, Mémoires, Livres & Traités faits par les Académiciens qui la composent, elle en a déja donné un grand nombre au public, en vertu des Lettres de Privilege qui lui furent expédiées en Commandement au mois de Décembre 1701 : mais que ces Lettres étant devenuës caduques, elle Nous supplie très-humblement de vouloir bien lui en accorder de nouvelles. A CES CAUSES, & notre intention étant de procurer à l'Académie en Corps, & à chaque Académicien en particulier, toutes les facultés & moyens, qui peuvent de plus en plus rendre leur travail utile au Public, nous lui avons permis & accordé, permettons & accordons par ces présentes, signées de notre main, de faire imprimer, vendre & débiter en tous les lieux de notre Royaume, par tel Libraire qu'elle jugera à propos de choisir, les Remarques ou Observations journalieres, & les Relations annuelles de tout ce qui aura été fait dans les Assemblées de ladite Académie, & généralement tout ce qu'elle voudra faire paroître en son nom : comme aussi les Ouvrages, Mémoires, Traités, ou Livres des particuliers qui la composent, lorsqu'après les avoir examinés & approuvés, aux termes de l'Article xliv dudit Reglement, elle les jugera dignes d'être imprimés ; pour joüir de ladite Permission par le Libraire que l'Académie aura choisi, pendant le tems & espace de trente ans, à compter du jour de la datte des presentes ; Faisons très-expresses inhibitions & deffenses à toutes sortes de personnes , de quelque qualité & condition qu'elles soient , & nommément à tous autres Libraires & Imprimeurs que celui où ceux que l'Académie aura choisi , d'imprimer , vendre & débiter aucuns desdits Ouvrages , en tout ou en partie , & sous quelque prétexte que ce puisse être , à peine contre les contrevenans , de confiscation au profit dudit Libraire , & de trois mille livres d'amende , applicable un tiers à Nous , l'autre tiers à l'Hôpital du lieu où la contravention aura été faite , & l'autre tiers au Dénonciateur , à la charge qu'il sera mis deux Exemplaires de chacun desdits Ouvrages dans notre Bibliotheque publique , un dans celle de notre Château du Louvre , & un dans celle de notre très-cher & féal Chevalier Garde des Sceaux de France le Sieur Chauvelin , avant que de les exposer en vente ; & à la charge aussi que lesdits Ouvrages seront imprimés sur de beau & bon papier , & en beaux characteres , suivant les derniers Réglemens de la Librairie & Imprimerie , & de faire registrer ces presentes sur le Régistre de la Communauté des Libraires & Imprimeurs de Paris ; le tout à peine de nullité des présentes : du contenu desquelles vous mandons & enjoignons de faire joüir & user ladite Académie & ses ayans cause pleinement & paisiblement , cessant & faisant cesser tous troubles & empêchemens. Voulons , que la copie desdites présentes , qui sera imprimée tout au long au commencement ou à la fin desdits Livres , soit tenüe pour duëment signifiée , & qu'aux copies collationnées par l'un de nos amés & feaux Conseillers-Secretaires , foi soit ajoutée comme à l'original. Commandons au premier notre Huissier ou Sergent sur ce requis , de faire pour l'exécution des Presentes tous Exploits , Saisies & autres Actes nécessaires , sans autre permission ; CAR TEL EST NOTRE PLAISIR. Donné à Marly le quinziéme jour de Février , l'an de Grace mil sept cens trente-cinq , & de notre Regne le vingtiéme. *Signé*, LOUIS : *Et plus bas*, Par le Roy, PHELYPEAUX.

Registré sur le Régistre IX. de la Chambre Royale & Syndicale des Libraires & Imprimeurs de Paris , N°. 66. fol. 57. conformément au Réglement de 1723 , qui fait défense , Article IV , à toutes personnes , de quelque qualité qu'elles soient , autres que les Libraires & Imprimeurs , de vendre , débiter & faire afficher aucuns Livres , pour les vendre en leurs noms , soit qu'ils s'en disent les Autheurs ou autrement , à la charge de fournir les Exemplaires prescrits par l'Article CVIII du même Réglement. A Paris le 5 Mars 1735. Signé , G. MARTIN , Syndic.

❈❈❈❈❈❈❈❈❈❈❈❈❈❈❈❈❈❈❈❈❈❈❈❈❈❈❈

EXTRAIT DES REGISTRES DE L'ACADEMIE
Royale des Inscriptions & Belles-Lettres.

Du Vendredi 31. Août 1742.

CE jourd'huy M. l'Abbé Sallier & M. Mellot , Commissaires nommés par l'Académie pour l'examen de l'Ouvrage de Mr. Fourmont l'aîné , intitulé : *Linguæ Sinarum Mandarinicæ Grammatica duplex.* Item : *Catalogus Librorum Regiæ Bibliothecæ Sinicorum* , &c. en ont fait leur rapport , & dit qu'ils ont trouvé l'un & l'autre Ouvrage dignes de l'impression ; en conséquence duquel rapport , & de leur Approbation par écrit , l'Académie a cédé audit Sieur Fourmont son droit de Privilege , pour servir à l'impression desdits Ouvrages. Fait à Paris au Louvre , ledit jour Vendredi 31. Août 1742. *Signé*, GROS DE BOZE, *Secretaire Perpétuel de l'Académie*.

Registré sur le Régistre XI. de la Communauté des Libraires & Imprimeurs de Paris , pag. 59. conformement aux Réglemens , & notamment à l'Arrêt du Conseil du 13 Août 1703. A Paris le 6. Septembre 1742. Signé , SAUGRAIN , Syndic.

ERRATA.

I°. Ex Præfatione.

PAg. ij. lin. 22. *lege* quodammodò unâ voce.

p. iv. l. 3. fatebêre *lege* fatêbere

p. xiij. l. 42. *poſt* ſingulæ *ſcribe* non:ſed,

p. xix. l. 21. prætexi *ſcribe* prætexui

p. xxij. & xxiij. *nota* utraque ad utramque paginam pertinet, & prior præcipuè ad poſter. lin. 7. 8. & ſequent.

p. xxvj. l. 12. gemanus *ſcribe* germanus

ibid. l. 31. oſtendere *ſcribe* offenderem

p. xxxiv. l. 38. hanc autem ipſam *ſcribe* hanc eandem ipſam

ibid. l. 39. ne verò *à linea* Ne vero

p. xxxv. l. 2. *junge* unamquamque

ibid. l. 44. procliavis *ſcribe* proclivis

p. xxxviij. l. 9. *ſcribe* non, ignoſcant.

II°. In Latinis & Græcis.

Pag. 7. lin. 14. *ſcribe* Annami

p. 14. col. 2. *ſcribe* curtus

p. 28. col. 2. l. 3. *ſcribe* per

p. 47. *ſcribe* VII.

p. 69. l. 2. poſt tr. *adde* 8.

p. 77. l. 10. *ſcribe* V.

p. 81. l. 21. pro 2°. *ſcribe* ſecundo

p. 85. col. 1. l. 3. *ſcribe* 5°.

p. 91. col. 2. l. 16. *repone* 3°. Optativus 4°. Imperativus

p. 104. l. 8. *ſcribe* factus

p. 133. l. 4. *ſcribe* nunquam

p. 184. col. 1. l. 21. *adde* vel ùlh tono 3°. ut infra.

p. 184. col. 1. l. 7. *ſcribe* conſtituant

p. 211. l. antep. *ſublato* ſecundus, *adde* lin. penult. Secundus, Textus nudus ex eodem lûn yŭ.

p. 221. l. pen. *ſcribe* 4. 9.

p. 242. l. 13. *ſcribe* catachreſis

p. 251. l. 13. & p. 254. l. 22. *ſcribe* charactere eſt

p. 272. col. 1. l. 12. *ſcribe* demittas

p. 330. col. 2. l. 27. *ſcribe* ſicut

p. 340. col. 1. l. 16. *ſcribe* ſτοϖοιαι

p. 341. col. 1. l. 24. *ſcribe* accepta

p. 355. col. 1. l. 4. *ſcribe* ſignificans

III°. In Sinico-Latinis.

p. 48. l. antep. *ſcribe* çŭn

p. 50. l. 2. *ſcribe* xím

p. 97. col. 2. *ſcribe* çȭ

p. 161. l. 14. *ſcribe* çò

p. 187. col. 2. l ult. *ſcribe* ùlh

p. 264. col. 2. *ſcribe* çŭn

p. 267. col. 1. l. 2. *ſcribe* ſiaò

p. 333. l. 35. *pro* kî *ſcribe* xî

IV°. In Gallicis.

p. 18. l. 3. *dele* pour

V°. In Catalogo.

p. 346. l. 14. perpetratæ *leg.* perpetrata

p. 348. l. 20. Claudiopoleæs *lege* Eleutheropoleæs

p. 354. col. l. antep. *leg.* confirmata

p. 355. l. 29. *leg.* ſupplentur

lin. penult. *leg.* accommodatum

p. 361. n°. IX. *del.* Codices Regios n°. 49. *leg.* numerum v.

p. 362. l. 22. *leg.* xuĕ

p. 363. l. 18. uſu *repone* virgul. ,

p. 366. l. 6. *ſcribe* túm guéi fú

lin. antep. *leg.* chu meu guei

ibid. n. XXVI. dele *Liber inſcriptus*

ibid. col. 2. l. 11. *leg.* Mauritanicæ

p. 371. col. 2. l. 34. kuam tum *l.* nân kīm

ibid. lin. 39. *leg.* kīm

p. 373. col. 2. l. 21. mîn *leg.* mîm

p. 377. col. 1. l. principia : hæc vox demittenda è regione duarum ſequentium kăm mŏ

p. 387. col. l. 37. ſcriptæ *l.* ſcripti

p. 390. col. 2. l. 7. vâm *ſcribe* hoăm

p. 401. col. 1. l. 15. & 17. ſuen *l.* ſivĕn

p. 415. col. 1. l. 31. *leg.* calluerit

p. 419. n°. 126. lin. ſupra charact. mŏ, non è charactere

p. 425. col. 1. l. 11. *leg.* commentariis

ibid. col. 2. l. 11. *poſt* certe *adde* :

ibid. l. 21. *ſcribe* prætereà

p. 437. col. 1. antep. *l.* dum de internâ

p. 447. col. 1. l. 27. *poſt* ipſum *dele* virgul.

p. 473. col. 2. lin. antepenult. *poſt* tempore *pone* virgulam.

p. 474. col. 1. l. penult. *ſcribe* ſcriptum hoc

p. 824. *leg.* 481.

col. 1. l. 3. domui *ſcribe* domi

p. 484. lin. 17. & 18. *poſt* expoſitus & illuſtratus, *adde* hic Liber à me emptus Lutetiæ.

p. 503. col. 2. l. 34. Imperio *ſcribe* imperii

p. 504. col. 1. l. 20. & 36. Mantcheu *ſcribe* Mancheu

p. 505. col. 2. l. 7. *ante* exemplum *addo* 2°.

ibid. l. 14. attexum *ſcribe* attextum

p. 516. col. 1. lin. 26. exceptas *ſcribe* excerptas

ibid. col. 1. l. 29. ipſis *ſcribe* ipſius

ibid. col. 2. l. 1. kia *ſcribe* hia

ibid. lin. antep. libore *ſcribe* labore

Mémoire sur les Livres Chinois de la Bibliothèque du Roi, et sur le Plan du Nouveau Catalogue

国王图书馆的中文藏书和新目录规划

MÉMOIRE

SUR

LES LIVRES CHINOIS

DE LA BIBLIOTHÈQUE DU ROI.

Extrait des *Annales Encyclopédiques*, année 1817.

Le Bureau est rue Neuve–des–Petits–Champs, n° 12.

MÉMOIRE

SUR

LES LIVRES CHINOIS

DE ·LA BIBLIOTHÈQUE DU ROI,

ET SUR LE PLAN

DU NOUVEAU CATALOGUE

Dont la composition a été ordonnée par S. Ex. le Ministre
de l'Intérieur ;

Avec des Remarques critiques sur le Catalogue publié
par E. FOURMONT, en 1742.

PAR M. ABEL-RÉMUSAT.

————•—•—➤●✳●◄—•—•————

PARIS.

LE NORMANT, IMPRIMEUR-LIBRAIRE.

1818.

MÉMOIRE

SUR

LES LIVRES CHINOIS

DE LA BIBLIOTHÈQUE DU ROI.

———

IL y a quelques mois que S. Exc. le ministre de l'intérieur, averti qu'il existoit à la Bibliothèque du Roi un assez grand nombre de livres chinois sur le contenu desquels on ne possédoit aucun renseignement imprimé ou manuscrit, jugea à propos d'arrêter qu'il seroit fait un catalogue de ces ouvrages jusqu'alors ignorés du public, et voulut bien me charger de le rédiger. J'acceptai avec reconnoissance cette commission où je vis la marque d'une confiance honorable, et qui, en me fournissant l'occasion de me livrer à un travail utile, me faisoit un devoir de ce qui eût été pour moi un plaisir, et m'obligeoit d'examiner avec plus de soin et d'attention une suite d'ouvrages variés sur lesquels j'aurois pu glisser, entraîné par la direction particulière de mes travaux. Je commençai par assembler et mettre en ordre les livres chinois que la Bibliothèque Royale avoit acquis depuis 1742, époque de la publication du catalogue de Fourmont. MM. les conservateurs et administrateurs du cabinet des manuscrits voulurent bien m'accorder avec leur bienveillance accoutumée toutes les facilités nécessaires, et le résultat de cet examen préparatoire fut de reconnoître qu'indépendamment des trois cent quatre-vingt-neuf articles du catalogue de Fourmont, la Bibliothèque possédoit encore cent soixante-quinze articles principaux, formant environ deux mille volumes, et dont le catalogue projeté devoit, pour la première fois, faire connoître les titres et la matière aux amateurs de la littérature asiatique.

Au premier rang, parmi ces trésors trop négligés, qu'on peut presque regarder comme des acquisitions nouvelles, on doit distinguer des portions considérables d'une grande collection publiée sous l'un des derniers empereurs Mandchous, et qu'on doit vivement regretter de ne pas posséder complète (1). Une histoire de l'écriture et des caractères chinois, ou, pour mieux

(1) Suivant le P. Cibot (Mémoires des Missionnaires, tom. II, pag. 477), le *Kou-kin Thou-chou* est en six mille volumes La Bibliothèque du Roi n'en possède que deux cent quatre-vingts.

(7)

dire de la littérature proprement dite et de la rhétorique , telle que ces peuples la conçoivent, en quatre-vingts volumes ; une histoire de la musique en soixante-dix volumes ; la description historique de tous les pays étrangers dont les Chinois ont eu connoissance sous leurs différentes dynasties, pareillement en soixante-dix volumes ; soixante volumes sur les sectes qui admettent des esprits et des prodiges : voilà malheureusement tout ce qui s'est retrouvé de cette collection précieuse, et plusieurs de ces parties même sont défectueuses. Une impression magnifique n'est que le moindre mérite de cet ouvrage, où sont accumulés les détails les plus intéressans sur l'histoire littéraire, les arts, la géographie et les systèmes mythologiques des Chinois.

Un recueil encore plus vaste est celui de toutes les géographies provinciales rédigées sous la dynastie des *Ming*. Deux cent soixante gros volumes, partagés en quinze séries, et accompagnés de beaucoup de cartes et de plans, offrent une description de la Chine, plus étendue et plus complète que celles qu'on possède sur les contrées les mieux connues l'Europe. Il n'est pas inutile de remarquer que suivant un système qui a été celui de quelques géographes modernes, la géographie chinoise embrasse tout : topographie, hydrographie, description des monumens, des antiquités, des curiosités naturelles , produc-

tions, statistique, industrie, commerce, mé-
thodes locales pour l'agriculture et les arts mécaniques ; gouvernement, population ; histoire
spéciale, biographie, bibliographie, il n'est rien
qui n'y trouve place, suivant une méthode qui a
bien des avantages, et qui n'a d'autre inconvé-
nient que l'étendue excessive qu'elle donne aux
ouvrages de ce genre. Les Européens peuvent y
apprendre à connoître la Chine aussi à fond qu'ils
pourroient étudier la France ou l'Allemagne ; et
l'on est seulement fâché qu'un système de description aussi complet n'ait pas été appliqué aux
contrées voisines de l'empire, à la Tartarie, au
Tibet, à l'Inde ultérieure, pays que les Chinois
connoissent si bien, et que nous connoissons encore si imparfaitement.

Parmi les ouvrages historiques, il y en a quelques-uns de fort importans : tel est le *Li taï ki
sse*, excellent tableau chronologique dans le goût
de ceux de l'Abrégé du président Hénault, ou de
l'Atlas de Lesage, mais bien plus savant et plus
régulier. On y voit, en cent volumes, la succession des empereurs, des princes, des grands
vassaux, des souverains étrangers, les événemens
remarquables, comme les irruptions des Tartares, les guerres, les révoltes, etc. Chaque ordre
d'événemens a sa colonne particulière, ce qui
facilite les recherches en les abrégeant. L'Histoire
du Japon, manuscrit, en soixante volumes ; le

(9)

tableau général des différens noms qui ont été donnés aux villes, bourgs et villages de l'empire, ouvrage indispensable pour la lecture des historiens et des géographes, à cause des variations perpétuelles auxquelles ces noms sont sujets, et qui renouvellent, tous les cinquante ans, la nomenclature géographique; la table harmonique des noms d'années ou dates des règnes des empereurs chinois et japonais; une autre table chronologique de l'empire chinois, sur laquelle Amyot a composé celle dont on a imprimé la première partie dans les Mémoires des Missionnaires; la liste de toutes les dignités et magistratures de l'empire des Mandchoux; le code de la dynastie des Ming; plusieurs exemplaires complets du Thoung-kian-kang-mou, et notamment un exemplaire de la grande édition in-folio, qui correspond à la version mandchoue, et beaucoup d'autres traités historiques, généraux ou particuliers, viennent s'ajouter au fonds, déjà si riche, que Fourmont nous a fait connoître.

Les belles-lettres ne reçoivent pas des accroissemens moins considérables; je citerai seulement l'éloge de Moukden, édition chinoise en trente-deux volumes, qui répondent aux trente-deux sortes d'écritures dont on s'est servi pour multiplier les formes de ce poëme bizarre; trente volumes de littérature, mis sous le nom de l'empereur Khang-hi; plusieurs commentaires sur les livres classiques, une magnifique édition du texte même des cinq *King*, en caractères antiques, de l'espèce de ceux qui étoient en usage au siècle où ces Livres furent rédigés; le livre de l'Obéissance filiale, édition japonaise, dont on sait que le texte offre des variantes qu'on croit fort anciennes, et qui le rendent intéressant à comparer avec celui des éditions chinoises (1); le Recueil des monumens

(1) J'ai fait depuis long-temps cette collation sur un exemplaire de la même édition japonaise que je possède; mais je n'en ai obtenu aucun résultat bien important. On y remarque seulement quelques inversions, des expressions différentes, mais le plus souvent équivalentes, ainsi qu'un petit nombre de phrases et de mots de plus. Plusieurs chapitres sont coupés en deux dans l'édition japonaise et quelques autres déplacés, de sorte que le chapitre 18 de l'édition chinoise a ici le titre de chapitre 22. Tout cela n'a d'intérêt qu'à cause de la haute réputation de pureté du texte chinois des livres classiques, réputation qui est telle, qu'à en croire quelques auteurs, il n'y a pas dans tous ces livres un seul caractère qui ait varié dans sa signification, dans sa position ou dans son orthographe.

J'apprends par une lettre de Deguignes, adressée à M. Titsingh au Japon, et datée du 10 février 1787, que le texte du *Siao-hio* offre aussi quelque variété dans les éditions japonaises. Ces faits, quoique minutieux en eux-mêmes, mériteroient quelque attention s'ils provenoient, comme on pourroit l'imaginer, de la conservation d'un texte antérieur à l'incendie des livres, qui auroit été transporté au Japon, à l'insu des Chinois, avant l'époque de *Thsin-chi-hoang-ti.*

(11)

dont il est parlé dans les livres classiques, contenant la figure et la description des costumes, armes, édifices, instrumens de musique, vases, et monnaies des trois premières dynasties (1), en seize volumes ; le monument érigé en mémoire de la soumission volontaire des Torgôts (2) ; l'inscription de *Iu*, ectype prise sur l'original même ; celle de *Si-'an-fou*, édition publiée à la Chine, avec un commentaire ; divers exemples d'écriture ancienne, imprimés en blanc sur un fond noir ; deux recueils de monumens antiques, gravés avec beaucoup de soin, et au nombre desquels se trouvent quelques cachets avec des inscriptions indiennes ; enfin, une collection de petits formats, analogues à ceux que nos libraires nomment communément *cazins :* collection qui forme environ cent volumes, et qui contient, entr'autres ouvrages estimés, les cinq *King*, les quatre livres moraux, l'histoire de *Sse-ma-thsian*, le *Kang-kian*, les poésies de l'empereur *Khang-hi*, etc.

Je passerai sous silence beaucoup d'articles d'une importance secondaire, divers extraits et commentaires relatifs aux livres classiques, plusieurs romans estimés, quelques livres appartenant à la mythologie des Tao-sse ou à celle des

(1) Voyez le *Chou-king* de Gaubil, pag. 319.

(2) Voyez *Mémoires sur les Chinois*, tom. 1, p. 405.

Bouddhistes ; un Traité de l'art du paysage ; et de la manière de peindre les fleurs, les oiseaux, les insectes, ou, comme on dit à présent, de l'*Iconographie naturelle* ; la Vie des Saints et le Guide du pêcheur, en japonais ; les ouvrages des Missionnaires sur les sciences, et particulièrement sur les mathématiques, l'astronomie et la médecine, ouvrages qui ne sauroient avoir pour nous le même intérêt que ceux des nationaux, mais qui sont utiles néanmoins pour donner une idée de la technologie, et faire juger l'état où les Jésuites ont pris et porté les sciences exactes à la Chine. Mais je ne puis me dispenser de citer plus particulièrement l'Encyclopédie chinoise, ouvrage dont la bibliothèque du Roi possède deux exemplaires, ou, pour parler plus exactement, des exemplaires de deux éditions faites, l'une à la Chine, et l'autre au Japon. On y trouve une série de planches, représentant tous les objets qui peuvent être figurés, et accompagnées d'explications plus ou moins étendues. L'édition chinoise est divisée en cent seize livres, où sont successivement exposées les connoissances des Chinois, rapportées aux quatorze classes suivantes : 1°. l'astronomie, qui comprend l'uranographie, la météorologie, l'astrologie ; 2°. la géographie, dont on rapproche la topographie, l'hydrographie, la description des montagnes, des grottes, des singu-

(13)

larités naturelles, des villes et des villages, des ponts, des temples et autres édifices publics; 3°. les *affaires des hommes*, c'est-à-dire l'histoire, avec les portraits des empereurs et des hommes célèbres, et la notice de tous les peuples étrangers connus des Chinois; 4°. la doctrine des temps et les divisions de l'année en saisons et en mois, l'intercallation, les cycles, les périodes, les dates, etc.; 5°. l'architecture, ou la description des palais anciens et modernes, des maisons particulières, des intérieurs, et tous les détails de la construction civile; 6°. les instrumens et ustensiles domestiques; 7°. l'anatomie et tout ce qui s'y rattache, comme la physiologie fantastique des Chinois, l'art d'appliquer le *moxa* et l'acupuncture; 8°. les habillemens et costumes, tant anciens que modernes, avec la description des parties dont ils se composent, et des étoffes dont on les fait; 9°. les actions humaines, c'està-dire les arts mécaniques; les procédés dont ils se composent; les détails de la vie publique et domestique, les cérémonies, les jeux, les différens états de la société; 10°. les poids et mesures; les instrumens nécessaires à l'étude de l'astronomie, des mathématiques et de la physique; et en général tout ce qui a rapport au calcul; 11°. les choses précieuses, c'est-à-dire les monnaies, les métaux, les pierres précieuses, les perles, les substances minérales; 12°. les caractères, l'art d'écrire, d'imprimer, de dessiner et de peindre ; les formes anciennes de l'écriture, les pinceaux, l'encre, le papier, etc. ; 13°. les oiseaux et les animaux à quatre pieds ; 14°. enfin, les plantes et les arbres.

On peut juger, par l'exposé de ce plan, combien une suite de notices courtes, mais substantielles, sur des objets aussi variés, et embrassant véritablement la totalité des matières dont un Chinois peut s'occuper, doit servir à faire connoître la Chine, ses productions, ses habitans, leurs arts et leur manière de raisonner. L'édition japonaise a un mérite particulier : outre le texte de l'édition chinoise qu'elle contient tout entier, on y a fait entrer, sous la forme d'annotations ou de supplémens, des notices très-détaillées sur tout ce que le Japon a de propre et de spécial en fait de productions et de procédés. L'histoire et la géographie, le commerce et l'industrie, les arts mécaniques et libéraux, la langue et l'écriture ont rendu nécessaires ces additions, qui ont l'avantage de faire voir en un instant en quoi le Japon ressemble à la Chine, et en quoi il diffère de cette contrée, d'où les Japonais ont reçu leur littérature, leur régime et leur civilisation.

Tous ces ouvrages, et beaucoup d'autres que nous ne saurions indiquer sans nous laisser entraîner à des longueurs déplacées, forment un

(15)

fonds presque aussi considérable que celui dont
Fourmont a donné le catalogue ; et ce fonds,
malgré le zèle et l'obligeance des conservateurs,
restoit sans utilité pour les savans qui ne pou-
voient le consulter, parce qu'ils en ignoroient,
pour la plupart, la richesse, et peut-être même
l'existence. C'eût donc été déjà rendre un service au public que de rédiger la liste des livres
qui le composent, et ce travail eût à peine
demandé quelques semaines, ou même quelques
jours, si l'on eût voulu se borner à joindre au
titre de chaque ouvrage le nom de l'auteur et
la date de l'édition. Mais on a pensé que puisqu'enfin tant de volumes devoient être, la plupart pour la première fois, remués et parcou-
rus, il étoit possible de saisir cette occasion
pour placer la littérature chinoise en un plus
grand jour, en rendre les monumens accessibles
à un plus grand nombre de lecteurs, et, que
sait-on, peut-être attirer de nouveaux ouvriers
dans ce champ encore inculte, en leur montrant
la richesse de la moisson qu'on est appelé à re-
cueillir. Pour cet objet, il falloit, au lieu d'une
liste stérile de titres copiés sur les frontispices,
et de numéros reportés sur des enveloppes,
essayer de faire un ouvrage intéressant en lui-
même, dont l'usage ne fût pas borné à l'en-
ceinte de la bibliothèque pour laquelle il auroit
été rédigé, et à la commodité du service inté-

rieur, mais dont pussent profiter ceux-là même qui se trouvent éloignés de ce magnifique établissement, et hors d'état de puiser directement aux sources qu'il renferme. Quelques considérations sont venues à l'appui de cette idée, et ont contribué à la faire adopter.

La nation chinoise, plus nombreuse que toutes les nations de l'Europe réunies, livrée, depuis trois mille ans, à l'étude des belles-lettres, de l'histoire et de la philosophie, gouvernée par un peuple de lettrés qui sont voués par goût et par devoir à l'art ou au métier d'écrire, où le plus petit magistrat doit avoir, plusieurs fois en sa vie, produit quelques ouvrages dignes, aux yeux d'un tribunal sévère, des honneurs de l'impression, et où l'empereur lui-même pense s'honorer en laissant courir son pinceau sur des sujets graves, et en prenant sous son nom les travaux de ses académies ; une telle nation, dis-je, doit posséder, et possède en effet une littérature immense. Qu'on songe à la masse des livres qui ont paru en Europe depuis l'invention de l'imprimerie ; qu'on multiplie l'étendue et la population de la partie du monde que nous habitons jusqu'au point d'égaler celles de la Chine ; qu'on remplace nos communautés religieuses, nos académies, nos universités, par ce régime habituel et constant auquel la Chine est assujétie depuis des siècles, de voir tous les emplois,

第三巻

(17)

toutes les charges, toutes les dignités, depuis l'huissier d'un tribunal subalterne jusqu'au premier ministre, depuis le petit officier de milice jusqu'au général d'armée, données par voie de concours, non pas au plus riche ou au plus noble, ou au plus ancien en grade, mais au plus savant, au meilleur écrivain, à celui qui possède le mieux sa langue, qui entend le mieux les classiques, qui est le plus en état de les commenter, ou d'en éclaircir les passages difficiles ; qu'on fasse attention à ce singulier système d'administration (sans l'approuver ou le condamner : car ce n'est pas de cela qu'il s'agit ici) et l'on aura peut-être une idée de cette littérature dont rien ne sauroit approcher en Occident. On ne sera plus surpris du moins en lisant dans les écrits de nos missionnaires que l'empereur prédécesseur de celui qui occupe le trône en ce moment, ayant voulu réunir quelques-uns des ouvrages les plus estimés, ordonna la publication d'une collection choisie, en 180,000 volumes. L'histoire parle à chaque instant de collections semblables ; on est obligé de les renouveler souvent, et à chaque fois on fait, si j'ose ainsi parler, une levée de lettrés, d'écrivains, de graveurs et d'imprimeurs, et on en compose une sorte d'armée pacifique, distribuée comme les troupes réglées, par compagnies ou régimens qui ont leurs offi-

ciers , leur solde , leurs revues , leur discipline et
leurs campemens.

Je sais qu'on pourroit faire une objection.
Ces sortes d'actes publics ou de compositions
académiques , dont les lettrés chinois sont si
prodigues , qu'ils font , en prenant pour thèmes
des passages de leurs livres classiques , et en
arrangeant , le moins mal possible , quelques lieux
communs de la philosophie la plus triviale et de
la morale la plus rebattue , méritent-ils de notre
part un seul moment d'attention ? Quand des
livres de cette espèce seroient mille fois plus
nombreux , leur ensemble constitueroit-il une
littérature ? et si on les avoit en Europe , ne leur
feroit-on pas trop d'honneur en les plaçant
immédiatement au-dessous de ces scolastiques
obscurs dont les volumes encombrent nos bibliothèques , et ne sont lus de personne , parce que
la forme en est rebutante , et le fond absolument dénué d'intérêt ?

Mon objet en ce moment n'est point de tracer
un tableau de la littérature chinoise , et je me
bornerai à faire observer que quand l'art d'écrire
est généralement répandu chez une nation , la
variété devient une condition indispensable du
succès , et que l'horizon littéraire ne manque
guère de s'étendre à mesure que le nombre des
écrivains se multiplie. Mais c'est la prodigieuse
immensité de la littérature que j'ai voulu mettre

en fait, et je ne prétends pas nier que dans cette innombrable quantité d'ouvrages, la morale politique de l'école de Confucius ne domine, à peu près comme dominoient chez nous, il y a deux siècles, la morale religieuse et la théologie proprement dite. A la vérité, les extraits des missionnaires, par lesquels seulement on peut avoir quelque idée de ces compositions, nous font voir, dans cette partie même, une assez grande variété. Ceux qui font, à mon avis, injure aux lettrés chinois, en prêtant à leurs productions un degré de monotonie et d'*insignifiance* qu'elles sont loin d'avoir, établiroient, sans s'en apercevoir, un fait d'un autre genre, et dont il seroit curieux d'apprécier les circonstances et de rechercher les effets : celui d'une nation d'écrivains qu'on auroit su contenir pendant des siècles dans des bornes étroites, sans divagations funestes, sans écarts dangereux, au grand avantage de l'ordre public, dont le maintien vaut bien, aux yeux du philosophe, la gloire frivole et l'éclat passager d'une littérature perfectionnée.

Mais en étendant ainsi, à toutes les parties du système littéraire des Chinois, ce qui, tout au plus, pourroit s'appliquer à leur philosophie, on s'en formeroit une idée fausse et incomplète; et je n'en voudrois pas d'autres preuves que ces bibliothèques mêmes et ces collections d'extraits qu'ils ont rédigées, et dont les divisions embrassent, ou peu s'en faut, toutes les parties des connoissances humaines. La vaste étendue de la plupart de ces collections a forcé d'y introduire l'ordre le plus rigoureux dans l'arrangement des matières; l'on sent bien que sans un classement méthodique, la confusion naîtroit de l'abondance même, et il n'y a pas de nation qui doive attacher tant de prix à la bibliographie; aussi, cette partie de l'histoire littéraire, ainsi que celle qui a rapport à la vie des lettrés et des écrivains célèbres, est-elle cultivée avec beaucoup de soin par les Chinois. Il n'y a pas d'histoire où l'on ne consacre plusieurs livres à la biographie des auteurs qui ont écrit dans l'espace de temps qu'elle embrasse, ni de traité de géographie où l'on ne trouve, après la description de chaque ville, l'indication des écrivains auxquels elle a donné naissance, et des ouvrages par lesquels chacun d'eux s'est illustré.

Or, l'histoire littéraire de la Chine est un sujet qui n'a pas même été effleuré parmi nous. Si on excepte quelques notes d'Amyot sur les interprètes des King (1), du P. Mailla, sur les auteurs du *Thoung-kian kang-mou* (2), et des PP. Prémare et Gaubil sur les écrivains qui ont traité des antiquités chinoises (3), on ne possède

(1) *Mémoires concernant les Chinois*, tom. 2.
(2) Préface du P. Mailla.
(3) *Chou-king* de Gaubil.

(21)

aucun ouvrage traduit où l'on puisse prendre la moindre idée du nombre et de la succession des écrivains chinois, ni de l'autorité que l'on doit accorder à chacun d'eux. Et cependant, peut-on, dans des matières d'érudition, invoquer le témoignage d'un auteur, sans savoir avec précision dans quel temps il écrivoit, quelles sont les sources où il a puisé, quelles étoient ses opinions particulières ou même ses préjugés, et tant d'autres circonstances particulières qui déterminent le degré d'estime dont il jouit chez ses contemporains et ses compatriotes ? Se passeroit-on de ces connoissances préliminaires, presque aussi indispensables que celle de la langue, s'il s'agissoit de nos écrivains occidentaux, et des matières mieux connues sur lesquelles nous avons coutume de disserter ? On a écrit sur la Chine; on a examiné des problèmes historiques et littéraires; on a cité des passages contradictoires ; on a poussé la témérité jusqu'à combattre, non seulement les missionnaires, mais les Chinois eux-mêmes ; on a discuté leurs opinions en matière de littérature, on est revenu sur les jugemens qu'ils ont portés ; on a tranché des questions qu'ils avoient laissées indécises, et tout cela sans posséder ces notions premières qui sont comme la base de la littérature, sans savoir même si elles existoient quelque part, et s'il étoit possible de les aller chercher. N'est-il pas évident qu'on a donné beaucoup au hasard, et qu'on a commencé par où il auroit fallu finir ?

Ce n'est pas qu'on manque en Europe des matériaux qui pourroient servir à la rédaction d'un ouvrage élémentaire du genre de la Bibliothèque Orientale d'Herbelot ; on seroit plutôt embarrassé de leur multiplicité, et effrayé de la grandeur de la tâche qu'il faudroit s'imposer. Outre deux ouvrages généraux de biographie (1), et la Bibliothèque de *Ma-touan-lin*, qui contient, en cent volumes, une suite d'extraits sur toutes sortes de sujets, continuées jusqu'à la fin du douzième siècle, nous avons, dans l'*Histoire de l'Écriture* (2), une table raisonnée des principaux auteurs qui ont écrit sur les belles-lettres, et dans les différentes parties des Annales et des Géographies provinciales, de nombreuses notices biographiques sur les écrivains qui se sont distingués dans tous les genres. Mais la composition d'un ouvrage complet sur ces matières seroit un travail immense, et peut-être ingrat, qui demanderoit qu'on s'y consacrât tout entier pendant plusieurs années, ou même qu'on fût aidé par plusieurs collaborateurs. Aussi, quoique chacun de ceux qui cul-

(1) Le *Wan-sing-thoung-pou*, catalogue de Fourmont, nº 92, en quarante volumes, et le *Hio-thoung*, en vingt-quatre volumes, nouveau fonds.

(2) *Tseu-hio-tian*, en quatre-vingts volumes, faisant partie du *Kou-kin-thou-chou*, nouveau fonds.

(23)

tivent la philologie de l'Asie orientale, se voie contraint d'amasser sur sa route, pour les retrouver au besoin, des notices particulières relatives à l'objet de ses recherches, et quoique j'en aie moi-même recueilli un assez grand nombre, l'ouvrage qui les réuniroit toutes est trop considérable pour ne pas se faire attendre longtemps, et tout ce qu'on peut espérer, c'est de le voir précédé de quelques essais sur un plan moins vaste et d'une exécution plus facile. Ces travaux spéciaux jetteroient toujours quelques lumières sur les principales parties de ce champ si étendu ; les ténèbres qui le couvrent pourroient ainsi se dissiper insensiblement, et les points les plus importans se trouveroient probablement éclaircis les premiers.

Il a semblé que le catalogue demandé par le ministre, offroit une occasion de remplir en partie l'objet dont on vient de parler. La collection des livres chinois du cabinet du Roi, est la plus riche de toutes celles qui existent en Europe ; ce pourroit être à la Chine même, sinon la bibliothèque d'une ville ou d'une académie, au moins celle d'un particulier instruit. Les livres qui la composent, rassemblés à différentes époques par d'habiles missionnaires, sont pour la plupart bien choisis ; il y en a quelques-uns de fort rares. Des notices détaillées qui les feroient connoître à fond, pourroient, par leur réunion,

(24)

former un essai bibliographique assez utile, si elles étoient rédigées d'après un modèle uniforme et convenablement étendu. Au titre de chaque ouvrage qu'il faudroit rapporter, traduire et souvent commenter, on ajouteroit tout ce qu'il seroit possible d'apprendre sur l'auteur et les éditeurs, leurs différens noms (car tout Chinois en a trois au moins), l'époque où ils ont vécu, celle où ils ont composé ou mis au jour leurs livres, la date précise de l'édition, ainsi que toutes les particularités relatives à la rédaction et à la publication de chaque ouvrage, telles qu'on les trouve consignées dans les préfaces qui sont ordinairement placées en tête du premier volume. On marqueroit soigneusement les divisions et subdivisions, particulièrement dans les grandes collections, et pour ces auteurs qu'on nomme polygraphes, en renvoyant directement aux différens volumes. On donneroit enfin une idée sommaire, mais exacte, du contenu de chaque partie, soit en s'attachant aux tables des chapitres qui sont en général bien rédigées, soit plutôt encore en analysant le livre même, et en indiquant le plus succinctement possible les matières dont traite l'auteur, l'étendue qu'il leur accorde, et la manière dont il les envisage. Il paroîtroit superflu d'y joindre des textes ou des extraits, parce que ce mode d'analyse, excellent quand il s'agit d'une littérature bornée ou d'un fonds peu

(25)

considérable ; seroit ici par trop insuffisant ; si l'on en réduisoit l'emploi à telle ou telle classe de livres, ou bien jetteroit dans des longueurs infinies, si on vouloit l'appliquer indifféremment à la nombreuse collection qu'en possède la Bibliothèque du Roi.

Quant au classement, il n'est pas besoin d'en chercher d'autre que l'ordre même que les Chinois ont adopté. Les *King* ou livres classiques doivent incontestablement être placés les premiers, et suivis de leurs interprètes, des philosophes du second ordre et des hétérodoxes, c'est-à-dire des *sectateurs de la Raison* (Taosse) et des Bouddhistes. Les histoires générales et spéciales, les traités de géographie, les dictionnaires, les ouvrages de poésie et les romans réclament autant de sections particulières dans lesquelles chaque genre de composition doit être distribué chronologiquement. Une classe, malheureusement peu nombreuse, renfermeroit les auteurs qui ont écrit sur l'astronomie, la médecine et la botanique ; une autre, les mélanges, les collections d'extraits et les bibliothèques ; enfin, la dernière de toutes seroit consacrée aux livres écrits en chinois par les missionnaires. Ces sortes d'ouvrages ne sont pas les plus importans ; mais, outre qu'ils ne sont pas entièrement dénués d'utilité, la collection que la Bibliothèque en possède est si riche et si complète, qu'elle peut avoir sous ce rapport quelque intérêt pour les bibliographes (1).

Voilà le plan auquel on a cru devoir s'attacher, et qui, sans pouvoir donner naissance à un ouvrage d'une étendue excessive, demandera cependant beaucoup de recherches et un certain espace de temps pour être mis en exécution. Il différoit trop, à plusieurs égards, de celui qu'a suivi Fourmont, pour qu'on pût les fondre ensemble. Il falloit, ou faire deux catalogues distincts, ou refaire celui du savant académicien. J'hésitois à prendre ce dernier parti, qui devoit augmenter beaucoup le travail dont je m'étois chargé; mais j'ai été décidé par les avis de MM. les conservateurs des manuscrits, et particulièrement de M. Langlès, qui ont désiré que les deux catalogues n'en fissent qu'un. L'avantage de la bibliothèque et l'intérêt même de l'ouvrage que j'avois projeté, m'ont fait prendre sur moi cette nouvelle tâche, an sujet de laquelle je dois entrer dans quelques éclaircissemens.

(1) Plusieurs de ces ouvrages ont été envoyés en si grand nombre, qu'on pourroit croire que l'édition entière a passé en Europe. Il en est dont on possède cinquante ou soixante exemplaires. La bibliothèque pourroit sans s'appauvrir en destiner une partie à des échanges, d'autant plus que presque tous ces ouvrages sont imprimés sur beau papier et en beaux caractères.

(27)

Le catalogue de Fourmont étoit un ouvrage fort estimable pour le temps où il a été composé ; mais les progrès qu'on a faits depuis dans la littérature chinoise, et auxquels les ouvrages même de Fourmont n'ont pas peu contribué, permettent d'y découvrir un assez grand nombre d'erreurs et d'imperfections. Il avoit été censuré très-amèrement dans le temps même où il parut, par les PP. Porquet et Foureau. La manière un peu indiscrète dont ce savant avoit quelquefois parlé des missionnaires, semble avoir aigri contre lui ces deux religieux, dont le premier surtout mit dans ses observations, envoyées à l'Académie des belles-lettres, une dureté et une rigueur tout-à-fait déplacées. On ne peut nier pourtant que Fourmont n'ait souvent examiné bien légèrement les livres qu'il indique. A la simple lecture de son catalogue, j'y avois aperçu un grand nombre de fautes ; les critiques des deux missionnaires que je viens de nommer m'y en ont fait découvrir beaucoup d'autres ; et quand je me suis décidé à en faire l'objet d'un examen spécial, en en comparant successivement tous les articles avec les livres auxquels ils répondent, j'ai reconnu qu'il n'y avoit presque pas une notice qui fût exempte d'erreurs et d'incorrections. On me permettra de prouver ce que j'avance par quelques remarques qui auront pour objet, non de diminuer en rien l'estime qu'on doit aux travaux de Fourmont ; mais de me justifier de m'être enfin déterminé à regarder celui dont il s'agit comme non avenu.

Je ne reprocherai point à Fourmont le peù d'ordre qu'il a mis dans le classement des matières et l'arrangement des livres , quoiqu'il ait sans nécessité confondu des genres différens, et placé, par exemple, les romans parmi les dictionnaires ; le code de la dynastie des Ming , au nombre des livres de géographie ; un traité de la théologie des Tao-sse , au milieu des ouvrages historiques, etc. Ces déplacemens ne méritent d'être remarqués qu'autant qu'ils sont l'effet d'une méprise sur la nature des matières traitées ; car si les notices de ces livres étoient d'ailleurs exactes , en quelqu'endroit du catalogue qu'elles fussent placées , on sauroit bien les y trouver , et le *fonds* n'est pas encore assez considérable pour qu'un peu de désordre y puisse causer beaucoup d'embarras.

C'est un tort plus grave , à mon avis, que d'avoir presque partout négligé de marquer la date de l'impression et le nom des auteurs, de n'avoir presque jamais donné le moindre renseignement sur le temps où ils ont vécu, et surtout de s'en être, presqu'en toute circonstance, rapporté aux indications toujours insuffisantes et souvent trompeuses des titres , au lieu d'aller chercher la notice de l'ouvrage dans l'ou-

(29)

vrage même, ou du moins dans les préfaces qui l'accompagnent ordinairement, et qui sont remplies de faits bibliographiques très-curieux. Ce sont là des reproches généraux qui tombent sur le plan qu'avoit adopté Fourmont ; les observations de détail prouveront invinciblement qu'il a prononcé sur beaucoup de livres sans les avoir lus, quelquefois même sans les avoir ouverts.

Au n° II, il prend, dans le titre d'un dictionnaire très-connu, les mots *Hiouan-kin* pour le nom d'un éditeur, *ab* Yuen-kin *editum* ; en quoi il commet deux fautes : l'une, d'avoir cru que *Hiouan*, qui n'est point un nom de famille à la Chine, pouvoit être la première syllabe d'un nom d'homme ; l'autre, d'avoir supposé que le nom d'un simple éditeur pouvoit ainsi se placer devant le titre d'un livre. La première faute est la plus considérable : elle vient d'avoir ignoré un usage qui a force de loi à la Chine. Le nombre des caractères qui servent de noms de famille, y est invariablement fixé ; chaque particulier en a un qui lui est commun avec tous les individus de sa famille, et qui se place toujours devant les noms personnels. C'est même en chinois un moyen de reconnoître les noms propres, et d'éviter les méprises qu'on pourroit commettre en les traduisant. Faute d'avoir connu cet usage, Fourmont a laissé échapper beaucoup d'erreurs du même genre, et c'est ce qui lui a attiré de la part du P. Foureau ce reproche , jusqu'à un certain point mérité , « d'user d'un droit qu'il semble s'être fait en expliquant le titre des livres, de trouver le nom de leurs auteurs dans les caractères qu'il n'entend pas. » *Hiouan-kin* (or suspendu), est ici une épithète ajoutée au titre de ce dictionnaire, pour marquer l'estime qu'on en fait.

IV. En parlant d'un supplément au dictionnaire *tseu-'weï*, il avance, en citant la préface même de ce supplément, qu'il contient quatre mille cinq cent quatre-vingt-quinze caractères ajoutés: on ne lit rien de semblable dans la préface ; mais on voit dans la table que cet ouvrage contient la correction de deux cent soixante-neuf caractères fautifs sous le rapport de l'orthographe, et de cinq mille cinq cent vingt-six autres dont le son ou l'explication n'avoient pas été donnés correctement, outre l'addition de douze mille trois cent soixante et onze caractères entièrement nouveaux.

VII. Le titre *Hiu-chi choue-wen* est très-mal rendu par les mots *familiæ* Hu *orationes ;* il falloit dire, Traité littéraire du docteur *Hiu.* Le mot de *chi* que Fourmont rend ici par *familia* , n'a jamais cette signification , quand on le joint à un nom de famille ; mais il sert alors à désigner par antonomase le personnage le plus illustre d'une maison. C'est un usage constant

(31)

pour les lettrés de quelque distinction. Au reste, ces prétendues *oraisons* sont un dictionnaire dont Fourmont donne une analyse incomplète et fautive : c'est pourtant le plus célèbre et le plus estimé, comme le plus important et le plus ancien de tous les livres que les Chinois ont composé sur leur écriture. Il fut rédigé sous le règne de l'empereur *Ho-ti*, de la dynastie des Han, l'an 89 de Jésus - Christ, et contenoit, dans son état primitif, cent trente - trois mille quatre cent quarante-un caractères ou variantes de caractères, distribués sous quinze livres (1). On pense bien que dans ce nombre il y en avoit beaucoup qui n'étoient que des formes variées d'un seul et même signe, orthographié de différentes manières. Le livre dont parle Fourmont en cet endroit n'est pas celui de *Hiu-chi* lui-même : c'est un abrégé qui en fut fait sous le règne de *Taï-tsoung*, de la dynastie des *Soung*, par trois lettrés dont Fourmont ne nomme que le premier. Le travail de ces lettrés ne consista pas, comme il le pense, à commenter le dictionnaire de *Hiu-chi*, mais au contraire à en extraire environ dix mille six cents caractères choisis parmi les plus usités et les plus réguliers (2). Cependant on ne voulut rien changer

(1) Préface de l'ouvrage même, pag. 11.
(2) Préface de l'ouvrage même, pag. 12.

au titre de l'ouvrage, qui continua de s'appeler *le* Choue-wen *du docteur* Hiu. Ce livre, dans l'état où on venoit de le mettre, fut imprimé pour la première fois en 984. Il y a un autre dictionnaire connu dont le *Choue-wen* a pareillement fourni la matière, et qui porte le titre de *Choue-wen-tchang-tsian*, grand extrait du *Choue-wen*. Il a été rédigé par un lettré nommé *Tchao-hoang-kouang*, aidé de son fils *Tchao-Kiun*, et il a paru la vingt-neuvième année *Wan-li* (1601) en vingt gros volumes. Nous possédons aussi cet ouvrage à la Bibliothèque du Roi.

IX. Fourmont attribue le dictionnaire *Tching-tseu-thoung* à *Liao-pe-tseu* : le véritable auteur se nommoit *Tchang-eul-koung*. Sa pauvreté le contraignit de vendre son manuscrit à *Liao-pe-tseu*, qui publia l'ouvrage sous son nom. Au reste, Fourmont n'a pu connoître cette anecdote qui n'est racontée que dans les préfaces qu'on a mises aux éditions publiées depuis la découverte de la fraude : je ne l'ai pas lue moi-même, et j'en dois la connoissance à une personne qui possède la nouvelle édition intitulée : *T'ching-tseu-thoung* du docteur *Tchang*.

XI. Fourmont prétend que le dictionnaire de *Khang-hi* fut composé par *toutes sortes de lettrés, a Doctoribus et Mandarinis quibusvis.* Cela n'est nullement exact : il y eut trente lettrés qui reçurent cette commission de l'empereur ;

(33)

plusieurs étoient des personnages d'un rang distingué, et il y en avoit deux nommés *Tchang-
iu-chou* et *Tchhin-thing-king*, qui avoient le
rang de *Ta-hio-sse*, ou conseillers, et de prési-
dens de la cour administrative. Les noms et les
titres de ces trente lettrés sont placés à la suite
de la préface de ce dictionnaire. Au reste, l'ouvrage fut commencé la 49ᵉ année Khang-hi,
achevé six ans après, et publié la 55ᵉ année
Khang-hi, à la 3ᵉ lune intercalaire; ce que Fourmont n'auroit pas dû négliger d'indiquer.

XXIV. Le titre de cet ouvrage est partagé
par Fourmont en deux parties, de cette manière :
Tchi-kou et *I-wen*. La conjonction qu'y ajoute
l'auteur, ôte tout le sens de cette phrase qui
signifie *Collection des caractères que nous a
légués l'antiquité*. Il ne fait pas mieux connoître
le plan de l'ouvrage, qui consiste à rassembler les
caractères gravés sur les cloches, les trépieds et
les autres monumens de la haute antiquité. L'auteur enfin ne se nommoit pas, ainsi qu'il le
prétend, *Chu-meu-guei*, mais *Li-jou-tchin*,
comme on le voit sur le frontispice.

XXVIII. Les mots *Hao-khieou-tchouan* sont
rendus par *Historia Fabulosa* τȣ *Hao - kieu.*
Premièrement, *Hao-khieou* ne sauroit être un
nom d'homme, car la première syllabe *hao*
n'est pas du nombre des noms de famille à la

3

Chine (1). Il n'y a pas non plus, dans ce roman, de personnage ainsi nommé, et ce titre contient une allusion à un vers du *Chi-king*, où l'on célèbre *l'union bien assortie, Hao-khieou*, de *Wen-wang* avec la princesse *Siao-sing*. Il s'agit, dans le roman, du mariage d'un lettré distingué par ses talens et son esprit, avec une jeune personne accomplie, et c'est ce que signifie le titre *Histoire du couple bien assorti*.

XXIX. *Iu-kiao-li*, suivant Fourmont, signifie *pera* τε Yo - kiao, *authoris sic vocati*. Le nom de ce prétendu *Iu-kiao* ne se trouve ni sur le titre, ni dans la préface de ce roman, et de plus *li* signifie *poire*, et non *besace* (2). Il ne s'agit, au reste, dans ce roman, ni de poire ni de besace. *Iu* et *li* sont les *petits noms* de deux femmes qui y jouent les principaux rôles. *Iu* (pierre précieuse) est un surnom qu'on donne souvent aux femmes; celle qui le porte ici a pour nom de famille *Houng*, de sorte que son nom entier est *Houng-iu*. L'autre femme, nommée *Lou-meng-li*, reçut, suivant l'histoire, le surnom de *Meng-li* (songer à des poires), parce que sa mère, la portant encore dans son sein, avoit rêvé qu'elle

(1) Voyez plus haut la remarque sur le n° II.

(2) Peut-être *pera* est-il ici une faute d'impression pour *pira*; mais, en admettant cette correction, la faute principale subsisteroit toujours.

(35)

voyoit un poirier se charger de fleurs et de fruits. Cette circonstance n'est qu'un accessoire très-indépendant du sujet du roman, et je ne la rapporte que pour faire voir un exemple de ces surnoms que les Chinois ajoutent à leurs noms de famille, et qui souvent ont rapport à des événemens de cette importance. Ces surnoms servent, dans le cours d'une narration, à désigner les personnages dont on écrit l'histoire.

Quant à *kiao*, ce mot signifie *élégant*, *tendre*, *délicat*; et placé ainsi entre les noms des héroïnes de ce roman, il s'applique également à toutes deux, et signifie *les deux aimables dames*, *iu* et *li*. Fourmont ajoute que ce roman, célèbre pour le style élégant dans lequel il est écrit, est aussi quelquefois intitulé *San thsaï-tseu*, *Poetæ tres*. Ces mots doivent plutôt être rendus par *les trois personnes de mérite*, et ils s'appliquent, non pas aux auteurs, comme il le donne à entendre, mais aux trois personnes dont les aventures font le sujet du roman, le lettré *Sou-yeou-po*, et ses deux femmes *Houng-iu* et *Lou-meng-li*.

XXXI. *Phing-chan-ling-yan*, *sse thsaï-tseu*, selon Fourmont, *Pim*, *xam*, *lem*, *yen*, *seu quatuor poetæ sic nominati*. Il est encore ici question de gens de mérite plutôt que de poëtes. Les quatre premiers caractères sont les noms abrégés des deux lettrés *Phing-jou-han* et *Yan-*

3.

pe-han, et de leurs femmes *Leng-kiang-hiouet*
et *Chan-taï*. Les aventures qui amenèrent le
mariage de ces quatre personnes sont racontées
dans cet ouvrage, où il n'y a, comme dans les
autres romans chinois, que quelques petits
morceaux de poésie au commencement ou à la
fin de chaque chapitre.

XXXII. Rien n'est plus fautif que la traduction du titre de ce numéro : *Ya-mi, id est*, τε
*Ya-mi historia fabulosa ; est enim ex eorum
genere quæ nos* romans *dicimus. Sed per dia-
logos et personas quo modo sunt comœdiæ. Ya-mi*
n'est pas le nom d'un personnage, c'est le mot
chinois qui signifie *énigme*, et la prétendue histoire de *Ya-mi* est en effet un recueil d'énigmes,
séparées par *alinéas*, et suivies chacune de son mot
ou de sa solution. Ce sont sans doute ces divisions
qui auront trompé à Fourmont, et lui auront
donné l'idée d'un dialogue ou d'une comédie.

XXXV. Nouvelle erreur non moins considérable, au sujet du dernier article de cette section.
Si-siang-ki, phi-pha-ki, dit-il, *Historiola* τε
Si-siang, *Historiola seu historia comica* τε *pi-
pa ;* SUNT AUTHORUM NOMINA. Rien ne prouve
mieux que Fourmont a cherché à deviner le
sujet des romans, sans prendre la peine de les
lire. *Si-siang* et *phi-pha* ne sont pas et ne sauroient être des noms d'auteurs. *Si-siang* signifie
pavillon ou *salle tournée vers l'occident*. Un

(37)

lettré, nommé *Tchang-koung*, et surnommé *Kiun-tchouï*, vint loger dans une pagode qu'un homme riche avoit fait construire dans sa maison, et qui, suivant l'usage chinois, servoit comme d'auberge pour les voyageurs. Il y devint amoureux de la fille de cet homme, nommée *Tching-ing*, qu'il vit pour la première fois dans le *pavillon occidental*. Tel est le sujet de ce roman, ou plutôt de ce long drame, et tel est le motif du titre qu'on lui a donné.

Quant au second ouvrage, *Phi-pha*, que Fourmont prend encore pour un nom d'homme, signifie *guitare*. L'ouvrage a reçu ce titre, parce que la principale héroïne y déplore ses malheurs en s'accompagnant sur la guitare. C'est encore un drame, et même un drame très-triste, où il n'y a rien qui puisse justifier l'*Historia comica* de Fourmont.

Je ne m'arrêterai point à relever les erreurs assez nombreuses que ce savant a laissé échapper, en parlant des ouvrages géographiques et historiques ; elles étoient presque inévitables à l'époque où il écrivoit, avant la publication des Mémoires des Missionnaires, et de l'Histoire de la Chine du P. Mailla. D'ailleurs, les détails qui l'y ont entraîné sont étrangers à la bibliographie et à l'histoire littéraire, qui sont les seuls rapports sous lesquels j'envisage en ce moment son catalogue (1). Ainsi, dans la section relative à la géographie, je lui reprocherai seulement deux méprises qui l'ont engagé à y comprendre deux ouvrages qui n'y ont nul rapport. Le premier (N° XL) est un recueil de traits de vertu et d'héroïsme, classés sous quatre livres, à la manière de Valère Maxime ; traits de fidélité, d'obéissance et de piété filiale, de modération ou de tempérance, et de justice. Suivant Fourmont, il contiendroit en de petits récits de peu d'étendue, et en figures, l'histoire chinoise presque entière. Le recueil des Edits et Instructions de la dynastie des *Ming* (N° XLIII) est présenté comme un état des villes de la Chine,

(1) Par exemple, au n° LXXIX, il prend les Han *postérieurs* (*Heou han*), pour l'une des cinq dynasties qui se sont succédé dans le dixième siècle, et il ajoute que l'auteur qui en a écrit l'histoire florissoit en l'an 420. Le fait est qu'il s'agit en cet endroit de la seconde branche de la dynastie des Han, dont le commencement sous *Kouang-Wou-ti*, est fixé à l'an 24 de Jésus-Christ. — Au n° XCIII il écrit en chinois, *Histoire des Femmes rasées*, pour *Histoire des Femmes célèbres*. Mais cette dernière faute tient à une méprise qu'il a commise en copiant les caractères du titre, et je me suis abstenu de marquer ces sortes d'erreurs qui sont en grand nombre dans son catalogue, ainsi que dans sa grammaire, mais qu'il m'eût été impossible de rendre sensibles, sans employer le secours des caractères originaux.

(39)

avec la liste de tous les magistrats. Ce n'est pas là seulement un défaut d'arrangement; c'est une erreur qui provient d'avoir méconnu le sens du mot *Hoeï-tian*, qui signifie recueil d'ordonnances, actes du gouvernement, destinés à l'instruction des peuples.

XLV. Le livre qui porte ce numéro est peutêtre un des plus beaux ouvrages qui soient à la Bibliothèque du Roi. Fourmont en vante, avec raison les caractères qui sont d'une parfaite élégance, et il va jusqu'à dire « que les Vesten, et les plus célèbres de nos typographes, seroient frappés d'admiration, et comme ravis en extase à la vue de ce livre, qui est si magnifique, qu'on n'a rien imprimé, et même qu'on ne sauroit rien imprimer de pareil en Europe. » Il n'y a pas beaucoup d'exagération dans cet éloge; mais, par malheur, le mérite extérieur du livre qui en est l'objet est la seule chose que Fourmont nous fasse exactement connoître. A commencer par le titre, *Kou wen youan kian*, il en donne une traduction erronée et inintelligible : *Antiquæ litteraturæ abyssi Speculum*. Pour entendre les mots *youan-kian*, qui signifient littéralement *miroir des sources*, il faut savoir que le prince nommé *Khang-hi* par les Européens, avoit donné ce nom à une bibliothèque, où il avoit rassemblé tout ce que l'antiquité avoit produit de plus parfait en ouvrages de littérature et de philosophie. C'est l'usage parmi les lettrés chinois de désigner la salle où ils travaillent par un nom figuré ou pompeux, et *Khang-hi*, en s'y conformant, avoit adopté les mots de *youan kian tchaï*, *cabinet des sources destinées à servir de miroir*. Fourmont eût pu ignorer cette circonstance, si ces trois mots chinois ne se trouvoient reproduits sur le frontispice d'un autre ouvrage qu'il a analysé (n° CCXC), et s'ils n'étoient écrits en caractères anciens sur un des cachets de ce prince ; car, suivant un autre usage des lettrés, on trouve souvent à la fin des préfaces, outre l'empreinte du cachet qui contient leur nom et leur titre, celle d'un autre cachet où est inscrit le nom énigmatique qu'ils ont donné au lieu où ils ont coutume de travailler, comme on voyoit autrefois nos savans dater leurs écrits de la bibliothèque publique ou particulière où ils les avoient composés. *Kou wen* désigne en général tous les ouvrages des anciens ; le titre dont il s'agit signifie donc : *Chefs-d'œuvre de littérature ancienne, tirés de la bibliothèque de l'empereur* Khang-hi.

Fourmont ne nous donne pas mieux l'époque où ce précieux recueil a été composé : *Scriptus est autem*, dit-il, *sœculo* 17°, *regnante* των *ta-mim familia, authore* su-kien-hio, *qui tunc doctor Sinœ fama celeberrimus.* Ce n'est pas là ce qu'on lit dans la préface que *Khang-hi* lui-

(41)

même a écrite. Le premier auteur auquel on
en soit redevable est *Liu-tsou-khian*, qui vivoit,
non pas sous les *Ming*, mais sous les *Soung*, plus
de trois cents ans auparavant. Cet écrivain rédigea,
sous le titre de *Wen-kian* ou de Miroir de littérature, un recueil de pièces choisies, où il fit
entrer les remontrances adressées aux empereurs, avec les réponses qu'ils jugèrent à propos
d'y faire ; les éloges des hommes célèbres, les
instructions que les empereurs publient en certaines occasions, et qui contiennent, ou des
morceaux d'éloquence sur la politique, la morale
ou l'agriculture, ou des sortes de comptes rendus
sur les opérations du gouvernement. Il y admit
encore des lettres familières, des descriptions de
palais, de jardins, de maisons de plaisance, des
dissertations sur toutes sortes de sujets, des chansons choisies, des inscriptions funèbres, telles
que celles qu'on fait graver sur la pierre, pour
célébrer la mémoire des officiers ou des magistrats qui ont rendu des services éclatans, ou des
hommes privés, qui, même dans les classes inférieures, se sont distingués par leurs vertus
domestiques. En un mot, il n'y eut pas un seul
genre de composition oratoire dont cette collection n'offrît dès lors des exemples et des modèles,
pris chez les meilleurs écrivains qui avoient précédé l'époque de la dynastie des *Soung*, c'est-à-
dire le douzième siècle de notre ère.

L'empereur *Khang-hi* qui estimoit beaucoup le livre de *Liu-tsou-khian*, voulut qu'on le prît pour base de la collection d'extraits qu'il fit faire dans sa bibliothèque. On y ajouta, par ses ordres, beaucoup de pièces choisies dans les mêmes vues, et notamment des morceaux tirés des écrits même du premier éditeur ; ce qui suffiroit seul pour faire voir la différence des deux éditions. Mais on n'y fit entrer aucun extrait des ouvrages qui ont paru depuis la dynastie des *Soung.* L'édition fut terminée à la douzième lune de la vingt-quatrième année *Khang-hi* (1686). Le principal rédacteur employé par *Khang-hi* fut ce *Siu-khian-hio*, que Fourmont désigne comme l'*auteur* même, et qu'il fait vivre sous la dynastie des *Ming.* Les annotations marginales qu'on a jointes à chaque morceau, pour en marquer le sujet et l'occasion, ou pour en faire sentir le mérite et l'excellence, sont distinguées par la couleur de l'encre dont on s'est servi pour l'impression. Celles des auteurs qui étoient morts au temps de Khang-hi sont en bleu, parce que le bleu est la couleur du deuil. Celles de l'empereur sont en jaune, couleur consacrée à la dynastie impériale, et celles des lettrés qui étoient encore vivans au moment de la rédaction de l'ouvrage sont en rouge, comme les remarques que les maîtres écrivent dans les colléges sur les compositions de leurs élèves. On peut prendre une idée

(43)

du contenu de ce livre, par les extraits que le P. Hervieux en a faits, et que Duhalde a insérés dans le tome II de sa Description de la Chine.

XLVIII. En parlant du célèbre ouvrage de Confucius, intitulé *Tchhun - thsieou*, c'est-à-dire, *le Printemps et l'Automne*, Fourmont cherche à deviner la raison qui lui a fait donner ce titre ; celle qu'il propose n'est point la véritable. « Peut-être, dit-il, est-ce parce qu'en Chine, comme dans les autres pays situés sous les zones chaudes, la guerre se fait plutôt au printemps et à l'automne que dans les autres saisons, à cause de l'incommodité de la chaleur et du froid. » On sent combien une pareille raison est futile. Les mots *printemps* et *automne*, par une sorte de synecdoche très-commune en chinois, désignent l'année entière. On dit même dans le style familier : *Tchhun-thsieou ki-ho*, *combien avez-vous de printemps et d'automnes*, pour *quel âge avez-vous ?* Le sens de ce titre est donc les *années*, ou, pour mieux dire, *les annales*. Quant à ce que l'auteur ajoute, qu'il s'en faut peu que ce livre ne soit mis *au niveau* des livres classiques, et qu'il est presque aussi estimé que les quatre livres moraux (1), c'est une erreur plus grave, parce qu'elle concerne des livres dont

(1) *Hic liber pretii apud Sinas summi..... inter sacros tantum non repositus*, p. 380. — *Eodem ferè loco habetur* το chun-cieu, *ac* su-xu, p. 381.

le rang est rigoureusement fixé à la Chine. La Chronique de Confucius est réellement comptée au nombre des cinq livres classiques du premier ordre, et par conséquent placée fort au-dessus des quatre livres moraux, qui sont d'un rang bien inférieur. C'est par une suite de la même erreur que Fourmont a compris ensuite ces derniers dans l'énumération des cinq *King* (1).

LV. *Lun-in the tian*; il y a ici plusieurs méprises : Fourmont, trompé par une simple analogie de sons, rend par *rota* la première syllabe d'un mot composé, qui veut dire *ordre de l'empereur*; il prend ensuite un caractère pour un autre qui a un trait de moins, et cette méprise en entraîne une seconde pour le son, et une troisième pour le sens qu'il lui attribue; de sorte qu'il lit *tchhi*, et traduit *capere*, le mot *the* qui signifie *unique, spécial, particulier*. Mêlant, enfin, à ces deux fautes quelques autres erreurs qu'il seroit trop long de faire ressortir, il traduit les quatre mots de ce titre par ceux-ci : *collectio, seu codex ubi* sumitur *sensus* rotationis (*temporum*), tandis qu'ils signifient *grâces spéciales de l'empereur*. C'est ainsi qu'il est conduit à prendre pour un almanach un volume qui n'est que le recueil des placets présentés à *Khang-hi* par les missionnaires, avec les réponses

(1) Pag. 403, seq.

(45)

de l'empereur; les éloges funèbres qu'il daigna composer en l'honneur des PP. Adam Schall et Ferdinand Verbiest, et le fameux édit de 1692, par lequel l'exercice de la religion chrétienne fut permis dans l'empire (1).

LXIII. Personne n'ignore que la dynastie qui a précédé celle qui est actuellement sur le trône de la Chine, portoit le nom de *Ming*, qui signifie *lumière*. *Ming ki* signifie donc *Histoire de la dynastie* Ming. Fourmont rend ces mots par *elucidationes*. On a peine à concevoir une pareille méprise, qui, de la part de tout autre

(1) Je soupçonne l'existence d'une erreur du même genre dans la notice du numéro suivant (LVI). La phrase chinoise *thai-chang*, *san-youan*, *san-phin*, *san-kouan fa-phao*, ne peut avoir le sens qu'on lui prête : *Magistratuum superiorum*, *id est trium* yuen, *trium* pin, *trium* kuon *vocatorum*, *ordo pretiosus*. *Thai-Chang* désigne la secte des *Tao-sse* à laquelle appartiennent aussi les divinités appelées *San-Youan*, *San-Phin*, *San Kouan*. *Fa-phao* signifie ce qu'il y a de précieux dans une loi ou dans une religion. C'est un terme consacré chez les sectaires de la Chine. Je crois que ce doit être un livre *Tao-sse*. Fourmont y voit une procession de mandarins : la forme de rouleau qu'on lui a donnée, et qui est généralement d'usage pour les sujets mythologiques des Tao-sse, confirme encore ma conjecture au sujet de cet ouvrage que je n'ai pas encore pu examiner moi-même.

écrivain, sembleroit indiquer plus que de l'inat-
tention.

LXVII. Un des plus beaux monumens de la
littérature chinoise, est la bibliothèque de
Ma-touan-lin; mais il s'en faut beaucoup que
Fourmont en donne une idée complète. Il se
trompe d'abord sur le titre même qu'elle porte:
Wen-hian thoung khao, dit-il, *id est, Examen
generale litteratis oblatum.* Quoique *wen*, pris
séparément, signifie *littérature*, et *hian*, *offrir*,
ce n'est pas du tout le sens que ces deux mots
ont quand ils sont réunis. *Wen-hian* est une
expression composée, prise du *Lun-iu*, section
troisième, *tchang* neuvième, où elle est employée
dans le sens de *monumens écrits*, et rendue en
mandchou par les mots *pitkhe fergingge* (1).

(1) Je rapporterai la phrase entière dans la langue
mandchoue, que la transcription en lettres latines
ne défigure pas aussi complétement que le chinois:
*Foutse khendoume: Khiya gouroun-ni dorolon-be, pi
gisouretsi ombi; Ki gouroun, temgetou ome mouterakô.
Yen gouroun-ni dorolon-be, pi gisouretsi ombi; Soung
gouroun temgetou omie mouterako okho.* Pitkhe Fergingge
akô i tourgoun kai. Pitsi, pi temgetou oboutsi ombikhe.
« Je pourrois vous parler des rites de la dynastie des
Hia ; mais le royaume de Ki n'en conserve pas assez
de traces : je pourrois vous entretenir de ceux de la
dynastie des Yen ; mais le royaume des Soung n'en
offre que des restes insuffisans. La disette *des monu-*

(47)

C'est aussi un titre qui a été donné à des lettrés et même à des impératrices après leur mort, pour marquer le respect qu'elles avoient témoigné toute leur vie à ce qui restoit de la haute antiquité. Si Fourmont l'ignoroit, il pouvoit au moins trouver une définition précise de ces mots dans la préface même de l'ouvrage (1); il y eût vu que *Wen hian thoung khao* signifie *recherche exacte des anciens monumens*, et cela eût pu l'engager à prendre une connoissance plus entière des matières qui y sont traitées. L'analyse qu'il en donne est trop inexacte pour que je puisse m'attacher à la rectifier ; j'aime mieux placer ici la traduction de la table qui est dans le premier volume ; on pourra la comparer avec les détails qu'il a insérés à la page 385 de son catalogue.

A la tête du premier volume, on ne trouve pas, comme il l'annonce, vingt-cinq préfaces écrites par autant d'auteurs différens, mais une seule préface, suivie de vingt-quatre dissertations, qui sont toutes de *Ma-touan-lin* lui-même, et qui répondent à autant de divisions ou de sections dans le corps même de l'ouvrage. Voici l'ordre et les titres de ces sections :

mens écrits en est la cause : si nous en avions, je pourrois vous les offrir en témoignage. » Version mandchoue, t. II, p. 11.

(1) P. 3.

1re SECTION. Du partage des terres, et de leur produit sous les différentes dynasties, sept livres.

2e. Des monnaies, soit métalliques, soit fictives, des papiers-monnaies etc., deux livres.

3e. De la population et de ses variations, deux livres.

4e. De l'administration, deux livres.

5e. Des péages et des douanes, et en général de tous les droits qu'on perçoit pour les lacs et étangs poissonneux, les plantations de thé, les salines, les mines et les usines, ainsi qu'aux barrières, aux foires, etc. six livres.

6e. Du commerce et des échanges, deux livres.

7e. Des impositions territoriales, ou tributs sur les terres, un livre.

8e. Des dépenses de l'Etat, cinq livres.

9e. De l'élévation aux charges, et du rang des magistrats, douze livres.

10e. Des études et des examens des lettrés, sept livres.

11e. Des fonctions des magistrats, vingt-un livres.

12e. Des sacrifices, vingt-trois livres.

13e. Des temples des ancêtres, quinze livres.

14e. Du cérémonial de la cour, vingt-deux livres.

15e. De la musique, quinze livres.

16e. De la guerre, treize livres.

(49)

17ᵉ. Des châtimens et des supplices, douze livres.

18ᵉ. Des livres classiques et autres, soixante-seize livres. L'étendue de cette section vient de ce qu'on y a fait entrer l'analyse d'une foule de traités curieux sur toutes sortes de sujets, et d'ouvrages de toutes les sectes. C'est une véritable histoire littéraire.

19ᵉ. De la chronologie des empereurs, et de la généalogie des familles qui ont possédé le trône, dix livres.

20ᵉ. Des principautés tributaires et des fiefs érigés sous les différentes dynasties, dix-huit livres.

21ᵉ. Des corps célestes et de leurs accidens, comme les éclipses, les conjonctions, etc. dix-sept livres.

22ᵉ. Des prodiges et calamités, comme les inondations, les incendies, les tremblemens de terre, les aérolithes, les pluies de sauterelles, etc. vingt livres.

23ᵉ. De la géographie de la Chine, et de toutes les divisions de l'empire, aux différentes époques de la monarchie, neuf livres.

24ᵉ *et dernière Section.* De la géographie étrangère, et de tous les peuples qui ont été connus des Chinois, vingt-cinq livres. En tout, trois cent quarante-huit livres, distribués en cent volumes. Une pareille suite d'extraits pris dnas

4

les meilleures sources par un lettré habile', et continués jusqu'à l'an 1207 de notre ère, vaut à elle seule toute une bibliothèque, et mériteroit qu'on apprît la langue dans laquelle elle est écrite. Elle offre les moyens d'approfondir la plupart des questions auxquelles la Chine peut donner lieu, et l'on a peine à concevoir qu'on puisse, sans l'avoir lue, se hasarder à émettre une opinion quelconque sur l'histoire et les antiquités de la haute Asie. Nos plus habiles missionnaires en ont fait de grands éloges, et s'en sont servis avec beaucoup d'avantage. Il nous manque malheureusement le supplément qui a été ajouté à cet ouvrage, sous le titre de *Sou Wen-hian-thoung-khao*, et où tous les mémoires dont il se compose sont continués depuis le treizième siècle jusqu'à nos jours.

LXXXVIII. Parmi les livres historiques, et sous le titre de *San koue tchi* (Histoire des trois royaumes), on a placé un ouvrage qui, s'il contenoit en effet l'histoire du temps où la Chine fut partagée en trois empires séparés, seroit, avec une dénomination différente, le même que le *San koue chou* du n° LXVIII. Il falloit avertir que le *San koue tchi* est un roman dont le sujet est bien pris dans l'histoire des trois royaumes, mais où sont mêlées beaucoup d'aventures fabuleuses, et dont le style fait, aux yeux des Chinois, le principal mérite. C'est ce que Fourmont

(5ı)

eût reconnu, même sans le lire, s'il eût remarqué qu'il étoit partagé en *hoeï*, genre de division qui, suivant sa propre remarque, est particulier aux ouvrages d'imagination. Il ne falloit pas non plus oublier la différence des mots *tchi* et *chou ;* ce dernier signifie *livre*, et se dit des différentes parties des grandes Annales, dont la réunion forme le *Nian-i sse* ou les vingt-une histoires. On dit *Han chou, Thang chou*, pour l'histoire de la dynastie des *Han* ou de celle des *Thang. Tchi* s'applique aux ouvrages géographiques, et aussi aux romans historiques que les sectaires ont composés pour accommoder les récits de l'histoire à leurs intérêts particuliers.

Je passerai, sans en faire l'objet d'un examen suivi, deux sections entières du catalogue de Fourmont : celle où il a rangé les livres classiques avec leurs commentaires, et celle qui comprend les ouvrages théologiques composés par les missionnaires de la Chine ; la première, parce qu'on a tant écrit sur les *king* que ce sujet semblant épuisé, les observations qui y auroient rapport pourroient devenir fastidieuses ; la seconde, parce que les livres écrits en chinois par des Européens ne pouvant offrir un grand intérêt, les erreurs que Fourmont a commises à ce sujet en présenteroient moins encore. Je remarquerai seulement qu'il n'a pas pris la peine de rechercher et d'indiquer les véritables noms des Jésuites

et des autres religieux qui avoient pour usage
d'adopter et de placer à la tête de leurs livres
des noms chinois. C'étoit pourtant un travail
facile, avec l'aide de la table des PP. de la
Société de Jésus, qui a été composée en chinois
et traduite en latin. Cette section n'offre pas
d'ailleurs moins d'erreurs que les précédentes,
et ces erreurs sont plus difficiles à excuser, parce
qu'il étoit plus aisé de les éviter. C'est à cette
partie du catalogue de Fourmont que le Père
Porquet a borné ses observations; et comme il
y a joint des remarques curieuses sur les travaux
de ses confrères, qu'il connoissoit très-bien,
nous en ferons usage dans le nouveau catalogue,
où chaque article contiendra, outre les indications ordinaires, le nom européen de l'auteur,
toutes les fois qu'il aura été possible de le retrouver.

Il est encore bon de remarquer qu'au nombre
des livres classiques, Fourmont a eu tort de
comprendre le n° CLII, qu'il a pris pour une
édition du livre des poésies, et qui n'y a aucun
rapport. C'est un Recueil de poésies, composées dans le VII° siècle par un particulier nommé
Tou-fou, et surnommé *Tseu-meï*, qui florissoit
sous la dynastie des *Thang*. Ses poésies sont
estimées des lettrés, mais non pas à l'égal du *Chi-
king*, que sa nature classique fait placer sans
difficulté hors de toute comparaison.

(53)

CXXXV. Les mots *King-yan tchi kiaï*, que Fourmont rend par : *In libros classicos expedita et vera expositio*, fournissent matière à une autre observation que je ne veux pas non plus passer sous silence, parce qu'elle éclaircira un fait intéressant, dont le savant philologue paroît n'avoir pas eu connoissance. Depuis long-temps la dignité impériale, à la Chine, est regardée comme essentiellement unie à l'étude des belles-lettres, qui ne fait qu'en rehausser l'éclat. Le souverain n'est pas seulement le grand sacrificateur de la nation ; il en est encore le premier précepteur, et de toutes les occasions où il exerce les fonctions magistrales, il n'y en a pas de plus solennelles que les assemblées nommées *king-yan*, littéralement *natte des livres classiques*. Ce sont comme des conciles littéraires, où les plus habiles lettrés de l'empire sont appelés, où les académies viennent remplir avec apparat leurs fonctions ordinaires, où les ministres et les grands dignitaires eux - mêmes sont chargés d'expliquer les livres classiques, sous la présidence et la direction de l'empereur, qui ouvre le premier la leçon par des explications préparées, et corrige ensuite celles des principaux lettrés. Les actes de ces sortes de conférences sont recueillis soigneusement, et imprimées, si le prince le permet, comme le précis des leçons données à l'univers par le maître suprême de l'empire. C'est un ouvrage de cette espèce que nous trouvons sous le n° CXXXV à la Bibliothèque du Roi. Une requête placée à la tête du premier volume, et dressée par un grand, nommé *Tchang-khiu-tching*, pour demander que l'ouvrage fût imprimé, avertit qu'on y a réuni les résumés des leçons auxquelles lui et ses collègues ont assisté, pendant les conférences tenues par l'empereur, la 6ᵉ lune de la 22ᵉ année *Khang-hi*. Les premières lignes de cette requête eussent mis Fourmont sur la voie, pour expliquer plus convenablement le titre du livre qu'il avoit à faire connoître.

Enfin, dans la section de théologie, on a placé très-mal à propos les numéros CCLXXXI, CCLXXXII, CCLXXXIII et CCLXXXIV. Ces quatre ouvrages sont des éditions différentes d'un même livre, composé par un philosophe nommé *Khiu-youan*, parent et ministre *de la gauche* de *Hoaï-wang*, dynaste de la principauté de *Thsou*, dans le *Kiang-nan*, prince qui régnoit à la fin du 4ᵉ siècle avant notre ère. C'est de là qu'est venu ce titre de *Thsou thseu* (pièces d'éloquence du royaume de *Thsou*), que Fourmont a pris pour le nom d'un homme, *authoris antiqui sic appellati*. Cet ouvrage contient des déclamations morales qui n'ont aucun rapport avec la théologie.

CCXCI. Les mots *Tchou-tseu* sont encore pris pour le nom d'un auteur que Fourmont même

(55)

soupçonne d'avoir été favorable aux *Tao-sse*.
Ces mots signifient *différens philosophes* ; et
s'il eût jeté les yeux sur la table des chapitres,
il y eût vu les noms de ces philosophes, *Kiang-
tseu*, *Lao-tseu*, *Kouan-in-tseu*, *Hoaï-nan-tseu*,
et beaucoup d'autres auteurs célèbres dont les
écrits, de peu d'étendue, sont rassemblés dans
cette collection.

    CCCIV. Un ouvrage composé de 163 volumes
a paru à notre auteur un recueil de monumens
relatifs à la cabale. Comme il est impossible d'entendre ici cette expression dans son sens naturel
et primitif, il a sûrement voulu parler de cette
science occulte dont le principal objet est la recherche de la pierre philosophale. En Chine,
ce n'est pas l'art de faire de l'or, c'est le remède
universel, ou le breuvage d'immortalité, qui est le
grand œuvre et le but des travaux de ces rêveurs,
qui sont encore en doute sur les premières et les
plus générales de toutes les lois de la nature. Mais
ces extravagances n'ont pas assez de cours chez les
gens instruits, pour donner naissance à des collections de 160 volumes. Celle dont il s'agit n'y a
aucun rapport. Je ne saurois même la comparer
qu'aux Mémoires de nos Académies. On y trouve
une foule de dissertations sur le *I-king*, le *Chou-
king*, le *Thoung-kian*, le *Tao-te-king*, des Mémoires sur les monnaies, sur les antiquités, sur
la littérature, etc.

CCCV. Fourmont avoit-il oublié la-valeur de la particule *ti*, qui forme les ordinaux, quand on l'ajoute aux noms de nombre ? Il traduit par *Tractatus singularis de quinque elementis*, les mots *Ti ou thsaï-tseu chou*, qui signifient, *le livre du cinquième poëte* ou *romancier*. Tel est le titre qu'on donne à *Chi-naï-'an*, auteur du célèbre roman *Chouï hiu tchouan*. C'est un ouvrage qui a 16 volumes, et qui est du même genre que le *San koue tchi*, dont on a parlé plus haut. Ce dernier fait partie de la même collection, et son auteur est désigné sur le fontispice même de l'exemplaire que Fourmont a eu sous les yeux, par le titre de *Ti i thsaï-tseu*, *le premier poëte* ou *le premier romancier*.

CCCVII. L'ouvrage intitulé *Thaï-phing wan nian chou*, est le livre d'un Jésuite, et mériteroit à peine qu'on en parlât si Fourmont n'y eût encore commis sa méprise ordinaire, en prenant pour un nom d'homme les mots *Thaï phing*, qui veulent dire *profonde paix*.

CCCXVIII. L'expression chinoise *waï kho* est rendue par cette phrase : *Extraneorum, seu in locis extraneis colligi solitorum remediorum*, etc. Mais *waï kho* signifie médecine externe, ou chirurgie, par opposition à la médecine interne, qu'on appelle *neï kho*. Le titre du livre suivant a été tronqué : ce n'est pas simplement, comme l'a écrit Fourmont, *wan ping*, *omnes morbi*,

(57)

mais *œan ping hoeï tchun*, le retour du printemps (de la santé) après les maladies. Dans ces
sortes d'ouvrages, l'indication des moyens cura-
tifs suit immédiatement la description des symp-
tômes, et la médecine des Chinois est encore
trop peu avancée pour qu'on y sépare la théra-
peutique de la nosographie.

CCCXXXI. Le titre de *Chang-han tchang
thou* n'est pas aussi pompeux que l'imagine
Fourmont, qui traduit : *Tabula seu index rerum
ad compescendam vulnerum tyrannidem idonearum*. Il n'est question ni de *blessures* ni de
tyrannie, et les mots où l'auteur a cru voir cette
idée , signifient simplement *péripneumonie,
fluxion de poitrine*. Au titre suivant, il a pris le
mot *kieou*, qui veut dire *moxa*, pour *pustule,*
de sorte qu'au lieu de traduire : *Ars pustulas
acu chirurgica tollendi*, il eût dû dire : *Art d'appliquer l'aiguille et le moxa*.

CCCXLV. *Opusculum quoddam ex almana-
chorum genere*, est la définition qu'on donne
de l'ouvrage intitulé : *Kouan-in ling kouo*. Elle
n'est pas trop inexacte, puisque ce volume est,
sinon un almanach, au moins une sorte de manuel pour *jeter les sorts,* sous l'invocation du
dieu *Kouan-in (Awalokitechouara)*. Mais l'erreur de Fourmont en cet endroit consiste à traduire le nom même de cette divinité bouddhique,
dans lequel il n'est pas douteux qu'il a dû puiser

cette explication tautologique : *Documentum quo res longè prospicere aut providere intelligens possit.*

CCCLI. Le catalogue imprimé offre une faute non moins grave dans la traduction des mots *ma-tiao phou*, qui sont rendus par τὰ *ma-tiao universalia. Ma-tiao* n'est point un nom d'homme, mais une sorte de jeu de loto, dont les règles exposées dans ce livre, n'ont rien de commun avec les universaux, ni avec les principes d'arithmétique, ou les documens sur les poids et mesures, la musique et les tons. Cette méprise a été reparée dans l'étiquette qu'on a placée sur ce volume, et où on lit : *Tractatus de ludo.*

Enfin le titre du n° CCCLXII, que Fourmont rend par *novæ editionis, Pequimi novum registrum, ad Nankimi rectum consensum,* ne contient pas même les noms de ces deux villes ; il signifie : *Réglemens de la douane de Pe-sin* (dans la province de *Tche-kiang*), *pour les marchandises du midi, nouvelle édition.* Ce livret peut offrir quelque intérêt : on y voit que les droits qu'il faut payer à cette douane célèbre s'élèvent à 0,0552 d'once d'argent, pour une pièce de soie de première qualité ; à 0,0342, pour celle de seconde qualité ; à 0,04268, par pièce de gaze fine ; à 0,03416, par pièce de gaze plus commune, etc.

(59)

Quelque place qu'occupent ces observations critiques, elles ne sont qu'une très-petite partie de celles qu'on pourroit faire sur le catalogue de Fourmont ; mais elles suffisent, je pense, pour l'objet que je me suis proposé. Elles ne sauroient, je le répète, rien diminuer de l'estime qu'on doit aux travaux de ce savant infatigable ; mais on peut, je crois, en inférer que, si un critique tel que lui a commis tant et de si graves erreurs en parlant des livres chinois, il est nécessaire que celui qui vient après lui refaire un travail du même genre, avec des connoissances infiniment moins étendues, redouble d'attention pour éviter d'en laisser échapper de pareilles. Je me suis aussi cru obligé de donner une idée de l'imperfection de ce catalogue, pour qu'on ne me reprochât pas d'avoir, sans nécessité, doublé la tâche qui m'étoit imposée, et par conséquent retardé de plusieurs mois l'époque où elle pourra être achevée. Tel a été l'objet des réflexions qu'on vient de lire : j'ai voulu que les personnes qui prennent quelque intérêt à ces matières, pussent d'avance juger mon plan, et apprécier les raisons qui m'ont conduit à l'adopter ; qu'elles eussent une idée exacte du travail que j'ai entrepris, de l'utilité qu'il peut avoir, et des difficultés qu'il doit présenter, pour qu'elles ne m'accusassent pas d'y donner trop d'étendue, ou d'employer trop de temps à son exécution. Comme l'avan-

tage qu'il peut procurer aux amateurs de la littérature chinoise est l'unique motif qui m'ait
engagé à m'en charger, on peut croire que j'y
consacrerai tout le temps que me laisseront
d'autres travaux précédemment commencés.
Il pourroit arriver que l'attention et la curiosité
de quelques personnes se trouvassent dirigées sur
les nouveaux objets qne je leur aurai indiqués;
et l'on doit penser que je mettrai quelque em-
pressement à jouir de la récompense flatteuse que
j'obtiendrois, si, par l'effet des notices détaillées
que j'en aurai données, les articles les plus intéressans de cette précieuse collection venoient
enfin à trouver des lecteurs et des traducteurs.

Catalogue des Livres Chinois, Coréens, Japonais, etc （1）

中韩日文图书目录（1）

BIBLIOTHÈQUE NATIONALE

DÉPARTEMENT DES MANUSCRITS

CATALOGUE

DES

LIVRES CHINOIS

CORÉENS, JAPONAIS, ETC.

PAR

MAURICE COURANT

Secrétaire interprète du Ministère des Affaires Étrangères
pour les langues chinoise et japonaise,
Maître de conférences à la Faculté des Lettres de Lyon,
Professeur près la Chambre de Commerce de Lyon.

TOME PREMIER

Nᵒˢ 1-4423

PARIS

ERNEST LEROUX, ÉDITEUR

28, RUE BONAPARTE, VIᵉ

1902

DIVISIONS DU TOME PREMIER

—

CHINE

AVERTISSEMENT

Une introduction relative à la composition et à l'origine des fonds chinois et japonais aurait pu trouver place en tête du Catalogue. Il a paru toutefois d'une meilleure méthode de remettre la composition de cette étude à une époque ultérieure, lorsque le Catalogue sera complètement achevé ; et, d'autre part, on n'a pas voulu suspendre jusqu'à ce moment la publication de l'ouvrage qui, paraissant par fascicules, peut rendre des services au fur et à mesure de l'impression.

L'ordre suivi est l'ordre méthodique, préférable par le fait qu'un grand nombre d'ouvrages chinois et japonais sont anonymes, et aussi parce qu'on connaît moins d'œuvres par le nom des auteurs que par le titre.

La première partie, consacrée à la Chine, comprendra les divisions principales énumérées ci-dessous :

> Ouvrages d'histoire,
> Ouvrages de géographie,
> Ouvrages relatifs à l'administration,
> Ouvrages canoniques, classiques, philosophiques, etc.,
> Ouvrages de littérature,
> Romans,
> Ouvrages de lexicographie,

Ouvrages relatifs aux sciences et aux arts,
Ouvrages relatifs aux religions,
Encyclopédies,
Collections de textes,
Ouvrages divers.

Les sinologues verront immédiatement que ce plan n'est pas conforme à celui qu'ont adopté les savants rédacteurs de la Bibliographie Impériale chinoise (voir dans le Catalogue, n⁰ˢ 1347-1373) et qui a été copié par A. Wylie pour ses *Notes on Chinese literature* (Changhai, 1867, gr. in-8°). D'une part, le plan classique se serait fort mal adapté au fonds japonais, et il a semblé utile de suivre, pour les diverses parties du Catalogue, un ordre au moins analogue ; d'autre part, le plan chinois n'aurait guère mieux convenu à la collection chinoise même de la Bibliothèque nationale. Je vais citer quelques faits à l'appui de cette assertion.

Les ouvrages chrétiens et les ouvrages bouddhiques forment une part importante du fonds chinois et ont un grand intérêt pour les sinologues européens ; chacune de ces deux séries constituera une classe qui comprendra plusieurs subdivisions. Or ces œuvres, méprisées des lettrés, n'avaient pas place dans la Bibliothèque Impériale, à l'exception d'un petit nombre d'entre elles, qui ont été notées dans quelques livres de la 3ᵉ section de la Bibliographie Impériale (œuvres de philosophes et de savants). Les romans et les pièces de théâtre, qui ont souvent attiré l'attention des travailleurs européens, sont passés sous silence par les bibliographes chinois. La géographie, pour les savants du pays, ne forme qu'une section de l'histoire, malgré le nombre et la diversité des œuvres qui en traitent. Les dictionnaires, importants et nombreux, sont rangés à la suite des classiques. La classification même employée par les bibliographes de la cour impériale pour les séries de livres qu'ils décrivent en détail, est très défectueuse à nos yeux : ainsi, pour l'histoire, quelques-unes des divisions sont inspirées par l'idée de la légitimité de telle ou telle dynastie, par la tradition qui consacre telle œuvre comme « histoire dynastique », alors qu'une autre, construite sur le même plan, est rangée ailleurs ; les recueils de documents sont séparés de l'histoire et mis avec les œuvres des philosophes et des savants. Je n'ai pas l'intention de critiquer en détail le plan de la Bibliographie Impériale : sans doute il peut se défendre, du point de vue chinois. Mais, outre les embarras où m'aurait jeté, pour les romans, pour les ouvrages bouddhiques et pour les chrétiens, l'imitation servile de ce système, je ne devais pas oublier que je travaille pour des Européens et je devais m'efforcer d'adopter un ordre qui fût avant tout clair et méthodique. D'ailleurs, des références précises à la Bibliographie Impériale établissent suffisamment la concordance.

La division de chaque chapitre en sections est inspirée des mêmes idées, et c'est encore un ordre méthodique que je suis dans l'intérieur de certaines sections, par exemple dans les sections II et VI de la Géographie ; pour d'autres, l'ordre chronologique m'a semblé plus clair, ainsi dans une grande partie du chapitre consacré à l'Histoire. En dernière analyse, pour la disposition des ouvrages soit dans une section, soit dans une subdivision de section, c'est toujours à l'ordre chronologique que j'ai abouti, prenant pour date celle de la composition de l'ouvrage et rangeant à la suite, d'après l'ordre d'apparition, les différentes éditions et refontes d'une même œuvre. Celles dont la date est restée tout à fait douteuse ont été mises à la fin de la division à laquelle elles appartiennent. De nombreux tirets séparent en groupes les livres qui sont apparentés, et marquent ainsi les subdivisions élémentaires des sections.

Un très grand nombre d'ouvrages du fonds chinois ne sont pas reliés séparément, mais ont été autrefois réunis par deux, par trois ou davantage sous une même couverture, sans que ces unions paraissent avoir d'autre raison que la ressemblance du format. Le présent Catalogue devant décrire la collection telle qu'elle existe, chaque volume a droit à un numéro, à une notice intégrale et unique : dans une seule notice et sous un seul numéro, j'ai désigné par des chiffres romains, I, II, III, etc., les divers ouvrages réunis en un même tome et j'ai classé les volumes d'après la nature de l'œuvre qui est reliée en tête de chacun. Il arrive ainsi qu'un annuaire officiel (I), mis au chapitre de l'Administration, est suivi d'un ouvrage de médecine (II), qui logiquement devrait trouver place beaucoup plus loin. Un index strictement méthodique de tous les titres d'ouvrages, avec renvoi aux numéros de classement, rétablira en leur lieu naturel les ouvrages ainsi fourvoyés.

Chaque volume, chaque carte ou chaque rouleau formant un corps séparé porte un numéro; de la sorte, un ouvrage comprend parfois plusieurs numéros, comme il arrive qu'un numéro corresponde à plusieurs ouvrages.

Pour établir une uniformité qui n'existe pas dans le classement actuel, on a dû abandonner la division en Fonds ancien catalogué par Fourmont et Nouveau Fonds ; mais les numéros de l'ancienne classification sont reproduits à la fin de chaque notice, et des concordances seront dressées pour faciliter les recherches. La description des volumes ou des pièces qui ne se trouvent pas au Département des Manuscrits, mais dans un autre Département de la Bibliothèque Nationale, porte en toutes lettres, avec la cote, la mention : Département des Estampes, Section des Cartes, etc.

J'aurais voulu, pour les ouvrages en plusieurs volumes, mettre en face du numéro de chaque tome l'indication des chapitres qui y sont contenus ; j'ai dû renoncer habituellement à ce procédé, qui eût enflé démesurément le Catalogue, et me borner à donner ces indications complètes pour un certain nombre d'œuvres dont la nature et l'importance réclament une précision spéciale.

En tête de chaque notice, se trouvent le titre chinois en caractères chinois et en transcription européenne, puis un titre français qui n'est pas traduit du titre chinois, mais est destiné à donner idée de la nature de l'ouvrage. La notice même indique, autant que possible, le lieu et la date de gravure (il ne peut s'agir de l'impression, puisque les planches xylographiques sont souvent employées longtemps après qu'elles ont été gravées), les noms (*sing ming*), surnoms (*hao*) ou pseudonymes (*pie hao*) des auteurs tant de l'ouvrage que des principales préfaces, et les dates de composition de l'une et des autres. Il s'en faut d'ailleurs que tous ces renseignements aient pu être trouvés pour tous les ouvrages : on sait que les Chinois, attachant habituellement peu de prix à tant de précision, tantôt s'abstiennent de donner tout ou partie de ces indications, tantôt les présentent sous une forme recherchée et énigmatique, qui ne permet pas toujours d'identifier les dates, les lieux, les personnages.

Des raisons de typographie et d'économie ont empêché d'employer les caractères chinois dans le corps des notices. Cette lacune sera comblée par un double index alphabétique (personnages — localités) donnant les caractères en face des noms propres en transcription. Les titres des ouvrages seront rangés par ordre méthodique dans le premier index dont j'ai parlé plus haut, et par ordre alphabétique dans un second index.

Les volumes chinois étant formés de feuilles pliées une seule fois, les formats n'ont pu être désignés que par comparaison avec les livres européens. L'échelle suivante, déjà employée par l'auteur dans sa *Bibliographie coréenne*, a été adoptée ici :

In-32, volumes de 13 centimètres et au-dessous ;
In-24, volumes de 13 à 15 centimètres ;
In-18, volumes de 15 centimètres à 175 millimètres ;
In-12, volumes de 175 millimètres à 20 centimètres ;
Petit in-8, volumes de 20 à 24 centimètres ;
Grand in-8, volumes de 24 à 29 centimètres ;
In-4, volumes de 29 à 32 centimètres ;
In-folio, volumes de 32 centimètres et au-dessus ;

Les ouvrages de références qui suivent ont été désignés en abrégé :

Bibl. coréenne = *Bibliographie Coréenne*. Tableau littéraire de la Corée, par Maurice Courant (Paris, 1894-1896, 3 vol. grand in-8°).

Bunyiu Nanjio = *A Catalogue of the Chinese translation of the Buddhist Tripitaka,...* by Bunyiu Nanjio (Oxford, 1883, grand in-8°).

Catalogus librorum = *Catalogus librorum venalium in orphanotrophio Tou-sai-wai* (Zi-ka-wei, 1889, petit in-8°).

Cat. imp. = *Bibliographie des quatre sections de la Bibliothèque Impériale* (voir n°⁵ 1347-1373 ; les renvois sont faits à l'édition décrite sous ces numéros).

Cordier, Essai = *Essai d'une bibliographie des ouvrages publiés en Chine par les Européens au* xvii⁰ *et au* xviii⁰ *siècle*, par Henri Cordier (Paris, 1883, grand in-8°).

En terminant, il ne serait pas juste d'omettre le nom de M. Léopold Delisle, membre de l'Institut, administrateur général de la Bibliothèque Nationale, qui a bien voulu adopter l'idée de ce travail, si éloigné des études où il est maître, qui en a proposé au Ministre la confection et l'impression et qui, depuis le premier jour, n'a cessé de s'y intéresser : je veux lui en exprimer ici ma reconnaissance. Je ne saurais non plus passer sous silence l'appui et les bons avis reçus de M. Omont, membre de l'Institut, conservateur du Département des Manuscrits.

前　言

在本目录开始部分，是关于该藏书目录的编排和这些中、日文藏书的来源介绍。当然，如果等到目录编纂完成时再进行总体介绍，似乎更加合适。但是，我们不愿意中断本书按分册的陆续出版，因为该书会在出版过程中不断为学界提供参考。

由于大量著述的作者无从查起，因此我们按照标题内容来进行分类。

第一部分是中国书籍，主要包括以下几个部分：

历史类书籍；

地理类书籍；

政治类书籍；

儒家经典、其他经书、思想类书籍；

文学类书籍；

小说类书籍；

词典类书籍；

艺术和科学类书籍；

宗教类书籍；

百科全书类书；

汇编类书籍；

其他类书籍。

汉学家们会立即发现这个列表与《四库全书》的分类方式不一致（见藏书目录编号1347–1373），伟烈亚力在《中国文献纪略》（A. Wylie, *Notes on Chinese literature*, Changhai, 1867）中抄录过这一分类。一方面，因为中国的传统分类法并不适用于日本藏书；另一方面，用一种内容上更为贴近的名称来分类，对读者来说查找更为便利。况且，对于中国皇家的中文藏书来说，他们自己的图书分类法也不太适合。我将用一些事实来证明这一看法。

基督教书籍和佛教书籍是这些中文藏书的重要组成部分，欧洲汉学家对此类藏书尤为关注。这两类又各自细分为几类。但中国学者通常并不重视这些书，在皇家藏书阁中没有什么地位，《四库全书》的子部只列入了这些作品中的一小部分。小说和戏剧虽然吸引了很多欧洲学者，但在中国藏书中也身份低微。对于中国学者来说，地理学只是历史学的一部分，然而此类书籍数量庞大，种类繁多。词典类书籍排在经书之后，量大且重要。但是我认为皇家编目分类方法是有缺陷的。比如，在"史部"下面，一些藏书分类为了维护这个或那个王朝的正统地位，有些被认为是"王朝历史"，还有些内容相似却被分在其他类别中；再如，文献汇编类书籍与历史类分开，却与思想类著作归类在一起。我并不打算在此具体批判《四库全书总目》，这种藏书分类法应该是出于中国人的考虑。因此，对这一分类法盲目地模仿，除了会给我们带来尴尬之外，还会让小说、佛教和基督教书籍无处安置。我们编纂的目录是给欧洲人看的，所以我会尽量采用一个清晰有序的藏书分类法。但是，我在说明文字末尾所标出的对《四库全书总目》的精确参考，足以让读者们在两个目录之间建立一致关系。

每一级目录（按章节命名）都是在一定指导思想下划分的，在某些次级目录中是按照系统顺序排列的，例如地理类书籍的二至六章。但是对于大部分历史类书籍来说，采用时间顺序来编排会更加清晰。在最后的分析中，部分章节以及其次级内容均按照时间顺序进行排列，即出版顺序，包括同一作品的不同出版版本和改编版本。日期存疑的著作置于各个分类的最后。本书使用了大量短横线对各个章节的次级内容进行标记。

这些浩瀚的中文藏书各自之间没有联系，一些著作只是因为形制相似，便被装订在了在同一个封面标题下。在本目录中，每一卷都对应一个编号和一段完整的说明性文字，对于一部书里的各个卷本，我使用罗马数字Ⅰ、Ⅱ、Ⅲ……来进行次级编号，并根据著作标题内容的相关性进行分类。但是因此，有时会出现这样的情况：一部著作包含两卷，卷一官方年鉴（Ⅰ）被编入"政治类书籍"，卷二医学著作（Ⅱ）只能紧随其后。从逻辑上来说，卷二应该被归到其他类别中。所有藏书标有有序的标题索引，人们通过参考分类号码，便会迅速找到相应著作。

每一册书、每一幅图或每一卷轴都分别用数字标识。因此，一本书可能对应若干数字，一个数字也可能对应着几本书。

为了建立实际上并不明确存在的统一性，我们必须放弃由傅尔蒙（Fourmont）编制的旧藏书目录分类法，但是在每篇介绍的末尾，我们都会附上旧分类法和新分类法的编号对照，以便于读者搜寻书籍。对于一些未藏于"手稿部"而藏在国家图书馆其他部门（版画部、地图部等）的卷本和残本，会对相应的编号及所属部门作出说明。

对于多卷著作，我本打算在每卷的编号前面加上章节简介，但我不得已放弃了这一设想，因为这会大幅增加目录内容，而限制了我为一些重要作品进行必要的说明。

在每段说明的开头部分，是汉语标题和注音，然后是一个法文标题，这一标题不是从中文标题直接翻译过来的，而是为读者了解作品的性质而加上的。文字尽可能详尽地介绍了书籍刻制的地点和时间（这些书籍不是直接印刷，而是通过制作木刻版，反复印刷），本书作者和主要作序者的姓、名、号或别号，以及成书年份。我们会尽量在藏书中找出所有出版信息。由于中国人往往不会在书中给出全部细节，有时只有部分信息，有时甚至信息全无，显得十分神秘，所以我并不总是能够明确给出完整的说明。

由于排版和经济原因无法在说明的正文中加入汉字，对作者和地点信息我均使用注音形式代替。在第一个索引中，藏书目录将按照我在上文谈到的方式进行有序排列，然后在第二个索引中按照字母顺序进行排列。

中国书籍均为对开本，这些尺寸只能通过与欧洲书籍比较才能说明尺寸大小。笔者采用了在韩国藏书中所使用的量表：

32开：13厘米及以下；

24开：13–15厘米；

18开：15–17.5厘米；

12开：17.5–20厘米；

小8开：20–24厘米；

大8开：24–29厘米；

4开：29–32厘米；

2开：32厘米及以上。

以下是本目录中各参考文献的缩写：

Bibl.corénne=Bibliographie Coréenne.Tabeau littéraire de la Corée, par Maurice Courant, Paris, 1894–1896（古郎：《朝鲜文献目录》）

Bunyiu Nanjio=A Catalogue of the Chinese translation of the Buddhist Tripitaka… by Bunyiu Nanjio, Oxford, 1883（南条文雄：《汉译佛教三藏目录》）

Catalogues librorum=Catalogus librorum venalium in orphanotrophio Tou–sai–wai, Zi–ka–wei, 1889（《土山湾在售书目》）

Cat.imp=Bibliographie des quatre sections de la Bibliothèque Impériale（《四库全书总目》）（见编号1347–1373，参考这些编号下的版本描述）

Cordier,Essai=Essai d'une bibliographie des ouvrages publiés en Chine par les Européens au XVIIe et au XVIIIe siècle, par Henri Cordier, Paris, 1883（考狄：《西人论中国书目》）

最后，不能不提到法兰西学院成员、法国国家图书馆馆长德利尔先生（Léopold Delisle），他对我们的这项工作十分支持，他从向印刷制作部长建议编写这份目录的第一天开始，便始终对此保持兴趣：我要向他表达由衷的感谢。同时，我还要感谢法兰西学院成员、"手稿部"主任欧蒙先生（M. Omont）给予的支持和中肯建议。

（王辉译，卢梦雅校）

CATALOGUE

DES

LIVRES CHINOIS

Chapitre Ier : HISTOIRE

Première Section : HISTOIRES DYNASTIQUES

1-6. 史記

Chi ki.

Mémoires historiques.

Par Seu-ma Tshien (IIe et Ier s. a. C.). — Préfaces de Phei Yin (ve s.) pour le Chi ki tsi kiai ; de Seu-ma Tcheng (VIIIe s.) pour le Chi ki so yin ; du même pour le Pou chi ki ; de Tchang Cheou-tsie pour le Chi ki tcheng yi (736). — Édition de Tchhen Jen-si (XVIIe s.) comprenant le Pou chi ki, Supplément au Chi ki (Annales des Trois Souverains) par Seu-ma Tcheng.

Cet ouvrage a servi de modèle à toutes les histoires dynastiques qui s'y sont conformées plus ou moins exactement ; il comprend :

Annales impériales. livres   1 à 12
Tables chronologiques. . . . .   —   13 à 22
Traités spéciaux. .   —   23 à 30
Maisons héréditaires . . . . .   —   31 à 60
Biographies , notices sur les peuples étrangers. .   —   61 à 129
Préface de l'auteur.   —   130

Cat. imp., liv. 45, ff. 4-17.

Grand in-8 (incomplet). 6 vol., demi-rel. (prov. de la bibl. de l'Arsenal). *Nouveau fonds* 1649 à 1654.

7-12.   *Chi ki.*

Même ouvrage.

Édition impériale préparée sous

la direction de Tchang Tchao (1739). — Renfermant le Pou chi ki et les préfaces de Phei Yin, Seu-ma Tcheng, Tchang Cheou-tsie.

Grand in-8. Belle édition, couvertures en soie jaune avec titre manuscrit de la main du P. Amiot. 6 vol. rel., au chiffre de Charles X.

Nouveau fonds 252.

13-18.   *Chi ki.*

Même ouvrage.

Préfaces de Tchhen Tseu-long (1760); de Seu-ma Tcheng; de Phei Yin; de Tchang Cheou-tsie, etc. — Édition de Tchhen 'O-tseu (1806).

Grand in-8. Titre en noir; couvertures chinoises, avec notes du chevalier de Paravey. 6 vol., cartonnage.

Nouveau fonds 4449 à 4454.

19-27. 古香齋鑒賞袖珍史記

Kou hiang tchai kien chang sieou tchen chi ki.

Mémoires historiques, édition de poche.

Mêmes texte et préfaces qu'aux n°s 7-12. — Édition du pavillon Kou-hiang (XIXe s.).

In-18, 9 vol., demi-rel.
Nouveau fonds 1983 à 1991.

28-30. 史記

Chi ki.

Mémoires historiques.

Édition du pavillon Ki-kou.

Grand in-8 (incomplet). 3 vol., demi-rel., au chiffre de Louis-Philippe.
Fourmont 66.

31-34. 前漢書

Tshien han chou.

Livre des Han antérieurs.

Par Pan Kou († 92 p. C.); commentaires de Yen Chi-kou (dynastie des Thang). — Édition du pavillon Ki-kou.

100 livres. — Cat. imp., liv. 45, f. 18.

Grand in-8 (incomplet). 4 vol., demi-rel., au chiffre de Louis-Philippe.
Fourmont 67.

35-36. 陳壽三國史

Tchhen cheou san koe chi.

Histoire des Trois Royaumes, de Tchhen Cheou.

L'auteur est mort en 297 p. C., notes de Phei Song-tchi (Ve s.). — Édition du pavillon Ki-kou (1644).

65 livres. — Cat. imp., liv. 45, ff. 30-34.

Grand in-8 (incomplet). 2 vol., demi-rel., au chiffre de Louis-Philippe.
Fourmont 68.

37-39. 後漢書

Heou han chou.

Livre des Han postérieurs.

Par Fan Ye (v⁰ s.); les traités sont de Seu-ma Piao (÷ 306); commentaires de Hien, prince héritier portant le nom honorifique de Tchang-hoai, dynastie des Thang. — Édition du pavillon Ki-kou.

120 livres. — Cat. imp., liv. 45, f. 23.

Grand in-8 (incomplet). 3 vol., demi-rel., au chiffre de Louis-Philippe.
Fourmont 79.

40-43. 宋書

Song chou.

Livre des Song.

Par Chen Yo (441-513). — Édition du pavillon Ki-kou (1634).

100 livres. — Cat. imp., liv. 45, f. 39.

Grand in-8. 4 vol., demi-rel., au chiffre de Louis-Philippe.
Fourmont 70.

44-45. 南齊書

Nan tshi chou.

Livre des Tshi méridionaux.

Par Siao Tseu-hien (489-537), préface de Tsheng Kong et autres fonctionnaires pour une révision de l'ouvrage faite par ordre impérial (xiᵉ s.). — Édition du pavillon Ki-kou (1637).

59 livres. — Cat. imp., liv. 45, f. 41.

Grand in-8. 2 vol., demi-rel., au chiffre de Louis-Philippe.
Fourmont 72.

46-49. 魏書

Oei chou.

Livre des Oei.

Composé par Oei Cheou, à la suite d'un décret de 551; préface de divers fonctionnaires pour l'édition impériale du xiᵉ s. — Édition du pavillon Ki-kou (1636).

114 livres. — Cat. imp., liv. 45, f. 45.

Grand in-8. 4 vol., rel., au chiffre de Louis-Philippe.
Nouveau fonds 248.

50. 北齊書

Pẹ tshi chou.

Livre des Tshi septentrionaux.

Par Li Po-yo (viiᵉ s.), fonctionnaire de la dynastie des Soei. — Édition du pavillon Ki-kou (1638).

50 livres. — Cat. imp., liv. 45, f. 49.

Grand in-8. 1 vol., demi-rel., au chiffre de Louis-Philippe.
Fourmont 71.

51-55. 晉書

Tsin chou.

Livre des Tsin.

Rédigé sous la direction de Thai-tsong des Thang par Fang Hiuen-ling, et autres fonctionnaires (627-649). — Édition du pavillon Ki-kou, non datée.

13o livres. — Cat. imp., liv. 45, f. 37.

Grand in-8. 5 vol., demi-rel., au chiffre de Louis-Philippe.

Fourmont 69.

56-57. — I (56-57).

梁書

Liang chou.

Livre des Liang.

Composé par Yao Seu-lien, à la suite d'un décret de 629; avec préface de Tsheng Kong, et autres fonctionnaires (xıᵉ s.). — Édition du pavillon Ki-kou (1633).

56 livres. — Cat. imp., liv. 45, f. 43.

— II (57). ## 陳書

Tchhen chou.

Livre des Tchhen.

Composé par Yao Seu-lien, à la suite d'un décret de 622, avec préface de Tsheng Kong et autres (xıᵉ s.). — Édition du pavillon Ki-kou (1631).

36 livres. — Cat. imp., liv. 45, f. 44.

Grand in-8. 2 vol., demi-rel., au chiffre de Louis-Philippe.

Fourmont 73.

58. ## 後周書

Heou tcheou chou.

Livre des Tcheou postérieurs.

Composé pendant la période Tcheng-koan (627-649) à la suite d'un décret impérial, par Ling-hou Tę-fęn; préfaces de divers fonctionnaires (xıᵉ s.). — Édition du pavillon Ki-kou (1632).

5o livres. — Cat. imp., liv. 45, f. 5o.

Grand in-8. 1 vol., demi-rel., au chiffre de Louis-Philippe.

Fourmont 8o.

59. *Heou tcheou chou.*

Double du précédent.

1 vol., demi-rel., au chiffre de Louis-Philippe.

Nouveau fonds 249.

60-62. ## 隋書

Soei chou.

Livre des Soei.

Composé par Oei Tcheng, à la suite d'un décret de 629. — Édition du pavillon Ki-kou (1635).

85 livres. — Cat. imp., liv. 45, f. 53.

Grand in-8. 3 vol., demi-rel., au chiffre de Louis-Philippe.

Fourmont 76.

63-64. *Soei chou.*

Double du précédent.

Incomplet (liv. 1-31). 2 vol., cartonnage.

Nouveau fonds 4741, 4742.

65-67. 南 史
Nan chi.

Histoire du sud.

Par Li Yen-cheou (mort en 650) ; comprenant les dynasties Song, Tshi, Liang, Tchhen. — Édition du pavillon Ki-kou (1640).

80 livres. — Cat. imp., liv. 46, f. 1.

Grand in-8. 3 vol., demi-rel., au chiffre de Louis-Philippe.
Fourmont 75.

68-72. 北 史
Pẹ chi.

Histoire du nord.

Par Li Yen-cheou ; comprenant les dynasties Oei du nord, Tshi du nord, Tcheou, Soei. — Édition du pavillon Ki-kou (1639).

100 livres. — Cat. imp., liv. 46, f. 2.

Grand in-8. 5 vol., demi-rel., au chiffre de Louis-Philippe.
Fourmont 74.

73-80. 唐 書
Thang chou.

Livre des Thang.

Ouvrage composé par ordre impérial par 'Eou-yang Sieou (1017-1072), Song Khi et autres. — Édition du pavillon Ki-kou (1629).

225 livres. — Cat. imp., liv. 46, f. 6.

Grand in-8. 8 vol., demi-rel., au chiffre de Louis-Philippe.
Fourmont 77.

81. 五 代 史 記
Oou tai chi ki.

Mémoires historiques des Cinq Dynasties.

Par 'Eou-yang Sieou ; avec explications de Siu Oou-tang. — Édition du pavillon Ki-kou (1630).

74 livres. — Cat. imp., liv. 46, f. 11.

Grand in-8. 1 vol., demi-rel., au chiffre de Louis-Philippe.
Fourmont 78.

82. — I. 續 後 漢 書
Siu heou han chou.

Suite au Livre des Han postérieurs.

Par Siao Tchhang, avec préface de Tcheou Pi-ta, datée de 1200 : l'auteur refait l'histoire des Trois Royaumes, en posant la légitimité des descendants des Han. — Édition de 1841.

42 livres. — Cat. imp., liv. 50, f. 24.

— II. 續 後 漢 書 音 義
Siu heou han chou yin yi.

Son et sens des caractères rares.

Par le même.

4 livres.

— III. 重刻續後漢書札記

Tchhong kho siu heou han chou tcha ki.

Notes critiques pour la réédition de la Suite au Livre des Han postérieurs.

Par Yu Song-nien, préface de 1841 par l'auteur.

1 livre.

Grand in-8. Titre en noir sur blanc. 1 vol., demi-rel., au chiffre de Napoléon III.

Nouveau fonds 1802.

83-89. *Chi ki.*

Mémoires historiques.

Édition impériale analogue aux nos 7-12 (1739); planches un peu plus grandes. Elle contient en plus la dédicace de présentation à l'Empereur par le Prince de Ho, datée de 1746, et la liste des membres de la commission chargée de préparer l'édition générale des 24 historiens dynastiques (nos 83-248).

Grand in-8. 7 vol., demi-rel., au chiffre de Louis-Philippe.

Nouveau fonds 2.

90-97. *Tshien han chou.*

Livre des Han antérieurs.

Voir nos 31-34. — Édition impériale de 1739.

Grand in-8. 8 vol., demi-rel., au chiffre de Louis-Philippe.
Nouveau fonds 3.

98-103. *Heou han chou.*

Livre des Han postérieurs.

Voir nos 37-39. — Édition impériale de 1739.

Grand in-8. 6 vol., demi-rel., au chiffre de Louis-Philippe.
Nouveau fonds 4.

104-107. 三國志

San koe tchi.

Histoire des Trois Royaumes.

Voir nos 35-36, renfermant en outre la dédicace de présentation de l'édition expliquée (429). — Édition impériale de 1739.

Grand in-8. 4 vol., demi-rel., au chiffre de Louis-Philippe.
Nouveau fonds 5.

108-115. — I (108-115).

晉書

Tsin chou.

Livre des Tsin.

Voir les nos 51-55. — Édition impériale de 1739.

— II (115).

晉書音義

Tsin chou yin yi.

Son et sens des caractères difficiles du Livre des Tsin.

Par Ho Tchhao, de la dynastie des Thang.

3 livres.

Grand in-8. 8 vol., demi-rel.; au chiffre de Louis-Philippe.
Nouveau fonds 6.

116-121. *Song chou.*

Livre des Song.

Même ouvrage que les nᵒˢ 40-43. — Édition impériale de 1739.

Grand in-8. 6 vol., demi-rel., au chiffre de Louis-Philippe.
Nouveau fonds 7.

122-123. *Nan tshi chou.*

Livre des Tshi méridionaux.

Même ouvrage que les nᵒˢ 44-45. — Édition impériale de 1739.

Grand in-8. 2 vol., demi-rel., au chiffre de Louis-Philippe.
Nouveau fonds 9.

124-125. *Liang chou.*

Livre des Liang.

Même ouvrage que les nᵒˢ 56-57, I. — Édition impériale de 1739.

Grand in-8. 2 vol., demi-rel., au chiffre de Louis-Philippe.
Nouveau fonds 11.

126. *Tchhen chou.*

Livre des Tchhen.

Même ouvrage que les nᵒˢ 56-57, II. — Édition impériale de 1739.

Grand in-8. 1 vol., demi-rel., au chiffre de Louis-Philippe.
Nouveau fonds 12.

127-133. *Oei chou.*

Livre des Oei.

Même ouvrage que les nᵒˢ 46-49. — Édition impériale de 1739.

Grand in-8. 7 vol., demi-rel., au chiffre de Louis-Philippe.
Nouveau fonds 8.

134-135. *Pẹ tshi chou.*

Livre des Tshi septentrionaux.

Même ouvrage que le nᵒ 50. — Édition impériale de 1739.

Grand in-8. 2 vol., demi-rel., au chiffre de Louis-Philippe.
Nouveau fonds 10.

136-137. 周書

Tcheou chou.

Livre des Tcheou.

Même ouvrage que le nᵒ 58. — Édition impériale de 1739.

Grand in-8. 2 vol., demi-rel., au chiffre de Louis-Philippe.
Nouveau fonds 13.

138-141. *Soei chou.*

Livre des Soei.

Voir les n⁰ˢ 60-62. — Édition de 1598.

Grand in-8. Exemplaire tiré sur des planches usées. 4 vol., demi-rel., au chiffre de Louis-Philippe.

Nouveau fonds 16.

142-145. *Nan chi.*

Histoire du sud.

Même ouvrage que les n⁰ˢ 65-67. — Édition impériale de 1739.

Grand in-8. 4 vol., demi-rel., au chiffre de Louis-Philippe.

Nouveau fonds 15.

146-152. *Pẹ chi.*

Histoire du nord.

Même ouvrage que les n⁰ˢ 68-72. — Édition impériale de 1739.

Grand in-8. 7 vol., demi-rel., au chiffre de Louis-Philippe.

Nouveau fonds 14.

153-164. 舊唐書

Kieou thang chou.

Ancien Livre des Thang.

Par Lieou Hiu (xᵉ s.); préface de Oen Tcheng-ming, pour la réédition de 1538. — Édition impériale de 1739.

200 livres. — Cat. imp., liv. 46, f. 4.

Grand in-8. Exemplaire tiré sur des planches usées. 12 vol., demi-rel., au chiffre de Louis-Philippe.

Nouveau fonds 17.

165-176. — I (165-176).

唐書

Thang chou.

Livre des Thang.

Même ouvrage que les n⁰ˢ 73-80. — Édition impériale de 1739.

— II (176).

唐書釋音

Thang chou chi yin.

Explication et prononciation des caractères difficiles du Livre des Thang.

Par Tong Tchhong, de l'époque des Song.

25 livres.

Grand in-8. 12 vol., demi-rel., au chiffre de Louis-Philippe.

Nouveau fonds 18.

177-180. 舊五代史

Kieou oou tai chi.

Ancienne Histoire des Cinq Dynasties.

Composée par Sie Kiu-tcheng (période Khai-pao, 968-975). — Édition impériale achevée en 1784, avec dédicace de présentation de 1775, rapport au Trône, liste des membres de la commission.

150 livres. — Cat. imp., liv. 46, f. 9.

Grand in-8. 4 vol., demi-rel., au chiffre de Louis-Philippe.

Nouveau fonds 19.

181-182. 五 代 史
Oou tai chi.

Histoire des Cinq Dynasties.

Même ouvrage que le n° 81, avec préface de Tchhen Chi-si. — Édition impériale de 1739.

Grand in-8. 2 vol., demi-rel., au chiffre de Louis-Philippe.

Nouveau fonds 20.

183-209. 宋 史
Song chi.

Histoire des Song.

Par Tho-tho (xıvᵉ s.). — Édition impériale de 1739.

496 livres. — Cat. imp., liv. 46, f. 15.

Grand in-8. 27 vol., demi-rel., au chiffre de Louis-Philippe.

Nouveau fonds 21.

210-212. 遼 史
Liao chi.

Histoire des Liao.

Par Tho-tho. — Édition impériale de 1739.

116 livres. — Cat. imp., liv. 46, f. 19.

Grand in-8. 3 vol., demi-rel., au chiffre de Louis-Philippe.

Nouveau fonds 22.

213-218. — I (213-218).

金 史
Kin chi.

Histoire des Kin.

Par Tho-tho. — Édition impériale de 1739.

135 livres. — Cat. imp., liv. 46, f. 23.

— II (218).

欽 定 金 國 語 解
Khin ting kin koę yu kiai.

Explication de la langue des Kin composée par ordre impérial.

Grand in-8. 6 vol., demi-rel., au chiffre de Louis-Philippe.

Nouveau fonds 23.

219-229. 元 史
Yuen chi.

Histoire des Yuen.

Composée par Song Lien à la suite d'un décret de 1369. — Édition impériale de 1739.

210 livres. — Cat. imp., liv. 46, f. 25.

Grand in-8. 11 vol., demi-rel., au chiffre de Louis-Philippe.

Nouveau fonds 24.

230-248. 明 史
Ming chi.

Histoire des Ming.

Composée par ordre impérial par Tchang Thing-yu, et achevée en 1739.

33₂ livres. — Cat. imp., liv. 46, f. 3o.

Grand in-8. 19 vol., demi-rel., au chiffre de Louis-Philippe.
Nouveau fonds 25.

249-252. — I (249-252).

遼 史

Liao chi.

Histoire des Liao.

Par Tho khẹ-tho (le même que Tho-tho) : l'orthographe des noms khitan n'est pas celle des anciennes éditions. — Édition de 1824 (v. nᵒˢ 210-212).

115 livres (le livre 116 de l'édition de 1739 est supprimé).

— II (252).

欽 定 遼 史 語 解

Khin ting liao chi yu kiai.

Explication des mots (khitan) de l'Histoire des Liao composée par ordre impérial.

Ouvrage fait à la suite d'un décret de 1781 et basé sur la langue des Soloẹn.

10 livres. — Cat. imp., liv. 46,

Grand in-8. 4 vol., demi-rel., au chiffre de Louis-Philippe.
Nouveau fonds 58ı.

253-258. — I (253-258).

金 史

Kin chi.

Histoire des Kin.

Même ouvrage que les nᵒˢ 213-218 ; le nom de l'auteur est écrit Tho-khẹ-tho et l'orthographe des noms niutchen est modifiée. — Édition de 1824.

ı35 livres.

— II (258).

欽 定 金 國 語 解

Khin ting kin koẹ yu kiai.

Explication de la langue des Kin composée par ordre impérial.

— III (258).

欽 定 金 史 語 解

Khin ting kin chi yu kiai.

Explication des mots (niutchen) de l'histoire des Kin, composée par ordre impérial.

Ouvrage fait à la suite d'un décret de 1781 et basé sur la langue mantchoue.

12 livres. — Cat. imp., liv. 46, f. 28.

Grand in-8. 6 vol., demi-rel., au chiffre de Louis-Philippe.
Nouveau fonds 625 **A**.

259-269. — I (259-268).

元 史

Yuen chi.

Histoire des Yuen.

Même ouvrage que les nᵒˢ 219-229 ; l'orthographe des noms mongols est modifiée. — Édition de 1824.

210 livres.

— II (269).

欽定元史語解

Khin ting yuen chi yu kiai.

Explication des mots (mongols) de l'Histoire des Yuen, composée par ordre impérial.

Ouvrage fait à la suite d'un décret de 1781 et basé sur la langue mongole moderne.

24 livres. — Cat. imp., liv. 46, f. 28.

Grand in-8. 11 vol., demi-rel., au chiffre de Louis-Philippe.
Nouveau fonds 628.

270-271. 續唐書

Siu thang chou.

Suite au Livre des Thang (907-975).

Ouvrage récent : l'auteur, Tchhen Tchan, y refait l'histoire des Cinq Dynasties au point de vue de la légitimité des descendants des Thang. — Édition de 1824 ; postface de 1825 par Kiang 'An.

70 livres.

Grand in-8. Titre sur papier teinté. 2 vol., demi-rel., au chiffre de Louis-Philippe.
Nouveau fonds 434.

Deuxième Section : ANNALES

272-273. 竹書紀年統箋
Tchou chou ki nien thong tsien.

Les Annales écrites sur bambou, avec notes.

Ouvrage vraisemblablement apocryphe, dont l'original perdu était antérieur à l'ère chrétienne ; renfermant les Annales depuis la période fabuleuse jusqu'à 299 avant l'ère chrétienne ; annoté par Siu Oen-tsing. — Préfaces de 1750 et 1751 pour cette édition, qui donne les explications de Chen Yo. — L'annotateur a ajouté au texte original une partie préliminaire, remontant jusqu'à Fou-hi, et un appendice contenant les documents historiques relatifs à l'ouvrage.

12 livres. — Cat. imp., liv. 47, f. 5.

Petit in-8. Copie manuscrite d'un imprimé. 2 vol., demi-rel., au chiffre de Napoléon III.
Nouveau fonds 1481 A, 1482.

274. 竹書紀年集註

Tchou chou ki nien tsi tchou.

Les Annales écrites sur bambou, avec commentaires.

Publiées par Tchhen Chi, avec préface de Tshoei Long ; ouvrage gravé en 1801.

2 livres.

Grand in-8. Titre sur papier jaune, portant une annotation du chevalier de Paravey. 1 vol., cartonnage.
Nouveau fonds 4473.

275-277. 竹書紀年集證

Tchou chou ki nien tsi tcheng.

Les Annales écrites sur bambou, avec commentaires.

Publiées par Tchhen Fong-heng ; gravées en 1813.

1 livre préliminaire et 5o livres.

Grand in-8. Titre sur papier blanc 3 vol., cartonnage.
Nouveau fonds 4474 à 4476.

278-300. — I (278).

資治通鑑問疑

Tseu tchi thong kien oen yi.

Doutes sur les Annales générales.

Par Lieou Hi-tchong, contemporain de Seu-ma Koang ; ouvrage postérieur à 1077.

Cat. imp., liv. 88, f. 9.

— II (278).

資治通鑑釋例圖譜

Tseu tchi thong kien chi li thou phou.

Avertissement et table pour les Annales générales.

Par Seu-ma Koang, publié par Tchhen Jen-si.

— III (278-297).

資治通鑑

Tseu tchi thong kien.

Annales générales.

Composées par ordre impérial par Seu-ma Koang, commencées en 1066 et achevées en 1084 ; s'étendant de 403 a. C. jusqu'à 959 de l'ère chrétienne. — Édition préparée par Tchhen Jen-si (avec préface de 1625) ; notes de Tchhen et de Hou San-sing, précédent éditeur du même ouvrage (époque des Yuen). Le 1er volume renferme différents mémoires de Tchhen, de Hou, etc.

294 livres. — Cat. imp., liv. 47, f. 13.

— IV (298-300).

資治通鑑目錄

Tseu tchi thong kien mou lou.

Tables chronologiques pour les Annales générales.

Par Seu-ma Koang, avec préface de Tchhen Jen-si (1629).

3o livres. — Cat. imp., liv. 47, f. 19.

Grand in-8. 23 vol., demi-rel., au chiffre de Louis-Philippe (prov. des Missions Étrangères).
Fourmont 6o.

301-321. — I (301-321).

資治通鑑

Tseu tchi thong kien.

Annales générales.

Reproduction de l'édition précédente (nᵒˢ 278-300, III), faite par Li Soẹn-tchhen ; sans date ; quel-

ques-uns des mémoires donnés dans l'autre édition sont supprimés.

— II (321).

資治通鑑釋文辯誤

Tseu tchi thong kien chi oen pien oou.

Explication et discussion des Annales générales

Par Hou San-sing, avec préface du père de l'auteur (1287) ; édition de Tchhen Jen-si.

12 livres. — Cat. imp., liv. 47, f. 15.

Grand in-8. 21 vol., demi-rel., au chiffre de Louis-Philippe.
Fourmont 59.

322. *Tseu tchi thong kien chi oen pien oou.*

Explication et discussion des Annales générales.

Impression séparée des nᵒˢ 301-321, II.

Grand in-8, papier jaune. 1 vol., cartonnage du xviiie siècle, avec le titre : *Dissertationes ad historiam pertinentes* (prov. des Missions Étrangères).
Fourmont 65.

323. ## 新刊少微先生高明大字資治通鑑節要

Sin khan chao oei sien cheng

kao ming ta tseu tseu tchi thong kien tsie yao.

Abrégé des Annales générales, par Chao-oei.

Voir les n°ˢ 331-332; édition de 1548; une note finale attribue cet ouvrage, contrairement à l'opinion reçue, à un nommé Kiang Po, qui vivait au commencement du xıᵉ siècle (période Siang-fou, 1008-1016).

Petit in-8; incomplet (livres 17-20). 1 vol., cartonnage.
Nouveau fonds 3338.

324-330. — I (324-326).

翰林少微通鑑大全

Han lin chao oei thong kien ta tshiuen.

Abrégé des Annales générales, par Chao-oei.

Même ouvrage. Édition de 1752, conforme à la suivante.

Exemplaire incomplet des préfaces, tables, annales extérieures, etc.

— II (327-330).

宋元翰林資治通鑑

Song yuen han lin tseu tchi thong kien.

Annales générales : Song et Yuen (960-1368).

Ouvrage de Tchhen Jen-si, avec préface de l'auteur (1626); réédition de 1737.

20 livres.

Grand in-8. Titre en noir sur blanc en mauvais état. 7 vol., cartonnage.
Nouveau fonds 4439 à 4445.

331-332. *Han lin chao oei thong kien ta tshiuen.*

Abrégé des Annales générales par Chao-oei.

Édition gravée en 1785, conforme à celle de Tchhen Jen-si (xvııᵉ s.); préface de ce dernier.

Ouvrage attribué à Kiang Tchi (commencement du xııᵉ s.); édité entre 1506 et 1521 par Li Tong-yang et Tchang Yuen-tcheng, qui paraissent l'avoir au moins complété et retouché.

— I (331).

新刊翰林玫正綱目點音少微通鑑節要大全外紀

Sin khan han lin khao tcheng kang mou tien yin chao oei thong kien tsie yao ta tshiuen oai ki.

Abrégé de l'Histoire générale par Chao-oei; Annales extérieures. (Depuis les origines jusqu'à 425 a. C.).

2 livres.

— II (331-332).

新刊翰林玫正綱目批

點音釋少微節要通鑑大全

Sin khan han lin khao tcheng kang mou phi tien yin chi chao oei tsie yao thong kien ta tshiuen.

Abrégé de l'Histoire..., etc.; section principale.

(De 403 a. C. jusqu'à 960 p. C.).

20 livres. — Cat. imp., liv. 48, f. 3.

Grand in-8. Titre sur papier jaune. 2 vol., demi-rel., au chiffre de Louis-Philippe.
Nouveau fonds 584.

333.   *Han lin chao oei thong kien ta tshiuen.*

Même ouvrage.

Édition plus grande que la précédente.

Grand in-8; incomplet; feuilles déchirées. 1 vol., cartonnage.
Nouveau fonds 4437.

334-336. *Han lin chao oei thong kien ta tshiuen.*

Même ouvrage.

Édition de 1806.

Grand in-8; incomplet. 3 vol., cartonnage.
Nouveau fonds 4446 à 4448.

337. 新刊憲臺攷正綱

目點音少微通鑑節要大全外紀

Sin khan hien thai khao tcheng kang mou tien yin chao oei thong kien tsie yao ta tshiuen oai ki.

Abrégé des Annales générales, par Chao-oei; Annales extérieures.

Édition de 1820; sans la préface de Tchhen Jen-si.

Grand in-8; feuille de titre. 1 vol., cartonnage.
Nouveau fonds 4438.

338-344. 新刊補正少微通鑑節要大全

Sin khan pou tcheng chao oei thong kien tsie yao ta tshiuen.

Abrégé de Chao-oei, complété et corrigé.

Des origines à l'an 1368 p. C. Édition annamite de 1840; introduction faisant connaître que les Annales extérieures et la section principale sont conformes au texte habituel : quant à la suite, elle est due à Lieou Yen. — Notes en chinois à l'usage des Annamites pour faciliter la lecture du texte.

28 livres.

Grand in-8 (incomplet de quelques

pages et des livres 4, 5 et 14). 7 vol., cartonnage.

Nouveau fonds 4704 à 4710.

345-347. 佛祖歷代通載

Fo tsou li tai thong tsai.

Annales parallèles du bouddhisme et de l'empire.

Depuis les origines jusqu'à 1333. Par le bonze Nien-tchhang; préface de Kio-'an (1344). Gravé en 1661 à la bonzerie Leng-yen, de Kia-hing.

36 livres (la table formant le 1er livre). — Cat. imp., liv. 145, f. 14. Bunyiu Nanjio, 1637.

Grand in-8; 3 vol., demi-rel., au chiffre de la République (1879).

Nouveau fonds 4216 à 4218.

348-350. *Fo tsou li tai thong tsai.*

Double du précédent.

Incomplet des livres 6 à 10.

3 vol., cartonnage.
Nouveau fonds 4642 à 4644.

351-352. 釋氏稽古略

Chi chi ki kou lio.

Concordance de l'histoire du bouddhisme avec l'histoire de Chine.

Table des souverains depuis les origines mythiques jusqu'aux Yuen; table des Bouddhas, des patriarches et de leurs successeurs, etc. Par Pao-tcheou (*alias* Kio-'an).

4 livres. — Cat. imp., liv. 145, f. 13.

Grand in-8; 2 vol., demi-rel., au chiffre de Napoléon III.
Nouveau fonds 1140, 1141.

353-360. — I (353).

通鑑綱目集說

Thong kien kang mou tsi choe.

Grandes lignes des Annales générales.

Édition annotée par Ma 'An et son élève Yen Hong; préface de 1529 par Lieou Ki. Les deux premiers livres contiennent l'histoire de la Chine de l'époque légendaire, 2953 a. C. jusqu'à 426 a. C. sans nom d'auteur; ils peuvent être attribués à Ma 'An.

— II (353-360).

資治通鑑綱目

Tseu tchi thong kien kang mou.

Grandes lignes des Annales générales.

De 403 a. C à 959 p. C. Résumé de l'histoire de Seu-ma Koang (n⁰ˢ 278-300, III), composé par Tchou Hi et ses élèves, avec une préface de 1172 par le maître et une lettre du même expliquant l'idée de l'ouvrage. Seul l'avertissement est du pinceau de Tchou Hi : il forme tout un traité sur les principes moraux de l'histoire, la légitimité, etc. ; le reste du texte a été rédigé sous la direction du maître.

Les traités et ouvrages suivants ont été composés pour élucider et compléter l'œuvre de Tchou Hi :

1. 綱目發明
Kang mou fa ming.

Éclaircissement des Grandes lignes, etc.

Par Yin Khi-sin (préface non datée, époque des Song).

2. 綱目書法
Kang mou chou fa.

Principes de composition des Grandes lignes, etc.

Par Lieou Yeou-yi (préface de 1330 par Kie Hi-seu ; l'ouvrage est antérieur).

3. 綱目集覽
Kang mou tsi lan.

Collection d'opinions sur les Grandes lignes, etc.

Par Oang Yeou-hio (préface de 1324).

4. 綱目考異
Kang mou khao yi.

Examen des divergences des Grandes lignes, etc.

Par Oang Khe-khoan (préface de 1343 par l'auteur).

5. 綱目考證
Kang mou khao tcheng.

Examen des témoignages des Grandes lignes, etc.

Par Siu Tchao-oen (préface de 1359 par l'auteur).

6. 綱目集覽正誤
Kang mou tsi lan tcheng oou.

Corrections à la Collection d'opinions sur, etc.

Par Tchhen Tsi (préface de 1422 par l'auteur).

7. 綱目質實
Kang mou tchi chi.

Vérité des Grandes lignes, etc.

Par Fong Tchi-chou (préface de 1465 par l'auteur).

A la fin du XVᵉ siècle, Hoang Tchong-tchao disséqua année par année les sept ouvrages ci-dessus et disposa ces fragments sous chaque année correspondante de l'ouvrage de Tchou Hi : c'est le plan qui est suivi pour toutes les éditions modernes des Grandes lignes, etc.

La présente édition renferme toutes les préfaces énumérées plus haut.

59 livres. — Cat. imp., liv. 88, f. 23.

Grand in-folio ; belle impression, couvertures originales en soie bleue ; note manuscrite du P. Amiot en tête du 1er volume. 8 vol., reliure au chiffre de Charles X.
Nouveau fonds 284.

361-371. — I (361-367).

重訂王鳳洲先生綱鑑會纂

Tchhong ting oang fong tcheou sien cheng kang kien hoei tsoan.

Annales, par Oang Fong-tcheou, nouvelle édition.

Des origines à 959 p. C. Auteur : Oang Chi-tcheng, docteur en 1547 ; édition conforme à celle de Tchhen Jen-si.

46 livres.

— II (367-370).

宋元綱鑑

Song yuen kang kien.

Annales abrégées des Song et des Yuen (960-1368).

Auteur : Oang Chi-tcheng ; édi-

tion conforme à celle de Tchhen Jen-si.

23 livres.

— III (370-371).

御撰資治通鑑綱目三編

Yu tchoan tseu tchi thong kien kang mou san pien.

Grandes lignes des Annales générales, troisième section, ouvrage composé par ordre impérial.

Annales des Ming (1368-1644), par Tchang Yu-thing et autres fonctionnaires. Décret de 1739, préface impériale de 1746 ; dédicace.

20 livres. — Cat. imp., liv. 47, f. 59.

In-12. Titre sur papier jaune. 11 vol., demi-reliure.
Nouveau fonds 1536 à 1546.

372-378. — *Tchhong ting oang fong tcheou sien cheng kang kien hoei tsoan.*

Double des nos 361-367.

7 vol., cartonnage.
Nouveau fonds 4416 à 4422.

379-386. — *Tchhong ting oang fong tcheou sien cheng kang kien hoei tsoan.*

Même ouvrage.

Gravure moins soignée.

In-12; incomplet des préfaces et du livre 1. 8 vol., cartonnage. *Nouveau fonds* 4423 à 4430.

387-389. 宋元綱鑑

Song yuen kang kien.

Annales abrégées des Song et des Yuen.

Planches analogues aux n°s 367-370.

In-12. 3 vol., cartonnage. *Nouveau fonds* 4431 à 4433.

390-392. — *Song yuen kang kien.*

Double.

3 vol., cartonnage. *Nouveau fonds* 4434 à 4436.

393-415. — I (393-394) 資治通鑑綱目前編

Tseu tchi thong kien kang mou tshien pien.

Grandes lignes des Annales générales, section préliminaire (2953-403 a. C.).

Ouvrage rédigé par Nan Hien, docteur en 1553, et extrait des histoires de la même période dues à Seu-ma Tcheng, Lieou Chou, Kin

Li-siang, Tchhen King. — Édition de Tchhen Jen-si (1630), renfermant une introduction de l'auteur (1595), une Discussion des doutes, par Hou San-sing, etc.

25 livres. — Cat. imp., liv. 48, f. 11; voir aussi liv. 47, ff. 22, 47, 49.

— II (395-410.) 資治通鑑綱目正編

Tseu tchi thong kien kang mou tcheng pien.

Grandes lignes des Annales générales, section principale.

Autre édition des n°s 353-360, art. II, renfermant une préface impériale de 1473 et une préface de Chi Ying-siuen, pour l'édition de 1630, préparée par Tchhen Jen-si.

Outre les préfaces et annexes indiquées aux n°s 353-360, II, cette édition renferme :

1. 凡例後語
Fan li heou yu.

Postface à l'avertissement de Tchou Hi, par Oang Po, datée de 1265.

2. 綱目書法凡例
Kang mou chou fa fan li.

Avertissement pour les Principes de composition, etc.

Par Lieou Yeou-yi (cf. 353-360, art. II, 2).

3. 綱目考異凡例

Kang mou khao yi fan li.

Avertissement pour l'Examen des divergences, etc.

Par Oang Khẹ-khoan (cf. 353-360, art. II, 4).

4. 綱目合注後序

Kang mou ho tchou heou siu.

Postface aux Grandes lignes, etc., avec notes.

Par Hoang Tchong-tchao (1496), etc.

— III (410-415). 續資治通鑑綱目

Siu tseu tchi thong kien kang mou.

Suite aux Grandes lignes des Annales générales. (960-1367).

Ouvrage composé par ordre impérial pour faire suite à l'œuvre de Tchou Hi ; par Chang Lou, Oan 'An et divers autres. Dédicace de présentation de 1476 et préface impériale de la même date. Le texte est accompagné de deux séries de notes, à l'imitation du texte de la section principale :

1. 廣義

Koang yi.

Développement.
Par Tchang Chi-thai (dédicace de 1488).

2. 發明

Fa ming.

Éclaircissement.
Par Tcheou Li (préface de 1496 ; dédicace de 1498 ; seconde préface par Hang Yang-jou, de 1505).

La présente édition est due à Tchhen Jen-si (1630).

27 livres. — Cat. impérial, liv. 88, f. 23.

Grand in-8 ; couvertures originales en soie bleue. 23 vol., demi-rel., au chiffre de Louis-Philippe.

Fourmont 44.

416-439. — I (416-417). 資治通鑑綱目前編

Tseu tchi thong kien kang mou tshien pien.

Grandes lignes des Annales générales, section préliminaire.

Double des n°s 393-394 ; planches usées ; il manque l'une des discussions préliminaires (*pien thi*) de Nan Hien.

— II (418-433). 資治通鑑綱目正編

Tseu tchi thong kien kang mou tcheng pien.

Grandes lignes des Annales générales, section principale.

Double des n°s 395-410; planches usées; préfaces disposées dans un ordre différent.

— III (434-439).

續資治通鑑綱目

Siu tseu tchi thong kien kang mou.

Suite aux Grandes lignes des Annales générales.

Double des n°s 410-415; planches usées.

Grand in-8, 24 vol., cartonnage.
Fourmont 61.

440-458. — I (440-441).

資治通鑑綱目前編

Tseu tchi thong kien kang mou tshien pien.

Grandes lignes des Annales générales, section préliminaire.

Double des n°s 393-394; préfaces disposées dans un ordre différent.

— II (442-454).

資治通鑑綱目正編

Tseu tchi thong kien kang mou tcheng pien.

Grandes lignes des Annales générales, section principale.

Double des n°s 395-410.

— III (455-458).

續資治通鑑綱目

Siu tseu tchi thong kien kang mou.

Suite aux Grandes lignes des Annales générales.

Double des n°s 410-415.

Grand in-8, 19 vol., demi-rel., au chiffre de Louis-Philippe (prov. Missions Étrangères).
Nouveau fonds 258.

459-482. — I (459-460).

資治通鑑綱目前編

Tseu tchi thong kien kang mou tshien pien.

Grandes lignes des Annales générales, section préliminaire.

Édition conforme aux n°s 393-394; planches légèrement différentes, gravées en 1701, à la salle Yu-yu.

— II (461-476).

資治通鑑綱目正編

Tseu tchi thong kien kang mou tcheng pien.

Grandes lignes des Annales générales, section principale.

Édition conforme aux nᵒˢ 395-410; planches légèrement différentes; gravées en 1701, à la salle Yu-yu.

— III (477-482).

續資治通鑑綱目

Siu tseu tchi thong kien kang mou.

Suite aux Grandes lignes des Annales générales.

Édition conforme aux nᵒˢ 410-415; planches légèrement différentes gravées en 1701.

Grand in-8; feuilles de titre en noir sur blanc. 24 vol., demi-rel., au chiffre de Louis-Philippe.
Fourmont 51.

483-498.

Tseu tchi thong kien kang mou tcheng pien.

Grandes lignes des Annales générales, section principale.

Double des nᵒˢ 395-410; planches usées.

Grand in-8. 16 vol., demi-rel., au chiffre de Louis-Philippe (prov. Missions Étrangères).
Fourmont 62.

499-504. *Siu tseu tchi thong kien kang mou.*

Suite aux Grandes lignes des Annales générales.

Double des nᵒˢ 410-415; pré-faces et dédicaces disposées dans un ordre différent.

Grand in-8. 6 vol., demi-rel., au chiffre de Louis-Philippe (prov. Missions Étrangères).
Fourmont 52.

505-507. *Tseu tchi thong kien kang mou tshien pien.*

Grandes lignes des Annales générales, section préliminaire.

Édition de 1803, gravée à la salle King-chou; avec la préface impériale de 1473 de la section principale, les Discussions de Nan Hien et Hou San-sing; imitée d'ailleurs de l'édition de 1630.

Grand in-8; 3 vol., cartonnage.
Nouveau fonds 4411, 4412, 4413.

508-513. 宋元通鑑

Song yuen thong kien.

Annales des Song et des Yuen (960-1368).

Par Sie Ying-khi, avec préface de l'auteur datée de 1566; édition de Tchhen Jen-si (1626).

157 livres. — Cat. imp., liv. 48, f. 12.

Grand in-8; 6 vol., demi-rel., au chiffre de Louis-Philippe.
Fourmont 90.

514-519.

Song yuen thong kien.

Double.

Toutefois les planches d'impression de la table sont incomplètes et ne vont que jusqu'au livre 143; l'ouvrage même est complet.

6 vol., demi-rel., au chiffre de Louis-Philippe.

Fourmont 89.

520-523. — I (520-522).

通鑑直解

Thong kien tchi kiai.

Explications sur les Annales générales (2953 a. C. — 1368 p. C.).

Ouvrage préparé par Tchang Kiu-tcheng, pour ses explications en présence de l'Empereur. Préface de l'auteur datée de 1573. — Édition faite par les soins de Tchong Po-king (1621).

28 livres.

— II (522-523).

通紀直解.續通鑑直解

Thong ki tchi kiai — Siu thong kien tchi kiai.

Explications sur les Annales (1368-1644).

Ouvrage de Tchang Kia-ho, avec une préface, non datée, par l'auteur; réédition complétée par

Tchong Po-king : les 14 premiers livres ont été gravés entre 1628 et 1644, les 2 derniers sont postérieurs à 1644.

14 livres pour l'ouvrage principal et 2 livres pour la suite.

Grand in-8; feuille de titre. 4 vol., demi-rel., au chiffre de Louis-Philippe.

Fourmont 47.

524-528. 新鐫顧太史編纂綱鑑正史約

Sin tsiuen kou thai chi pien tsoan kang kien tcheng chi yo.

Abrégé d'histoire d'après les Annales générales et les histoires dynastiques (2953 a. C. — 1368 p. C.), par l'historiographe Kou.

Par Kou Si-tchheou, docteur en 1619.

36 livres. — Cat. imp., liv. 48, f. 20.

Grand in-8; feuille de titre sur papier blanc. 5 vol., demi-rel., au chiffre de Louis-Philippe.

Nouveau fonds 651.

529-538. 皇明史概

Hoang ming chi kai.

Ensemble de l'Histoire des Ming.

— I (529-530).

皇明大政記

Hoang ming ta tcheng ki.

Histoire du gouvernement des Ming.

Depuis la naissance de Thai-tsou (1328) jusqu'à 1572 ; par Tchou Koe-tcheng, avec dédicace de 1632.

36 livres. — Cat. imp., liv. 48, f. 18.

— II (531-532).

皇明大訓記

Hoang ming ta hiun ki.

Enseignements des Empereurs de la dynastie des Ming.

Depuis le soulèvement contre les Mongols (1356) jusqu'en 1434 ; par le même.

16 livres.

— III (533-536).

皇明大事記

Hoang ming ta chi ki.

Histoire des grands événements de la dynastie des Ming.

De 1356 à la période Thien khi (1621-1627) ; par le même.

5o livres.

— IV (537-538).

皇明開國臣傳

Hoang ming khai koe tchhen tchoan.

Vies des Ministres fondateurs de la dynastie des Ming.

Par le même.

13 livres.

— V (538).

皇明遜國臣傳

Hoang ming soen koe tchhen tchoan.

Vie des Ministres de l'abdication (1403).

Par le même.

1 livre préliminaire et 5 livres.

Grand in-8. 10 vol., demi-rel., au chiffre de Louis-Philippe.
Fourmont 83 à 87.

539-542. 鼎鍥趙田了凡袁先生編纂古本歷史大方綱鑑補

Ting khie tchao thien liao fan yuen sien cheng pien tsoan kou pen li chi ta fang kang kien pou.

Résumé historique des dynasties successives, par Yuen Liao-fan.

Des origines jusqu'à 1368. Ouvrage de Yuen Hoang, qui vivait à l'époque des Ming ; réédité par Hiong Ming-yu vers 1690 ; gravé par Yu Siang-teou.

39 livres.

Grand in-8 ; titre en bleu sur blanc. 4 vol., demi-rel., au chiffre de Louis-Philippe.
Fourmont 46.

543-555. — I (543-544).

御批資治通鑑綱目前編

Yu phi tseu tchi thong kien kang mou tshien pien.

Grandes lignes des Annales générales, section préliminaire, édition impériale.

Édition approuvée par l'Empereur, gravée en 1707, comprenant un résumé chronologique (*kiu yao*), en 3 livres et un texte principal en un livre préliminaire et 18 livres (de 2953 à 403 a. C.); texte différent de celui des nᵒˢ 393-394.

— II (544-551).

御批資治通鑑綱目

Yu phi tseu tchi thong kien kang mou.

Grandes lignes des Annales générales, édition impériale.

Voir nᵒˢ 395-410. — Édition approuvée par l'Empereur et gravée par les soins de Song Lo, en 1707, d'après celle de Tchhen Jen-si.

— III (552-554).

御批續資治通鑑綱目

Yu phi siu tseu tchi thong kien kang mou.

Suite aux Grandes lignes des

Annales générales, édition impériale.

Voir nᵒˢ 410-415.

Édition approuvée par l'Empereur, gravée en 1707.

— IV (555).

御撰通鑑綱目三編

Yu tchoan thong kien kang mou san pien.

Grandes lignes des Annales générales, troisième section, ouvrage composé par ordre impérial.

En sous-titre :

明紀綱目

Ming ki kang mou.

Grandes lignes des Annales des Ming (1368-1644).

Même ouvrage que les nᵒˢ 370-371.

Grand in-8. 13 vol., demi-rel.
Nouveau fonds 343.

556-568 — I (556-567).

綱鑑易知錄

Kang kien yi tchi lou.

Annales facilitées.

Des origines à 1368 p. C., par Oou Cheng-khiuen, avec préface de l'auteur (1711).

92 livres.

— II (567-568).

明鑑易知錄

Ming kien yi tchi lou.

Annales des Ming facilitées (1368-1644).

Par le même; préface de l'auteur (1711).

15 livres.

In-12. Titres en noir sur papier jaune. 13 vol., demi-rel., au chiffre de Louis-Philippe.
Nouveau fonds 544.

---

569. 御撰通鑑綱目三編

Yu tchoan thong kien kang mou san pien.

Grandes lignes des Annales générales, troisième section, ouvrage composé par ordre impérial.

Même ouvrage qu'aux n°s 370-371.

Petit in-8. 1 vol., demi-rel., au chiffre de Louis-Philippe.
Nouveau fonds 448.

570. *Yu tchoan thong kien kang mou san pien.*

Grandes lignes des Annales générales, troisième section, ouvrage composé par ordre impérial.

Même ouvrage que le précédent, édité au pavillon Kou-hiang (XIXe s.).

In-18. 1 vol., demi-rel.
Nouveau fonds 1970.

571. 御撰資治通鑑明紀綱目

Yu tchoan tseu tchi thong kien ming ki kang mou.

Annales générales; grandes lignes des Annales des Ming, ouvrage composé par ordre impérial.

Même ouvrage que le précédent. — Édition légèrement différente.

In-12; feuille de titre. 1 vol., cartonnage.
Nouveau fonds 4415.

572. *Yu tchoan tseu tchi thong kien ming ki kang mou.*

Double.

Planches un peu usées; disposition des préfaces différente; feuille de titre sur papier jaune.

1 vol., cartonnage.
Nouveau fonds 4414.

573-579. — I (573-578).

通鑑擥要

Thong kien lan yao.

Abrégé des Annales générales.

Des origines jusqu'à 1368 ; par Tchang King-sing, et Yao Phei-khien ; préfaces de 1746 par Hoang Tchi-tsiuen et Tchhen Chi-koan.

Trois parties :
1º Des origines à 403 a. C., livre préliminaire et 2 livres ;
2º De 403 a. C. à 959 p. C., 19 livres ;
3º De 959 p. C. à 1367 p. C., 8 livres.

— II (578-579).

明史輋要

Ming chi lan yao.

Abrégé de l'histoire des Ming (1368-1644).

Par les mêmes auteurs ; préface de 1759 par Oang Yen-nien.

8 livres.

In-24 ; papier blanc, impression soignée ; couvertures originales en soie jaune. 7 vol., demi-rel., au chiffre de Louis-Philippe.
Nouveau fonds 699.

580-595.   東華錄

Tong hoa lou.

Annales des empereurs de la dynastie régnante.

De l'origine de la dynastie à 1735 ; par Tsiang Liang-ki, avec une postface de 1765.

16 livres.

Petit in-8, manuscrit d'une écriture soignée. 16 vol. chinois renfermés dans 4 enveloppes européennes, genre demi-reliure.
Nouveau fonds 342.

———————

596-599.   御批歷代通鑑輯覽

Yu phi li tai thong kien tsi lan.

Annales générales, revues par l'Empereur.

Ouvrage s'étendant des origines jusqu'à la chute des Ming ; composé à la suite d'un décret de 1767, par le prince de Li, et autres dignitaires ; dédicace, préface impériale (1767). Lithographié à Changhai (1899).

120 livres. — Cat. imp., liv. 47, f. 57.

In-12. Titre en rouge sur papier blanc 4 vol., cartonnage.
Nouv. fonds 5131 à 5134.

———————

600-615.   東華錄。東華續錄

Tong hoa lou — Tong hoa siu lou.

Annales des empereurs de la dynastie régnante, avec suite.

Ouvrage destiné à étendre et

compléter celui qui porte les n°s 580-595, par Oang Sien-khien, avec préface de l'auteur (1884). Imprimé en caractères mobiles à Changhai (1887).

Annales principales.

— (600). Années Thien ming (1583 à 1626), 4 sections.
— (600). Années Thien tshong (1627 à 1636), 10 sections.
— (600). Années Tchhong tẹ (1636 à 1643), 8 sections.
— (601). Années Choẹn tchi (1644 à 1661), 36 sections.
— (602-604). Années Khang hi (1662 à 1722), 110 sections.
— (605-606). Années Yong tcheng (1723 à 1735), 26 sections.

Suite aux Annales.

— (607-611). Années Khien long (1736 à 1795), 120 sections.
— (612-613). Années Kia khing (1796 à 1820), 50 sections.
— (614-615). Années Tao koang (1821 à 1850), 60 sections.

In-12. Papier blanc, titre sur papier blanc. 16 vol., cartonnage.
Nouveau fonds 5135 à 5150.

616-618. 東華續錄

Tong hoa siu lou.

Suite aux Annales des empereurs de la dynastie régnante.

Suite de l'ouvrage précédent, par le même auteur; impression de Changhai légèrement différente (1894).

Années Hien fong (1851 à 1861), 100 sections.

In-12, un peu plus grand, papier blanc, titre sur papier blanc. 3 vol., cartonnage.
Nouveau fonds 5151 à 5153.

619-622. *Tong hoa siu lou.*

Suite de l'ouvrage précédent, par le même auteur, édition semblable, imprimée à Changhai (1898).

Années Thong tchi (1862 à 1874), 100 sections.

In-12. 4 vol., cartonnage.
Nouveau fonds 5154 à 5157.

---

623. 新刊補遺標題論策綱鑑全備彙約

Sin khan pou yi piao thi loẹn tshẹ kang kien tshiuen pei hoei yo.

Abrégé des Annales.

Formé d'un texte et d'un commentaire continu. Incomplet: livres 11 à 14 (de 618 à 959).

Grand in-8. 1 vol., reliure du xviiie siècle.
Nouveau fonds 2715.

624. 新刊補遺標題論策綱鑑全備精約

Sin khan pou yi piao thi loen tshę kang kien tshiuen pei tsing yo.

Abrégé des Annales.

Formé d'un texte et d'un commentaire continu. Incomplet : livres 15 à 17 (de 960 à 1127).

Grand in-8. 1 vol. couvert en parchemin.

Nouveau fonds 2152.

Troisième Section : **TABLES CHRONOLOGIQUES, GÉNÉALOGIQUES, ETC.**

625. 甲子會紀
Kia tseu hoei ki.

Tables chronologiques.

Des origines jusqu'à 1563; ouvrage de Sie Ying-khi, avec une préface de Hiu Kou, datée de 1559; édité par Tchhen Jen-si, renfermant le sommaire année par année de l'histoire chinoise, plus quelques notes historiques diverses.

5 livres. — Cat. imp., liv. 48, f. 14.

Grand in-8. 1 vol., reliure, au chiffre de Charles X.
Nouveau fonds 320.

626-628. *Kia tseu hoei ki.*
Doubles.

Imprimés sur des planches un peu usées.

3 vol.; cartonnage du XVIIIᵉ siècle

portant le titre *Tabulæ chronologicæ* (prov. des Missions Étrangères).
Fourmont 341 A, B, C.

629-635. — I (629).

歷代帝王姓系統譜
Li tai ti oang sing hi thong phou.

Listes généalogiques des empereurs, rois, princes.

Depuis l'antiquité jusqu'au XVIᵉ siècle. Par Ling Ti-tchi, avec une préface de 1579; impression du pavillon Ki-kou, planches du XVIᵉ siècle.

6 livres. — Cat. imp., liv. 136, f. 5.

Incomplet de quelques pages.

— II (629).

氏族博考
Chi tsou po khao.

Examen des familles et des *gentes.*

Par le même.

14 livres. —Cat. imp., liv. 136, f. 5.

— III (630-635).

古今萬姓統譜

Kou kin oan sing thong phou.

Dictionnaire biographique antique et moderne.

Par le même, avec une préface de Oang Chi-tcheng (1579). Les noms de famille sont par ordre de rimes.

140 livres. —Cat. imp., liv. 136, f. 5.

Grand in-8. Titre sur papier blanc. 7 vol., reliure, au chiffre de Charles X.
Fourmont 92.

636. 佛祖宗派世譜

Fo tsou tsong phai chi phou.

Tableau des patriarches et chefs d'école.

Par le bonze Oou-tsin, avec préface de l'auteur (1654).

8 livres.

Grand in-8, illustré. 1 vol., demi-rel., au chiffre de la République (1879).
Nouveau fonds 4215.

637. *Fo tsou tsong phai chi phou.*

Double.

Impression plus ancienne, manque l'illustration initiale.

1 vol., demi-rel., au chiffre de Napoléon III.
Nouveau fonds 1232.

638. 簡心齋稿

Kien sin tchai kao.

Tables chronologiques.

Indiquant divers événements de 372 à 1684.

Petit in-8, manuscrit sur papier à cadres, colonnes et titres imprimés en rouge.

1 vol., cartonnage du xviiie siècle portant le titre : *Eclipsium catalogus.*
Fourmont 346.

639-640. 歷代史表

Li tai chi piao.

Tables chronologiques de 25 p. C. à 960.

Par Oan Seu-thong, avec préfaces de 1676 et 1692; préface de Yuen Yuen (1763-1850), pour la présente réédition, non datée; l'ouvrage indique les titulaires successifs des grands fiefs, des postes de conseiller, maréchal, etc.

59 livres. — Cat. imp., liv. 50, f. 33.

In-4, papier blanc, titre sur papier marbré. 2 vol., demi-rel., au chiffre de Louis-Philippe.
Nouveau fonds 429.

641. 綱鑑甲子圖

Kang kien kia tseu thou.

Table chronologique pour les Annales générales.

Donnant les caractères cycliques, les noms des souverains et des années de règne depuis 425 a. C. jusqu'à 1705.

1 feuille de 0ᵐ,56 sur 1ᵐ,06. Pliée dans un carton, petit in-8, genre reliure du xvɪɪɪᵉ siècle.

Nouveau fonds 2744.

642. *Kang kien kia tseu thou.*

4 doubles, dont 2 incomplets sur papier européen.

6 feuilles.

Nouveau fonds 5040.

643. *Kang kien kia tseu thou.*

Table chronologique pour les Annales générales.

Copie manuscrite et coloriée de la précédente, poursuivie jusqu'à 1771; avec une note du P. Amiot dans le haut.

1 feuille de 0ᵐ,43 sur 0ᵐ,88, montée sur soie, roulée dans un carton.

Nouveau fonds 2213.

644-653. 御定歴代紀事年表

Yu ting li tai ki chi nien piao.

Sommaires des dynasties successives, mis en tables chronologiques; ouvrage impérial.

Composé par une commission de fonctionnaires; dédicace de 1712 et préface impériale de 1715.

Cet ouvrage résume l'histoire de Chine de 2357 a. C. jusqu'à 1368 p. C.; notices chronologiques sur les États chinois secondaires et sur les pays voisins.

100 livres. — Cat. imp., liv. 50, f. 29.

In-4, très belle impression sur papier teinté. 10 vol., reliure, au chiffre de Charles X.

Nouveau fonds 324.

654. — I.

歴代帝王年表

Li tai ti oang nien piao.

Tables chronologiques des rois et empereurs des dynasties successives.

Des origines jusqu'à 1367 et de 1368 à 1643; ouvrage de Tshi Chao-nan, avec préface de 1777 par l'auteur; édité en 1824 par Yuen Fou, qui est l'auteur des tables de 1368 à 1643; contenant le résumé des événements.

— II.

帝王廟諡年諱譜

Ti oang miao chi nien hoei phou.

Table des noms de temple, honorifiques, de règne et personnels des empereurs et rois.

Depuis 206 a. C. jusqu'à 1643 p. C.; ouvrage de Yuen Fou, avec préface de Lou Fei-tchhi, datée de 1775.

Grand in-8, papier blanc, titre sur papier rouge. 1 vol., demi-rel., au chiffre de Louis-Philippe.

Nouveau fonds 453.

655. — I.

歷代帝王年表

Li tai ti oang nien piao.

Double du précédent, art. I.

— II.

帝王廟諡年諱譜

Ti oang miao chi nien hoei phou.

Double du précédent, art. II.
Disposition des préfaces un peu différente.

1 vol., cartonnage. Papier teinté, titre sur papier jaune.

Nouveau fonds 4470.

656-660. — I (656-658).

歷代二十四史統紀全表

Li tai eul chi seu chi thong ki tshiuen piao.

Tables chronologiques des 24 histoires dynastiques.

Résumant toute l'histoire chinoise jusqu'à 1644 par Toan Tchhang-ki, avec plusieurs préfaces, dont une de 1813 par l'auteur. Gravé en 1817.

13 livres.

— II (659).

歷代疆域表

Li tai kiang yu piao.

Tables de géographie historique.

Depuis les origines jusqu'en 1644. Précédées de 12 cartes avec légendes; par le même, avec préface de 1813 par l'auteur. Gravé en 1815.

3 livres.

— III (660).

歷代沿革表

Li tai yen kę piao.

Tables de géographie historique (divisions administratives).

Par le même, avec préface de 1814 par l'auteur. Gravé en 1815.

3 livres.

In-4. Titres sur papier jaune. 5 vol., cartonnage.

Nouveau fonds 4465 à 4469.

661. # 紀元編

Ki yuen pien.

Table chronologique des noms de règne.

Ouvrage contenant la liste chronologique des noms de règne chinois et étrangers, des tables chronologiques de l'histoire chinoise jusqu'à 1837, un dictionnaire par rimes des noms de règne. — Par

Lou Tchheng-jou; gravé en 1831.

3 livres.

Grand in-8. Titre sur papier teinté.

1 vol., demi-rel., au chiffre de Napoléon III.

Nouveau fonds 1797.

Quatrième Section : **HISTOIRES POLITIQUES DIVERSES.**

662-681. 通鑑紀事本末

Thong kien ki chi pen mo.

Histoire générale de la Chine.

— I (662-663).

前編

Tshien pien.

Section préliminaire.

Depuis les origines jusqu'à la fin du vᵉ siècle avant l'ère chrétienne; par Chen Tchao-yang, avec avertissement de l'auteur, daté de 1608; préface de 1642 par Tchang Phou, qui a fait imprimer l'ouvrage. Cette édition est revue par Tsiang Sien-keng.

12 livres.

— II (663-674).

正編

Tcheng pien.

Section principale.

De la fin du vᵉ siècle a. C. jusqu'à 960 p. C.. Composée par Yuen Tchhou, au xiiᵉ siècle d'après les Annales générales de Seu-ma Koang. — Édition de Tchang

Phou, revue par Tsiang Sien-keng; elle renferme une préface de Yang Oan-li (1174) et une de Tsiao Hong (1607).

42 livres. — Cat. imp., liv. 49, f. 1.

— III (674-676).

宋編

Song pien.

Section des Song (960-1278).

Par Tchhen Pang-tchan, d'après un ouvrage de Fong Khi, de la dynastie des Ming; édition revue par Tsiang Sien-keng, avec préface de 1605 par Lieou Yue-oou.

10 livres.

— IV (677).

元編

Yuen pien.

Section des Yuen (1278-1368).

Par Tchhen Pang-tchan, édition revue par Tsiang Sien-keng, avec préface de l'auteur datée de 1606.

4 livres. — Cat. imp., liv. 49, f. 9.

3

— V (677-681).

明鑑紀事本末

Ming kien ki chi pen mo.

Histoire des Ming (1368-1644).

Par Kou Ying-thai, avec préface de Fou Yi-tsien (1658).

80 livres. — Cat. imp., liv. 49, f. 30.

In-4. Titres sur papier blanc. 20 vol., demi-rel., au chiffre de Louis-Philippe. *Nouveau fonds* 38.

682-685.

Ming kien ki chi pen mo.

Histoire des Ming (1368-1644).

Même ouvrage que les n⁰ˢ 677-681.

Petit in-8. Titre sur papier blanc. 4 vol., demi-rel., au chiffre de Louis-Philippe.
Fourmont 63.

---

686. 國語國策旁訓讀本

Koe yu koe tshe phang hiun tou pen.

Les entretiens et les plans des royaumes avec notes interli-néaires.

— I. Entretiens des royaumes.
Édition de 1691 préparée par Pao Heng, avec préface de l'éditeur (1685). Cet ouvrage ancien, par-fois attribué, à tort, à Tso Khieou-ming (vᵉ siècle a. C.) renferme des conversations de personnages cé-lèbres du royaume de Tcheou, et des États feudataires; le véritable auteur est inconnu.

8 sections. — Cat. imp., liv. 51, ff. 1 et 5.

— II. Plans des royaumes.
Édition de 1691, préparée par Pao Heng, avec préface de l'édi-teur (1686). Ouvrage antérieur à l'ère chrétienne, dû à un auteur inconnu, relatif à la fin de la dy-nastie des Tcheou.

2 livres. — Cat. imp., liv. 51, f. 6; liv. 52, ff. 1 et 2.

Grand in-8. Titres sur papier blanc. 1 vol., demi-rel., au chiffre de Louis-Philippe.
Fourmont 94.

687-688. 國語戰國策詳注

Koe yu tchan koe tshe siang tchou.

Les entretiens des royaumes et les plans des royaumes com-battants avec commentaires.

— I (687).

Entretiens des royaumes.
Édition publiée par Tchhen Jen-si et Tchong Sing (xvııᵉ siècle); gravée de nouveau en 1724, à la salle San-yuen. Elle renferme les

préfaces non datées des commentateurs Oei Tchao (IIIᵉ siècle p. C.) et Song Siang, docteur en 1024.

21 livres.

— II (688).

Plans des royaumes combattants.

Édition analogue, d'après celle de Tchhen Jen-si ; renfermant une préface de Lieou Hiang (80-9 a. C.).

12 livres.

Grand in-8. Titres sur papier jaune. 2 vol., demi-rel., au chiffre de Louis-Philippe.

Nouveau fonds 566.

689-690. — I (689).

國 語 選

Koę yu siuen.

Morceaux choisis des Entretiens des royaumes.

Édition gravée en 1773, avec deux préfaces de 1728 ; cette édition a été préparée par Tchhou Hin.

4 livres.

— II (690).

戰 國 策 選

Tchạn koę tshₑ siuen.

Morceaux choisis des Plans des royaumes combattants.

Édition analogue, par le même (1780).

Petit in-8. Titres sur papier teinté. 2 vol., cartonnage.

Nouveau fonds 4477 et 4519.

691. # 國 語 合 注

Koę yu ho tchou.

Les entretiens des royaumes avec commentaires.

Édition gravée en 1807, renfermant les préfaces et les notes de Oei Tchao et de Song Siang.

21 livres.

In-12 ; papier blanc. Titre sur papier jaune. 1 vol., demi-rel., au chiffre de Napoléon III.

Nouveau fonds 1317.

692-693. # 戰 國 策

Tchạn koę tshę.

Plans des royaumes combattants.

Édition publiée avec une préface de 1581 par Tchang Yi-koen ; préfaces de Lieou Hiang (80-9 a. C.), de Tsheng Kong, de Pao Pieou (1147), de Oou Chi-tao (1325), etc.

La table indique 33 livres, tandis que le texte est divisé en 10 livres ; le texte est incomplet de quelques paragraphes de la fin, bien que l'exemplaire soit intact.

In-12 ; papier blanc. 2 vol., demi-rel. au chiffre de Napoléon III.

Nouveau fonds 1431, 1432.

694. 華陽國志

Hoa yang koe tchi.

Notices sur le royaume de Hoa-yang.

Histoire de plusieurs divisions territoriales du Seu-tchhoan, depuis les origines jusqu'à 347 p. C., par Chang Khiu, de l'époque des Tsin; avec un appendice par Tchang Kia-yin. Édition contenant une introduction de Liu Ta-fang (datée de la période Yuen fong, 1078-1085) et une préface de Han Kiang (1762).

12 sections. — Cat. imp., liv. 66, f. 5.

Grand in-8. 1 vol., demi-rel., au chiffre de la République (1848).

Nouveau fonds 353.

695. 渚宮舊事

Tchou kong kieou chi.

Antiquités du pays de Tchhou.

Ouvrage composé par Yu Tchi-kou, à l'époque des Thang, s'étendant des Tcheou jusqu'à l'époque de l'auteur; la seconde partie, postérieure à la dynastie des Tsin, est perdue. Supplément composé par ordre de l'Empereur en 1785. Préface de l'éditeur Soen Sing-yen (1814); la gravure est de la même année.

5 livres. — Cat. imp., liv. 51, f. 13.

Petit in-8. Titre sur papier blanc. 1

vol., demi-rel., au chiffre de Napoléon III.

Nouveau fonds 1443.

696-699. 十六國春秋

Chi lou koe tchhoen tshieou.

Histoire des seize royaumes.

Histoire des États qui ont occupé diverses provinces de Chine pendant la dynastie des Tsin, aux IVe et Ve siècles; ouvrage attribué à Tshoei Hong, auteur du VIe siècle, qui avait en effet écrit un livre portant ce titre, perdu après le commencement du XIe siècle; les présents volumes sont l'œuvre d'un faussaire Thou Khiao-soen, qui les a publiés au XVIIe siècle. Réédition de Oang Ji-koei; préface de l'éditeur (1781).

100 livres. — Cat. imp., liv. 66, f. 9.

In-4. Titre sur papier rouge. 4 vol., demi-rel., au chiffre de Louis-Philippe.

Nouveau fonds 684.

700. 綏寇紀略

Soei kheou ki lio.

Histoire de la pacification.

A propos des troubles de 1628 à 1644; par Oou Oei-ye; avec préface de 1674 par Tcheou Chi-kin; postface de 1804.

12 livres. — Cat. imp., liv. 49, f. 28.

Grand in-8. Titre sur papier blanc. 1

vol., demi-rel., au chiffre de Louis-Phi-lippe.

Nouveau fonds 442.

701. 三藩紀事本末

San fan ki chi pẹn mo.

Histoire des provinces méridionales.

Au sujet des rébellions du Fou-kien, du Koang-tong, du Yun-nan, etc., de 1644 à 1683; par Yang Lou-ying, avec préface de l'auteur (1717); édition de la même année.

4 livres. — Cat. imp., liv. 49, f. 36.

Grand in-8. Titre sur papier blanc. 1 vol., demi-rel.

Nouveau fonds 373.

702. 左傳分國纂略

Tso tchoan fẹn koẹ tsoan lio.

Histoire des divers États d'après le Tso tchoan.

L'histoire de chaque État est traitée séparément. Ouvrage de Lou Yuen-tchhang, avec préface de l'auteur (1719); publié par le fils et le petit-fils de l'auteur.

16 livres.

Grand in-8. Titre sur papier rouge. 1 vol., demi-rel., au chiffre de Louis-Philippe.

Nouveau fonds 277.

703. — I.

平臺紀略

Phing thai ki lio.

Histoire de la pacification de Formose.

Histoire de la pacification de la révolte de Tchou Yi-koei (1721-1723), par un mandarin Lan Ting-yuen, qui a pris part à la campagne, avec préface de l'auteur (1723) et préface de l'éditeur Oang Tchẹ-fou (1732). Les feuilles des deux préfaces sont interverties et mélangées dans l'exemplaire.

— II.

東征集

Tong tcheng tsi.

Recueil de l'expédition orientale.

Collection de lettres et documents relatifs à l'expédition, publiée par le même éditeur.

6 livres. — Cat. imp., liv. 49, f. 33.

In-12. Titre sur papier teinté. 1 vol., demi-rel., au chiffre de la République (1848).

Nouveau fonds 546.

704. 簷曝雜紀

Yen pou tsa ki.

Notices historiques.

Par Tchao Yi, avec un rapport adressé à l'Empereur par l'auteur (1750).

6 livres.

Grand in-8. Titre sur papier blanc. 1 vol., demi-rel.

Nouveau fonds 222.

705-706. 欽定蒙古源流

Khin ting mong kou yuen lieou.

Origine et histoire des Mongols.

Ouvrage traduit de l'original mongol de Siao-tchhẹ-tchhen Sanang, à la suite d'un décret de 1777; préface de Lou Si-hiong et autres membres de la commission (1790).

8 livres. — Cat. imp., liv. 51, f. 29.
In-4, manuscrit. 2 vol., cartonnage.
Nouveau fonds 5212, 5213.

707. 西域總志

Si yu tsong tchi.

Histoire de l'Asie centrale (XVIIᵉ et XVIIIᵉ siècles).

Par Tchhoẹn-yuen, qui a écrit une préface (1777); autre préface (1803), par Tcheou Tsẹ-jen, dont le fils, Tcheou Phei-yuen, a ajouté une carte avec légendes. Gravé en 1818.

4 livres.

Grand in-8. Titre sur papier jaune; incomplet de quelques pages à la fin. 1 vol., demi-rel., au chiffre de Napoléon III.

Nouveau fonds 1371.

708. 皇朝開國方略

Hoang tchhao khai koẹ fang lio.

Abrégé de la fondation de la dynastie régnante.

De 1583 à 1644; ouvrage composé par 'A-koei, et autres fonctionnaires; dédicace, liste de la commission de rédaction, préface impériale (1786); postface par les auteurs. Imprimé à Chang-hai (1887).

1 livre préliminaire et 32 livres. — Cat. imp., liv. 47, f. 54.

In-12, papier blanc. Titre sur papier blanc. 1 vol., cartonnage.
Nouveau fonds 5123.

709. 春秋分國經傳補遺

Tchhoẹn tshieou fẹn koẹ king tchoan pou yi.

Histoire des divers États d'après le Tchhoẹn tshieou et le Tso tchoan.

L'histoire de chaque État est traitée séparément. Ouvrage de Siu Nan-tchhi (vivant en 1789); préfaces non datées. Gravé en 1829.

4 livres.

Petit in-8. Titre sur papier jaune. 1 vol., demi-rel., au chiffre de Louis-Philippe.

Nouveau fonds 446.

710. 皇朝武功紀盛

Hoang tchhao oou kong ki cheng.

Guerres de la dynastie régnante.

Par Tchao Yi, avec préfaces de l'auteur et de Lou Oen-tchhao, datées de 1792. Histoire de la soumission du sud de la Chine, des Dzoungars, de la Birmanie, du Kin-tchhoan (Tibet oriental), de Formose, du Népal.

4 livres.

Grand in-8. Titre sur papier blanc; très bonne impression. 1 vol., demi-rel., portant en titre : *Conquêtes des Mandchoux*.

Nouveau fonds 34.

711. 回疆通志

Hoei kiang thong tchi.

Histoire des peuples musulmans limitrophes.

Principalement à partir de 1755; par Ho-ning, avec préface de l'auteur (1804).

6 livres.

Petit in-8, manuscrit. 1 vol., demi-rel., au chiffre de Louis-Philippe.

Nouveau fonds 403.

712.

Hoei kiang thong tchi.

Histoire des peuples musulmans limitrophes.

Ouvrage du même auteur, avec préface de 1804.

4 livres.

Grand in-8, manuscrit. 1 vol., cartonnage.

Nouveau fonds 5215.

713. 南漢春秋

Nan han tchhoẹn tshieou.

Histoire des Han méridionaux.

Cette dynastie a régné à Canton, de 917 à 971. Ouvrage de Lieou Ying-lin, avec une préface de 1807 contemporaine de l'auteur et due à Li Fou-phing; gravé en 1827 à Canton.

14 sections formant 13 livres.

Grand in-8. 1 vol., demi-rel., au chiffre de Louis-Philippe.

Nouveau fonds 452.

714-715. 熙朝新語

Hi tchhao sin yu.

Nouveaux mémoires sur la dynastie régnante.

Depuis son origine jusqu'en 1784; auteur Yu Kin. Préface de 1818. Ouvrage gravé en 1825.

16 livres.

In-18. Titre sur papier jaune. 2 vol., demi-rel., au chiffre de Napoléon III.

Nouveau fonds 1242, 1243.

716. 靖逆紀

Tsing yi ki.

Pacification des rebelles (de 1813).

Préface postérieure à 1817 par l'auteur qui se cache sous un pseudonyme (l'Écrivain du pavillon des iris); ouvrage gravé en 1821.

6 livres.

In-18. Titre sur papier jaune. 1 vol., demi-rel., au chiffre de Louis-Philippe.
Nouveau fonds 707.

717-718. 西夏書事
Si hia chou chi.

Chroniques du Tangout.

De 881 à 1232. Par Oou Koang-tchheng, avec plusieurs préfaces de 1826; planches gravées en 1825.

42 livres.

Grand in-8. Titre sur papier blanc. 2 vol., demi-rel., au chiffre de Louis-Philippe.
Nouveau fonds 473.

719. 靖海氛紀
Tsing hai fen ki.

Pacification des pirates.

Par Yuen Yong-loen, avec préfaces de 1830 par Sou Ying-heng et Ho King-tchong. Ouvrage relatif aux pirateries exercées sur les côtes du Koang-tong (1808-1809) consécutivement aux affaires d'Annam; gravé à Canton en 1830. Suivi d'une annexe de 1835 par Tcheou Choei-cheng.

2 livres.

In-18. Titre sur papier jaune. 1 vol., demi-reliure.
Nouveau fonds 761.

720. 平猺紀略
Phing yao ki lio.

Histoire de la pacification des Yao.

Ouvrage de Yu-fou de Yu-kiang (pseudonyme), avec une préface écrite à Canton en 1835; gravé la même année; relatif aux troubles de 1831 et 1832 chez les tribus aborigènes du Hou-nan et du Koang-si.

2 livres.

In-18. Titre sur papier jaune. 1 vol., demi-rel., au chiffre de Napoléon III.
Nouveau fonds 1357.

721-722. 聖武紀
Cheng oou ki.

Mémorial des campagnes de la dynastie régnante.

De 1603 à 1841; par Oei Yuen, avec préface de l'auteur (1842); édition du journal le Chen-pao (Chang-hai, 1878).

14 livres.

In-12. Titre sur papier blanc. 2 vol., cartonnage.
Nouveau fonds 5115, 5116.

Cinquième Section : HISTOIRES ADMINISTRATIVES, ÉCONOMIQUES, ETC.

723-729. 通典
Thong tien.

Histoire générale administrative, économique, etc.

Par Tou Yeou, fonctionnaire du IXᵉ siècle; avec une préface de Li Han, de l'époque des Thang, et une préface composée par l'Empereur pour la réédition de 1747. Cet ouvrage, inspiré du Tcheng tien. Principes du Gouvernement, en 35 livres, par Lieou Yi, est divisé de la façon suivante :

(723), denrées et marchandises, livres 1 à 12.

(723), choix des fonctionnaires, livres 13 à 18.

(724), fonctions, livres 19 à 40.

(725-727), rites, livres 41 à 140.

(728), musique, livres 141 à 147.

(728), armée, livres 148 à 162.

(728), justice, livres 163 à 170.

(729), provinces et districts, livres 171 à 184.

(729), frontières et défenses, livres 185 à 200.

Cat. imp., liv. 81, f. 1.

Grand in-8. 7 vol., demi-reliure.
Nouveau fonds 329.

730-753. 通志
Thong tchi.

Collection de mémoires sur l'histoire chinoise.

Ouvrage de Tcheng Tshiao, qui vivait dans la période Chao-hing (1131-1162); avec une préface non datée, par l'auteur; gravé de nouveau en 1747 par ordre impérial; comprenant les sections suivantes :

(730-732), annales des souverains (depuis les origines jusqu'à 618), livres 1 à 18.

(733), vies des souveraines, livres 19 et 20.

(733), tables chronologiques, livres 21 à 24.

(734), *gentes* et familles, livres 25 à 30.

(734), écriture, livres 31 à 35.

(734), prononciation, livres 36 et 37.

(734), astronomie, livres 38 et 39.

(734), géographie, livre 40.

(734), capitales et villes, livre 41.

(735), rites, livres 42 à 45.

(735), noms posthumes, livre 46.

(735), ustensiles et vêtements, livres 47 et 48.

(735), musique, livres 49 et 50.

(735), fonctions, livres 51 à 57.

(735), choix des fonctionnaires, livres 58 et 59.

(736), justice, livre 60.

(736), denrées et marchandises, livres 61 et 62.

(736), bibliographie, livres 63 à 70.

(736), critique des textes, livre 71.

(736), cartes et dessins, livre 72.

(736), épigraphie, livre 73.

(736), prodiges, livre 74.

(736), animaux et plantes, livres 75 et 76.

(736), maisons héréditaires, livre 77.

(737-738), vies des membres des familles impériales, livres 78 à 85.

(739), maisons héréditaires, livres 86 et 87.

(739-751), biographies, livres 88 à 185.

(752), États non légitimes, livres 186 à 193.

(753), peuples barbares, livres 194 à 200.

Cat. imp., liv. 5o, f. 13.

Grand in-8. 24 vol., demi-reliure.
Nouveau fonds 330.

754-755. 路史

Lou chi.

Grande histoire.

Édition non datée (xviiie siècle); préparée par Oou Hong-ki, de l'époque des Ming, renfermant une préface de 1176 par Fei Hoei, et la préface de l'auteur, Lo Pi, datée de 1170. Cet ouvrage comprend 5 parties :

(754), I. Annales antérieures comprenant les temps mythologiques, en 9 livres.

(754), II. Annales postérieures de 2953 à 1766 a. C., en 14 livres.

(755), III. Mémoires géographiques, en 8 livres.

(754-755), IV. Recherches critiques, en 6 livres.

(755), V. Autres mémoires, en 10 livres.

Cat. imp., liv. 5o, f. 17.

Grand in-8. Titre de chaque section sur papier teinté. 2 vol., rel., au chiffre de Charles X (différents livres sont intervertis).
Nouveau fonds 322, 323.

756-760.

Lou chi.

Même ouvrage.

Imitation de l'édition précédente, datée de 1801.

Grand in-8. Titre sur papier jaune. 5 vol., cartonnage.
Nouveau fonds 4460 à 4464.

761-765.

Lou chi.

Même ouvrage.

Édition gravée en 1808, d'après l'édition de 1611; préface pour cette dernière édition par Tchou Tchi-fan; notice non datée de Khiao Kho-tchhoan; préface de l'auteur comme plus haut. La 3e partie (Mémoires géographiques) est divisée en 11 sections au lieu de 8 livres.

Grand in-8. Titre sur papier teinté. 5 vol., cartonnage.
Nouveau fonds 4455 à 4459.

766-767. 五代會要

Oou tai hoei yao.

Collection administrative des Cinq Dynasties (907-960).

Recueil de notices, rapports, etc. classés méthodiquement; par Oang Phou, de l'époque des Song. Édition imprimée en 1831, dans la salle Po-hoa-oan-kiuen, appartenant à la famille Oang, à Sieou-tcheou, au Kiang-si, au moyen de planches anciennes.

30 livres. — Cat. imp., liv. 81, f. 5.

Grand in-8; papier blanc, titre sur papier blanc. 2 vol., demi-rel., au chiffre de Louis-Philippe.

Nouveau fonds 905.

768-782. 文獻通考

Oen hien thong khao.

Histoire générale administrative, économique, etc.

Par Ma Toan-lin, avec une dédicace de présentation de 1319 par Oang Cheou-yen, et un ordre officiel de 1322, prescrivant à l'administration provinciale de faire copier et graver le manuscrit de Ma Toan-lin. Préface composée par l'Empereur pour la réédition de 1524.

L'ouvrage de Ma Toan-lin comprend une préface générale et une préface pour chacune des 23 sections; les 23 sections sont les suivantes :

(768), terre et impôt foncier, livres 1 à 7.

(768), monnaies, livres 8 et 9.

(768), population, livres 10 et 11.

(769), corvée, livres 12 et 13.

(769), taxes indirectes, livres 14 à 19.

(769), commerce, livres 20 et 21

(769), prestations en nature, livre 22.

(769), dépenses publiques, livres 23 à 27.

(770), choix des fonctionnaires, livres 28 à 39.

(770), éducation publique, livres 40 à 46.

(771), fonctions, livres 47 à 67.

(772-773), sacrifices, livres 68 à 105.

(774), rites de la cour, livres 106 à 127.

(775), musique, livres 128 à 148.

(776), armée, livres 149 à 161.

(776), justice, livres 162 à 173.

(777-778), livres classiques et autres, livres 174 à 249.

(779), empereurs et familles impériales, livres 250 à 259.

(779), féodalité, livres 260 à 277.

(780), astronomie, livres 278 à 294.

(781), prodiges, livres 295 à 314.

(781), géographie, livres 315 à 323.

(782), peuples barbares, livres 324 à 348.

Cat. imp., liv. 81, f. 14.

Grand in-8. Titre sur papier blanc. 15 vol., rel., au chiffre de Charles X.

Fourmont 57.

783-800. *Oen hien thong khao.*
Double.

18 vol., rel., au chiffre de Charles X.
Nouveau fonds 328.

801-820. 續文獻通考
Siu oen hien thong khao.

Suite à l'Histoire générale administrative, économique, etc.

Par Oang Khi, avec avertissement de l'auteur daté de 1586; préfaces de 1602 par Tcheou Kiatong, de 1603 par Oen Choen, postface de 1603 par Hiu Oei-sin, etc. L'auteur continue l'ouvrage de Ma Toan-lin, en augmentant le nombre des sections.

(801-802), terre et impôt foncier, livres 1 à 16.

(802), monnaies, livres 17 et 18.

(802), population, livres 19 et 20.

(802), corvée, livre 21.

(802-803), taxes indirectes, livres 22 à 30.

(803), commerce, livre 31.

(803), prestations en nature, livres 32 et 33.

(803), dépenses publiques, livres 34 à 42.

(804), choix des fonctionnaires, livres 43 à 54.

(804-805), éducation publique, livres 55 à 61.

(805-806), traits héroïques, livres 62 à 83.

(807-808), fonctions, livres 84 à 103.

(808-809), sacrifices aux esprits, livres 104 à 110.

(809-810), temple des ancêtres, livres 111 à 115.

(810-811), rites de la cour, livres 116 à 133.

(811-812), noms honorifiques, livres 134 à 152.

(812-813), musique, livres 153 à 160.

(813-814), armée, livres 161 à 166.

(814), justice, livres 167 à 171.

(814), livres classiques et autres, livres 172 à 183.

(815), écriture, livres 184 à 188.

(815), empereurs et familles impériales, livres 189 et 190.

(815-816), féodalité, livres 191 à 197.

(816), doctrine confucianiste, livres 198 à 206.

(816-817), familles et *gentes*, livres 207 à 214.

(817), astronomie, livres 215 à 219.

(817-818), prodiges, livres 220 à 224.

(818), géographie, livres 225 à 233.

(818-819), peuples barbares, livres 234 à 238.

(819-820), taoïsme, bouddhisme, livres 239 à 254.

Cat. imp., liv. 138, f. 1.

Grand in-8. 20 vol., demi-rel., au chiffre de Louis-Philippe.
Nouveau fonds 476.

821-822. 續文獻通考鈔
Siu oen hien thong khao tchhao.

Extraits de la Suite à l'Histoire générale économique, administrative, etc.

Par Lo Sen, avec introduction

de 1663 par Chi Yi-kia ; ouvrage gravé à la salle Mei-yen.

30 livres.

Petit in-8. Titre sur papier blanc. 2 vol., demi-rel., au chiffre de la République.

Nouveau fonds 658.

823-828.　正續文獻通考纂

Tcheng siu oen hien thong khao tsoan.

Résumé de l'Histoire générale administrative, économique, etc. (section principale et suite).

Ouvrage de Lang Sing, Ye Ta-oei, Oou Nong-siang, Song Lo-khi, avec préfaces de 1664 par les auteurs et par divers autres ; préface générale de Ma Toan-lin, et introduction de Oang Khi, extraites des ouvrages originaux.

44 livres (22 pour la section principale, 22 pour la suite).

Grand in-8. 6 vol., demi-rel., au chiffre de Napoléon III.

Nouveau fonds 1492 à 1497.

829-830.　文獻通考鈔

Oen hien thong khao tchhao.

Extraits de l'Histoire générale économique, administrative, etc.

Par Lo Sen, avec préface de l'au-

teur (1665) et diverses autres préfaces.

24 livres.

Petit in-8. 2 vol., demi-rel., au chiffre de Louis-Philippe.

Nouveau fonds 444.

831.　文獻通考紀要

Oen hien thong khao ki yao.

Les points importants de l'Histoire générale, économique, administrative, etc.

Poésies sans nom d'auteur ; préface de 1739 par Yin Hoei-yi.

2 livres.

Grand in-8. Titre sur papier blanc. 1 vol., demi-rel., au chiffre de Louis-Philippe.

Nouveau fonds 693.

832.　*Oen hien thong khao ki yao.*

Double.

1 vol., demi-rel., au chiffre de Napoléon III.

Nouveau fonds 1491.

833-864.　欽定續文獻通考

Khin ting siu oen hien thong khao.

Suite à l'Histoire générale administrative, économique, etc. composée par ordre impérial.

Suite à l'ouvrage de Ma Toan-lin (à partir de 1208), composée par une commission à la suite d'un décret de 1747 et présentée à l'Empereur en 1784; comprenant les sections suivantes :

(833-834), terre et impôt foncier, livres 1 à 6.

(834), monnaies, livres 7 à 11.

(834), population, livres 12 à 14.

(835), corvée, livres 15 à 17.

(835-836), taxes indirectes, livres 18 à 24.

(836-837), commerce, livres 25 à 27.

(837), prestations en nature, livres 28 et 29.

(837-838), dépenses publiques, livres 30 à 33.

(838-839), choix des fonctionnaires, livres 34 à 46.

(839-840), éducation publique, livres 47 à 50.

(840-842), fonctions, livres 51 à 64.

(842-843), grands sacrifices, livres 65 à 76.

(844), sacrifices ordinaires, livres 77 à 79.

(844), temple des ancêtres, livres 80 à 84.

(844-845), temples ordinaires, livres 85 et 86.

(845-847), rites de la cour, livres 87 à 100.

(847-849), musique, livres 101 à 120.

(849-851), armée, livres 121 à 134.

(852), justice, livres 135 à 140.

(852-857), livres classiques et autres, livres 141 à 198.

(857-858), empereurs et familles impériales, livres 199 à 205.

(858-859), féodalité, livres 206 à 209.

(859-860), astronomie, livres 210 à 215.

(860-861), prodiges, livres 216 à 228.

(861-862), géographie, livres 229 à 236.

(862-864), peuples barbares, livres 237 à 250.

Cat. imp., liv. 81, f. 24.

Grand in-8, papier blanc. 32 vol., demi-rel., au chiffre de Louis Philippe. *Nouveau fonds* 631.

865-874. 繹史
Yi chi.

L'histoire éclaircie.

Depuis les origines jusqu'à la fin des Tshin. Ouvrage renfermant une histoire continue, des monographies et des tables, par Ma Sou, docteur en 1659; préface de 1670 par Li Tshing.

160 livres. — Cat. imp., liv. 49, f. 31.

Grand in-8. 10 vol., demi-rel., au chiffre de Louis-Philippe. *Nouveau fonds* 28.

---

875. 漢唐事箋前後集
Han thang chi tsien tshien heou tsi.

Notes historiques sur le gouvernement sous les Han et les Thang.

Par Tchou Li, avec préface de Sie Cheng-soẹn (1341) et préface de Yuen Yuen, pour !a présente édition (1822).

20 livres en 2 sections.

Grand in-8. Titre sur papier rouge. 1 vol., demi-rel., au chiffre de Louis-Philippe.

Nouveau fonds 362.

876-890. 歷代名臣奏議
Li tai ming tchhen tseou yi.

Rapports et délibérations des fonctionnaires célèbres des dynasties successives.

Résumé de ces documents par Tchang Phou, de l'époque des Ming, rangé en sections d'après les qualités dominantes de ces rapports et, dans chaque section, par ordre chronologique (depuis l'antiquité jusqu'aux Song). Préface de Tchhen Jen-si (Ming-khing), pour l'édition donnée par lui (1635).

319 livres.

Grand in-8. Titre sur papier jaune. 15 vol., demi-rel., au chiffre de Louis-Philippe.

Nouveau fonds 621.

891-893. *Li tai ming tchhen tseou yi.*

Double incomplet (livres 56 à 100).

3 vol. cartonnés.
Nouveau fonds 4725 à 4727.

894. — I. 歷朝聖賢篆書百體千文
Li tchhao cheng hien tchoan chou po thi tshien oen.

Écritures diverses de l'antiquité.

Exemples d'écriture antique et sigillaire avec lecture moderne : recueillis par Yeou Hoei-'an ; préfaces de 1679, 1682, 1685 ; nouvelle édition.

— II.

清書千字文
Tshing chou tshien tseu oen.

Le Tshien tseu oen en mantchou.

Écrit par Yeou Tchen.

In-4 Papier blanc, impression soignée. 1 vol., cartonnage.
Nouveau fonds 5085.

895-903. 御定佩文齋書畫譜
Yu ting pei oen tchai chou hoa phou.

Histoire de l'écriture et du dessin, composée par ordre impérial.

Ouvrage composé par une commission de fonctionnaires à la suite d'un décret de 1705 ; préface par l'Empereur (1708).

100 livres. — Cat. imp., liv. 113, f. 19.

Grand in-8. 9 vol., demi-rel., au chiffre de la République.
Nouveau fonds 3629 à 3637.

904-905. 隸辨
Li pien.

Étude des caractères *li.*

Comprenant un dictionnaire par rimes (liv. 1 à 5), une liste des 540 anciennes clefs (liv. 6), des notices sur les inscriptions en caractères *li* (liv. 7 et 8). Par Kou 'Ai-ki (dynastie actuelle), avec préface non datée de l'auteur, notice de Hiang Yin (1718), préface de Hoang Cheng (1743); gravé à Nanking.

8 livres. — Cat. imp., liv. 41, f. 59.

Grand in-8. Titre sur papier rouge. 2 vol., demi-rel., au chiffre de Louis-Philippe.
Nouveau fonds 690.

906. 六書實義
Lou chou chi yi.

Dialogue sur l'histoire de l'écriture.

Par Oen Kou-tseu, avec préface de 1720 et postface de 1721.

Grand in-8. Manuscrit. 1 vol., cartonnage.
Nouveau fonds 1798.

907. *Lou chou chi yi.*
Même ouvrage.

Grand in-8. Manuscrit. 1 vol., cartonnage du XVIIIᵉ siècle intitulé : *Analogia characterum.*
Fourmont 20.

908. 篆書緣起
Tchoan chou yuen khi.

Modèles de caractères antiques et sigillaires.

Grand in-8. Papier blanc; sur la garde, note manuscrite du P. Amiot (1788); couverture jaune à dessins. 1 vol., cartonnage.
Nouveau fonds 1686.

909. 舞劍集
Oou kien tsi.

Recueil de caractères antiques, sigillaires et cursifs.

Modèles avec lecture en caractères modernes, et texte.

Livre préliminaire, 3 livres et suppléments.

Petit in-8. Titre sur papier jaune. 1 vol., demi-rel., au chiffre de Louis-Philippe.
Nouveau fonds 447.

910-912. 佛祖統紀
Fo tsou thong ki.

Histoire de la religion bouddhique.

Depuis Çâkyamuni jusqu'à l'époque de Li-tsong (1225-1264);

composée par le bonze Tchi-phan, vers 1269-1271. Préface de Yang Ho; préface du bonze Ming-yu (1614).

54 livres. — Cat. imp., liv. 145, f. 16. — Bunyiu Nanjio, 1661.

Grand in-8. 3 vol., demi-rel., au chiffre de la République (1879).
Nouveau fonds 4219 à 4221.

913-915. 學統
Hio thong.

Histoire de la philosophie.

A partir de Confucius jusqu'à l'époque moderne, y compris les écoles hétérodoxes, le bouddhisme, etc. Par Hiong Tseu-li; préface de l'auteur (1685), diverses préfaces de 1685 et 1688.

56 livres. — Cat. imp., liv. 63, f. 18.

Grand in-8. Titre bleu sur papier blanc (incomplet des livres 1 et 2). 3 vol., demi-rel., au chiffre de Napoléon III,
Nouveau fonds 1957, 1958, 4755, 4756.

916. 國朝漢學師承記
Koę tchhao han hio chi tchheng ki.

Sur l'étude des classiques sous la dynastie régnante.

Par Kiang Fan, avec une postface de 1812 par Oang Hi-soęn, et une préface de 1818 par Yuen Yuen;

planches conservées à Yang-tcheou.

8 livres, avec un appendice du même auteur (liste d'ouvrages sur les classiques publiés sous la dynastie régnante).

Grand in-8. Titre sur papier rouge. 1 vol., demi-rel., au chiffre de Napoléon III.
Nouveau fonds 1316.

917-918. 世本輯補
Chi pęn tsi pou.

Origines des généalogies avec supplément.

Généalogies, biographies et autres renseignements historiques relatifs aux anciens souverains, princes, ministres, etc., depuis l'époque de Hoang ti (2698 a. C.); ouvrage antérieur au 11e siècle a. C., perdu, puis reconstitué en 10 sections par Lieou Hiang; (1er siècle a. C.) commentaires de Ying Chao et de Song Tchong (époque des Han), de Song Kiun (époque des Oei); supplément de Tshin Kia-mou (xixe s.).

4 livres.
Petit in-8. Papier blanc. 2 vol., cartonnage.
Nouveau fonds 4478, 4479.

919. 帝王世系
Ti oang chi hi.

4

Généalogies des empereurs et rois.

Depuis les Tcheou jusqu'à 1644. Fragment incomplet d'un ouvrage intitulé : Explication de la littérature antique, Kou oen tien yi kiai.

Grand in-8. 1 vol., cartonnage.
Nouveau fonds 2361.

920. 增補古今姓氏族譜箋釋

Tseng pou kou kin sing chi tsou phou tsien chi.

Explication des familles et des *gentes.*

Par Hiong Siun-yun, avec une préface de l'auteur (1683) et une autre de Oang Seu-hiun (1724). Cet ouvrage contient un historique des noms de famille avec quelques notices biographiques.

8 livres.

Grand in-8. Titre sur papier jaune. 1 vol., demi-rel., au chiffre de Louis-Philippe.
Nouveau fonds 405.

921. 御製百家姓

Yu tchi po kia sing.

Liste des noms de famille, composée par l'Empereur.

Liste avec indication du lieu d'origine et du ton de prononcia-tion de chaque nom ; préface non signée (1692).

Petit in-8. Impression grossière ; couverture originale ornée de dragons. 1 vol., cartonnage du XVIIIe siècle (titre : *Nomina familiarum sinicarum*).
Fourmont 58.

922. *Yu tchi po kia sing.*

Même ouvrage.

Impression en noir et rouge.

Petit in-8 (incomplet). 1 vol., cartonnage.
Nouveau fonds 4912.

923. 百家姓考略

Po kia sing khao lio.

Examen abrégé des noms de famille.

Par Oang Tsin-cheng, revu par Siu Chi-ye ; planches conservées à la salle Yi-king, à Kia-kiun ; liste des principaux noms avec notice sur leur origine.

Petit in-8. Titre sur papier teinté. 1 vol., demi-rel.
Nouveau fonds 4325.

---

924. 史異編

Chi yi pien.

Les prodiges dans l'histoire.

Par Yu Oen-long, avec préface de l'auteur (1619) ; étude générale sur les pronostics et les prodiges, suivie de listes chronologiques des faits observés.

17 livres. — Cat. imp., liv. 65, f. 21.

Grand in-8. 1 vol., demi-rel., au chiffre de Louis-Philippe.
Nouveau fonds 481.

925-928. 皇輿表

Hoang yu piao.

Tables de géographie historique.

Composées par ordre impérial par La-cha-li et autres (1679); revues et rééditées en 1704 par Koei-siu et autres; dédicaces à l'Empereur et préfaces impériales des deux éditions.

16 livres.

In-4. Belle impression; couvertures originales en soie jaune, titre sur papier jaune. 4 vol., rel., au chiffre de Louis-Philippe.
Nouveau fonds 307.

929-932. *Hoang yu piao.*

Double incomplet.

4 vol., cartonnage.
Nouveau fonds 3512 à 3515.

933-936. *Hoang yu piao.*

Même ouvrage.

Réimpression.

In-4. Titre sur papier blanc. 4 vol., rel., au chiffre de Charles X.
Nouveau fonds 308.

937-940. — I (937).

補三國疆域志

Pou san koe kiang yu tchi.

Supplément à la Géographie des Trois Royaumes (220-280).

Par Hong Liang-ki, avec préface non datée par l'auteur; gravé à Si-'an (1781).

2 livres.

— II (937).

東晉疆域志

Tong tsin kiang yu tchi.

Géographie des Tsin orientaux (317-419).

Par le même; préface de 1789 par Tshien Ta-hin; gravé à Péking (1796).

4 livres.

— III (937).

漢魏音

Han oei yin.

Prononciation de l'époque des Han et des Oei (206 a. C. — 264 p. C.).

Lexique rangé dans l'ordre du Choe oen, par le même; gravé à Si'-an, en 1785.

4 livres.

— IV (937-938).

十六國 畺域志

Chi lou koẹ kiang yu tchi.

Géographie des Seize Royau-mes (303-439).

Par le même ; préface de l'auteur (1785); gravé à Péking (1798).

16 livres.

— V (938-940).

卷施閣集

Kiuen chi ko tsi.

Collection du pavillon Kiuen-chi.

Œuvres diverses de Hong Liang-ki (1746-1809); avec sa vie par ses élèves ajoutée lors d'une réimpres-sion. La 1ʳᵉ édition a été gravée en 1795 à Koei-yang.

48 livres.

— VI (940).

更先齋集

Keng sien tchai tsi.

Collection du pavillon Keng-sien.

Nouvelles œuvres de Hong Liang-ki ; gravées en 1802 au Col-lège des lettrés de Yang-tchhoan.

18 livres.

Grand in-8. Titres sur papier blanc. 4 vol., demi-rel., au chiffre de Napo-léon III.

Nouveau fonds 1784 à 1787.

941. *Pou san koẹ kiang yu tchi.*

Supplément à la Géographie des Trois Royaumes.

Double du nᵒ 937, art. I.

Petit in-8. Titre sur papier jaune. 1 vol., demi-rel., au chiffre de Louis-Phi-lippe.

Nouveau fonds 876.

942. *Tong tsin kiang yu tchi.*

Géographie des Tsin orien-taux.

Double du nᵒ 937, art. II.

Petit in-8. Titre sur papier rose. 1 vol., demi-rel., au chiffre de Louis-Philippe.

Nouveau fonds 862.

943-944. *Chi lou koẹ kiang yu tchi.*

Géographie des Seize Royau-mes.

Double des nᵒˢ 937-938.

Petit in-8. Titre sur papier jaune. 2 vol., demi-rel., au chiffre de Louis-Philippe.

Nouveau fonds 565.

945-946. — I (945-946).

歷代地理志韻編今釋

Li tai ti li tchi yun pien kin chi.

Dictionnaire de géographie historique par ordre de rimes.

Ouvrage compilé par Li Tchao-lo, avec la collaboration de Lou

Tchheng-jou ; préface de 1837 par Mao Yo-cheng.

20 livres, précédés et suivis d'annexes, savoir :

— II (945).

皇朝一統輿地全圖

Hoang tchhao yi thong yu ti tshiuen thou.

Atlas de la Chine actuelle.

21 cartes des provinces, par Lou Yen (1842).

— III (946).

皇朝輿地韻編

Hoang tchhao yu ti yun pien.

Dictionnaire par rimes des districts actuels.

Par Li Tchao-lo.

2 livres.

In-4. Titre sur papier blanc. 2 vol., demi-rel., au chiffre de Louis-Philippe. *Nouveau fonds* 2292, 2293.

947-951.   漢書地理志補注

Han chou ti li tchi pou tchou.

Géographie du Livre des Han (antérieurs).

Par Oou Tcho-sin ; avec une notice de Li Tchao-lo sur l'auteur (1837), et une préface pour la réédition de 1848 par Chen Yen.

103 livres.

Grand in-8. Titre sur papier blanc. 5 vol., demi-rel., au chiffre de Napoléon III.
Nouveau fonds 1788 à 1792.

Sixième Section : BIOGRAPHIES

952.   古列女傳
Kou lie niu tchoan.

Vies des héroïnes antiques.

Par Lieou Hiang (Ier siècle a. C.), avec diverses préfaces ; belle édition illustrée de 1606.

8 livres. — Cat. imp., liv. 57, f. 21.

Grand in-8. Papier blanc. 1 vol., rel., au chiffre de Charles X.
Fourmont 93.

953-954.   景德傳燈錄
King te tchhoan teng lou.

Vies des bonzes par générations et par écoles jusqu'à la période King-te (1004-1007).

A partir des sept bouddhas ; par le bonze Tao-yuen (1006) ; gravé en 1606.

12 livres. — Bunyiu Nanjio, 1524

Grand in-8. Illustré. 2 vol., demi-rel., au chiffre de Napoléon III.
Nouveau fonds 1550, 1551.

955-956. 教外別傳
Kiao oai pie tchoan.

Biographies bouddhiques.

Jusqu'à la 13ᵉ génération spirituelle (XIIᵉ siècle). Ces générations se comptent souvent à partir de Hoai-jang du Nan-yo (677-744), ou de Hing-seu de Tshing-yuen(†740), disciples l'un et l'autre du 33ᵉ et dernier patriarche Hoei-neng. Préface non datée du bonze Fa-tsang; autres préfaces de 1631 et 1633; gravé en 1665.

16 livres.

Grand in-8. 2 vol., demi-rel., au chiffre de la République (1879).
Nouveau fonds 4196, 4197.

957-958. *Kiao oai pie tchoan.*

Même ouvrage.

Grand in-8. Bonne gravure ancienne (incomplet des livres 8 à 16; la table n'est complète que jusqu'au livre 13). 2 vol., demi-rel., au chiffre de Louis-Philippe.
Nouveau fonds 900.

959-962. 五燈會元
Oou teng hoei yuen.

Vies des bonzes par générations et par écoles, 5ᵉ suite.

Ouvrage imité du Tchhoan teng lou (nᵒˢ 953, 954), par le bonze Phou-tsi, qui vivait à la fin de la dynastie des Song; préface par Lin Yong (1364), mentionnant quatre ouvrages analogues composés du commencement du XIᵉ siècle à la fin du XIIIᵉ, et un du milieu du XIVᵉ s. Autre préface de Lou Koang-tsou (1561).

Table en 2 livres; livre préliminaire et 20 livres. — Cat. imp., liv. 145, f. 12.

Grand in-8. 4 vol., demi-rel., au chiffre de la République (1879).
Nouveau fonds 4203 à 4206.

963. 神僧傳
Chen seng tchoan.

Vies des bonzes thaumaturges.

Préface impériale (1417); gravé en 1634 à la bonzerie de Leng-yen, de Kia-hing.

9 livres. — Cat. imp., liv. 145, f. 18. — Bunyiu Nanjio, 1620.

Grand in-8. 1 vol., demi-rel., au chiffre de la République (1879).
Nouveau fonds 4231.

964-975. 弘簡錄
Hong kien lou.

Biographies de souverains et d'hommes célèbres.

Par Chao King-pang, avec préface de l'auteur (1557); postfaces de 1686 et 1688 pour la présente édition faite par les soins de Chao Yuen-phing, arrière-petit-fils de l'auteur; vie de l'auteur (1521-1566). Divisées en 6 sections.

(964-967), époque des Thang (618-907), livres 1 à 74.

(967-968), époque des 5 dynasties (907-960), livres 75 à 85.

(968-973), époque des Song (960-1278), livres 86 à 201.

(973), dynastie des Liao (916-1168), livres 202 à 213.

(974-975), dynastie des Kin (1115-1234), livres 214 à 248.

(975), notices et biographies des barbares (Turks, Tibétains, Ouïgours, etc.), livres 249 à 254.

Grand in-8. 12 vol., demi-rel., au chiffre de Louis-Philippe.

Fourmont 81.

976-978. 續弘簡錄。元史類編

Siu hong kien lou. Yuen chi lei pien.

Suite aux Biographies de souverains et d'hommes célèbres : époque des Yuen.

Par Chao Yuen-phing, avec dédicace à l'Empereur (1699) et préface (1706). — 2 cartes, l'une de la Mongolie, l'autre des côtes de Chine. — Ouvrage divisé en 2 sections.

(976-978), biographies chinoises et mongoles. livres 1 à 41.

(978), notices sur les barbares, livr 42.

Grand in-8. Titre sur papier blanc. 3 vol., demi-rel., au chiffre de Louis-Philippe.

Fourmont 82.

979-984. 藏書

Tshang ch ou

Collection de biographies.

Par Li Tsai-tchi, licencié en 1552, avec préface de Tsiao Hong (1599); préface de Lang-thou-eul-thai pour la réédition de 1708. Recueil très indépendant comme appréciations, comprenant les vies des empereurs et des personnages célèbres depuis l'époque des Royaumes combattants jusqu'aux Yuen.

68 livres. — Cat. imp., liv. 50, f. 45.

In-4. Belle impression ; couvertures en papier jaune portant des notes manuscrites du P. Amiot. 6 vol., demi-rel., au chiffre de Louis-Philippe.

Nouveau fonds 683.

985. 無生訣。寂光境

Oou cheng kiue. Tsi koang king.

Biographies de patriarches et de bonzes.

Introduction de l'auteur, Hoan-tchhou (1602).

3 livres.

Petit in-8. Avec portraits. 1 vol., demi-rel., au chiffre de Napoléon III.
Nouveau fonds 1506.

986-988. 水月齋指月錄
Choei yue tchai tchi yue lou.

Biographies bouddhiques.

Depuis les origines du bouddhisme jusqu'au XIIe siècle, par Kiu Jou-tsi, avec préface de l'auteur (1602) et préface non datée pour une réédition. Gravé à la bonzerie de Hai-tchhoang (1745), à Canton.

32 livres.

In-4. Illustré, papier blanc. 3 vol., demi-rel., au chiffre de Napoléon III.
Nouveau fonds 1434 à 1436.

989. 大明高僧傳
Ta ming kao seng tchoan.

Vies des bonzes éminents jusqu'à la dynastie des Ming.

Par Jou-sing, avec préface de l'auteur (1617).

8 livres.

Grand in-8. 1 vol., demi-rel., au chiffre de la République (1879).
Nouveau fonds 4214.

990-991. 憨山老人年譜 自敘實錄
Han chan lao jen nien phou tseu siu chi lou.

Tableau chronologique de la vie du vieillard de Han-chan dressé par lui-même (1546-1622).

Rédigé par Fou-chan et Fou-tcheng; suivi d'un éloge et d'autres appendices; avec portrait du vieillard.

2 livres.

Grand in-8. 1er vol., cartonnage; 2e vol., demi-rel., au chiffre de la République.
Nouveau fonds 4666, 4182.

992. 聖蹟圖
Cheng tsi thou.

Scènes de la vie de Confucius.

Illustrations et courtes légendes, avec préface non datée de Chao Yi-jen, et abrégé de la vie de Confucius.

In-folio, carré. Papier blanc. 1 vol. (incomplet au commencement et à la fin), dans 1 étui toile bleue.
Nouveau fonds 4381.

993. — I.
聖賢象贊
Cheng hien siang tsan.

Portraits et éloges de Confucius et des Sages.

Préface par Liu Oei-khi (1632).
3 livres.

II.

Cheng tsi thou.

Scènes de la vie de Confucius.

Réduction grossière du nº 992; préface de Han Hoang (1629).

Grand in-8. 1 vol., demi-rel., au chiffre de Louis-Philippe.
Nouveau fonds 225.

994. *Cheng tsi thou.*

Double du nº précédent, art. II.

1 cahier.
Nouveau fonds 4930.

995. 居士分燈錄
Kiu chi fen teng lou.

Vies des fidèles laïques.

Par Tchou Chi-'en, avec préface de l'auteur (1631); livre préliminaire par Song Lien, appendice; postface de 1632.

2 livres.

Grand in-8 (interversion de reliure). 1 vol., demi-rel., au chiffre de la République.
Nouveau fonds 4311.

996. 大西利西泰子傳
Ta si li si thai tseu tchoan.

Vie du P. Ricci (1552-1610).

Sans nom d'auteur; postface de Li Kieou-phiao (1636).

Cordier, Essai, 19.

Grand in-8. Manuscrit, avec portrait du P. Ricci. 1 vol., cartonnage.
Nouveau fonds 2997.

997. 天童密雲禪師年譜
Thien thong mi yun chan chi nien phou.

Tableau chronologique de la vie du bonze Mi-yun (1566-1642).

Par Tao min.

Grand in-8. 1 vol., demi-rel., au chiffre de la République.
Nouveau fonds 4293.

998-1013. 歷代史纂左編
Li tai chi tsoan tso pien.

Biographies extraites des histoires.

Des Han aux Yuen. Par Thang Choen-tchi, avec une préface de l'auteur non datée; impression postérieure à 1644 : l'ouvrage renferme des vies d'empereurs et de grands hommes, de patriarches bouddhiques, de génies taoïstes, etc.

142 livres.

Grand in-8. 16 vol., demi-rel., au chiffre de Louis-Philippe.
Nouveau fonds 344.

1014. 大西西泰利先生行蹟
Ta si si thai li sien cheng hing tsi.

Vie du P. Ricci (1552-1610).

Par le P. Giulio Aleni (1582-1649).

Cordier, *Essai*, 19.

Grand in-8. Manuscrit. 1 vol., cartonnage.
Nouveau fonds 2995.

1015. *Ta si si thai li sien cheng hing tsi.*

Même ouvrage.

Suivi de pièces diverses (épitaphe du P. Ricci, etc.).

Cordier, *Essai*, 19.

Grand in-8. Manuscrit, avec portrait du P. Ricci. 1 vol., cartonnage.
Nouveau fonds 2996.

1016. — I.
Ta si si thai li sien cheng hing tsi.

Même ouvrage que le n° 1014.
Cordier, *Essai*, 19.

— II.

思及先生行蹟

Seu ki sien cheng hing tsi.

Même ouvrage que le n° 1017, art. I.

— III.

思及艾先生語錄

Seu ki 'ai sien cheng yu lou.

Même ouvrage que le n° 1017, art. II.

— IV. V.

楊淇園先生事蹟

Yang khi yuen sien cheng chi tsi.

Vie de Yang Khi-yuen.

Même ouvrage que le n° 1097, avec préface de Tchang Keng.

— VI. VII. VIII.

張彌格爾遺蹟

Tchang mi ke eul yi tsi.

Même ouvrage que le n° 1098.

Texte différent à la fin ; préfaces de Yang Thing-kiun et Sie Meou-ming.

– IX.

悌尼創世紀

Ti ni sio chi ki.

Vie de Denis.

Frère de Tchang Michel (voir ci-dessus art. VI, VII, VIII et 1098).

Par leur père Tchang Ma-teou (1630).

Grand in-8. Manuscrit soigné sur papier blanc. 1 vol., cartonnage.
Nouveau fonds 3090.

1017. — I.

泰西思及艾先生行述

Thai si seu ki 'ai sien cheng hing chou.

Vie du P. Aleni (1582-1649).

Par Li Seu-hiuen.

— II.

泰西思及艾先生語錄

Thai si seu ki'ai sien cheng yu lou.

Propos du P. Aleni.

Par le même auteur.

2 livres.

Grand in-8. Manuscrit soigné sur papier blanc, avec portrait estampé du P. Aleni. 1 vol., cartonnage.
Nouveau fonds 2753.

1018. 西海艾先生行略

Si hai 'ai sien cheng hing lio.

Vie du P. Aleni (1582-1649).

Même ouvrage que le n° précédent, art. I.

Petit in-8. Manuscrit. 1 vol., cartonnage.
Nouveau fonds 3084.

1019. 祖庭嫡傳指南

Tsou thing ti tchoan tchi nan.

Guide pour les vies des patriarches et chefs d'école.

Depuis les sept Bouddhas jusqu'à la 35° génération spirituelle (époque Choen-tchi, 1644-1661). Par Siu Tchhang-tchi, avec préface de l'auteur (1652).

Grand in-8. 1 vol., demi-rel., au chiffre de la République (1879).
Nouveau fonds 4173.

1020. 高僧摘要

Kao seng tche yao.

Vies des bonzes éminents.

Depuis l'introduction du bouddhisme jusqu'à la dynastie régnante. Par Siu Tchhang-tchi, avec préface de l'auteur (1654).

4 livres.

Grand in-8. 1 vol., demi-rel., au chiffre de la République (1879).
Nouveau fonds 4313.

1021. 杜奧定先生東來渡海苦跡

Tou 'ao ting sien cheng tong lai tou hai khou tsi.

Vie du P. Augustin Tudeschini (1598-?).

Par le P. Étienne le Fèvre (1598-1659).

Petit in-8. Manuscrit. 1 vol., cartonnage.
Nouveau fonds 3309.

1022. 許嘉祿傳

Hiu kia lou tchoan.

Vie de Charles Hiu.

Par Ho Chi-tcheng (1675).

Petit in-8. 1 vol., cartonnage.
Nouveau fonds 2915.

1023. 徐光啓行略

Siu koang khi hing lio.

Vie de Siu Koang-khi.

Docteur en 1597. Ouvrage daté de 1678; par Tchang Sing-yao et le P. Couplet (1622-1692).

Cordier, Essai, 127.

Petit in-8. Manuscrit. 1 vol., cartonnage.

Nouveau fonds, 3112.

1024. 安先生行述

'An sien cheng hing chou.

Vie du P. Gabriel de Magalhães (1609-1677).

Par les PP. Louis Buglio (1606-1682) et Ferdinand Verbiest (1623-1688).

Cordier, Essai, 46.

Grand in-8. 1 vol., cartonnage.
Nouveau fonds 2754.

1025. 皇清勅封太孺人顯妣徐太宜人行實

Hoang tshing tchhi fong thai jou jen hien pi siu thai yi jen hing chi.

Vie de la dame Hiu, née Siu (1600-1690).

Pièce rituelle composée par son fils Hiu Yu.

12 feuillets (incomplet).

Grand in-8. Papier blanc. 1 cahier.
Nouveau fonds 4975.

1026-1028. 續燈正統

Siu teng tcheng thong.

Vies des bonzes par générations et par écoles.

De la 16e à la 37e génération spirituelle; par le bonze Sing-thong, avec préface de l'auteur (1691); autres préfaces de 1692, 1693, 1697.

42 livres et appendice.

Grand in-8. Illustré. 3 vol., demi-rel., au chiffre de la République (1879).
Nouveau fonds 4207 à 4209.

1029. — I.

錦江禪燈

Kin kiang chan teng.

Transmission de la doctrine du dhyâna.

Exemples tirés de la vie des maîtres depuis 758 jusqu'à l'époque Khang-hi (1662-1722); par le bonze Thong-tsoei, avec préface du bonze Tchhẹ-cheng (1693). Les cinq derniers livres forment une section séparée avec table spéciale, sous le titre de

— II.

高僧神僧傳

Kao seng chen seng tchoan.

Vies des bonzes éminents et des bonzes thaumaturges.

20 livres pour les deux ouvrages.

Grand in-8. Illustré. 1 vol., demi-rel., au chiffre de la République (1879).
Nouveau fonds 4236.

1030. 普陀列祖錄

Phou tho lie tsou lou.

Liste et vies des principaux bonzes de l'île Phou-tho.

Par le bonze Thong-hiu, avec préface de l'auteur (1696).

Grand in-8. 1 vol., demi-rel., au chiffre de la République.
Nouveau fonds 275.

1031. 黔南會燈錄

Khien nan hoei teng lou.

Vies des bonzes du Koei-tcheou

Sous les Ming et les Tshing. Par Jou-choẹn, avec préface de l'auteur, non datée ; préfaces de 1702 et 1703 ; gravé à la bonzerie Leng-yen, préfecture de Kia-hing (1703).

8 livres.

Grand in-8. 1 vol., demi-rel., au chiffre de la République (1879).
Nouveau fonds 4310.

1032. 南先生行述

Nan sien cheng hing chou.

Vie du P. Ferdinand Verbiest (1623-1688).

Par les PP. Thomas Pereira (1645-1708) et Antoine Thomas (1644-1709).

Cordier, Essai, 109.

Petit in-8. Manuscrit. 1 vol., cartonnage.
Nouveau fonds 3033.

1033. 南山宗統

Nan chan tsong thong.

Vies des patriarches hindous et chinois et des bonzes célèbres chinois.

Depuis l'origine du bouddhisme. Par le bonze Fou-tsiu (XVIIIe siècle), avec préface de King Khaosiang (1733).

10 livres.

Grand in-8. 1 vol., demi-rel., au chiffre de Napoléon III.
Nouveau fonds 1339.

1034-1035. — I (1034-1035).

貳臣傳

Eul tchhen tchoan.

Vies des ministres.

Biographies relatives à l'époque de la dynastie régnante, d'après les archives du Bureau des Historiographes ; publiées à Péking, sans date.

12 livres.

— II (1035).

逆臣傳

Yi tchhen tchoan.

Vies des fonctionnaires rebelles.

Même période que le précédent; même origine et même lieu de publication.

4 livres.

Grand in-8. Titres sur papier blanc et sur papier teinté. 2 vol., demi-rel., au chiffre de Louis-Philippe.
Nouveau fonds 555.

1036-1037. — I (1036-1037).

Eul tchhen tchoan.

Vies des ministres.

Double des n⁰ˢ 1034-1035, art. I.

— II (1037).

Yi tchhen tchoan.

Vies des fonctionnaires rebelles.

Double des n⁰ˢ 1034-1035, art. II.

2 vol., demi-rel., au chiffre de Napoléon III.
Nouveau fonds 1937, 1938.

1038-1052. 滿洲名臣傳

Man tcheou ming tchhen tchoan.

Vies des fonctionnaires célèbres mantchous.

Depuis les origines de la dynastie jusqu'à l'époque Khien-long, d'après les archives du Bureau des Historiographes; publication officielle faite à Péking.

48 livres.

In-18. Titre sur papier rouge. 15 vol., demi-rel., au chiffre de Louis-Philippe.
Nouveau fonds 490.

1053-1060. 漢名臣傳

Han ming tchhen tchoan.

Vies des fonctionnaires célèbres chinois.

Depuis 1644 jusqu'au règne de Khien-long; même origine et même lieu de publication que le précédent.

32 livres.

In-18. Titre sur papier rouge. 8 vol., demi-rel., au chiffre de Louis-Philippe.
Nouveau fonds 491.

1061. 四書左國輯要

Seu chou tso koẹ tsi yao.

Collection de biographies antiques.

Tirées des Seu chou, du Tso tchoan et des Koẹ yu, par Tcheou Long-koan; préface de l'auteur (1758); gravé en 1797.

4 livres.

Petit in-8. Titre sur papier jaune. 1 vol., demi-rel., au chiffre de la République.
Nouveau fonds 576.

1062. 角虎集

Kio hou tsi.

Biographies de bonzes et de fidèles.

Par le bonze Tsi-neng; gravé à la bonzerie Hai-tchhoang (1770).

2 livres.

Grand in-8. Papier blanc. 1 vol., demi-rel., au chiffre de Louis-Philippe.
Nouveau fonds 643.

1063-1066. 史姓韻編

Chi sìng yun pien.

Répertoire biographique par ordre de rimes.

Donnant de brèves indications biographiques et renvoyant aux sources. Par Oang Hoan-tsheng, avec préface de l'auteur (1783); préface de l'éditeur Fong Tsou-hien (1884). Imprimé à Changhai, en caractères mobiles (1884).

64 livres.

In-12. Papier blanc, titre sur papier blanc. 4 vol., cartonnage.
Nouveau fonds 5124 à 5127.

1067. 百美新詠集詠

Po mei sin yong tsi yong.

Éloges en vers des beautés célèbres.

Poésies de divers auteurs modernes, avec préface de Yen Hi-yuen (1792) et plusieurs postfaces (1804, 1805); suivies des portraits et vies des beautés remarquables avec préface (1804).

2 livres.

Grand in-8. Sur papier blanc. 1 vol., demi-reliure.
Nouveau fonds 1919.

1068-1093. 歷代名賢列女氏姓譜

Li tai ming hien lie niu chi sing phou.

Dictionnaire par rimes des hommes et femmes célèbres des dynasties successives.

Par Siao Tchi-han, avec une préface de l'auteur (1793); gravé en 1792; réimpression avec préface de 1815.

157 livres.

Grand in-8. Titre sur papier jaune. 26 vol., demi-rel., au chiffre de Louis-Philippe.
Nouveau fonds 617.

1094-1095. 疇人傳

Tchheou jen tchoan.

Vies des mathématiciens.

Avec une préface de Yuen Yuen (1799), qui est peut-être l'auteur de l'ouvrage et qui l'a fait graver à Yang-tcheou; traitant des mathématiciens chinois rangés par époques depuis les temps légendaires jusqu'à la dynastie régnante (liv. 1-42) et des étrangers depuis Méton jusqu'à Cassini, Kepler, etc. (liv. 43-46).

46 livres.

Grand in-8. Titre sur papier blanc. 2 vol., demi-rel., au chiffre de Louis-Philippe.
Nouveau fonds 420.

1096. 泰西殷覺斯先生行略

Thai si yin kio seu sien cheng hing lio.

Vie du P. Prosper Intorcetta (1625-1696).

Grand in-8, manuscrit (XVIIᵉ ou XVIIIᵉ siècle). 1 vol., cartonnage.
Nouveau fonds 4959.

1097. 楊淇園先生超性事蹟

Yang khi yuen sien cheng tchhao sing chi tsi.

Vie et conversion de Yang Khi-yuen.

Ce personnage, postnom Thing-kiun, docteur en 1592, fut converti par le P. Ricci. Ouvrage de Ting Tchi-lin (xvɪɪᵉ ou xvɪɪɪᵉ s.).

Grand in-8. 1 vol., cartonnage.
Nouveau fonds 3370.

1098. 張識

Tchang tchi.

Vie de Tchang Tchi, chrétien.

Ce personnage naquit vers 1605. Ouvrage de Hiong Chi-khi (xvɪɪᵉ ou xvɪɪɪᵉ s.).

Petit in-8, manuscrit. 1 vol., cartonnage.
Nouveau fonds 3146.

1099-1101. 粵東名儒言行錄

Yue tong ming jou yen hing lou.

Vies des lettrés du Koang-tong.

Des Han à la dynastie régnante. Par Teng Choen, avec une préface de 1830 ; gravé en 1831.

24 livres.

Grand in-8. Titre sur papier rouge. 3 vol., demi-rel., au chiffre de Louis-Philippe.
Nouveau fonds 808.

1102-1103. 國朝先正事略

Koe tchhao sien tcheng chi lio.

Vies des hommes remarquables de la dynastie régnante.

Par Li Yuen-tou, avec préface de l'auteur (1867) ; préface de Tsheng Koe-fan (1870) ; réimprimé à Changhai (1886).

60 livres.

In-12. Papier blanc, titre sur papier blanc. 2 vol., cartonnage.
Nouveau fonds 5128, 5129.

1104. 遺史儒臣傳

Yi chi jou tchhen tchoan.

Vies des fonctionnaires lettrés.

Édition du xvɪᵉ siècle (?), partie

d'un ouvrage, relative aux dynasties des Han, Oei, Thang, etc.

Livres 28 à 31.

Grand in-8. 1 vol , cartonnage.
Nouveau fonds 2723.

Septième Section : **ARCHÉOLOGIE, NUMISMATIQUE.**

1105-1109. 東書堂重修宣和博古圖錄

Tong chou thang tchhong sieou siuen ho po kou thou lou.

Collection d'antiquités rassemblées à la période Siuen ho (1119-1125), reproductions et légendes. Réimpression de la salle Tong-chou.

Cette réimpression est faite par les soins de Hoang Hiao-fong (1752), d'après une édition de 1603; préfaces de Hong Chi-tsiun (1603), de Tsiang Yang (1528); postface de Oou Oan-hoa (période Oan-li, 1573-1619). L'ouvrage original daterait en réalité de 1107-1110 et la rédaction actuelle serait due à Oang Fou (de 1308 à 1311).

3o livres. — Cat. imp., liv. 115, f. 7.

In-4. Papier blanc, titre sur papier jaune. 5 vol., demi-reliure.
Nouveau fonds 1035.

1110-1116. — I (1110-1114).

東書堂重修宣和博古圖錄

Tong chou thang tchhong sieou siuen ho po kou thou lou.

Même ouvrage.

— II (1115-1116).

亦政堂重修考古圖

Yi tcheng thang tchhong sieou khao kou thou.

Collection d'antiquités, reproductions et légendes. Réédition de la salle Yi-tcheng.

Réédition de Hoang Hiao-fong (1752), d'après la réédition de Tchhen Yi-tseu; préface de celui-ci (1299), préface de 1603, préface de Hoang Cheng (Hiao-fong) datée de 1753. Note de l'auteur Liu Ta-lin (1092).

1o livres. — Cat. imp., liv. 116, f. 2.

— III (1116).

亦政堂重修考古玉圖

Yi tcheng thang tchhong sieou khao kou yu thou.

Collection de jades antiques, reproductions et légendes. Réédition de la salle Yi-tcheng.

Ouvrage de Tchou Tẹ-joẹn, avec préface de l'auteur (1308) et postface de Oou Oan-hoa (1602); réédition donnée par Hoang Hiao-fong (1752).

2 livres.

In-4. Papier blanc, titres sur papier teinté. 7 vol., demi-rel., au chiffre de Napoléon III.

Nouveau fonds 1859 à 1865.

1117-1120. — I (1117-1120).

東書堂重修宣和博古圖錄

Tong chou thang tchhong sieou siuen ho po kou thou lou.

Même ouvrage qu'aux nᵒˢ 1105-1109.

Avec une table générale manuscrite placée en tête.

— II (1120).

亦政堂重修考古圖

Yi tcheng thang tchhong sieou khao kou thou.

Même ouvrage qu'aux nᵒˢ 1115-1116.

— III (1120).

亦政堂重修考古玉圖

Yi tcheng thang tchhong sieou khao kou yu thou.

Même ouvrage qu'au nᵒ 1116.

4 vol., demi-rel., au chiffre de Napoléon III.

Nouveau fonds 1866 à 1869.

1121-1124. — I (1121-1123).

東書堂重修宣和博古圖錄

Tong chou thang tchhong sieou siuen ho po kou thou lou.

Même ouvrage qu'aux nᵒˢ 1105-1109.

Légères différences dans les planches de la seconde préface; gravure plus récente.

— II (1124).

亦政堂重修考古玉圖

Yi tcheng thang tchhong sieou khao kou yu thou.

Même ouvrage qu'au nᵒ 1116.

Titre légèrement différent.

— III (1124).

亦政堂重修考古圖

Yi tcheng thang tchhong sieou khao'kou thou.

Même ouvrage qu'aux nᵒˢ 1115-1116.

Titre légèrement différent.

In-4. Papier blanc, titres sur papier jaune. 4 vol., demi-rel., au chiffre de Louis-Philippe.

Nouveau fonds 417.

1125-1131. 古玉圖譜
Kou yu thou phou.

Jades antiques, reproductions et légendes.

Ouvrage composé par ordre impérial par Long Ta-yuen et autres, avec préface de 1176; réédition de 1779 avec une préface de Kiang Tchhoẹn.

100 livres. — Cat. imp., liv. 116, f. 7.

In-4. Belle impression sur papier blanc; titre sur papier jaune. 7 vol., demi-rel., au chiffre de Louis-Philippe (la table est reliée en désordre).
Nouveau fonds 618.

1132. 洞天清錄
Tong thien tshing lou.

Recueil de discussions archéologiques.

Par Tchao Hi-hou, membre de la famille impériale (vers 1240).

Cat. imp., liv. 123, f. 1.

Petit in-8. Impression défectueuse (incomplet d'une partie du 1er feuillet). 1 vol., cartonnage.
Nouveau fonds 5104.

1133. 大明通行寶鈔
Ta ming thong hing pao tchhao.

Billet de banque de la dynastie des Ming (1375?).

Ce billet (valeur 1000 sapèques) est encarté et précédé d'une note manuscrite de J. Klaproth.

In-folio. 1 vol., demi-reliure.
Nouveau fonds 2153.

1134-1137. 程氏墨苑
Tchheng chi mẹ yuen.

Collection des dessins pour les pains d'encre, par Tchheng.

Tchheng Ta-yo, fabricant d'encre, réunit, fit imprimer et présenta à l'Empereur une importante collection de ces dessins; il y joignit un grand nombre de notes, poésies, pièces diverses des meilleurs calligraphes. Préfaces de divers auteurs (de 1594 à 1605) mises en appendice avec la liste des noms, titres, lieux d'origine de tous les écrivains qui ont concouru à l'ouvrage; imprimé à la salle Tseu-lan.

12 livres (d'après un autre numérotage, 6 livres en 2 sections chacun) pour l'ouvrage et 3 livres pour l'appendice. — Cat. imp., liv. 116, f. 13.

In-4. Papier blanc, superbe impression; couvertures originales avec notes manuscrites du P. Amiot. 4 vol., demi-rel., au chiffre de la République (reliure en désordre, des feuillets, des volumes chinois sont intervertis, p. e. au livre 7; l'appendice est intercalé entre les livres 9 et 10).
Nouveau fonds 312.

1138-1143. — I (1138).

錢 錄

Tshien lou.

Collection numismatique, reproductions et légendes.

Ouvrage composé par ordre impérial (voir ci-dessous), s'étendant des origines à 1644.

16 livres. — Cat. imp., liv. 115, f. 26.

— II (1138-1143).

西清古鑑

Si tshing kou kien.

Collection d'antiquités, reproductions et légendes.

Ouvrage composé par ordre impérial par une commission formée des princes de Tchoang et de Koo, de Liang Chi·tcheng, etc.; décret de 1749, liste de la commission.

4o livres.—Cat. imp., liv. 115, f. 11.

In-folio. Belle impression sur papier blanc ; couvertures originales en soie. 6 vol., reliure au chiffre de Louis-Philippe.
Nouveau fonds 568.

1144. ## 欽定錢錄

Khin ting tshien lou.

Collection numismatique, reproductions et légendes.

Réimpression faite, par ordre impérial, du n° 1138, contenant la préface originale de Liang Chi-tcheng et la dédicace de la réimpression, par Ki Yun et autres (1787).

16 livres.

Grand in-8. Titre sur papier blanc. 1 vol., demi-rel., au chiffre de la République.
Nouveau fonds 421 A.

1145.

Khin ting tshien lou.

Même ouvrage.

Impression sur papier grossier, faite avec des planches légèrement usées.

Grand in-8 (livres 15 et 16 seulement, manquent des feuillets). 1 vol., demi-rel., au chiffre de Napoléon III.
Nouveau fonds 2006.

1146. — I.

稽古齋鐘彝器款識

Ki kou tchai tchong yi khi khoan tchi.

Collection d'inscriptions antiques.

Des Chang aux Tsin. Recueil d'inscriptions sur des cloches, vases à sacrifices, etc.; reproductions et explications ; ouvrage publié par Yuen Yuen, qui y a mis une préface (1804) et y a joint deux traités (voir II et III).

10 livres.

— II.

商周銅器說

Chang tcheou thong khi choe.

Traité sur les bronzes des Chang et des Tcheou.

— III.

商周兵器說

Chang tcheou ping khi choe.

Traité sur les armes des Chang et des Tcheou.

Grand in-8. Papier blanc; titre sur papier rose. 1 vol., demi-rel., au chiffre de Louis-Philippe.

Nouveau fonds 450.

1147-1159. 金石粹編
Kin chi soei pien.

Recueil d'inscriptions sur métal et sur pierre.

Reproductions, lectures et notes; ce recueil s'étend des origines jusqu'au XIIIe s. et comprend quelques inscriptions de pays non chinois. Auteur : Oang Tchhang; postface de 1805.

160 livres.

Grand in-8. 13 vol., demi-rel., au chiffre de la République.

Nouveau fonds 574.

1160. 求古精舍金石圖初集

Khieou kou tsing che kin chi thou tchhou tsi.

Antiquités en métal et en pierre, premier recueil.

Reproductions soignées et notices; gravées par les soins de Tchhen King, qui y a mis une préface (1813); préfaces de Yuen Yuen (1816) et autres; préface de 1818.

4 livres.

In-4, sur papier blanc; titre sur papier blanc. 1 vol., demi-rel., au chiffre de Napoléon III.

Nouveau fonds 1294.

1161. 吉金所見錄
Ki kin so kien lou.

Traité des objets de bon augure en métal.

Texte et planches, monnaies, amulettes, etc.; par Tchhou Chang-ling, avec préface de l'auteur (1819); préfaces de divers auteurs et diverses dates (1783 à 1827); planches conservées chez l'auteur.

1 livre préliminaire, 16 livres, 1 supplément.

Grand in-8. 1 vol., demi-rel., au chiffre de Napoléon III.

Nouveau fonds 2007.

1162. 錢式圖

Tshien chi thou.

Traité numismatique.

Texte et planche; par Sie Khoẹn, avec préface de l'auteur (1842); forme les livres 21 à 23 de la collection Tchhoẹn tshao thang tsi.

3 livres.

In-12. Papier blanc; titre sur papier blanc. 1 vol., demi-rel., au chiffre de Napoléon III.
Nouveau fonds 2004.

1163. 吉金志存

Ki kin tchi tshoẹn.

Traité des objets de bon augure en métal.

Texte et planches; par Li Koang-thing, avec une postface de 1859.

4 livres.

Grand in-8. Papier blanc; titre sur papier rouge. 4 vol. chinois dans 1 étui en toile bleue.
Nouveau fonds 4379.

1164. 詒燕堂

Yi yen thang.

(Traité numismatique) de la salle Yi-yen.

Depuis les origines jusqu'à 1368, texte et planches; sans nom d'auteur, ni lieu, ni date.

Grand in-8. Papier blanc. 1 vol., demi-rel., au chiffre de Napoléon III.
Nouveau fonds 2005.

1165.

Numismatique chinoise.

Empreintes de monnaies prises à la mine de plomb.

Grand in-8. 1 vol., demi-rel.
Nouveau fonds 2011.

Huitième Section : ÉPIGRAPHIE

1166-1169. 禹碑

Yu pei.

Inscription attribuée à l'empereur Yu.

Quatre estampages différents, renfermant l'un le texte seul, les trois autres le texte et la lecture en caractères usuels; notices datées de 1537 et de 1666.

(1166) 1 rouleau.
Nouveau fonds 3471.
(1167) 1 grande feuille pliée dans un carton in-folio.
Nouveau fonds 1848.
(1168) 1 cadre.
Nouveau fonds 2189.
(1169) 1 cadre.
Nouveau fonds 2190.

1170. *Yu pei.*

Même inscription.

Copie manuscrite du texte original avec la lecture en caractères usuels et la prononciation en lettres latines ; titre et traduction de la main du P. Amiot (1777).

In-folio, couverture originale en soie jaune. 1 vol., demi-rel., au chiffre de Louis-Philippe.
Nouveau fonds 2154.

1171. 孔子書殷少師比干墓銘

Khong tseu chou yin chao chi pi kan mou ming.

Épitaphe de Pi-kan, de l'époque des Yin, attribuée à Confucius.

Estampage : texte ancien, lecture, note non datée de la dynastie actuelle.

1 cadre.
Nouveau fonds 2209.

1172. 石鼓文
Chi kou oen.

Inscriptions des tambours de pierre.

Attribuées à la dynastie des Tcheou ; 10 estampages collés en atlas (interversions).

In-folio. 1 vol., cartonnage.
Nouveau fonds 2191.

1173-1174. 重排石鼓文音訓

Tchhong phai chi kou oen yin hiun.

Transcription et commentaire des inscriptions des tambours de pierre, avec pièce de vers composée par l'Empereur (1790).

Ces stèles ont été placées dans le temple de la Littérature à Péking et à Jẹ-ho. Estampages découpés et collés en atlas.

In-folio. 2 vol., cartonnage.
Nouveau fonds 2192, 2193.

1175-1176. 秦相李斯書繹山碑

Tshin siang li seu chou yi chan pei.

Inscription de la montagne Yi, écrite par Li Seu, grand conseiller des Tshin (219 a. C.).

Estampage : texte sigillaire, suivi d'une note de Tcheng Oen-pao (993).

2 cadres.
Nouveau fonds 2195, 2194.

1177. 西嶽華山廟碑

Si yo hoa chan miao pei.

Inscription du temple de la montagne Hoa (165 p. C.)

Estampage découpé et collé en atlas.

In-folio. 1 vol., cartonnage.
Nouveau fonds 2196.

1178. 隨 (sic) 柱國左光祿大夫弘義明公皇甫府君之碑

Soei tchou koe tso koang lou ta fou hong yi ming kong hoang fou fou kiun tchi pei.

Épitaphe de Hoang-fou Tan.

Composée par Yu Tchi-ning, écrite par 'Eou-yang Siun; réduction d'un estampage, suivie d'une note imprimée. Hoang-fou Tan est mort en 604.

Grand in-8. Caractères blancs sur noir. 1 vol., cartonnage.
Nouveau fonds 5066.

1179-1182. 太山銘

Thai chan ming.

Inscription de la montagne Thai.

Composée par l'Empereur (726); estampage découpé et collé en atlas.

In-folio. 4 vol., cartonnage.
Nouveau fonds 2198 à 2201.

1183. 大唐西京千福寺多寶佛塔感應碑文

Ta thang si king tshien fou seu to pao fo tha kan ying pei oen.

Inscription de la bonzerie Tshien-fou.

Composée par Tshen Hiun (752); réduction d'un estampage, gravée en 1757 pour Liang Kiu-tcheng. La bonzerie est située à Fong-siang.

In-4. Caractères blancs sur noir. 1 vol., en forme de paravent, demi-reliure.
Nouveau fonds 31.

1184. 般若墓

Yin jo mou.

Inscription du tombeau de Yin Jo (775).

Écrite par le bonze Hoei-che; estampage.

1 rouleau.
Nouveau fonds 3475.

1185-1187. 大秦景教流行中國碑

Ta tshin king kiao lieou hing tchong koe pei.

Inscription relatant l'introduction du christianisme en Chine.

Trois estampages différents de la stèle de Si-'an-fou; l'inscription, composée par King-tsing, date de 781.

(1185) 1 cadre.
Nouveau fonds 2206.
(1186) 1 cadre.
Nouveau fonds 3468.
(1187) 1 feuille pliée.
Nouveau fonds 4921.

1188. 景教流行中國碑頌並序

King kiao lieou hing tchong koe pei song ping siu.

L'inscription de Si-'an-fou.

Texte de l'inscription, suivi d'une notice par Liang-'an (1625).

Petit-in-8. 1 vol., cartonnage.
Nouveau fonds 2982.

1189. *King kiao lieou hing tchong koe pei song ping siu.*

Double.

Nouveau fonds 3211.

1190. 唐景教碑頌正詮

Thang king kiao pei song tcheng tshiuen.

L'inscription chrétienne des Thang avec explications.

Texte de l'inscription; explication et préface du P. Emmanuel Diaz (1641); note sur les anciens monuments chrétiens trouvés en Chine. — Gravé à l'église de Oou-lin (1644).

Grand in-8. Titre sur papier teinté, frontispice représentant une croix. 1 vol., cartonnage.
Fourmont 278.

1191. *Thang king kiao pei song tcheng tshiuen.*

Double.

Demi-rel., au chiffre de Louis-Philippe.
Nouveau fonds 357.

1192. *Thang king kiao pei song tcheng tshiuen.*

Double.

Sans le frontispice; cartonnage.
Nouveau fonds 2983.

1193. 先師像

Sien chi siang.

Portrait de Confucius.

Surmonté d'un éloge; à gauche en bas, on lit le nom de Oou Tao-tseu, célèbre peintre du VIIIe siècle; note de Tchang Oen-khoei (1564). Estampage.

1 cadre.
Nouveau fonds 2197.

1194. 化度寺故...舍利塔銘

Hoa tou seu kou.... che li tha ming.

Inscription d'une pagode de la bonzerie de Hoa-tou.

Vraisemblablement de l'époque des Thang. Réduction d'un estampage en blanc sur noir, suivie de diverses notes imprimées en noir sur blanc et datées de 1800, 1821, 1847.

In-4. 1 vol., en forme de paravent, relié entre deux planchettes.
Nouveau fonds 5065.

1195. 南岳宣義大師夢英六體書

Nan yo siuen yi ta chi mong ying lou thi chou.

Inscription en six sortes de caractères, du religieux Mong-ying, du Nan-yo.

Estampage : texte en caractères de formes diverses et texte inter-linéaire très fin ; daté de 967.

1 cadre.
Nouveau fonds 2203.

1196. 南岳宣義大師賜紫夢英書

Nan yo siuen yi ta chi tseu tseu mong ying chou.

Inscription du religieux Mong-ying, du Nan-yo.

Estampage : texte renfermant les 540 clefs et quelques autres caractères en forme sigillaire et

en forme usuelle : à la fin, note de Mong-ying (999) ; l'inscription est dans le temple de la Littérature à Si-'an-fou.

1 cadre.
Nouveau fonds 2204.

1197. 重修涇州回山王母宮頌并序

Tchhong sieou king tcheou hoei chan oang mou kong song ping siu.

Inscription pour la remise à neuf du palais de la mère de l'Empereur à Hoei-chan.

Estampage : texte sigillaire dû à Thao Kou-oen (1025).

1 cadre.
Nouveau fonds 2209 *bis.*

1198. 金石錄

Kin chi lou.

Catalogue d'inscriptions.

Des origines à 960. Catalogue de la collection de l'auteur, Tchao Ming-tchheng, avec examens criti-ques de Lieou Khi (1117), Li Yi-'an (1132) et Ye Tchong, pour une réédition (1473). Réédition de 1762.

30 livres. — Cat. imp., liv. 86, f. 3.

Grand in-8. Titre sur papier jaune.

ɪ vol., demi-rel., au chiffre de Napoléon III.

Nouveau fonds ɪ296.

1199. 隸釋
Li chi.

Collection d'inscriptions en caractères *li*.

De l'époque des Han. Publiées en caractères usuels par Hong Koo (1167), édition moderne.

27 livres. — Cat. imp., liv. 86, f. 7.

Grand in-8. Papier blanc; titre sur papier jaune. ɪ vol., demi-rel.

Nouveau fonds 3562.

1200. 嘯堂集古錄
Siao thang tsi kou lou.

Collection d'inscriptions de la salle Siao.

Depuis les Chang jusqu'aux Han. Reproduction des textes et lecture, ouvrage publié par Oang Khieou, avec une postface de Tsheng Ki (1176). Réédition avec un examen critique de Tchang Yong-king, qui est accompagné d'une introduction de Hou Tchong-chou (1802); gravée en 1811 et 1812.

2 livres de texte et 2 livres d'examen. — Cat. imp., liv. ɪɪ5, f. 6.

In-4. Papier blanc; titre sur rouge. ɪ vol., demi-reliure.

Nouveau fonds 236.

1201. 大元勅藏御服之碑
Ta yuen tchhi tshang yu fou tchi pei.

Inscription relative à la translation des vêtements portés par l'Empereur.

Texte de Tchao Chi-yen (1315); reproduction d'un estampage, en blanc sur noir.

Grand in-8. ɪ vol., en forme de paravent entre deux planchettes, dans ɪ étui, demi-rel., au chiffre de Napoléon III.

Nouveau fonds ɪ396.

1202. 建福州天主堂碑記
Kien fou tcheou thien tchou thang pei ki.

Inscription relatant la fondation de l'église de Fou-tcheou.

Reproduction imprimée, sans lieu ni date; l'inscription est due à Thong Koę-khi (1655).

Grand in-8. ɪ vol., cartonnage.

Nouveau fonds 2973.

1203.

Estampage représentant trois femmes et un paysage; quelques lignes en l'honneur de la grand' mère de l'écrivain sont signées ˙O Lo (1683); gravé à Péking.

1 cadre.
Nouveau fonds 2207.

1204. 清眞寺記

Tshing tchen seu ki.

Inscriptions de la synagogue de Khai-fong.

Copie manuscrite postérieure à 1679.

Grand in-8. 1 vol., cartonnage.
Nouveau fonds 2021.

1205. 御製西師詩

Yu tchi si chi chi.

Ode composée par l'Empereur au sujet de la guerre contre les Eleuts.

Reproduction en blanc sur noir d'une inscription élevée dans l'intérieur du Palais (1758).

In-4. 1 vol., en forme de paravent entre deux planchettes. Titre chinois, note manuscrite du P. Amiot ; dans 1 étui, demi-rel., au chiffre de Napoléon III.
Nouveau fonds 1840.

1206. 御製土爾扈特全部歸順記

Yu tchi thou eul hou the tshiuen pou koei choen ki.

Note composée par l'Empereur au sujet de la soumission volontaire des Tourgouts.

Reproduction en blanc sur noir

d'une inscription gravée en 1771 : note additionnelle de Yu Min-tchong.

Grand in-8. 1 vol., en forme de paravent ; couverture de soie jaune avec titre manuscrit du P. Amiot ; dans 1 étui, demi-rel., au chiffre de Napoléon III.
Nouveau fonds 1918.

1207. 御製實錄敍述

Yu tchi chi lou siu chou.

Composition impériale (1776) d'après les archives de la dynastie.

Cette composition relate la victoire remportée par Thai-tsou, sur l'armée des Ming (1619) ; suivie d'une notice de Yu Min-tchong. Reproduction très soignée d'une stèle.

Grand in-8. 1 vol., en forme de paravent ; couverture de soie avec note manuscrite du P. Amiot ; dans 1 étui, demi-rel., au chiffre de Napoléon III.
Nouveau fonds 1839.

1208. 宮保顏公墓誌銘

Kong pao yen kong mou tchi ming.

Épitaphe de Yen, précepteur du Prince héritier.

Ce personnage est mort en 1833 ; auteur : Tchhang-ling ; réduction d'un estampage.

Grand in-8. 1 vol., demi-rel., au chiffre de Napoléon III.
Nouveau fonds 1313.

1209. 西藏碑文奏疏

Si tsang pei oen tseou sou.

Inscriptions et rapports relatifs au Tibet.

Recueil comprenant :
1º Une collection d'inscriptions du VIIIᵉ siècle à l'époque Kia-khing, (1796-1820).

2º Une collection de poésies impériales sur la soumission du Kin-tchhoan (1776).

3º Des rapports (1840 à 1844), divisés en 4 livres. Belle publication officielle sans préface ni nom d'auteur.

In-4. Papier blanc. 1 vol., cartonnage.
Nouveau fonds 5211.

1210. 皇清誥授奉政大夫瞿君墓志銘

Hoang tshing kao cheou fong tcheng ta fou kiu kiun mou tchi ming.

Épitaphe de Kiu, fonctionnaire.

Par Lieou Tchhou (1851); réduction d'un estampage.

In-4. 1 vol., en forme de paravent entre deux planchettes, dans 1 étui, demi-rel., au chiffre de Napoléon III.
Nouveau fonds 1312.

1211. 壽山福海

Cheou chan fou hai.

Formule de souhait.

Quatre caractères de grande taille, sans signature ni lieu ni date ; estampage.

1 rouleau.
Nouveau fonds 3477.

1212.

Réduction d'estampage (incomplet).

In-4. 1 vol., en paravent dans un étui ; cartonnage.
Nouveau fonds 2742.

Neuvième Section : PALÉOGRAPHIE, ETC.

1213-1222. 歷代帝王名臣法帖

Li tai ti oang ming tchhen fa thie.

Fac-similé d'autographes des Empereurs, Rois et fonctionnaires célèbres.

Reproduction de pièces d'une collection de la fin du Xᵉ siècle ; préparée par Tchang Ying-tchao (1615). Autographes de différentes époques, depuis le mythique Tshang Hie jusqu'aux Thang; les livres 6 à 10 sont consacrés à Oang Hi-tchi et Oang Hien-tchi (ɪᵛᵉ s. p. C.).

10 livres.

In-folio, en forme de paravent; couvertures en soie jaune portant des annotations du P. Amiot; caractères blancs sur fond noir. 10 vol. renfermés dans 5 étuis, demi-rel., au chiffre de Napoléon III.

Nouveau fonds 1849 à 1858.

1223-1231. 唐宋八大家法書

Thang song pa ta kia fa chou.

Fac-similé d'autographes des dynasties Thang et Song.

Reproduction postérieure à 1621.

12 livres (incomplet des livres 4, 5 et 6).

Grand in-8, en forme de paravent entre deux planchettes; caractères blancs sur noir. 9 vol., renfermés dans 3 étuis, demi-rel., au chiffre de Napoléon III.

Nouveau fonds 2008 à 2010.

1232. 汝帖
Jou thie.

Collection paléographique.

Spécimens d'écriture depuis l'antiquité jusqu'à l'époque des Thang; cette collection, qui avait été perdue, a été gravée de nouveau pen-

dant la période Choen-tchi (1644-1661) par les soins de Fan Tchheng-tsou; elle a été gravée encore une fois par les soins de Tong Ta-choen (1826); notice finale de Po Ming-yi (1842). Estampages montés en atlas.

In-folio large. 1 vol., cartonnage.
Nouveau fonds 2205.

1233-1234. 淳化祕閣法帖考正

Choen hoa pi ko fa thie khao tcheng.

Examen des autographes de la Bibliothèque Impériale, période Choen-hoa (990-994).

Édition critique par Oang Chou, avec préface de 1730, des documents manuscrits de la collection des empereurs Song, collection publiée en 992, par Oang Tchou, puis par Mi Fei (1088), Hoang Po-seu (1108), etc. Vies de Mi Fei, Oang Tchou et Hoang Po-seu.

10 livres et 2 livres supplémentaires. — Cat. imp., liv. 86, fol. 43.

In-4. Titre sur papier blanc. 2 vol., demi-rel., au chiffre de la République.
Nouveau fonds 314.

1235. 百福全圖
Po fou tshiuen thou.

Cent formes du caractère *fou* (bonheur).

Écrites par Tchang Cheng-mou (1767).

ı rouleau manuscrit.
Nouveau fonds 3563.

1236-1238.

107 portraits de Chinois célèbres. Peintures avec notices sur chaque personnage : elles ont été copiées en 1685 sur les originaux de la bonzerie Hing-tẹ, à Péking, par Pou Kie, qui arédigé les notices. Elles sont disposées dans l'ordre européen de gauche à droite et précédées d'une note du P. Amiot (1771).

In-folio carré, manuscrit. 3 vol., reliure, au chiffre de Louis-Philippe.
Nouveau fonds 573.

1239. 晚 笑 堂 竹 莊 畫 傳

Oan siao thang tchou tchoang hoa tchoan.

Portraits de personnages célèbres, par Tchou-tchoang.

Préface par l'auteur Tcheou Tchou-tchoang (1743). Les portraits, accompagnées de brèves notices, sont rangées en trois classes : personnages divers, poètes et lettrés du III⁰ au XI⁰ siècle, officiers remarquables de Thai-tsou des Ming.

In-4. Papier blanc ; titre sur papier blanc. ı vol., demi-rel., au chiffre de Louis-Philippe.
Nouveau fonds 1835.

1240. *Oan siao thang tchou tchoang hoa tchoan.*

Même ouvrage.

Réimpression, renfermant en plus une postface sans date par Lieou Khi.

In-4. Papier blanc ; titre sur papier jaune. ı vol., cartonnage.
Nouveau fonds 4597.

1241. 古 聖 賢 像 傳 略

Kou cheng hien siang tchoan lio.

Portraits des hommes célèbres de l'antiquité et des temps modernes.

Jusqu'en 1644. Par Kou Yuen. Ouvrage gravé en 1830, avec deux préfaces (1827 et 1830) ; chaque portrait est accompagné d'une notice en quelques lignes.

ı6 livres.

Grand in-8. Papier blanc ; titre sur papier marbré. ı vol., cartonnage.
Nouveau fonds 5o88.

1242-1243. Vies des Empereurs chinois.

Scènes historiques peintes sur taffetas, avec texte explicatif français pour chaque dessin ; titre et avertissement tracés à la main en caractères d'imprimerie.

2 vol., 51 centim. sur 46 ; reliure armoriée du XVIII⁰ siècle.
Département des Estampes, Oe,5 et 5a.

1244. 大唐開國功臣圖

Ta thang khai koe kong tchhen thou.

Portraits des ministres qui ont aidé à fonder la dynastie des Thang.

Dessins à l'encre de Chine sur taffetas (1ᵉʳ tome seul).

1 vol., paravent entre deux planches. 32 centim. sur 20.
Département des Estampes, Oe 58.

1245. Personnages chinois historiques et mythologiques.

Peintures sur papier représentant des personnages taoïstes et bouddhiques.

1 vol. 47 centim. sur 32 ; demi-reliure.
Département des Estampes, Oe 8.

Dixième Section : **PIÈCES DIVERSES.**

1246. 奏疏

Tseou sou.

Rapport au Trône.

Rapport de Hiong Tseu-li (1667), postface de Toú Siun (1684).

Grand in-8. 1 vol., cartonnage.
Nouveau fonds 2394.

1247. 綸音特典

Loen yin the tien.

Édit solennel.

Relatif à un voyage fait par l'Empereur (1705).

Petit in-8. Couverture jaune. 1 vol., cartonnage du XVIIIᵉ siècle (prov. des Missions étrangères).
Fourmont 55.

1248-1267. *Lo.n yin the tien.*

Doubles.

20 vol.
Fourmont 55a, 343, 391 à 408.

1268. 大義覺述錄

Ta yi kio chou lou.

Recueil de pièces relatives à un procès politique (1729).

Décrets ; interrogatoires de Tsheng Tsing, accusé d'avoir publié des livres séditieux.

4 livres.

Grand in-8. 1 vol., rel., au chiffre de Charles X.
Nouveau fonds 226.

1269-1276. 上諭

Chang yu.

Décrets impériaux.

Collection relative au règne de l'empereur Chi-tsong (1722-1735); rapport et décret impérial pour autoriser la préparation du recueil (1729). Édition surveillée par le prince de Tchoang; achevée en 1741.

Voir pour comparaison Cat. imp., liv. 55, ff. 9 et 12.

Grand in-8. 8 vol., demi-rel., au chiffre de Louis-Philippe.
Nouveau fonds 794.

1277-1304. 硃批諭旨奏摺

Tchou phi yu tchi tseou tchę.

Décrets impériaux et rapports avec le rescrit impérial.

Relatifs aux années Yong-tcheng (1723-1735).

Voir pour comparaison Cat. imp., liv. 55, f. 11.

Grand in-8. Impression en noir et rouge. 28 vol., demi-rel., au chiffre de la République.
Nouveau fonds 2237 à 2264.

1305. 上諭

Chang yu.

Décrets.

Recueil de décrets de 1726 et 1727 avec postface de Ki-chan.

Grand in-8. Couverture chinoise jaune. 1 vol., cartonnage du XVIIIᵉ siècle avec le titre : *Institutiones imperatoriæ.*
Fourmont 289.

1306. 詔書

Tchao chou.

Édit.

Décret-testament de l'empereur Chi-tsong (7 octobre 1735), imprimé avec les types de la *Gazette de Péking.*

Grand in-8. 1 vol., demi-reliure.
Nouveau fonds 1924.

1307. 使費賬

Chi fei tchang.

Livre de dépenses.

Comptes de ménage pour un Européen nommé en chinois M. Cha, datés de 1739, probablement de Péking.

In-32 large. Manuscrit. 1 cahier.
Nouveau fonds 4992.

1308. 平定緬甸奏稿

Phing ting mien tien tseou kao.

Rapports sur la pacification de la Birmanie.

Rapports de divers fonctionnaires, munis du rescrit impérial (1767, 1768).

6

Petit in-8. Manuscrit. 1 vol., cartonnage.

Nouveau fonds 5219.

1309. 道光二十一年伙食總部

Tao koang eul chi yi nien hoo chi tsong pou.

Comptes de ménage pour 1841.

Grand in-8 large. Papier blanc, manuscrit. 1 vol., cartonnage.
Nouveau fonds 4393.

1310.

Collection de décrets, arrêtés, etc. Ce volume porte la note manuscrite : Chinese edicts, placards, etc., furnished to the « China Mail » and published in that Journal during the year 1846. Presented by the Editor 1847.

Grand in-8 large. Manuscrit. 1 vol., demi-rel., au chiffre de Napoléon III.
Nouveau fonds 2013.

1311. 天父上帝言題皇詔

Thien fou chang ti yen thi hoang tchao.

Décrets et pièces diverses publiés par les Thai-phing.

Recueil de 13 pièces officielles de la rébellion, datées de 1851, 1852, 1853, avec une table.

Petit in-8. Les différentes pièces sont d'impression différente et ont des titres sur papiers différents. 1 vol., cartonnage.
Nouveau fonds 2392.

1312.

Double du n° 6 de la collection ci-dessus.

1 vol., cartonnage.
Nouveau fonds 2322.

1313. 旨准頒行詔書總目

Tchi tchoen pan hing tchao chou tsong mou.

Table de décrets du chef des Thai-phing.

Contenant : 1° la table des décrets et pièces diverses comme dans le recueil précédent; 2° un fragment de la Bible en chinois 2e livre seulement, de Jacob jusqu'à (Moïse) publié par les Thai-phing.

Grand in-8. Papier blanc, couverture jaune ornée de dragons. 1 vol., cartonnage.
Nouveau fonds 2323.

1314. 丙辰粵事公牘要略

Ping tchhen yue chi kong tou yao lio.

Pièces officielles relatives aux affaires de Canton (1856).

Recueil de 20 pièces émanant

du vice-roi Ye et du Ministre d'Angleterre, gouverneur de Hongkong, Sir John Bowring ; publié avec une brève introduction par le Gouvernement de Hongkong (1856).

Petit in-8. Papier blanc, titre sur papier blanc. 1 vol , cartonnage.
Nouveau fonds 4570.

1315. 僧王奏稿
Seng oang tseou kao.

Rapport du prince Seng.

Pamphlet contre les étrangers, sous la forme d'un rapport supposé présenté au Trône par Seng-ko-lin-tshin ; imprimé au Hou-nan (1861). Suivi d'une traduction latine manuscrite de Mgr Navarro ; note bibliographique manuscrite, non signée.

Petit in-8. Titre sur papier jaune. 1 vol., cartonnage.
Nouveau fonds 5060.

1316. 上諭
Chang yu.

Rapports et décrets.

Copie non datée.

Petit in-8. Manuscrit. 1 cahier.
Nouveau fonds 4987.

1317.

Inventaire mobilier de la maison de commerce Hai-yun.

Manuscrit sans lieu ni date.

Grand in-8. Papier blanc. 1 vol., cartonnage.
Nouveau fonds 5086.

1318. 國清百錄
Koe tshing po lou.

Documents relatifs au bouddhisme.

Recueil de décrets, inscriptions, etc., relatifs à l'école Thien-thai, et spécialement à la bonzerie de Koe-tshing ; ces pièces, correspondant à une période qui s'étend environ de 577 à 597, ont été rassemblées par le bonze Tchi-tche (538-597). Préface postérieure à 605 du bonze Koan-ting, de l'époque des Soei ; préface du bonze Yeou-yen (vers 1097). Vie de Tchi-tche écrite en 1185. Postface de Kiai-ying (1185). Gravé en 1590.

4 livres. — Bunyiu Nanjio, 1570.

Grand in-8, illustré. 1 vol., demi-rel., au chiffre de la République.
Nouveau fonds 267.

1319. *Koe tshing po lou.*

Double.

1 vol., demi-rel., au chiffre de la République (1879).
Nouveau fonds 4169.

1320.

Lettre de Sixte V au Maître de l'Empire des Ming. Texte chinois relatant l'envoi de présents et la présence en Chine de missionnaires, parmi lesquels Matteo [Ricci]; datée de la capitale des Indes (1590).

La Bibliothèque nationale possède la planche gravée servant à l'impression de cette feuille.

Nouveau fonds 5061.

———

1321.

Rapport sur la vie du P. Ricci, daté de 1586 (date erronée, il faut sans doute lire 1616); présenté par les PP. de Pantoja (1571-1618) et Sabbathinus de Ursis (1575-1617).

Petit in-8. Manuscrit. 1 vol., cartonnage.
Nouveau fonds 2972.

1322. 熙朝崇正集

Hi tchhao tchhong tcheng tsi.

Monuments de la religion chrétienne.

Stèle de Si-'an-fou, croix de Oen-ling, décrets et rapports : mémoires de Siu Koang-khi, Tchang Keng, etc., publiés par l'église du Fou-kien (1638) à Tshiuen-tcheou.

2 livres.

Grand in-8. Titre orné d'une croix. 1 vol., cartonnage.
Nouveau fonds 2910.

1323. 御製詩

Yu tchi chi.

Poésie impériale.

Adressée au P. Francisco Sambiaso, par l'un des prétendants à la succession des Ming, avec introduction impériale de 1645 (1re année Long-oou).

Petit in-8. Manuscrit. 1 vol., cartonnage.
Nouveau fonds 2341.

1324. 勅諭

Tchhi yu.

Décrets impériaux.

Trois décrets faisant l'éloge du P. Adam Schall (1651).

Grand in-8. Caractères en rouge sur blanc, encadrements ornés de dragons. 1 vol., cartonnage.
Nouveau fonds 3464.

1325. 壽文

Cheou oen.

Pièces en prose et en vers.

En l'honneur du même.

Petit in-8. Manuscrit. 1 vol., cartonnage.
Nouveau fonds 2770.

1326. 奏疏

Tseou sou.

Rapports officiels.

Relatifs à la réforme du calendrier et à l'observatoire, présentés par le P. Adam Schall et autres (1645 à 1660).

2 livres.

Grand in-8. 1 vol., demi-rel., au chiffre de Napoléon III.
Nouveau fonds 2094.

1327. 柔遠特典

Jeou yuen thẹ tien.

Décret impérial.

Relatif à cinq Européens arrivés de Siam au Tchẹ-kiang (1688).

Grand in-8. Imprimé en rouge sur papier blanc. 1 vol., cartonné.
Nouveau fonds 3465.

1328. *Jeou yuen thẹ tien.*

Double.

1 cahier.
Nouveau fonds 4929.

1329-1331. 熙朝定案

Hi tchhao ting 'an.

Pièces officielles relatives à la réforme du calendrier.

Recueil factice de documents datant des années 1668 à 1692 et provenant de deux ouvrages incomplets l'un et l'autre, savoir :

熙朝定案

Hi tchhao ting 'an.

Archives du règne Khang-hi.

新製靈臺儀象志

Sin tchi ling thai yi siang tchi.

Nouvelle notice sur le Bureau d'astronomie.

Grand in-8 (vol. 1 et 2), petit in-8 (vol. 3). 3 vol., cartonnage.
Nouveau fonds 2907 à 2909.

1332.

Copies de lettres collectives adressées au Pape par les lettrés chrétiens de Si-'an et de Péking au sujet des rites (1702).

Grand in-8. Manuscrit. 1 vol., cartonnage.
Nouveau fonds 4984.

1333. 天主堂

Thien tchou thang.

Documents chrétiens.

1° Liste par provinces des églises; 2° décrets de 1707 et 1708; 3° liste des Jésuites avec indication de leur nationalité; 4° liste des Franciscains.

Petit in-8. Manuscrit. 1 vol., cartonnage.
Nouveau fonds 3293.

1334.

Rapport d'un censeur contre le

christianisme, désapprouvé par l'Empereur (1711); copie.

Petit in-8. Manuscrit. 1 vol., cartonnage.
Nouveau fonds 3187.

1335.

Lettre-décret adressée aux missionnaires par l'Empereur au sujet des rites (1716); texte chinois avec traduction latine et traduction mantchoue.

1 feuille, 0ᵐ,48 sur 1ᵐ. Caractères rouges sur papier blanc. Pliée dans un étui, cartonnage, in-18.
Nouveau fonds 2743.

1336. 同人公簡
Thong jen kong kien.

Lettre collective.

Adressée par les chefs chinois de la communauté chrétienne de Péking aux communautés provinciales; au sujet des rites (vers 1716).

Petit in-8. 1 vol., cartonnage.
Nouveau fonds 3302.

1337. 睿鑑錄
Joei kien lou.

Rapports sur les affaires religieuses.

Présentés par les PP. Koegler, Pereyra, etc. (1736 à 1738).

Grand in-8. Papier blanc. 1 vol., cartonnage.
Nouveau fonds 2943.

1338-1341. *Joei kien lou.*

Doubles.

(1338) 1 vol., cartonnage.
Nouveau fonds 2944.
(1339-1341) 3 cahiers.
Nouveau fonds 4816.

1342. 正教奉傳
Tcheng kiao fong tchhoan.

Recueil de proclamations, décrets, etc. au sujet du christianisme.

Depuis 1635 jusqu'à 1890; par le P. Hoang avec préface (1876). Gravé à Zi-ka-wei en 1877, réimprimé avec additions (1890).

Grand in-8. Papier blanc, titre sur papier blanc. 1 vol., cartonnage.
Nouveau fonds 5119.

1343. 正教奉褒
Tcheng kiao fong pao.

Recueil de documents relatifs au christianisme.

Depuis l'inscription de Si-'an jusqu'à 1826, par le P. Hoang, avec préface (1883), addenda, errata; liste des personnages chinois et étrangers cités. Réimprimé à Zi-ka-wei (1894).

Grand in-8. Papier blanc, titre sur papier blanc. 1 vol., cartonnage.
Nouveau fonds 5118.

Onzième Section : BIBLIOGRAPHIE.

1344-1345. 文淵閣書目

Oen yuen ko chou mou.

Catalogue de la Bibliothèque impériale des Ming.

Publié en 1441 par Yang Chi-khi, indiquant seulement le nombre des volumes de chaque ouvrage; édition de 1800, donnée par Pao Thing-po, dans la Collection du pavillon Tou-chou.

20 livres. — Cat. imp., liv. 85, f. 13.

In-12. Papier blanc; titre sur papier blanc. 2 vol., demi-rel., au chiffre de Napoléon III.

Nouveau fonds 1504, 1505.

1346. 讀書敏求記

Tou chou min khieou ki.

Bibliographie de la collection de Tshien Tsheng.

Publiée par lui-même sous la dynastie régnante; seconde édition corrigée avec préfaces de 1795.

4 livres. — Cat. imp., liv. 87, f. 5.

Grand in-8. Titre sur papier teinté. 1 vol., demi-rel., au chiffre de Napoléon III.

Nouveau fonds 1458.

1347-1373. 欽定四庫全書總目提要

Khin ting seu khou tshiuen chou tsong mou thi yao.

Bibliographie des quatre sections de la Bibliothèque impériale, publiée par ordre de l'Empereur.

Collection de notices très étendues préparées et publiées par une commission de hauts fonctionnaires, sous la présidence du Prince de Tchi, à la suite d'un décret de 1772; l'ouvrage a été présenté à l'Empereur en 1782 et publié en 1790. Réédition faite à Canton, s. d. Les quatre sections sont les suivantes :

(1347-1352) classiques (9 classes), livres 1 à 44.

(1353-1358) histoires (15 classes), livres 45 à 90.

(1358-1365) œuvres de philosophes et savants, (14 classes) livres 91 à 147.

(1365-1373) collections littéraires. (5 classes), livres 148 à 200.

En outre, (1347) 1 livre préliminaire.

In-12. Papier blanc, titre sur papier blanc. 27 vol., demi-rel., au chiffre de Louis-Philippe.

Nouveau fonds 1102.

1374-1376. 欽定四庫全
書簡明目錄

*Khin ting seu khou tshiuen chou
kien ming mou lou.*

Abrégé de la Bibliographie
impériale.

Publié avec une notice de Yuen
Yuen (fin du xviiie, ou début du
xixe siècle), contenant des notices
abrégées pour une partie seulement des ouvrages de la grande
bibliographie. Édition de Canton.

20 livres.

In-12. Papier blanc, titre sur papier
blanc. 3 vol., demi-rel., au chiffre de
Louis-Philippe.
Nouveau fonds 1102 A.

1377-1379. *Khin ting seu khou
tshiuen chou kien ming mou
lou.*

Même ouvrage.

Disposition différente ; avec une
notice non datée de Tchao Hoai-

yu et deux décrets de 1782 et
1784 qui ne sont même pas dans
la grande édition.

In-12. Papier blanc, titre sur papier
rouge, impression défectueuse. 3 vol.,
cartonnage.
Nouveau fonds 4525 à 4527.

1380-1382. 彙刻書目初
編補編

*Hoei kho chou mou tchhou
pien pou pien.*

Catalogue des ouvrage contenus dans les Collections, 1re partie et supplément.

Liste, avec nombre de livres et
nom des auteurs, des ouvrages
publiés dans des collections de
textes ; par Kou Sieou, avec préface de l'auteur (1799).

10 livres plus 1 livre supplémentaire.

In-12. 3 vol., demi-rel., au chiffre de
Napoléon III.
Nouveau fonds 1488 à 1490.

Douzième Section : **OUVRAGES HISTORIQUES DIVERS.**

1383. 歷朝捷錄

Li tchhao tsie lou.

Dissertations sur les dynasties
successives.

Cet ouvrage se compose d'un
texte principal, par Tcheou
Tchhang-nien, pour le livre préliminaire, et par Kou Tchhong,
pour les autres livres, accompagné

d'un commentaire continu par Siu Chi-tsiun ; préface par ce dernier (1663).

1 livre préliminaire et 12 livres, plus une annexe.

Petit in-8. Papier teinté. 1 vol., demi-reliure.
Nouveau fonds 891.

1384. 繹志

Yi tchi.

Méditations historiques.

Sur les principes de la société chinoise. Ouvrage gravé à la bibliothèque Seou-ven du sieur Kou, avec préface de 1837 par Kou Si-khi ; préface primitive de 1689 par Li Nien-tsheu. L'auteur est Hou Tchheng-no.

19 livres.

In-4. Titre sur papier blanc. 1 vol., demi-rel., au chiffre de la République.
Nouveau fonds 315.

1385. 廿一史約編

Nien yi chi yo pien.

Résumé des 21 Histoires dynastiques.

Des origines jusqu'à la chute des Ming. Ouvrage de Tcheng Yuen-khing, avec préface de l'auteur, datée de 1696 ; publié par Phan Tchi-tsao, sans date.

1 livre préliminaire et 8 livres.

Grand in-8. Papier teinté. 1 vol., reliure au chiffre de Charles X.
Nouveau fonds 250.

1386. 御製全韻詩

Yu tchi tshiuen yun chi.

Poésies impériales sur les cinq tons.

Par l'empereur Khien-long (?) ; histoire versifiée de la dynastie régnante depuis les origines jusqu'à la fin de la période Yong-tcheng (1735), puis des dynasties antérieures, de Yao à la chute des Ming. Postface par Yao Yi.

2 livres.

In-12. Papier blanc, titre sur papier jaune. 1 vol., demi-rel., au chiffre de Napoléon III.
Nouveau fonds 1481.

1387-1389. 十七史商榷

Chi tshi chi chang kio.

Examens et éclaircissements pour les 17 histoires dynastiques.

Depuis les Mémoires historiques jusqu'à l'Histoire des cinq dynasties. Par Oang Ming-cheng, avec préface non datée par l'auteur ; l'ouvrage comprend en outre un examen critique de l'histoire de Seu-ma Koang, et de quelques ouvrages annexes. — Édition gravée en 1787.

100 livres.

In-4. Titre sur papier blanc. 3 vol., demi-rel., au chiffre de la République. *Nouveau fonds* 580.

1390.　鑑撮蒙求

Kien tsho mong khieou.

Abrégé historique pour les enfants.

Table des dynasties, résumé historique en vers jusqu'en 1644. Préface par Lieou Kia-mou (1815); gravé en 1815.

Grand in-8. Titre sur papier jaune. 1 vol., demi-rel., au chiffre de Napoléon III.
Nouveau fonds 1293 A.

1391.　歷代說約

Li tai choe yo.

Abrégé historique des dynasties successives.

Depuis l'avènement de Chi-hoang-ti jusqu'à la chute des Ming. Ouvrage de Lieou Tsheng-'ao, avec préface de l'auteur (1829) et deux autres préfaces; gravé en 1832.

4 livres, plus quelques annexes.

Grand in-8. Papier blanc, titre sur papier teinté. 1 vol., demi-rel., au chiffre de Napoléon III.
Nouveau fonds 1808.

1392.　新鍥重訂補遺音釋大字日記故事大成

Sin khie tchhong ting pou yi yin chi ta tseu ji ki kou chi ta tchheng.

Recueil de traits historiques.

Livres 2 à 8.

In-8, illustré. 1 vol., cartonnage.
Nouveau fonds 2150.

Chapitre II : GÉOGRAPHIE

—

Première Section : OUVRAGES GÉNÉRAUX.

1393-1401. — I (1393-1400).

太平寰宇記

Thai phing koan yu ki.

Géographie générale (empire et peuples voisins) de la période Thai-phing (976-983).

Par Yo Chi, avec dédicace de présentation de l'auteur. Préfaces de Tchhen Lan-sen (1793) et de Hong Liang-ki (1803) pour deux éditions nouvelles ; supplément de Tchhen Lan-sen et Oan Yen-lan, pour remplacer les livres 113 à 119 qui sont perdus.

200 livres. — Cat. imp., liv. 68, f. 6.

— II (1400).

紀元表

Ki yuen piao.

Table des noms d'ères.

Du commencement des Han à la fin des Ming. Par Oan Yen-lan, avec préface de l'auteur (1793).

— III (1400-1401).

大清一統志表

Ta tshing yi thong tchi piao.

Tables pour la Géographie générale des Tshing.

Par Tchhen Lan-sen, avec préface de l'auteur (1793).

Grand in-8. Papier blanc ; titre sur papier jaune. 9 vol., demi-rel., au chiffre de Louis-Philippe.

Nouveau fonds 799.

———

1402-1409. 大明一統志

Ta ming yi thong tchi.

Géographie générale des Ming.

Rédigée par une commission de fonctionnaires, Li Hien et autres ; dédicace de présentation ; préface impériale (1461) ; cartes. Gravé à la salle Oan-cheou.

90 livres. — Cat. imp., liv. 68, f. 11.

Grand in-8. 8 vol., demi-rel., au chiffre de Louis-Philippe.
Fourmont 38.

1410-1414. 天 下 一 統 志

Thien hia yi thong tchi.

Géographie générale de l'empire.

Cet exemplaire a été tiré sur les mêmes planches que le précédent, mais après 1644; on a donc substitué dans le titre l'expression *thien hia* au nom de la dynastie vaincue.

Grand in-8. Titre noir sur papier blanc. 5 vol., reliure, au chiffre de Louis-Philippe.
Nouveau fonds 243.

1415-1439. 大 清 一 統 志

Ta tshing yi thong tchi.

Géographie générale des Tshing.

Rédigée à partir de l'époque Khang-hi (1662-1722) par une commission de fonctionnaires; dédicace de présentation de l'un d'eux, Tchhen Tẹ-hoa; préface impériale (1744). Comme les précédents, cet ouvrage s'étend à tout l'empire et aux pays tributaires; il est enrichi de cartes et traite de la géographie physique et administrative, des frontières, de la population (recensements, coutumes, hommes remarquables),

de l'histoire locale, des monuments, etc. Table générale; tables détaillées par préfectures.

356 livres. — Comparer Cat. imp., liv. 68, f. 12.

Grand in-8. 25 vol., demi-rel., au chiffre de Napoléon III.
Nouveau fonds 1397 à 1421.

1440. *Ta tshing yi thong tchi.*

Double du précédent, incomplet (livres 56 à 60).

Grand in-8. 1 vol., cartonnage (prov. de la bibl. Sainte-Geneviève).
Nouveau fonds 3409.

1441-1492. *Ta tshing yi thong tchi.*

Géographie générale des Tshing, édition augmentée.

Décret impérial (1764), dédicace de Ho Chen et autres fonctionnaires. Table en 2 livres.

(1441) Péking, livres 1 et 2.
(1441-1445) Tchi-li, livres 3 à 34.
(1445) Moukden, livre 35.
(1445) Inden, livre 36.
(1445-1447) Moukden (province de), livres 37 à 48.
(1447-1450) Kiang-sou, livres 49 à 74.
(1450-1453) 'An-hoei, livres 75 à 94.
(1453-1455) Chān-si, livres 95 à 124.
(1456-1458) Chan-tong, livres 125 à 147.
(1459-1462) Ho-nan, livres 148 à 176.

(1463-1465) Chạn-si, livres 177 à 196.

(1466-1467) Kan-sou, livres 197 à 214.

(1468-1470) Tchẹ-kiang, livres 215 à 236.

(1471-1473) Kiang-si, livres 237 à 256.

(1474-1476) Hou-pẹ, livres 257 à 274.

(1477-1478) Hou-nan, livres 275 à 290.

(1479-1481) Seu-tchhoan, livres 291 à 323.

(1482-1483) Fou-kien, livres 324 à 337.

(1484-1485) Koang-tong, livres 338 à 353.

(1486-1487) Koang-si, livres 354 à 367.

(1488-1489) Yun-nan, livres 368 à 389.

(1490) Koei-tcheou, livres 390 à 403.

(1491) Mongolie, livres 404 à 412.

(1491) Tibet, livre 413.

(1492) Turkestan, livres 414 à 420.

(1492) Tributaires, livres 421 à 424. Cat. imp., liv. 68, f. 12.

In-4. Papier blanc, couvertures en papier jaune. 52 vol., reliure, au chiffre de Louis-Philippe.

Nouveau fonds 289.

1493. 廣輿記
Koang yu ki.

Géographie générale.

Ouvrage de Lou Ying-yang, traitant de l'empire et des pays barbares; enrichi de cartes; diverses préfaces dont une de Chen

Chi-hing, non datée (elle est de 1600). Édition antérieure à 1644.

24 livres.

Grand in-8. 1 vol., reliure.
Fourmont 36.

1494. *Koang yu ki.*

Même ouvrage, édition augmentée avec notes, postérieure à 1644.

24 livres.

Grand in-8. Titre noir sur blanc, couvertures chinoises en soie bleue. 1 vol., demi-rel., au chiffre de Louis-Philippe.
Fourmont 37.

1495-1497. *Koang yu ki.*

Même ouvrage.

Cet exemplaire est en partie un double du précédent, en partie tiré sur des planches légèrement plus grandes. Incomplet (livres 1 à 4 et 8 à 24).

Grand in-8. 3 vol., cartonnage.
Nouveau fonds 2364 à 2366.

1498-1499. 增訂廣輿記
Tseng ting koang yu ki.

Géographie générale, édition augmentée.

Préface de Tshai Fang-ping (1686) qui a complété l'ouvrage; gravé à Oou-kiun. Cartes.

24 livres. — Cat. imp., liv. 72, f. 8.

Grand in-8. Titre en noir sur blanc
2 vol., reliure, au chiffre de Charles X.
Nouveau fonds 245.

1500-1501. *Tseng ting koang yu ki.*

Même ouvrage.

Planches différentes, gravées en 1707.

Grand in-8. Titre noir sur blanc. 2 vol.,
reliure, au chiffre de Louis-Philippe.
Nouveau fonds 244.

1502-1512. *Tseng ting koang yu ki.*

Double.

Toutefois la feuille de titre est
différente. Incomplet des livres
4, 5, 6, 7, 22, 23, 24.

Grand in-8. 11 volumes chinois dans
1 enveloppe.
Section des Cartes, Inventaire général 1709 C 9026.

1513-1514. 重訂廣輿記

Tchhong ting koang yu ki.

Géographie générale, nou-
velle édition.

Préface de 1686, cartes, etc.;
gravé en 1824.

Petit in-8. Titre sur papier jaune.
2 vol., demi-rel., au chiffre de Napoléon III.
Nouveau fonds 1935, 1936.

1515-1516. 東西洋考

Tong si yang khao.

Examen des régions orientales et occidentales.

Par Tchang Sie; préface de
Oang Khi-tsong (1618).

12 livres, avec des cartes. — Cat.
imp., liv. 71, f. 15.

Grand in-8. Titre sur papier jaune.
2 vol., demi-rel., au chiffre de la République.
Nouveau fonds 317.

1517-1518. *Tong si yang khao.*

Double.

2 vol., cartonnés.
Nouveau fonds 4491, 4492.

1519-1520. 奉旨繙譯職
方外紀

Fong tchi fan yi tchi fang oai ki.

Traité de géographie traduit
par ordre impérial.

Préface du traducteur, le P.
Giulio Aleni, (1623); préface non
datée de Ye Hiang-kao, pour la
2e édition faite au Fou-kien, la
1re étant du Tchę-kiang.

6 livres, avec 2 cartes du globe et
cartes des parties du monde. — Cat.
imp., liv. 71, f. 17.

Grand in-8. 2 vol. chinois.
Nouveau fonds 4856.

1521. *Fong tchi fan yi tchi fang oai ki.*

Double (incomplet).

1 vol., cartonné.
Nouveau fonds 3152.

1522-1524. 皇明職貢方地圖

Hoang ming tchi kong fang ti thou.

Géographie de l'empire des Ming.

Par Tchhen Tsou-cheou, comprenant des cartes de la Chine antique et moderne, ainsi que des pays voisins, des tableaux administratifs, chronologiques, etc.; texte. Ouvrage achevé en 1636.

In-folio. Papier blanc. 3 vol. chinois dans 1 enveloppe.
Section des Cartes, Inventaire général 1702 C 9027.

1525. 皇明添設衙門官制大全

Hoang ming thien chẹ ya mẹn koan tchi ta tshiuen.

Géographie administrative des Ming.

Fragment (livres 6 à 8) relatif aux provinces de Chạn-si. Tchẹ-kiang et Kiang-si, avec trois car-

tes. Note manuscrite française non signée, datée de 1686.

Grand in-8. 1 vol., cartonnage.
Nouveau fonds 2363.

1526. 坤輿圖說

Khoẹn yu thou choẹ.

Notions de géographie générale.

Par les PP. Ferdinand Verbiest et Giulio Aleni; cosmographie, géographie avec figures.

2 livres. — Cat. imp., liv. 71, f. 23. — Cordier, Essai, 175.

Grand in-8. 1 vol., cartonnage.
Nouveau fonds 4822.

1527. *Khoẹn yu thou choẹ.*

Double.

Grand in-8. 1 vol., cartonnage.
Nouveau fonds 2956.

1528-1529. *Khoẹn yu thou choẹ.*

Grand in-8. 2 volumes chinois.
Nouveau fonds 4823.

1530-1531. 乾隆府廳州縣圖志

Khien long fou thing tcheou hien thou tchi.

Géographie de la Chine et des pays tributaires, période Khien-long (1736-1795).

Géographie administrative, historique, économique, etc.; préface de Hong Liang-ki (1788); cartes et texte. Ouvrage gravé de 1788 à 1803.

5o livres.

Grand in-8. Titre noir sur papier rouge. 2 vol., demi-rel., au chiffre de Napoléon III.
Nouveau fonds 1782, 1783.

1532-1533. 今古地理述
Kin kou ti li chou.

Traité de géographie ancienne et moderne.

Par Oang Tseu-yin, complété par Oan Tchheng-fong, etc. Préface de l'auteur (1806), préfaces de 1807; gravé à Péking.

1 livre préliminaire, 18 livres et appendice (pays tributaires).

Petit in-8. Titre noir sur rouge. 2 vol., demi-reliure.
Nouveau fonds 3553, 3554.

1534-1539. 方輿類纂
Fang yu lei tsoan.

Géographie de la Chine en général et de chaque province.

Préface de Oen Jou-neng (1808); cartes des provinces, cartes des frontières, cartes de détail.

1 livre préliminaire et 28 livres.

Petit in-8. 6 vol., demi-rel., au chiffre de la République.
Nouveau fonds 594.

1540-1543. 海國圖志
Hai koę thou tchi.

Géographie historique et moderne des pays étrangers.

D'après les auteurs chinois et les rapports des Européens; par Oei Yuen, avec préface de l'auteur (1842). Impression en caractères mobiles (1844) de la salle Kou-oei. Texte, cartes, planches; notices sur les instruments étrangers.

5o livres.

In-4. Papier blanc; titre noir sur blanc. 4 vol., demi-rel., au chiffre de Napoléon III.
Nouveau fonds 1233 à 1236.

1544-1547. *Hai koę thou tchi.*

Même ouvrage.

Édition augmentée avec préface de 1847; gravée à Yang-tcheou, à la salle Kou-oei (1849).

6o livres.

Grand in-8. Papier blanc; titre noir sur blanc. 4 vol., cartonnage.
Nouveau fonds 4487 à 4490.

1548-1553. 瀛環志略
Ying hoan tchi lio.

Géographie du globe.

Par Siu Ki-yu, avec notice de l'auteur (1848) et diverses préfaces (1848 et 1849); préface de Tong Siun pour l'édition nouvelle publiée par le Tsong-li-yamen (1865); achevé de graver en 1866. Cartes.

10 livres.

In-folio. Titre noir sur papier teinté. 6 volumes chinois dans 1 enveloppe.
Nouveau fonds 4371.

1554. 廣皇輿考

Koang hoang yu khao.

Traité de géographie.

Chine par préfectures, itinéraires; par Tchang Thien-fou. Une carte; ouvrage incomplet (livres 3, 4, 19 et 20).

In-12. 1 vol., cartonnage du XVIIIe siècle, avec le titre : *Tabulae geographicae imperii Sinarum* (prov. des Missions étrangères).
Fourmont 41.

1555. 郡邑考略

Kiun yi khao lio.

Liste des districts de l'Empire.

Liste des noms modernes, peu nombreuses identifications avec les noms anciens.

In-12. Manuscrit. 1 vol., cartonné.
Nouveau fonds 2359.

1556. 地理全志

Ti li tshiuen tchi.

Traité de géographie.

Avec planisphères et cartes ; préface d'un auteur protestant sur la création du monde. Imprimé en caractères mobiles, sans date.

5 livres.

Petit in-8. Papier blanc. 1 vol., cartonnage.
Nouveau fonds 2320.

Deuxième Section : MONOGRAPHIES LOCALES (CHINE).

1557-1561. 畿輔通志

Ki fou thong tchi.

Description du Tchi-li.

Par une commission de fonctionnaires, Yu Tchheng-long et autres ; préfaces de 1681, 1682, 1683. Géographie physique et administrative, population, mœurs, biographies, monuments, etc., le tout rangé par préfectures ; presque toutes les géographies dites *tchi* sont construites sur ce plan.

46 livres. — Comparer Cat. imp., liv. 68, f. 52.

In-4. Papier blanc. 5 vol., demi-rel., au chiffre de Louis-Philippe.
Nouveau fonds 290.

1562-1565. 日下舊聞

Ji hia kieou oen.

Monuments et antiquités de

7

Péking et de ses environs.

Par Tchou Yi-tsoęn, complété par son fils Koęn-thien ; diverses préfaces non datées.

42 livres.

Petit in-8. 4 vol., demi-rel., au chiffre de Napoléon III.
Nouveau fonds 1265 à 1269.

1566-1573. 日下舊聞考

Ji hia kieou oen khao.

Examen des Monuments et antiquités de Péking et de ses environs.

Ouvrage composé par une commission de fonctionnaires, Yu Min-tchong et autres, après un décret de 1774 ; dédicace de Ying-lien ; deux pièces de poésie composées par l'Empereur.

160 livres. — Cat. imp., liv. 68, f. 41.

Grand in-8. 8 vol., cartonnage.
Nouveau fonds 5158 à 5165.

1574-1575. 宸垣識略

Chen yuen tchi lio.

Description de Péking et de sa banlieue.

Par Oou Tchhang-yuen ; préface de 1788 ; gravé la même année, avec cartes.

16 livres.

In-12. Papier blanc ; titre noir sur rouge. 2 vol., demi-reliure.
Nouveau fonds 202.

1576. 帝京景物略

Ti king king oou lio.

Abrégé des merveilles de Péking et de ses environs.

Par Lieou Thong et Yu Yi-tcheng, ce dernier originaire de Oan-phing ; préface de la première édition (1635) par Lieou Thong ; préface de la réédition (1766). Gravé à Kin-ling.

8 livres. — Cat. imp., liv. 77, f. 23.

Petit in-8. Titre noir sur jaune. 1 vol., demi-rel., au chiffre de Napoléon III.
Nouveau fonds 1793.

1577. 世宗憲皇帝御製 圓明園記並詩

Chi tsong hien hoang ti yu tchi yuen ming yuen ki ping chi.

Mémoires et poésies au sujet du Yuen-ming-yuen (palais d'été) par l'empereur Chi-tsong (1723-1735).

Deux mémoires et deux livres de poésies ; postface non datée de 'O - eul-thai, Tchang Thing-yu, etc.

Grand in-8. Papier blanc, belle impression. 1 vol., demi-rel., au chiffre de Louis-Philippe.
Nouveau fonds 389.

1578-1581. 御製盛京賦有序

Yu tchi cheng king fou yeou siu.

Description poétique de Moukden, composée par l'Empereur, avec préface.

Texte répété en 32 formes diverses d'écriture antique; chaque texte est accompagné de la lecture en caractères usuels et quelques-uns sont suivis de notices sur les styles de calligraphie employés. Décret de 1748, liste des dignitaires employés à la préparation de l'ouvrage, prince de Tchoang, prince de Koo, etc.

In-folio. Superbe édition sur papier blanc. 4 vol., reliure, au chiffre de Louis-Philippe.
Nouveau fonds 1010.

1582-1613. *Yu tchi cheng king fou yeou siu.*

Double.

Imprimé sur papier blanc de format in-4. 32 vol. chinois recouverts en soie et renfermés dans 4 étuis chinois également recouverts en soie. Sur la couverture des volumes, titres manuscrits du P. Amiot.
Nouveau fonds 240.

1614. 御製盛京賦

Yu tchi cheng king fou.

Description poétique de Moukden, composée par l'Empereur.

Texte annoté.

Grand in-8. Impression soignée. 1 vol., reliure.
Nouveau fonds 938.

1615-1618. 山西通志

Chan si thong tchi.

Description du Chān-si.

Préface de Tchou Hoei (1629); texte, cartes.

30 livres. — Comparer Cat. imp., liv. 68, f. 61.

In-4. 4 vol., demi-rel., au chiffre de Louis-Philippe.
Nouveau fonds 293.

1619-1622. 河南通志

Ho nan thong tchi.

Description du Ho-nan.

Par une commission de fonctionnaires, avec dédicace de Kia Han-fou (1660) et diverses préfaces de la même année. Texte, cartes et illustrations.

50 livres. — Comparer Cat. imp., liv. 68, f. 59.

In-folio. Papier blanc. 4 vol., demi-rel., au chiffre de Louis-Philippe.
Nouveau fonds 285.

1623-1625. 山東通志

Chan tong thong tchi.

Description du Chan-tong.

Par Fang Yuen-yi, Tchhen Yi et autres ; préfaces des auteurs (1533); postfaces non datées de Tchang Yin et de Oang Ying-hoai. Réédition de 1616. Texte, cartes et illustrations.

4o livres. — Comparer Cat. imp., liv. 68, f. 6o et liv. 73, f. 17.

In-4. 3 vol., demi-rel., au chiffre de Louis-Philippe.
Nouveau fonds 3io.

1626. 闕里纂要

Khiue li tsoan yao.

Notice sur Khiue-li.

Par Khong Yen-mei, descendant de Confucius à la 65ᵉ génération ; préface de l'auteur (1694); réédition non datée. Texte et planches.

4 livres.

Petit in-8. Titre sur papier jaune. 1 vol., demi-rel., au chiffre de Louis-Philippe.
Nouveau fonds 396.

1627-1634. 江南通志

Kiang nan thong tchi.

Description du Kiang-nan.

Par une commission de fonctionnaires, comprenant Oang Sin-

ming, Yu Tchheng-long, etc.; préfaces de 1684. Texte et cartes.

76 livres. — Comparer Cat. imp., liv. 68, f. 54.

In-folio. Titre en noir sur papier blanc. 8 vol., demi-rel., au chiffre de Louis-Philippe (le volume chinois 1 a été déplacé à la reliure).
Nouveau fonds 288.

1635-1637. 重刊江寧府志

Tchhong khan kiang ning fou tchi.

Description de la préfecture de Kiang-ning (Nanking), nouvelle édition.

Par Liu Yen-tchao et autres auteurs; préface de Liu Yen-tchao (1811) rappelant la Description de Kiang-ning par Tchhen Khai-yu (1667). Réédition de 1880. Texte et cartes.

56 livres.

Grand in-8. Titre noir sur papier teinté. 3 vol., cartonnage.
Nouveau fonds 5i8o à 5i82.

1638-1641. 續纂江寧府志

Siu tsoan kiang ning fou tchi.

Description de la préfecture de Kiang-ning, suite.

Par Lieou Khoen-yi et autres

auteurs; préfaces de 1881. Texte et cartes.

15 livres.

Grand in-8. Titre noir sur papier teinté. 4 vol., cartonnage.
Nouveau fonds 5183 à 5186.

1642-1648. 江西通志
Kiang si thong tchi.

Description du Kiang-si.

Par Yu Tchheng-long et autres fonctionnaires; préfaces de 1683. Texte, cartes et illustrations.

54 livres. — Comparer Cat. imp., liv. 68, f. 55.

In-4. Papier blanc. 7 vol., demi-rel., au chiffre de Louis-Philippe.
Nouveau fonds 253.

1649-1650. 浮梁縣志
Feou liang hien tchi.

Description de la sous-préfecture de Feou-liang.

Par Ho Hi-ling, et autres auteurs; préface de Ho Hi-ling (1823); préfaces d'éditions précédentes datées de 1325, 1379, 1605, 1673, 1740. Texte, cartes et illustrations.

1 livre préliminaire et 11 livres.

In-4. Papier blanc. 2 vol., demi-rel., au chiffre de Louis-Philippe.
Nouveau fonds 687.

1651-1657. 福建通志 ou 全閩通志
Fou kien thong tchi ou *Tshiuen min thong tchi.*

Description du Fou-kien.

Par Kin Hong, et autres auteurs; préfaces de 1684. Texte et cartes.

64 livres. — Comparer Cat. imp., liv. 68, f. 57.

Grand in-8. Papier blanc. 7 vol., demi-rel., au chiffre de Louis-Philippe.
Nouveau fonds 247.

1658. 福州府志
Fou tcheou fou tchi.

Description de la préfecture de Fou-tcheou.

Fragment (liv. 14, ff. 20 à 27).

Grand in-8. Papier blanc. 1 vol., cartonnage du XVIIIᵉ siècle, portant le titre : *Descriptio arbis* (sic) *Fou tcheou* (prov. Missions étrangères).
Fourmont 42.

1659-1665. 浙江通志
Tche kiang thong tchi.

Description du Tche-kiang.

Par Chi Oei-han et autres fonctionnaires; préfaces de 1683 et 1684. Texte et cartes.

1 livre préliminaire et 50 livres. —

Comparer Cat. imp., liv. 68, fol. 56.

Grand in-8. 7 vol., demi-rel., au chiffre de Louis-Philippe.
Nouveau fonds 295.

1666-1670. 西湖志

Si hou tchi.

Description du Si-hou.

Par Fou Oang-lou, principal auteur, avec préfaces de 1731, 1734, 1735; postface de l'auteur (1734). Planches conservées au yamen de l'intendant des gabelles du Tchę-kiang. Texte et nombreuses illustrations.

48 livres. —Cat. imp., liv. 76, f. 40.

Grand in-8. Titre noir sur jaune. 5 vol., demi-rel., au chiffre de Louis-Philippe.
Nouveau fonds 795.

1671-1674. 廣東通志初稿

Koang tong thong tchi tchhou kao.

Description du Koang-tong.

Par Tai King, avec préface de l'auteur (1535) et deux autres préfaces de la même époque. Texte et cartes.

1 livre préliminaire et 40 livres. — Cat. imp., liv. 74, f. 1.

In-4. Papier blanc. 4 vol., demi-rel., au chiffre de Louis-Philippe.
Nouveau fonds 294.

1675-1686. 廣東通志

Koang tong thong tchi.

Description du Koang-tong.

Par Ho Yu-lin, et autres fonctionnaires, avec dédicace à l'Empereur (1731). Texte et cartes.

64 livres. — Cat. imp., liv. 68, f. 64.

Grand in-8. Papier blanc. 12 vol., demi-rel. (prov. de la bibl. de l'Arsenal).
Nouveau fonds 1606 à 1617.

1687-1694. *Koang tong thong tchi.*

Même ouvrage.

Grand in-8. Édition imprimée avec les mêmes planches, en partie sur papier blanc, en partie sur papier teinté; quelques feuilles manuscrites. 8 vol., demi-rel., au chiffre de la République.
Nouveau fonds 311.

1695-1702. *Koang tong ihong tchi.*

Même ouvrage, imitation de l'édition précédente.

Grand in-8. Gravure usée (incomplet des livres 1 et 2). 8 vol., demi-rel., au chiffre de Louis-Philippe.
Nouveau fonds 299.

1703-1726. *Koang tong thong tchi.*

Description du Koang-tong.

Par Yuen Yuen, Li Hong-pin, Song Fou et autres fonctionnaires; rapports de 1818 et 1822 au sujet de la composition de l'ouvrage. Gravé à Canton. Cette description très complète est rédigée d'après un plan assez différent de celui des autres *tchi*; texte et cartes.

1 livre préliminaire et 334 livres.

Grand in-8. Titre noir sur rouge. 24 vol., demi-rel., au chiffre de Louis-Philippe.

Nouveau fonds 298.

1727. *Koang tong thong tchi.*

Même ouvrage.

Autre édition; exemplaire incomplet (livres 83 à 88, livre 124).

In-4. Papier blanc. 1 vol., cartonnage.
Nouveau fonds 4594.

1728-1741. 廣 州 府 志

Koang tcheou fou tchi.

Description de la préfecture de Koang-tcheou (Canton).

Par Choei-lin, Ying-han et autres fonctionnaires; préface de 1870; préfaces de 1878 et 1879 pour la présente réédition gravée à Canton.

163 livres.

Grand in-8. Titre noir sur papier teinté. 14 vol., cartonnage.
Nouveau fonds 5166 à 5179.

1742-1744. 番 禺 縣 志

Phan yu hien tchi.

Description de la sous-préfecture de Phan-yu.

Par Jen Koo et autres; préface de Jen Koo (1774); anciennes préfaces de 1612, 1673, 1681. Texte et illustrations.

20 livres et 1 livre final contenant la liste de ceux qui ont contribué aux frais de gravure.

Petit in-8. 3 vol., demi-rel., au chiffre de Louis-Philippe.
Nouveau fonds 605.

1745-1746. 羅 浮 山 志 會 編

Lo feou chan tchi hoei pien.

Description de la montagne Lo-feou.

Par Song Koang ye, avec préfaces de 1716 et 1717. Texte et illustrations.

1 livre préliminaire et 22 livres. — Cat. imp., liv. 76, f. 38.

Petit in-8. Papier blanc, titre noir sur jaune. 2 vol., demi-rel., au chiffre de Louis-Philippe.
Nouveau fonds 57.

1747-1748. *Lo feou chan tchi hoei pien.*

Double.

Titre noir sur blanc. 2 vol., demi-rel., au chiffre de Louis-Philippe.
Nouveau fonds 562.

1749-1754. 南海縣志

Nan hai hien tchi.

Description de la sous-préfecture de Nan-hai.

Par Phan Chang-tsi et autres, avec préfaces des auteurs (1835), rappelant l'édition précédente (1741). Texte, cartes et illustrations.

1 livre préliminaire, 44 livres et 1 livre final contenant la liste des donateurs et le devis de l'impression.

Grand in 8. Titre en noir sur blanc. 6 vol., demi-rel., au chiffre de Louis-Philippe.
Nouveau fonds 903.

1755-1756. 香山縣志

Hiang chan hien tchi.

Description de la sous-préfecture de Hiang-chan.

Par Li et Tchhen ; ancienne préface sans date ; préface non datée pour la présente réédition. Texte et cartes. L'ouvrage paraît être de la période Khien-long (1736-1795).

1 livre préliminaire et 10 livres.

Grand in-8. Papier blanc. 2 vol., demi-rel., au chiffre de Louis-Philippe.
Nouveau fonds 431.

1757. 澳門記略

'Ao men ki lio.

Notice sur 'Ao-men (Macao).

Par Yin Koang-jen et Tchang Jou-lin ; préface de ce dernier (1750) ; réédition de 1800. Texte, cartes et illustrations.

2 livres. — Cat. imp., liv. 74, f. 34.

Grand in-8 (relié en désordre). 1 vol., demi-rel., au chiffre de Napoléon III.
Nouveau fonds 1341.

1758-1762. 肇慶府志

Tchao khing fou tchi.

Description de la préfecture de Tchao-khing.

Par Oang Yu-chi, Hia Sieou-chou et autres ; préface de Hia Sieou-chou (1830), autres préfaces de 1833. Préface de Si Tsin-tshi (1876) pour la présente édition gravée à Canton. Texte et cartes.

1 livre préliminaire et 22 livres.

Grand in-8. Titre noir sur rouge. 5 vol., cartonnage.
Nouveau fonds 5187 à 5191.

1763-1764. 澄海縣志

Tchheng hai hien tchi.

Description de la sous-préture de Tchheng-hai.

Par Ning Chi-oen, avec préface

de l'auteur (1731); ouvrage rédigé sous la direction de Ho Yu-lin et autres fonctionnaires; anciennes préfaces de 1595 et 1686. Texte et cartes.

1 livre préliminaire et 24 livres.

Grand in 3. Papier blanc. 2 vol., demi-rel., au chiffre de Louis-Philippe.
Nouveau fonds 797.

1765-1766. 廣東新語

Koang tong sin yu.

Nouveau répertoire du Koang-tong.

Répertoire de faits relatifs à la province, classés méthodiquement. Par Khiu Ta-kiun, de Phan-yu, avec préface de l'auteur, sans date, et préface de Phan Lei (1700).

28 livres.

Grand in-8. Titre noir sur jaune. 2 vol., demi-rel., au chiffre de Louis-Philippe.
Nouveau fonds 300.

1767. 粵東筆記

Yue tong pi ki.

Notes sur le Koang-tong.

Par Li Thiao-yuen; préface de l'auteur, sans date. Texte et quelques planches.

16 livres.

In-18. Titre noir sur jaune. 1 vol., demi-rel., au chiffre de Louis-Philippe.
Nouveau fonds 846.

1768. 羊城古鈔

Yang tchheng kou tchhao.

Antiquités de Canton.

Description géographique, historique, archéologique, par Khieou Kiu-tchhoan; préface de l'auteur, non datée; préface de Oen Jou-neng (1806). Gravé en 1806 à la salle Oen-yu. Texte, plans et illustrations.

1 livre préliminaire et 8 livres.

Grand in-8. Titre noir sur jaune. 1 vol., demi-rel., au chiffre de Louis-Philippe.
Nouveau fonds 453 A.

———

1769-1774. 廣西通志

Koang si thong tchi.

Description du Koang-si.

Préfaces de Tsiang Mien (1532) et Yang Fang (1599). Texte et cartes.

42 livres. — Comparer Cat. imp., liv. 68, f. 65.

Grand in-8. Papier blanc. 6 vol., demi-rel., au chiffre de Louis-Philippe.
Nouveau fonds 296.

———

1775-1781. 湖廣通志

Hou koang thong tchi.

Description du Hou-koang.

Par Siu Koę-siang et autres

préfaces des auteurs (1684). Texte, cartes et illustrations.

80 livres.

In-4. Papier blanc. 7 vol., demi-rel., au chiffre de Louis-Philippe.
Nouveau fonds 294 A.

1782-1784. 洞庭湖誌

Tong thing hou tchi.

Description du lac Tong-thing.

Par Thao Yun-thing; préfaces de 1825 et 1828; gravé à Lou-'an. Texte et gravures.

14 livres.

Grand in-8. Titre noir sur jaune. 3 vol., cartonnage.
Nouveau fonds 5208 à 5210.

1785-1790. 雲南通志

Yun nan thong tchi.

Description du Yun-nan.

Composée à la suite d'un décret de 1454; préface de Tcheng Yong pour cette édition; préface de Yu Tsi pour l'édition de la période Tchi-yuen (1335-1340) faite par Li King-chan. Réédition non datée (époque des Ming). Texte et cartes.

30 livres. — Comparer Cat. imp., liv. 68, f. 66.

In-4. 6 vol., demi-rel., au chiffre de Louis-Philippe.
Nouveau fonds 292.

1791-1794. 貴州通志

Koei tcheou thong tchi.

Description du Koei-tcheou.

Par Fan Tchheng-hiun et autres; préfaces de 1692. Texte, cartes et illustrations.

36 livres. — Comparer Cat. imp., liv. 68, f. 67.

In-4. 4 vol., demi-rel., au chiffre de Louis-Philippe.
Nouveau fonds 291.

1795-1800. 四川總志 ou 蜀志

Seu tchhoan tsong tchi ou *Chou tchi.*

Description du Seu-tchhoan.

Par Tshai Yu-yong, Lo Sen et autres; préface de Lo Sen (1671). Anciennes préfaces de Jao King-hoei et autres (période Oan-li, 1573-1619). Texte et cartes.

36 livres. — Comparer Cat. imp., liv. 68, f. 63.

Grand in-8. 6 vol., demi-rel., au chiffre de Louis-Philippe.
Nouveau fonds 246.

1801-1804. 升菴全蜀藝文志

Cheng 'an tshiuen chou yi oen tchi.

Recueil de morceaux littéraires relatifs au Seu-tchhoan.

Formé par Tchou Hia-thang ; préface de Yu Thing-kiu (1796), postface de Than Yen-'ai (1807), notice du même (1811).

1 livre préliminaire et 64 livres.

In-12. 4 vol., demi-rel., au chiffre de Louis-Philippe.
Nouveau fonds 667.

1805-1814. 陝 西 通 志

Chàn si thong tchi.

Description du Chàn-si.

Par Kia Han-fou, et autres fonctionnaires ; dédicace de Kia Han-fou (1667), préfaces de 1662, 1663, 1667 ; postfaces de 1668. Anciennes préfaces de 1542 et années environnantes, par Tchao Thing-choei, Tchhen Hoang, qui a dirigé la composition de cette première édition, et autres. Texte, cartes et illustrations.

32 livres. — Comparer Cat. imp , liv. 68, f. 61.

Grand in-8. Papier blanc. 10 vol., demi-rel., au chiffre de Louis-Philippe.
Nouveau fonds 297.

Troisième Section :
MONOGRAPHIES LOCALES (PAYS ÉTRANGERS).

1815. 日 本 考

Ji pen khao.

Description du Japon.

Ouvrage très complet, renfermant des poésies, un glossaire, etc., rédigé en partie par un Japonais pour des Chinois, en partie par des Chinois ; postérieur à 1560 et antérieur, semble-t-il, à la guerre de Corée (1592) ; gravé sous la surveillance de deux dignitaires, Li Yen-kong et Ho Kie. Une carte.

5 livres. — Cat. imp., liv. 78, f. 21.

Grand in-8. 1 vol., demi-reliure.
Nouveau fonds 911 A.

1816. 西 方 答 問

Si fang ta oen.

Tableau de l'Occident.

Mœurs, monuments, sciences, mers de l'Europe : traité du P. Aleni ; gravé à la mission de Tsin-kiang (1637).

2 livres.

Grand in-8. 1 vol., cartonnage.
Nouveau fonds 4843.

1817. *Si fang ta oen.*

Même ouvrage.

Gravé à la mission de Oou-lin (1642), avec préface de Mi Kia-soei (1641).

Grand in-8. Titre teinté. 1 vol., cartonnage.

Nouveau fonds 3082.

1818. *Si fang ta oen.*

Double.

La table manque.

Nouveau fonds 3083.

1819-1822. 皇清職貢圖

Hoang tshing tchi kong thou.

Figures des peuples étrangers.

Peuples non chinois de l'intérieur et de l'extérieur, figures et notices. Décret impérial (1751), poésie composée par l'Empereur (1761) et poésies de divers fonctionnaires sur les mêmes rimes. Postface de Yu Min-tchong. Liste de la commission de rédaction comprenant le prince de Yi, Ying-lien, etc.

9 livres. — Cat. imp., liv. 71, f. 21.

In-4. Papier blanc, belle impression. 4 vol., demi-rel., au chiffre de Louis-Philippe.

Nouveau fonds 456.

1823-1824. 職貢圖

Tchi kong thou.

Figures des peuples étrangers.

Peuples non chinois de l'intérieur et de l'extérieur, figures et notices en chinois et en mantchou. Au début, vers composés par divers personnages sur des rimes données par l'Empereur ; à la fin notice rédigée par l'Empereur (1775). La dernière date que j'aie remarquée dans le texte, est celle de 1788.

In-folio. Peintures sur soie très fines, textes d'une belle calligraphie. 2 vol., montés en paravent, à couvertures de bois ; garde en soie jaune, portant l'empreinte de divers grands sceaux, entre autres celui du Yuen-ming-yuen (Palais d'Été).

Département des Estampes B 7 b réserve.

1825. 衛藏圖識

Oei tsang thou tchi.

Cartes et description du Tibet.

Sans nom d'auteur, avec préface de Lou Hoa-tchou (1792), comprenant préliminaires, cartes et examen, relation, langue des barbares.

5 livres.

In-12. 1 vol. demi-rel., au chiffre de Louis-Philippe.

Nouveau fonds 731.

1826-1829. 欽定新疆識略

Khin ting sin kiang tchi lio.

Description abrégée du Sin-kiang (Turkestan chinois), com-posée par ordre impérial.

Par le prince de Choei et autres dignitaires ; préface impériale (1821). Impression officielle de Péking. Cartes, texte comprenant des mémoires et des itinéraires.

1 livre préliminaire et 12 livres.

In-4. La fin de la table manque et a été suppléée à la main. 4 vol. cartonnage.
Nouveau fonds 5204 à 5207.

1830-1831. 西域聞見錄

Si yu oen kien lou.

Mémoires sur l'Asie centrale.

Histoire, biographies, itinérai-res, sans nom d'auteur, ni lieu, ni date.

8 livres.

Petit in-8, mss. 2 vol., demi-rel., au chiffre de Louis-Philippe.
Nouveau fonds 428.

1832.

Habitants des Philippines.

24 dessins chinois à l'encre de Chine.

In-4. 1 vol., cartonnage à l'européenne fait en Chine.
Département des Estampes Oe 60.

1833.

Peintures chinoises représen-tant des outils et instruments malais, des dessins d'étoffes ; note manuscrite en français, non signée.

In-folio. 1 vol. recouvert de soie.
Département des Estampes Oe 102.

1834. 油拉八國

Yeou la pa koe.

Les pays d'Europe.

Notes géographiques en canto-nais, avec la date de 1849 écrite au crayon.

Petit in-8, manuscrit de deux écri-tures. 1 vol. cartonné.
Nouveau fonds 5054.

Quatrième Section : GÉOGRAPHIE PHYSIQUE, MILITAIRE, ETC.

1835.   山海經

Chan hai king.

Le livre canonique des montagnes et des mers.

Description à demi fabuleuse du monde connu des anciens Chinois, existant déjà à l'époque de Seu-ma Tshien. Le présent texte avec notes est celui de Koo Pho (276-324), préface non datée de celui-ci. Postface de Yang Chen (1488-1559). Rapport à l'Empereur, par Lieou Sieou († 57 p. C.) qui attribue à cet ouvrage une antiquité reculée. Gravé à Hi dans la maison Hiang, d'après une édition des Song.

18 sections. — Cat. imp., liv. 142, f. 1.

Grand in-8, Titre noir sur blanc, bonne impression. 1 vol., reliure, au chiffre de Charles X.
Fourmont 27.

1836. — I.

Chan hai king.

Même ouvrage.

Texte de Koo Pho, rapport de Lieou Sieou. Revu par Oou Chen-heng.

— II.

圖像山海經詳註

Thou siang chan hai king siang tchou.

Le livre canonique des montagnes et des mers, illustré et commenté.

Préface de Tchhai Chao - ping (1667) ; quelques notices sur les illustrations ; illustrations pour le Chan hai king. Notes de Oou Tchi-yi. Gravé en 1818.

5 livres.

In-18. Titre noir sur jaune. 1 vol. cartonnage.
Nouveau fonds 4494.

1837. — I.

Chan hai king.

Même ouvrage qu'au n° précédent, art. I.

Édition imitée, légèrement différente.

— II.

Thou siang chan hai king siang tchou.

Imitation du n° précédent, art. II.

Titre un peu différent.

In-18. 1 vol., cartonnage.
Nouveau fonds 4493.

1838. 圖繪全像山海經廣註

Thou hoei tshiuen siang chan hai king koang tchou.

Le livre canonique des montagnes et des mers, illustré et commenté.

Même texte , mêmes préfaces que plus haut; édition non datée revue par Oang Tcheou-tsheu. Texte et planches.

18 livres.

Grand in-8. Titre noir sur jaune; planches usées; incomplet de quelques feuillets. 1 vol., demi-rel., au chiffre de Louis-Philippe.

Nouveau fonds 404.

1839-1842. 水經注

Choei king tchou.

Le livre canonique des rivièves, avec notes.

Hydrographie de la Chine, par un auteur inconnu; cet ouvrage avait été édité et commenté par Koo Pho (276-324), dont l'édition est perdue; le présent commentaire est celui de Li Tao-yuen (v^e et vi^e siècles). Poésie impériale, rapport des fonctionnaires chargés de préparer la présente édition, sans date. Note bibliographique de

Ki Yun (1774). Impression en caractères mobiles de la salle Oou-ying.

40 livres. — Cat. imp., liv. 69, f. 1.

In-12. Titre noir sur rouge. 4 vol., demi-rel., au chiffre de Louis-Philippe. *Nouveau fonds* 496 A.

1843-1844. — I (1843).

海防圖論

Hai fang thou loen.

Défense des côtes, cartes et dissertations.

Ouvrage composé par Tcheng Jo-tsheng, à la suite d'un décret de 1561; supplément de Oan Chi-tẹ pour le Liao-tong, de Yin Tou pour le Japon; notes de Yin Tou. Préface de Hou Tsong-hien, ministre de l'Armée; introduction de (Oan) Chi-tẹ.

Cat. imp., liv. 75, f. 30.

— II (1844).

九邊圖論

Kieou pien thou loen.

Les frontières de terre, cartes et dissertations.

Par Hiu Loẹn, avec introduction de l'auteur et introduction de (Oan) Chi-tẹ ; postface de Siu-Liang, mentionnant l'année 1560.

Comparer Cat. imp., liv. 75, f. 31, Oan li hai fang thou choẹ.

Grand in-8. Papier blanc, belle impression en noir et rouge. 2 vol. chinois dans 1 étui à la chinoise de fabrication européenne.

Section des Cartes Inventaire général 1712 C 15504.

1845-1846. 籌海圖編
Tchheou hai thou pien.

Étude sur les provinces maritimes de la Chine.

Par Hou Tsong-hien, fonctionnaire de la dynastie des Ming; préface signée Seu-chen (1624); préface de l'éditeur, Mao Khoen (1802).

13 livres avec des cartes. — Cat. imp., liv. 69, f. 31.

In-4. Titre sur papier rouge. 2 vol., demi-rel., au chiffre de Louis-Philippe.
Nouveau fonds 430.

———

1847-1855. 行水金鑑
Hing choei kin kien.

Traité des cours d'eau.

Par Fou Tse-hong; préface de l'auteur (1725). Texte et cartes.

1 livre préliminaire et 175 livres. — Cat. imp., liv. 69, f. 26.

Grand in-8. Papier blanc, titre noir sur blanc. 9 vol., demi-rel., au chiffre de Louis-Philippe.
Nouveau fonds 432.

1856-1866. 續行水金鑑
Siu hing choei kin kien.

Suite au Traité des cours d'eau.

Par Li Chi-siu, Tchang Tsing et autres fonctionnaires; préface de Tchang Tsing (1832), autre préface (1831). Gravé en 1832; planches gardées au yamen d'un Intendant du fleuve Jaune. Texte et cartes.

1 livre préliminaire et 156 livres.

Grand in-8. Papier blanc, titre noir sur blanc. 11 vol., demi-rel., au chiffre de Louis-Philippe.
Nouveau fonds 1767 à 1777.

1867. 天下名山圖
Thien hia ming chan thou.

Dessin des montagnes célèbres.

Paysages imprimés, sans texte ni nom d'auteur; note manuscrite en français datée de 1768.

Petit in-8. 1 vol. en paravent recouvert de soie.
Département des Estampes Oe 34.

1868. 西域水道記
Si yu choei tao ki.

Mémoire sur les cours d'eau de l'Asie centrale.

Avec préfaces de Teng Thing-tcheng, non datée, et de Long Oan-yu (1823). Texte et cartes.

5 livres.

In-4. Papier blanc, titre noir sur blanc.
1 vol., cartonnage.
Nouveau fonds 5214.

1869-1871. — I (1869-1871).

歷代陵寢備攷

Li tai ling tshin pei khao.

Étude sur les tombeaux impériaux des dynasties successives.

De l'antiquité à la fin des Ming. Par Tchou Khong-yang; préfaces de 1841 et 1844. Impression en caractères mobiles du bureau du journal le Chen pao, à Changhai (1877).

50 livres.

— II (1871).

歷代宗廟附考

Li tai tsong miao fou khao.

Étude sur les temples des ancêtres des dynasties successives.

De l'antiquité à la fin des Ming. Par Tchou Khong-yang. Même impression.

8 livres.

In-12. Titre noir sur blanc. 3 vol., cartonnage.
Nouveau fonds 5221 à 5223.

Cinquième Section : **ITINÉRAIRES, RELATIONS DE VOYAGE.**

1872-1874. — I (1872-1873).

大唐西域記

Ta thang si yu ki.

Mémoires sur l'Occident, de la dynastie des Thang.

Composés par ordre impérial par le bonze Hiuen-tchoang, avec la collaboration de Pien-ki; préface du ministre Tchang Yue; achevés en 646.

12 livres. — Cat. imp., liv. 71, f. 6. Bunyiu Nanjio, 1503.

— II (1873).

大唐西域求法高僧傳

Ta thang si yu khieou fa kao seng tchoan.

Biographies des bonzes de la dynasties des Thang qui ont cherché la loi en Occident.

Composées par ordre impérial par le bonze Yi-tsing (vers 690).

2 livres. — Bunyiu Nanjio, 1491.

— III (1874).

集神州塔寺三寶感通錄

Tsi chen tcheou tha seu san pao kan thong lou.

Sur l'influence du Triratna dans les bonzeries de Chine.

Par le bonze Tao-siuen, du Tchong-uan-chan (664).

3 livres. — Bunyiu Nanjio, 1484.

— IV (1874).

法顯傳

Fa hien tchoan.

Vie de Fa-hien.

C'est plus exactement le récit du voyage de Fa-hien aux Indes écrit par lui-même (414) : plus connu sous le titre de Fo koe ki.

Cat. imp., liv. 71, f. 4. — Bunyiu Nanjio, 1496.

Format large (0m,27 sur 0m,31); la pagination est en blanc dans des cartouches noirs à droite des feuilles; culs-de-lampe et ornements; volumes curieux. 3 vol., demi-rel., au chiffre de Napoléon III.
Nouveau fonds 1368 à 1370.

1875. 大唐西域記
Ta thang si yu ki.

Mémoires sur l'Occident, de la dynastie des Thang.

Même ouvrage qu'aux nos 1872-1873, édition moderne.

Grand in-8. 1 vol., demi-rel., au chiffre de Napoléon III.
Nouveau fonds 1394.

———

1876-1878. 霞客遊記
Hiao kho yeou ki.

Récits de voyage du lettré Hia-kho.

Voyages en Chine, de 1613 à 1640, de l'auteur Siu Hong-tsou, surnom Hia-kho ; préfaces de Yang Ming-chi (1709, 1710), de Soen Tchen-khin (1776) et de Tchao Yi (1808) pour la présente édition.

10 livres et un supplément.

In-8. Titre sur papier rouge. 3 vol., demi-rel., au chiffre de Louis-Philippe.
Nouveau fonds 40.

———

1879. 天下水陸路程
Thien hia choei lou lou tchheng.

Itinéraires de la Chine.

Notice de l'auteur de l'ouvrage, qui signe Tan-yi-tseu de Si-ling. Cartes de l'empire et des 15 provinces, itinéraires (époque des Ming).

2 livres.

In-24. Titre noir sur blanc. 1 vol., demi-reliure.
Section des Cartes Inventaire général 1708 C 2220.

1880. 兩京十三省郡邑

Liang king chi san cheng kiun yi.

Districts des territoires des deux capitales et des 13 provinces.

Liste des districts, distances, etc., pour la Chine et les pays frontières (époque des Ming).

Grand in-8, manuscrit. 1 vol., cartonnage du XVIIIe siècle, avec le titre *Geographia sinica*.
Fourmont 39.

1881. 新鐫天下水陸路程周行備覽

Sin tsiuen thien hia choei lou lou tchheng tcheou hing pei lan.

Itinéraires de la Chine, nouvelle édition.

Rédigés à la salle Yi-cheng de Oou-ling au Tchę-kiang. Cartes de l'empire et des 15 provinces, recommandations aux voyageurs, itinéraires et renseignements divers (début de la dynastie actuelle).

3 sections.

In-18. 1 vol., demi-reliure.
Section des Cartes Inventaire général 1708 C 2221.

1882. 御覽西方要紀

Yu lan si fang yao ki.

Mémoire sur l'Occident présenté à l'Empereur.

Daté de 1669, avec un rapport (1668) des PP. Luigi Buglio, Gabriel de Magalhães et Ferdinand Verbiest.

Cat. imp., liv. 78, f. 22. — Cordier, *Essai*, 38.

Grand in-8. Papier blanc. 1 vol. cartonnage.
Nouveau fonds 3388.

1883. — I. *Yu lan si fang yao ki.*

Même ouvrage.

— II.

不得已辨

Pou tę yi pien.

Réfutation d'un libelle contre le christianisme.

Réponse à l'astronome musulman Yang Koang-sien, par le P. Luigi Buglio, avec préface de l'auteur écrite à Tchhang-'an (1665). Suivie du Thien tchou tcheng kiao yo tcheng (n° 1885, art. II), sans pagination spéciale.

Grand in-8. 1 vol., cartonnage.
Nouveau fonds 3387.

1884. — I.

Yu lan si fang yao ki.

Double du n° précédent, art. I.

— II.

Pou te yi pien.

Double du n° précédent, art.
II.

Manque la préface.

Grand in-8. 1 vol., cartonnage.
Nouveau fonds 3385.

1885. — I. *Yu lan si fang yao
ki*

Double du n° précédent, art. I.

— II.

天主正教約徵

*Thien tchou tcheng kiao yo
tcheng.*

Preuves de la religion catholique.

Par le P. Luigi Buglio. Imité
des dernières pages du n° 1883,
art. II, pagination spéciale.

Petit in-8. 1 vol., cartonnage.
Nouveau fonds 3386.

1886. 路程
Lou tchheng.

Itinéraires.

Description brève de Péking;
routes de chaque province à Péking, routes entre les provinces.
Avertissement signé Tshing-nieou-tao-jen (1694). Gravé à la salle Ho-ho, au Fou-kien.

3 sections.

In-12. Titre noir sur jaune. 1 vol., demi-rel., au chiffre de Napoléon III.
Nouveau fonds 1336.

1887. *Lou tchheng.*

Double.

1 vol., demi-rel., au chiffre de Louis-Philippe.
Nouveau fonds 786.

1888. *Lou tchheng.*

Double.

Incomplet.

1 vol., cartonnage.
Nouveau fonds 2776.

1889. 異域錄
Yi yu lou.

Journal d'une mission à l'étranger.

Mission de Thou-li-chen en
Russie et chez les Tourgout, à la
suite de la soumission de ceux-ci
(1712); diverses préfaces de 1720
à 1723.

Cat. imp., liv. 71, f. 24.

Grand in-8, mss. 1 vol., demi-rel., au
chiffre de Louis-Philippe.
Nouveau fonds 348.

1890-1900. 行宮

Hing kong.

Étapes d'un voyage impérial.

Dessins représentant les localités où s'est arrêté l'Empereur, lors d'un voyage postérieur à 1701. Brèves légendes.

11 peintures sur soie, recouvertes de soie jaune et renfermées dans 11 étuis de soie jaune. Le tout dans 1 étui recouvert de soie, petit in-8.

Département des Estampes Oe 20.

1901. 江南行宮全圖

Kiang nan hing kong tshiuen thou.

Itinéraire de l'Empereur dans le Kiang-nan.

Vues de la route de la limite du Chan-tong à Nanking, sans date. Imprimé et colorié à la main.

In-24. 1 vol. en paravent ayant 22 mètres de longueur, couverture en soie jaune, dans 1 enveloppe.

Section des Cartes Inventaire général 1722 C 15503 *bis.*

1902.

Vues remarquables d'un voyage impérial ; imprimées et coloriées à la main. Notice relative aux lieux représentés, incomplète du début : sans nom d'auteur ni dates.

In-4. 1 vol. en paravent recouvert de soie.

Département des Estampes Oe 19.

1903. 海國聞見錄

Hai koe oen kien lou.

Mémoires sur les côtes de Chine et sur les pays d'outremer.

Par Tchhen Loen-kiong (Tseu-tchai), d'après les souvenirs de son père, 'Ang, et ses souvenirs personnels ; préface de l'auteur (1730) ; préfaces de 1743 et 1744 ; préface de Ma Tsiun-liang, pour la réédition de 1793.

2 livres, 1 de texte, 1 de cartes. — Cat. imp., liv. 71, f. 26.

In-12. Papier blanc, titre noir sur jaune. 1 vol., demi-reliure.

Nouveau fonds 1946.

1904. *Hai koe oen kien lou.*

Même ouvrage.

Imitation de l'édition précédente.

Petit in-8. 1 vol., demi-rel., au chiffre de Napoléon III.

Nouveau fonds 1237.

1905. 西藏記

Si tsang ki.

Relation du Tibet.

Sans nom d'auteur ni date, postérieure à 1751.

2 livres.

Grand in-8, manuscrit 1 vol. demi-rel., au chiffre de Louis-Philippe (relié en désordre).

Nouveau fonds 911.

1906-1907. 天竺國紀游

Thien tchou koe ki yeou.

Relation d'un voyage aux Indes.

Par Tcheou'Ai-lien, qui fit partie de l'expédition envoyée au Tibet (1791); dans la relation, il n'est pas question des Indes. Préface de l'auteur (1804).

12 livres.

Grand in-8, mss. 2 vol., demi-rel., au chiffre de Louis-Philippe.
Nouveau fonds 800.

1908. 使琉球記

Chi lieou khieou ki.

Relation d'une ambassade aux îles Lieou-khieou.

Par Li Ting-yuen, chef en second de la mission envoyée (1800) pour donner l'investiture au roi Chang Oen, monté sur le trône en 1794; préfaces de 1802.

6 livres.

Grand in-8, titre sur papier jaune. 1 vol., demi-rel., au chiffre de Louis-Philippe.
Nouveau fonds 441.

1909-1912. 環游地球新錄

Hoan yeou ti khieou sin lou.

Nouvelle relation d'un voyage autour du monde.

Voyage en Amérique et en Europe à propos de l'Exposition de Philadelphie, par Li Koei; préface de l'auteur (1877) et préface de Li Hong-tchang (1878).

4 livres avec des cartes.

Grand in-8, titre sur papier jaune. 4 vol. chinois enfermés entre deux planches.
Nouveau fonds 4372.

1913. 石渠閣精訂天涯不問

Chi khiu ko tsing ting thien yai pou oen.

Itinéraires au nord du Kiang.

In-32, incomplet (livre 6 seul). 1 vol., cartonnage.
Nouveau fonds 3300.

Sixième Section : CARTES.

1914. 坤輿全圖
Khoen yu tshiuen thou.

Mappemonde.

Par le P. Ferdinand Verbiest

(1674), avec illustrations et légendes.

Grand in-folio; papier blanc; la mappemonde est divisée en 8 feuilles verticales, de 0^m,65 sur 1^m,60, qui sont réunies en volume. 1 vol., reliure.
Nouveau fonds 4385.

1915. *Khoen yu tshiuen thou.*

Double.

Feuilles non montées dans un carton.
Nouveau fonds 2212.

1916-1921. *Khoen yu tshiuen thou.*

Double.

Monté en 6 rouleaux, genre kakemono, de 0^m,55 sur 1^m,75.
Section des Cartes Inventaire général 1701 C 14080.

1922. *Khoen yu tshiuen thou.*

Double.

Hémisphère de l'Amérique seulement.

1 feuille collée sur toile, de 1^m,54 sur 1^m,80.
Section des Cartes Inventaire général 1603 C 8941.

1923. 坤輿圖說

Khoen yu thou choe.

Mappemonde.

Réduction de la précédente, par le même auteur (1674); légende.

1 feuille non montée de 0^m,60 sur

1^m,80 et 1 fragment faisant double emploi; dans un carton.
Nouveau fonds 2212.

1924. 坤輿全圖

Khoen yu tshiuen thou.

Mappemonde chinoise faite par l'ordre et pour l'usage de l'empereur mantchou - chinois Khanghi 1674 (*sic*).

Légendes cosmographiques et géographiques.

1 feuille, manuscrite et coloriée; de 1^m,10 sur 0^m,85.
Section des Cartes Inventaire général 1604 B 1194.

———————

1925. 大淸統屬職貢萬國經緯地球

Ta tshing thong chou tchi kong oan koe king oei ti khieou.

Mappemonde.

Avec légende de Tchoang Thing-fou, de Tsin-ling (1800).

1 feuille coloriée de 1^m sur 0^m,65.
Section des Cartes Inventaire général 1605 C 15978.

———————

1926. 廣輿圖

Koang yu thou.

Carte de l'empire et des pays frontières.

Accompagnées de tableaux géographiques, administratifs et autres. Ouvrage de Tchou Seu-pęn (époque des Yuen), augmenté sous les Ming par Lo Hong-sien et par Hou Song; préfaces de ce dernier (1561), de Ho Ki (1566), de Tshien Tai (1579). Notice de Tchang Hio-lien, pour la présente réédition (1799).

2 livres.

In-folio. Papier blanc. 1 vol., demi-rel., au chiffre de la République française.
Nouveau fonds 1638.

1927. 古今輿地圖

Kou kin yu ti thou.

Atlas historique et moderne.

Avec légendes ; préfaces de Tchhen Tseu-long ('O-tseu), datée de 1643 et de Oou Koę-fou (1638).

Grand in-8 1 vol., demi-rel., au chiffre de Louis-Philippe.
Nouveau fonds 627.

1928.

Carte de l'empire et des régions voisines, avec notices sur les provinces et les pays tributaires (fin des Ming ou début des Tshing).

1 feuille de 1m,25 sur 1m,65, semblant rognée à l'est à l'ouest.
Section des Cartes Inventaire général 1705 C 10807.

1929. 坤輿全圖

Khoęn yu tshiuen thou.

Carte de l'empire et des régions voisines.

Datant de la dynastie régnante, antérieure au milieu du XVIIIe siècle.

1 feuille collée sur toile, de 1m,10 sur 1m,10.
Section des Cartes Inventaire général 1606 C 15500 R 246.

1930-1938. 內府輿地圖

Nei fou yu ti thou.

Cartes de l'empire par provinces et par préfectures.

Sans légende ni date; antérieures au milieu du XVIIIe siècle.

Grand in-8. Papier blanc, belle édition. 9 vol. chinois (manque le vol. 1), couvertures jaunes, dans un carton, in-4, genre reliure (provenant vraisemblement du Palais Impérial).
Section des Cartes Inventaire général 1710 C 2224.

1939.

Cartes de l'empire, de la Mantchourie et des 17 provinces (le Kiang-nan forme une seule province); postface de Tshien Tsiun-siuen (milieu du XVIIIe siècle).

In-folio. Papier blanc, belle impression. 1 vol. en paravent recouvert de soie chinoise, dans un carton, demi-rel., au chiffre de Napoléon III.

Nouveau fonds 1841.

1940-1949. 直隸各省輿地全圖

Tchi li ko cheng yu ti tshiuen thou.

Cartes des dix-huit provinces.

Le Kiang-nan a une carte, la Mantchourie une carte ; en outre, une carte générale de l'empire. Gravé par Tchang Tsong-king (1806). Annotations manuscrites en russe.

Ces cartes sont collées 2 par 2 sur 10 cartons de 0^m,83 sur 0^m,36.

Section des Cartes Inventaire général 1713·C 2225.

1950-1955. *Tchi li ko cheng yu ti tshiuen thou.*

Double.

Manque la carte générale.

6 feuilles montées en Chine, de 0^m,43 sur 1^m, dans 1 enveloppe chinoise in-folio.

Section des Cartes Inventaire général 1703 C 14796.

1956-1963. 皇朝一統輿坤全圖

Hoang tchhao yi thong yu khoen tshiuen thou.

Carte de l'empire.

Cette carte s'étend de la mer du Japon au Pamir ; gravée par le sieur Li de Yang-hou. Notice de 1832 ; petite carte d'assemblage dans un coin.

8 bandes, de 0^m,45 sur 2^m,55, montées en rouleaux, dans 1 boite en bois dur.

Section des Cartes Inventaire général 1704 C 14079.

1964-1971. 皇朝一統輿地全圖

Hoang tchhao yi thong yu ti tshiuen thou.

Carte de l'empire.

Avec une carte d'assemblage ; notice de Li Tchao-lo (1832), postface de Tchhen Yen-'en (1842).

Papier blanc, titre noir sur jaune. 8 feuilles pliées en paravent, de 2^m,18 sur 0^m,22 de haut ; dans 1 étui petit In-8, demi-rel., au chiffre de Napoléon III.

Nouveau fonds 1956.

1972. 皇朝直省坤輿全圖

Hoang tchhao tchi cheng khoen yu tshiuen thou.

Cartes des 18 provinces et de la Mantchourie.

Avec légendes et tableaux administratifs. Gravé sur pierre à Changhai (1880).

Grand in-8, 1 vol., couverture chinoise en soie.

Section des Cartes Ge F.F 145.

1973. 大清萬年一統地理全圖

Ta tshing oan nien yi thong ti li tshiuen thou.

Carte de la Chine et des régions voisines.

Imprimée en bleu sur blanc, sans date (XVIIIe ou XIXe s.).

1 feuille de 2^m,5o sur 1^m,35, dans un étui in-folio recouvert de soie chinoise

Section des Cartes Inventaire général 1706 C 13o55.

1974-1976. 大清萬年一統天下全圖

Ta tshing oan nien yi thong thien hia tshiuen thou.

Carte de la Chine et des régions voisines.

Avec notice non datée de Tchou Si-ling; exemplaire incomplet.

3 feuilles coloriées de o^m,65 sur 1^m,35.

Section des Cartes Inventaire général 1711 C 15979.

1977. 輿地全圖。山海天文全圖

Yu ti tshiuen thou. — Chan hai thien oen tshiuen thou.

Carte de l'empire et des régions voisines. — Mappemonde.

Notice de Ma Tsiun-liang, sans date.

1 feuille coloriée, collée sur toile, de o^m,75 sur 1^m,20.

Section des Cartes Inventaire général 1764 C 1674.

1978. 八旗方位總圖

Pa khi fang oei tsong thou.

Plans des cantonnements des huit bannières mantchoues dans Péking.

Ces plans sont constitués par les feuillets 1-10 du livre 2 du Premier recueil de notices sur les Huit bannières, Pa khi thong tchi tchhou tsi, publié en 1739 par ordre impérial (250 livres; Cat. imp., liv. 82, f. 44).

In-4. Couverture chinoise portant une note du P. Amiot. 1 vol., dans un carton.

Nouveau fonds 290 A.

1979. 京城全圖

King tchheng tshiuen thou.

Plan de Péking.

1 feuille coloriée, collée sur toile, de o^m,60 sur 1^m,02.

Section des Cartes Inventaire général 1609 C 1673.

1980. 首善全圖

Cheou chan tshiuen thou.

Plan de Péking.

1 feuille pliée, collée sur toile, de 0^m,67 sur 1^m,1...
Section des Cartes Inventaire général 1608 C 2233.

1981. 晉省坤輿全圖

Tsin cheng khoen yu tshiuen thou.

Carte du Chān-si.

Estampage, sans lieu ni date.

1 rouleau.
Nouveau fonds 2208.

1982.

Carte du Kiang (région de Tchen-kiang), avec une notice non signée.

1 rouleau manuscrit, en couleurs, de 3^m,40 sur 0^m,45 ; couverture en soie.
Section des Cartes Inventaire général 1721 C 14892.

1983.

Carte de la région qui s'étend de Nan-king au Chan-tong et au Ho-nan ; avec une note manuscrite de M. Natalis Rondot, qui tenait cette pièce de Robert Thom, consul de Grande-Bretagne.

1 rouleau, manuscrit, en couleurs, sur soie, de 1^m,30 sur 0^m,62.
Section des Cartes Inventaire général 1762.

1984.

Provinces de Hou-nan, de Hou-pé (Hou-kouang).

1 rouleau manuscrit, en couleurs ; collé sur toile à l'européenne ; de 1m,70 sur 1m,70.
Section des Cartes Inventaire général 646 R 137.

1985.

Carte du Hou-pé.

1 feuille manuscrite, en couleurs, collée sur toile, de 2^m,55 sur 1^m,10.
Section des Cartes Inventaire général 1607 C 15502 R 248.

1986.

Ile de Po-tou (Chine).

Plan à vol d'oiseau de l'île de Phou-tho ; légende signée King-yuen, non datée.

1 feuille coloriée, de 1^m,09 sur 0^m,65.
Section des Cartes Inventaire général 1622 C 13068.

1987.

Double.

1 rouleau collé sur toile.
Section des Cartes Inventaire général 1723 C 14794.

1988. 南海名山普陀勝境

Nan hai ming chan phou tho cheng king.

Plan à vol d'oiseau de l'île de Phou-tho.

1 feuille collée sur toile ; de 0^m,60 sur 1^m.

Section des Cartes Inventaire général 1610 C 13067.

1989.

Carte du Fou-kien et de Formose.

1 rouleau manuscrit, en couleurs, collé sur toile, de 1^m sur 1^m,50.

Section des Cartes Inventaire général 649 B 180.

1990. 臺灣山海全圖

Thai oan chan hai tshiuen thou.

Carte de Formose, postérieure à 1810.

1 rouleau manuscrit, en couleur, de 1^m,25 sur 0^m,45.

Section des Cartes Inventaire général 1724 C 14767.

1991. 廣東全省圖說

Koang tong tshiuen cheng thou choe.

Carte du Koang-tong.
Avec la liste des préfectures et sous-préfectures.

1 feuille de 1^m,10 sur 1^m,75.
Section des Cartes Inventaire général 1719 C 3351.

1992. 廣東興地總圖。廣東省城圖

Koang tong yu ti tsong thou. — *Koang tong cheng tchheng thou.*

Carte du Koang-tong. — Plan de la ville de Canton.

2 cartes en couleurs formant 1 rouleau monté à la chinoise, de 0^m,38 sur 1^m.
Section des Cartes Inventaire général 1720 C 1675.

1993. 廣東省城圖

Koang tong cheng tchheng thou.

Vue de Canton.

Vue prise de la rivière, dessinée à l'encre de Chine.

1 rouleau collé sur toile, de 1^m,95 sur 0^m,55.
Section des Cartes Inventaire général 1718 C 14795.

1994. 粵東洋面地圖

Yue tong yang mien ti thou.

Carte côtière du Koang-tong.

1 rouleau manuscrit, en couleurs, de 7^m sur 0^m,35.
Section des Cartes Ge FF 1087.

1995-1996.

Carte et vue de la côte depuis la frontière d'Annam jusqu'au nord de Tchheng-hai ; avec des numéros de renvoi et un manuscrit (**16 pp.**)

du P. Amiot donnant les noms en transcription.

1 rouleau manuscrit, en couleurs, de 5^m sur 0^m, 33, et 1 cahier in-4.

Section des Cartes Inventaire général 1715 C 18682 .

1997. 廣東通省水道圖

Koang tong thong cheng choei tao thou.

Carte hydrographique du Koang-tong.

Par Tchhen Ying, avec notice de Siu Siang, sans date.

1 rouleau collé sur toile, de 4^m,80 sur 1^m,65.

Section des Cartes R 507 Nouvel inventaire

1998. 大金川地理圖形

Ta kin tchhoan ti li thou hing.

Carte du Kin-tchhoan (Tibet oriental).

Relative à l'expédition terminée en 1776.

1 rouleau manuscrit, collé sur toile, de 1^m sur 0^m,60.

Section des Cartes Inventaire général 1716 C 2226.

CHAPITRE III : ADMINISTRATION

Première Section : OUVRAGES GÉNÉRAUX.

1999-2014. 大明會典

Ta ming hoei tien.

Statuts de la dynastie des Ming.

Ouvrage officiel réédité par Chen Chi-hing, Hiu Koę et autres (1587) ; préfaces impériales de 1502, 1509, 1587 ; décrets de 1497, 1511, 1529, 1576.

228 livres. — Comparer Cat. imp., liv. 81, f. 18.

In-4. Belle édition sur papier blanc, avec figures. 16 vol., demi-rel., au chiffre de Louis-Philippe.
Fourmont 91.

2015-2016. *Ta ming hoei tien.*

Même ouvrage.

Texte beaucoup plus serré ; gravé au Kiang-si ; les 228 livres sont répartis en 12 sections.

Grand in-8. Titre en noir sur papier teinté ; feuilles interverties à la reliure ; incomplet des sections 6 et 10. 2 vol., demi-rel., au chiffre de Louis-Philippe (prov. des Missions Étrangères).
Fourmont 43.

2017-2025. 野獲編

Ye hoę pien.

Collection de textes administratifs.

Recueil rangé par ordre méthodique, compilé par Chen Tę-fou, préface de l'auteur (1606) ; avertissement de Tshien Fang, pour une réédition (1700) ; préface du dernier éditeur, Yao Tsou-'en (1827). Gravé à Canton.

30 livres, suivis d'un supplément en 4 livres avec introduction de 1619.

Grand in-8. Titre en noir sur rouge. 9 vol., demi-rel., au chiffre de Louis-Philippe.
Nouveau fonds 624.

2026-2029. 欽定大清會典

Khin ting ta tshing hoei tien.

Statuts de la dynastie des Tshing, composés par ordre imrial.

Édition abrégée contenant une préface impériale (1764), une poésie (1774), une dédicace du prince de Li, président de la commission de composition, la liste des membres de cette commission, etc. Gravé au Kiang-nan d'après l'édition en caractères mobiles faite au Palais.

100 livres.

In-12. Papier blanc, titre noir sur rouge ; figures. 4 vol., demi-rel., au chiffre de Louis-Philippe.
Nouveau fonds 559.

2030-2053. *Khin ting ta tshing hoei tien.*

Même ouvrage.
Édition un peu plus petite.

In-12. Papier blanc. 24 vol. chinois renfermés dans 4 enveloppes toile bleue.

Nouveau fonds 4354 à 4357.

2054-2058. *Khin ting ta tshing hoei tien.*

Double.

5 vol., cartonnage (prov. de la bibl. Sainte-Geneviève).
Nouveau fonds 3478 à 3482.

2059-2063. *Khin ting ta tshing hoei tien.*

Même ouvrage.

Gravure différente, format plus petit.

In-12. Papier teinté. 5 vol., cartonnage (prov. de la bibl. Sainte-Geneviève).
Nouveau fonds 3483 à 3487.

2064-2070. 欽定大清會典圖

Khin ting ta tshing hoei tien thou.

Planches pour les Statuts de la dynastie des Tshing.

Figures, cartes et légendes. Ouvrage composé par une commission officielle ; rapport de Khing-koei, président, au sujet de l'achèvement de l'ouvrage (1811). Table en 2 livres.

(2064), règles rituelles, livres 1 à 22.
(2065), vases des sacrifices, livres 23 à 26.
(2065), tubes musicaux et instruments de musique, livres 27 à 39.
(2065), poids et mesures, livre 40.
(2065-2066), vêtements et coiffures, livres 41 à 50.
(2066), équipages, livres 51 à 60.
(2066-2067), armes, livres 61 à 72.
(2067), instruments d'astronomie, livres 73 à 85.
(2067), insignes, livre 86.
(2068-2070), géographie, livres 87 à 132.

In-folio. Papier blanc. 7 vol., demi-rel., au chiffre de Louis-Philippe.
Nouveau fonds 26 A.

2071-2076. *Khin ting ta tshing hoei tien thou.*

Double.

In-4. 6 vol., cartonnage.
Nouveau fonds 3492 à 3497.

2077-2081. 欽定大清會典

Khin ting ta tshing hoei tien.

Statuts de la dynastie des Tshing composés par ordre impérial.

Grande édition, avec préface impériale (1818), dédicace par Tho-tsin et autres; listes des commissions officielles présidées par Tshao Tchen-yong et le prince de Choei. Table.

(2077), Conseil de la Maison impériale, livre 1.
(2077), Grande Chancellerie, Grand Conseil livres 2 et 3.
(2077), Ministère des Fonctionnaires civils, livres 4 à 9.
(2077-2078), Ministère du Cens, livres 10 à 18.
(2078), Ministère des Rites, livres 19 à 32.
(2079), Section de la Musique, livres 33 et 34.
(2079), Ministère de l'Armée, livres 35 à 40.

(2079), Ministère des Châtiments, livres 41 à 44.
(2080), Ministère des Travaux, livres 45 à 48.
(2080), Cour des Tributaires, livres 49 à 53.
(2080-2081), Cour des Censeurs, Académie, Bureau d'Astrologie, etc., livres 54 à 64.
(2081), Gardes du corps, Préposés aux équipages, livres 65 et 66.
(2081), les huit Bannières, livres 67 à 71.
(2081), Intendance de la Cour, livres 72 à 80.
Comparer Cat. imp., liv. 81, f. 21.

In-folio. Papier blanc. 5 vol., demi-rel., au chiffre de Louis-Philippe.
Nouveau fonds 26.

2082-2085. *Khin ting ta tshing hoei tien.*

Double.

In-4. 4 vol., cartonnage.
Nouveau fonds 3488 à 3491.

2086-2145. 欽定大清會典事例

Khin ting ta tshing hoei tien chi li.

Statuts de la dynastie des Tshing : règlements détaillés.

Ouvrage officiel précédé d'un rapport de Oang Kie et autres (1818). Table en 8 livres.

(2086), Conseil de la Maison impériale, livres 1 à 8.

(2086-2087), Grande Chancellerie, Grand Conseil, livres 9 à 13.

(2087-2093), Ministère des Fonctionnaires civils, livres 14 à 127.

(2093-2100), Ministère du Cens, livres 128 à 232.

(2100-2112), Ministère des Rites, livres 233 à 409.

(2113-2114), Section de la Musique, livres 410 à 426.

(2114-2124), Ministère de l'Armée, livres 427 à 583.

(2124-2130), Ministère des Châtiments, livres 584 à 660.

(2130-2134), Ministère des Travaux, livres 661 à 725.

(2134-2135), Cour des Tributaires, livres 726 à 753.

(2135-2140), Cour des Censeurs, Académie, Bureau d'Astrologie, etc., livres 754 à 831.

(2140), Gardes du corps, Préposés aux équipages, livres 832 à 836.

(2140-2143), les huit Bannières, livres 837 à 884.

(2143-2145), Intendance de la Cour, livres 885 à 920.

Comparer Cat. imp., liv. 81, f. 23.

In-folio. Papier blanc. 60 vol., demi-rel., au chiffre de Louis-Philippe.
Nouveau fonds 26 B.

2146-2202. *Khin ting ta tshing hoei tien chi li.*

Double.

In-4. 57 vol., cartonnage.
Nouveau fonds 2024 à 2080.

2203-2208. — I (2203-2205).

新增資治新書全集

Sin tseng tseu tchi sin chou tshiuen tsi.

Manuel des mandarins locaux, recueil complet.

Par Li Yu, avec préface de Oang Chi-lou (1663). Gravé au jardin Kiai-tseu; titre noir sur jaune.

14 livres et 1 livre préliminaire.

— II (2205-2208).

新增資治新書二集

Sin tseng tseu tchi sin chou eul tsi.

Manuel des mandarins locaux, deuxième recueil.

Par le même; préface de Tcheou Liang-kong (1667). Gravé au jardin Kiai-tseu; titre noir sur papier teinté.

20 livres.

In-12. 6 vol., demi-rel., au chiffre de Louis-Philippe.
Nouveau fonds 496.

2209-2210. 福惠全書

Fou hoei tshiuen chou.

Conseils et manuel à l'usage des mandarins locaux.

Par Hoang Lou-hong (Seu-hou); préface de l'auteur (1694).

32 livres.

9

In-18. Titre noir sur jaune. 2 vol., demi-rel., au chiffre de Louis-Philippe. *Nouveau fonds* 526.

2211-2212. 新編吏治懸鏡

Sin pien li tchi hiuen king.

Guide juridique, administratif, rituel, géographique des mandarins locaux.

Par Siu Oen-pi (Jang-yeou).

8 parties.

In-12. Titre noir sur rouge. 2 vol., demi-rel., au chiffre de Louis-Philippe. *Nouveau fonds* 5o4.

Deuxième section : FONCTIONNAIRES CIVILS.

2213-2215. 欽定吏部則例

Khin ting li pou tsę li.

Règlements du Ministère des Fonctionnaires civils, imprimés par ordre impérial.

Ouvrage préparé par une commission officielle sous la présidence du prince de Ho; rapports de Tchang Thing-yu et autres membres (1738, 1741, 1742).

3 sections formant respectivement 5, 8 et 47 livres.

Grand in-8. 3 vol., demi-rel., au chiffre de Louis-Philippe. *Nouveau fonds* 23o9 à 23 11.

2216. 京報

King pao.

Gazette de la Capitale.

Quatre numéros des années 1778 et 1779.

Grand in-8. 1 vol., cartonnage. *Nouveau fonds* 5o24.

2217-2225. 京抄

King tchhao.

Gazette de la Capitale, extraits.

Extraits les uns manuscrits, les autres imprimés, années 1823 et 1824.

Petit in-8. 9 vol., demi-reliure. *Nouveau fonds* 6oo et 6o1.

2226. 京報

King pao.

Gazette de la Capitale.

Vingt-trois numéros de 1864.

Petit in-8 allongé. 1 vol., demi-rel.;

au chiffre de la République française.
Nouveau fonds 3667.

2227. — I.

Annuaire officiel civil, préface de 1646.

— II.

全補圖經證治大觀本草

Tshiuen pou thou king tcheng tchi ta koan pẹn tshao.

Traité des simples d'après les livres classiques, composé dans la période Ta-koan (1107-1110).

Ouvrage dont l'auteur est douteux. Préface (1249) pour la réédition de Tchang Tshoẹn-hoei, faite d'après celles des lettrés Phang et Kheou ; préface de Chang Lou, pour la réédition de 1468. La présente édition est de 1581. Fragment de volume ne comprenant que la liste des références et une partie de la table.

Comparer Cat. imp., liv. 103, f. 35. — Bibl. coréenne, 2494.

Grand in-8. 1 vol., cartonnage.
Nouveau fonds 2147.

2228. 分省督撫縉紳備覽

Fẹn cheng tou fou tsin chen pei lan.

Annuaire officiel civil et militaire.

Publié en 1680 ; préface non datée ; gravé à Péking.

Grand in-8, incomplet. 1 vol., cartonnage du XVIIIᵉ siècle, avec le titre *Catalogus mandarinorum*.
Fourmont 166.

2229. 爵秩全本

Tsio tchi tshiuen pẹn.

Annuaire officiel civil.

Exemplaire incomplet, dont la date a disparu ; antérieur au suivant.

Grand in-8. 1 vol., cartonnage.
Nouveau fonds 2713.

2230. 新刻爵秩全覽

Sin kho tsio tchi tshiuen lan.

Annuaire officiel civil.

Gravé à Péking (1739) ; préface non datée par Yu Tong.

Grand in-8. Titre noir sur jaune. 1 vol., demi-rel., au chiffre de Louis-Philippe.
Nouveau fonds 610.

2231-2232. 滿漢爵秩全本

Man han tsio tchi tshiuen pẹn.

Annuaire officiel civil.

Préface de Yu Tong ; exemplaire incomplet, sans date, postérieur au précédent.

Grand in-8. Titre noir sur jaune. 2 vol., cartonnage.
Nouveau fonds 2373, 4595.

2233. *Man han tsio tchi tshiuen pen.*

Annuaire officiel civil.

Gravé à Péking pour 1768 ; préface non datée.

In-18. Titre noir sur jaune, incomplet. 1 vol., demi-reliure.
Nouveau fonds 3525.

2234. 大清搢紳全書

Ta tshing tsin chen tshiuen chou.

Annuaire officiel civil.

Pour 1777 ; préface de 1776 ; cartes des provinces imprimées en rouge.

In-12. Titre noir sur jaune. 1 vol., demi-rel., au chiffre de Louis-Philippe.
Nouveau fonds 130.

2235. *Ta tshing tsin chen tshiuen chou.*

Annuaire officiel civil.

Préface de 1774, édition de 1777 ; cartes en noir de l'empire et des provinces.

Petit in-8. Titre noir sur jaune ; belle impression. 1 vol., demi-rel., au chiffre de Louis-Philippe.
Nouveau fonds 611.

2236-2237. — I (2236-2237).

Ta tshing tsin chen tshiuen chou.

Annuaire officiel civil.

Pour 1783.

— II (2237).

大清中樞備覽

Ta tshing tchong tchhou pei lan.

Annuaire officiel militaire.

Pour 1783.

In-18. Titre noir sur jaune. 2 vol., demi-reliure (prov. de la bibl. Sainte-Geneviève).
Nouveau fonds 3528, 3527.

2238. 大清搢紳全書

Ta tshing tsin chen tshiuen chou.

Annuaire officiel civil.

Pour le printemps de 1789 ; préface de 1787.

In-18. Titre noir sur jaune ; incomplet. 1 vol., cartonnage.
Nouveau fonds 4904.

2239-2240. *Ta tshing tsin chen tshiuen chou.*

Annuaire officiel civil.

Pour l'été de 1789 ; préface de 1789.

In-18. Titre noir sur jaune. 2 vol., demi-reliure.
Nouveau fonds 3523, 3524.

2241. *Ta tshing tsin chen tshiuen chou.*

Annuaire officiel civil.

Pour 1841 ; préface de la même année ; gravé à Péking.

In-18. Titre noir sur jaune. 1 vol., demi-reliure (prov. de la bibl. Sainte-Geneviève).
Nouveau fonds 3526.

2242. *Ta tshing tsin chen tshiuen chou.*

Annuaire officiel civil.
Préface de 1843.

In-12. Titre noir sur jaune. 1 vol., demi-rel., au chiffre de la République française.
Nouveau fonds 131.

2243. 粵 東 同 官 錄

Yue tong thong koan lou.

Liste des fonctionnaires de la province de Koang-tong.

Ajoutant au nom des fonctionnaires des renseignements sur la famille, le lieu d'origine, la biographie de chacun d'eux ; datée de 1840.

In-4 allongé. Belle impression sur papier blanc, cadres et titres courants en rouge. 1 vol., demi-rel., au chiffre de Napoléon III.
Nouveau fonds 1342.

2244.

Liste des fonctions provinciales et locales dans la première moitié du XVIIIe siècle.

Petit in-8. Manuscrit. 1 vol., cartonnage.
Nouveau fonds 2390.

2245. 文 階 官 品

Oen kiai koan phin.

Liste des fonctions civiles.

Accompagnée d'indications sur les uniformes.

In-12. Manuscrit. 1 vol., cartonnage.
Nouveau fonds 3397.

2246-2252.

Liste de fonctions provinciales (incomplet).

Petit in-8. Manuscrit. 6 cahiers et quelques feuilles séparées.
Nouveau fonds 5014.

Troisième section : CENS.

2253. 欽定戶部則例

Khin ting hou pou tse li.

Règlements du Ministère du Cens, imprimés par ordre impérial.

Livre 32 seulement, d'après une édition de 1822.

Petit in-8. Manuscrit. 1 vol., cartonnage.
Nouveau fonds 2344.

2254-2255. 江蘇海運全案

Kiang sou hai yun tshiuen 'an.

Documents complets sur le transport par mer de l'impôt (grains) du Kiang-sou.

Rassemblés et publiés sous la direction du vice-roi Khi-chan et du gouverneur Thao Tchou, par Tchhen Loan ; rapports, comptes, pièces diverses, planches. Préface de Thao Tchou (1826), postface de l'auteur. Planches conservées à la préfecture de Song-kiang.

12 livres.

Grand in-8. Papier blanc, titre noir

sur blanc. 2 vol., demi-rel., au chiffre de Napoléon III.
Nouveau fonds 1292 A, 1293.

2256-2279. 廣東賦役全書

Koang tong fou yi tshiuen chou.

Rapports sur la population et les ressources du Koang-tong.

Rapports sur la province en général, puis sur chaque district. Décret de 1657 ; rapport postérieur à 1817.

Grand in-8. 24 vol., demi-rel., au chiffre de Louis-Philippe.
Nouveau fonds 45.

2280-2282. — I (2280-2282).

兩廣鹽法志

Liang koang yen fa tchi.

Notice sur les gabelles des Deux Koang (Koang-tong et Koang-si).

Règlements, rapports, comptes, liste des fonctionnaires, indications sur l'extraction du sel, histoire. Par Li Chi-yao, Liang Koe-tchi, etc.;

préface de Li Chi-yao ; rapport du vice-roi Sou Tchhang, après achèvement du livre (1763). Cartes, vues, planches diverses.

1 livre préliminaire et 24 livres.

— II (2282).

兩廣鹽法外志

Liang koang yen fa oai tchi.

Supplément à la notice sur les gabelles des Deux Koang.

Par les mêmes ; préfaces de 1763. Planches.

6 livres.

Grand in-8. Papier blanc ; titres noir sur blanc, datés de 1762. 3 vol., demi-rel., au chiffre de Louis-Philippe.
Nouveau fonds 563.

2283. # 新刻北新鈔關商稅則例

Sin kho pẹ sin tchhao koan chang choei tsẹ li.

Tarifs des douanes du Tchẹkiang.

Avec une proclamation du trésorier de la province (1666). Édition privée faite d'après l'édition officielle.

In-12. Titre noir sur jaune. 1 vol., cartonnage (prov. des Missions Étrangères).
Nouveau fonds 2362.

2284. # 戶部新定北新關商稅則例

Hou pou sin ting pẹ sin koan chang choei tsẹ li.

Même ouvrage.

Grande édition de 1681, gravée par Tai, de Sin-'an.

Grand in-8. Titre noir sur blanc. 1 vol. demi-reliure.
Nouveau fonds 1926.

2285. # 粵海關稅則

Yue hai koan choei tsẹ.

Tarifs des douanes du Koangtong.

Avec une proclamation de l'administration des douanes ; édition postérieure à 1729.

Grand in-8. 1 vol., demi-reliure (prov. de la bibl. de l'Arsenal).
Nouveau fonds 1689.

2286. *Yue hai koan choei tsẹ.*

Même ouvrage.

Édition privée ne contenant pas la proclamation.

Grand in-8. 1 vol., demi-reliure.
Nouveau fonds 32.

2287. *Yue hai koan choei tsẹ.*

Double.

1 vol., cartonnage.
Nouveau fonds 2726.

2288. — I.

粵 海 關 則 例

Yue hai koan tsẹ li.

Tarifs des douanes du Koang-tong.

Avec une proclamation de 1689; comprenant des modifications ultérieures.

— II.

粵 海 關 比 例

Yue hai koan pi li.

Tarifs comparés des douanes du Koang-tong.

Jusqu'à 1803; proclamation de 1733.

— III.

粵 海 關 估 計 外 洋 船 出 口 貨 物 價 值 冊

Yue hai koan kou ki oai yang tchhoan tchhou kheou ho oou kia tchi tshẹ.

Listes des douanes du Koang-tong pour l'évaluation des prix des marchandises exportées par les vaisseaux étrangers.

Sans date.

— IV.

粵 海 關 額 定 欵 項 全 局

Yue hai koan'o ting khoan hiang tshiuen kiu.

Budget, règlements, comptes, etc., des douanes du Koang-tong.

Pièces diverses de 1786 à 1814.

— V.

粵 海 關 改 正 歸 公 規 例 冊

Yue hai koan kai tcheng koei kong koei li tshẹ.

Pièces et règlements relatifs aux divers ports du Koang-tong.

De 1736 à 1759.

Grand in-8. Papier blanc. 1 vol., demi-rel., au chiffre de Louis-Philippe. *Nouveau fonds* 623.

Quatrième section: RITES.

2289-2304. 皇 朝 禮 器 圖 式

Hoang tchhao li khi thou chi.

Modèles des instruments rituels de la dynastie régnante.

Publication officielle préparée par Tsiang Phou et autres fonctionnaires ; dédicace du prince de Tchoang, président de la commission de rédaction ; préface impériale (1759). Figures et légendes.

18 livres. — Comparer Cat. imp., liv. 82, f. 24.

In-4. Belle édition sur papier blanc. 16 vol. chinois recouverts en soie jaune, renfermés dans 4 enveloppes soie jaune. *Nouveau fonds* 241.

2305-2308. 大清通禮

Ta tshing thong li.

Collection des rites de la dynastie des Tshing.

Ouvrage composé à la suite d'un décret impérial (1736) et achevé en 1759 par une commission officielle comprenant Lai-pao, Tchhen Chikoan et autres. Réédition augmentée, préparée par une commission comprenant Mou-khe-teng-'o, Oang Thing-tchen, etc. (1824). Préface de l'empereur Kao-tsong pour la 1re édition et de son petit-fils Siuentsong pour la 2e ; dédicaces.

54 livres. — Comparer Cat. imp., liv. 82, f. 21.

Grand in-8. 4 vol., demi-rel., au chiffre de Louis-Philippe. *Nouveau fonds* 350.

2309. 文廟禮樂志

Oen miao li yo tchi.

Notice sur les rites du temple de Confucius.

Par Yen Hing-pang, qui accompagna l'Empereur dans son voyage au tombeau de Confucius ; préface par l'auteur (1690) ; illustrations.

Grand in-8. Papier blanc, édition soignée. 1 vol., demi-rel., au chiffre de Louis-Philippe. *Nouveau fonds* 228.

2310-2311. 月令廣義

Yue ling koang yi.

Chronographie expliquée.

Ouvrage notant les rites, souvenirs, événements de chaque saison et de chaque jour. Par Fong Mou-kang (Ying-king) : annoté par Tai Jen. Préface de l'auteur ; préfaces de Kou Khi-yuen (1602) et de Li Teng (1601). Texte, planches et légendes.

1 livre préliminaire et 24 livres. — Cat. imp., liv. 67, f. 4.

Grand in-8. Titre noir sur blanc, couvertures en soie bleue. 2 vol., demirel., au chiffre de Louis-Philippe. *Fourmont* 335.

2312-2313. 月令粹編

Yue ling soei pien.

Extraits chronographiques.

Par Tshin Kia-mou (Oei-yun); préface de Tchhen Cheou-khi (1812). Gravé en 1812; illustré.

24 livres.

Grand in-8. Titre noir sur jaune. 2 vol., demi-rel., au chiffre de Napoléon III.
Nouveau fonds 1509, 1510.

———

2314-2315. 萬壽盛典初集

Oan cheou cheng tien tchhou tsi.

Cérémonies d'un anniversaire impérial, premier recueil.

Gravures accompagnées de quelques pièces qui sont datées de 1713.

Livres 40 à 42 seulement. — Cat. imp., liv. 82, f. 20.

In-folio. Papier blanc, belle impression. 2 vol. chinois à couverture jaune, renfermés dans un étui européen genre reliure.
Nouveau fonds 1037.

2316. *Oan cheou cheng tien tchhou tsi.*

Même ouvrage.

Planches des livres 41 et 42 disposées de droite à gauche et reliées à l'européenne; notes manuscrites en français.

In-4 large. 1 vol.
Département des Estampes Oe 10.

2317-2321.

Édits rendus par l'Impératrice douairière et par l'Empereur (1776, 1777), imprimés au Ministère des Rites.

5 feuilles, caractères noirs, sur papier jaune, pliées dans un étui en cartonnage; grand in-8.

Nouveau fonds 4922.

2322.

Recueil des pièces concernant le cérémonial qui s'est observé à l'occasion de la mort de l'Impératrice mère 1777.

Ce titre est écrit de la main du P. Amiot.

Petit in-8. Manuscrit, couverture en soie jaune. 1 vol., cartonnage.
Nouveau fonds 2708.

2323-2328. 西巡盛典
Si siun cheng tien.

Voyage de l'Empereur vers l'Occident.

Rapports, pièces, relations au sujet du voyage fait par l'Empereur au Oou-thai-chan (1811), avec préface impériale (1812) et dédicace de présentation de la même date.

1 livre préliminaire et 24 livres.

Grand in-8, illustré. 6 vol., demi-rel., au chiffre de Louis-Philippe.
Nouveau fonds 487.

———

2329. 欽定磨勘條例

Khin ting mo khan thiao li.

Règlements des examens imprimés par ordre impérial.

Depuis le commencement de la dynastie jusqu'à 1806.

4 livres.

Grand in-8. Papier blanc. 1 vol., demi-rel., au chiffre de Louis-Philippe.
Nouveau fonds 413.

2330-2333. 御纂學政全書

Yu tsoan hio tcheng tshiuen chou.

Traité complet sur les écoles et les examens, composé par ordre impérial.

Par une commission officielle formée du Ministre des Rites, Kong-'a-la, de Thong Hoang, etc.; rapports de 1810 et 1812.

86 livres.

Grand in-8. Titre noir sur rouge. 4 vol., demi-rel., au chiffre de la République française.
Nouveau fonds 2225 à 2228.

2334-2336. 欽定科場條例

Khin ting kho tchhang thiao li.

Règlements des examens imprimés par ordre impérial.

Ouvrage préparé par une commission composée de King 'An et autres fonctionnaires ; rapports de 1814 et 1816 ; promulgué en 1818.

60 livres.

Grand in-8. 3 vol., demi-rel., au chiffre de la République française.
Nouveau fonds 2280 à 2282.

2337. 貢舉考略

Kong kiu khao lio.

Liste des candidats reçus.

Depuis le début de la dynastie des Ming jusqu'à 1826. Cette liste, accompagnée de quelques indications biographiques, a été recueillie par Hoang Tchhong-lan ; préface de 1803 ; le titre porte la date de 1821.

2 livres + 3 livres.

Grand in-8. Titre noir sur jaune. 1 vol., demi-rel., au chiffre de Louis-Philippe.
Nouveau fonds 387.

2338. *Kong kiu khao lio.*

Même ouvrage.

Réédition portant au titre la date de 1825 et poursuivie jusqu'à 1829.

Grand in-8. Titre noir sur jaune. 1 vol., demi-rel., au chiffre de Louis-Philippe.
Nouveau fonds 402.

2339. 康熙十八年己未

科會試一百五十名進士三代履歷便覽

Khang hi chi pa nien ki oei kho hoei chi yi po oou chi ming tsin chi san tai liu li pien lan.

Liste des 150 docteurs reçus à l'examen de 1679.

Accompagnée de renseignements généalogiques sur les candidats reçus et des noms des examinateurs. Gravé à Péking.

Grand in-8. 1 vol., cartonnage.
Nouveau fonds 2360.

2340. 鄉試題名錄

Hiang chi thi ming lou.

Archives de l'examen provincial (Canton, 1708).

Noms des examinateurs, sujets donnés, compositions remarquables, noms des candidats reçus.

Grand in-8. Papier blanc. 1 vol , cartonnage.
Nouveau fonds 2330.

2341. 鄉試錄

Hiang chi lou.

Archives de l'examen provincial (Canton, 1711).

Ouvrage analogue, préface de Tchang Oei-king.

Grand in-8. Papier blanc. 1 vol., demi-reliure.
Nouveau fonds 1690.

2342. 會試書經二房同門姓氏

Hoei chi chou king eul fang thong men sing chi.

Compositions et notices biographiques de l'examen métropolitain (1733).

Petit in-8 (incomplet). 1 vol., cartonnage.
Nouveau fonds 2342.

2343. 勑修百丈清規

Tchhi sieou po tchang tshing koei.

Rituel et règlements officiels des bonzes.

Par Po-tchang (époque des Thang); revu par Te-hoei, et Ta-sou (époque des Yuen). Nouvelle édition (1442) précédée d'un rapport de Hou Yong, ministre des Rites, et de diverses pièces de 1335, 1336, etc.

9 livres et supplément. — Bunyiu Nanjio, 1642.

Grand in-8, illustré (incomplet du livre 9 et du supplément). 1 vol., demi-rel., au chiffre de la République française (1879).
Nouveau fonds 4175.

Cinquième Section : **ARMÉE**.

2344. 新刻戎政全書

Sin kho jong tcheng tshiuen chou.

Annuaire officiel militaire.

Pour 1739 ; gravé à Péking.

Grand in-8. Titre noir sur jaune. 1 vol., demi-rel., au chiffre de Louis-Philippe.
Nouveau fonds 609.

2345. 中樞備覽

Tchong tchhou pei lan.

Annuaire officiel militaire.

Sans date ; intermédiaire entre les nᵒˢ 2344 et 2346.

Grand in-8. Titre noir sur jaune. 1 vol., cartonnage.
Nouveau fonds 2391.

2346. 大清中樞備覽

Ta tshing tchong tchhou pei lan.

Annuaire officiel militaire.

Préface de 1774; annuaire pour 1777.

Petit in-8. Titre noir sur jaune. 1 vol., demi-rel., au chiffre de Louis-Philippe.
Nouveau fonds 612.

Sixième Section : **CHATIMENTS**.

2347. 大明律

Ta ming liu.

Code pénal de la dynastie des Ming.

Dédicace de 1374, édits de 1395 et années voisines, préface impériale (1397); réédition de 1550 préparée par une commission de fonctionnaires. Table générale.

12 livres. — Comparer Cat. imp., liv. 84, f. 28.

In-4. Papier blanc (fragment s'arrêtant à la table générale). A la garde du volume, note manuscrite en français, non signée (1686). 1 vol., cartonnage du xviiᵉ siècle.
Nouveau fonds 1034.

———

2348-2349. 欽定頒行大清律。集解附例

Khin ting pan hing ta tshing liu. — Tsi kiai fou li.

Code pénal de la dynastie des Tshing composé et promulgué par ordre impérial. Avec notes et règlements annexes.

Préface impériale (1646); gravé à Péking.

3o livres. — Comparer Cat. imp., liv. 82, f. 49.

Grand in-8. Titre noir sur blanc; couvertures originales jaunes. 2 vol., demi-rel., au chiffre de Louis-Philippe.
Fourmont 160.

2350-2352. — I (2350-2351).

大淸律箋釋

Ta tshing liu tsien chi.

Code pénal expliqué.

Réédition de Li Nan, d'après le texte original de Oang de Kin-cha. Contenant la préface de 1646 et un rapport au trône avec rescrit (1689).

1 livre préliminaire, 3o livres et supplément en 1 livre.

Titre noir et rouge sur blanc.

— II (2352).

刑部現行則例

Hing pou hien hing tse li.

Règlements actuellement en vigueur au Ministère des Châtiments.

Réunis par une commission officielle; rapport au trône (1680).

2 livres (intervertis à la reliure).

— III (2352).

兵部督捕則例

Ping pou tou pou tse li.

Règlements du Ministère de l'Armée pour l'arrestation des criminels.

Réunis par une commission officielle; rapport avec rescrit (1676).

Grand in-8. 3 vol., reliure, au chiffre de Charles X.
Nouveau fonds 227.

2353-2358. 大淸律例重訂會通新纂

Ta tshing liu li tchhong ting hoei thong sin tsoan.

Nouvelle édition complète du code pénal et des règlements annexes.

Édition autorisée officiellement, d'après une édition précédente de Tchhen Jo-lin; préface de ce dernier (1811). Préface impériale de 1646, imprimée en rouge; texte de divers décrets et préfaces des années Khang-hi, Yong-tcheng, Khien-long, Kia-khing. Les deux derniers livres sont formés par les règlements pour l'arrestation (n° 2352, art. III) et par un traité des expertises médico-légales, Si yuen tchou choe. Gravé en 1832.

4o livres.

Grand in-8. Titre noir sur jaune

6 vol., demi-rel., au chiffre de Louis-Philippe.

Nouveau fonds 354.

2359-2363. — I (2359-2363).

Ta tshing liu li tchhong ting hoei thong sin tsoan.

Même ouvrage ; édition de 1841.

40 livres (non compris les Règlements pour l'arrestation, n° 2352, art. III).

— II (2363).

督 捕 則 例 附 纂

Tou pou ts$_e$ li fou tsoan.

Règlements pour l'arrestation des criminels.

Voir n° 2352, art. III.

2 livres.

Grand in-8. Titre noir sur jaune. 5 vol., cartonnage (prov. de la bibl. Sainte-Geneviève).

Nouveau fonds 3498 à 3502.

2364-2369. — I (2364-2368).

大清律例增修統纂集成

Ta tshing liu li tseng sieou thong tsoan tsi tchheng.

Édition augmentée du code pénal et des règlements annexes.

Ouvrage analogue aux n°s 2353-2358 ; préfaces de 1836 et 1838, postface de 1839. Gravé en 1846.

40 livres.

— II (2369).

督 捕 則 例 附 纂

Tou pou tse li fou tsoan.

Règlements pour l'arrestation des criminels.

Voir n° 2352, art. III.

2 livres.

Grand in-8. Titre noir sur jaune. 6 vol., cartonnage.

Nouveau fonds 4698 à 4703.

2370-2373. — I (2370-2373).

Ta tshing liu li tseng sieou thong tsoan tsi tchheng.

Même ouvrage qu'aux n°s 2364-2368 ; édition de 1878.

— II (2373).

Tou pou tse li fou tsoan.

Même ouvrage qu'au n° 2369, art. II.

Grand in-8. Titre noir sur jaune. 4 vol., cartonnage.

Nouveau fonds 4358 à 4361.

2374-2376. 刑 律

Hing liu.

Lois pénales.

Imprimées au Hou-koang par ordre du vice-roi après 1800.

13 livres.

Petit in-8. Impression soignée. 3 vol., demi-rel., au chiffre de Louis-Philippe.
Nouveau fonds 606.

2377. 洗冤錄集證彙纂

Si yuen lou tsi tcheng hoei tsoan.

Traité des expertises médico-légales post mortem, avec commentaires.

Préface de Oang Yeou-hoai, auteur de diverses additions (1796); impression de 1825.

5 livres. — Comparer Cat. imp., liv. 101, f. 16.

Petit in-8. Titre noir sur jaune. 1 vol., demi-rel., au chiffre de la République française.
Nouveau fonds 575.

2378. 名法指掌新例增訂

Ming fa tchi tchang sin li tseng ting.

Manuel de droit mis en tableaux.

Par Chen Sin-thien, préface de Li Si-tshin (1743) et autres préfaces. Réimpression de Canton (1824).

4 livres.

Grand in-8. Titre noir sur papier

teinté. 1 vol., demi-rel , au chiffre de Louis-Philippe.
Nouveau fonds 392.

2379. 新刻法家新書

Sin kho fa kia sin chou.

Petit manuel de droit.

Par Oou Thien-min; gravé en 1825.

1 livre préliminaire et 4 livres.

In-12. Titre noir sur jaune. 1 vol., demi-rel , au chiffre de Louis-Philippe.
Nouveau fonds 719.

2380. 新刻法家驚天雷

Sin kho fa kia king thien lei.

Traité abrégé de droit.

Divisé en deux parties parallèles, imprimées l'une sur le haut de la page et l'autre sur le bas.

2 livres.

In-12. Titre noir sur jaune. 1 vol., demi-rel., au chiffre de Louis-Philippe.
Nouveau fonds 760.

2381. 新增法語錦囊

Sin tseng fa yu kin nang.

Traité abrégé de droit.

Réédition de l'ouvrage précédent sous un titre différent.

In-18. Titre noir sur jaune. 1 vol., demi-reliure.
Nouveau fonds 775.

2382. 新鐫法家透胆寒

Sin tsiuen fa kia theou tan han.

Nouveau traité de droit usuel.

Par le lettré Ying-tchhoan, avec préface datée des caractères cycliques oou oou.

4 livres.

In-12. Titre sur papier jaune. 1 vol., demi-rel., au chiffre de Louis-Philippe.
Nouveau fonds 850.

2383-2386.

Supplices chinois, peintures sur papier de riz.

Petit in-8 large. 4 vol., couvertures en soie.

Département des Estampes Oe 68, 68 *a*, 68 *b*, 68 *c*.

2387.

Supplices chinois, peintures sur papier de riz.

In-12 large. 1 vol., cartonnage fait en Chine.
Département des Estampes Oe 70 *a*.

2388.

Supplices chinois, infernaux et autres; grandes peintures.

In-folio. 1 vol., demi-rel., au chiffre de Napoléon III.
Département des Estampes Oe 70.

Septième Section : TRAVAUX.

2389-2392. 工程做法

Kong tchheng tso fa.

Plans et devis de travaux.

Rapports du Ministère des Travaux, de l'Intendance de la Cour, etc., avec rescrit (1734); liste de la commission officielle. Planches.

74 livres.

Grand in-8. 4 vol., demi-rel., au chiffre de Louis-Philippe.
Nouveau fonds 375.

Huitième Section : RELATIONS ÉTRANGÈRES.

2393. 西招圖略

Si tchao thou lio.

Dissertation sur la politique à suivre au Tibet.

Avec préface de Song-yun (1664), qui est probablement l'auteur; nombreuses cartes du Tibet en totalité et par parties, avec légendes.

In-8. Manuscrit. 1 vol., demi-rel., au chiffre de Louis-Philippe.
Nouveau fonds 388.

2394-2397. 欽定理藩院則例

Khin ting li fan yuen tse li.

Règlements de la Cour des Tributaires, imprimés par ordre impérial.

Concernant les Mongols, le Tibet, la Russie; rapports au trône de 1811, 1815, 1817. Quelques addenda.

Table en 2 livres, 1 livre préliminaire et 63 livres.

Grand in-8. Papier blanc. 4 vol., demi-rel., au chiffre de Louis-Philippe.
Nouveau fonds 356.

2398-2411. 各國條約稅則章程

Ko koe thiao yo choei tse tchang tchheng.

Traités entre la Chine et les diverses puissances, tarifs des douanes et règlements.

Textes sans notes; publication officielle imprimée au Tchȩ-kiang, sans date, postérieure à 1871; contenant les traités de la Chine avec les États suivants :

(2398) Grande-Bretagne.
(2399) France.
(2400) Russie.
(2401-2402) États-Unis.
(2403) Prusse, Allemagne.
(2404) Danemark.
(2405) Pays-Bas.
(2406) Suède et Norvège.
(2407) Belgique.
(2408) Espagne.
(2409) Italie.
(2410) Autriche-Hongrie.
(2411) Japon.

In-4. Papier blanc. 14 vol. chinois entre deux planchettes.
Nouveau fonds 4362.

2412-2427. 通商各國條約

Thong chang ko koe thiao yo.

Traités entre la Chine et les diverses puissances.

Recueil officiel analogue, poursuivi jusqu'à 1898; contenant les traités et conventions avec les puissances énumérées au numéro précédent, plus ceux qui ont été conclus avec le Brésil et avec le Portugal.

In-8. Édition soignée. 16 vol. chinois dans deux enveloppes.
Nouveau fonds 5224, 5225.

2428-2429. 通商約章成案彙編

Thong chang yo tchang tchheng 'an hoei pien.

Recueil méthodique de dispositions et de précédents diplomatiques.

' Ouvrage du frère aîné de Li Hong-tchang, avec préface de ce dernier (1886) pour la première édition faite à Thien-tsin ; planches. Réédition récente non datée.

3o livres.

In-12. Papier blanc. 2 vol., cartonnage.
Nouveau fonds 5120, 5121.

2430. 萬國公法
Oan koę kong fa.

Wheaton's international law translated into Chinese by W. A. P. Martin, D.D... assisted by a Commission appointed by Prince Kung.

Préface anglaise du Dr Martin (1864), préfaces chinoises de Tong Siun (1864) et de Tchang Seu-koei (1863). Avertissement, contenant une notice géographique avec mappemonde. Imprimé à Péking en 1864.

4 livres.

In-4. Papier blanc ; deux titres en noir sur blanc, l'un en chinois, l'autre en anglais. 1 vol., cartonnage.
Nouveau fonds 3399.

2431. *Oan koę kong fa.*

Double, moins le titre anglais et la préface anglaise.

1 vol., demi-rel., au chiffre de la République française.
Nouveau fonds 3552.

2432-2435. 星軺指掌
Sing chao tchi tchang.

Guide diplomatique.

Auteur : de Martens ; traduction de Lien-fang et Khing-tchhang, avec préface de Tong Siun (1876). Imprimé en caractères mobiles au Thong-oen-koan (1876).

3 livres et 1 livre supplémentaire.

In-4. Papier blanc. 4 vol. chinois dans une enveloppe.
Nouveau fonds 4376.

2436-2441. 公法便覽
Kong fa pien lan.

Woolsey's international law translated into chinese... by

Messrs. Wang Fungtsao, Fungyee and others...

Préfaces chinoises diverses, entre autres une de W. A. P. Martin (1877). Titre, dédicace, préface en anglais par W. A. P. Martin (1878). Titre chinois daté de 1877. Mappemonde avec notice. Imprimé en caractères mobiles au Thong-oen-koan.

4 livres et 1 livre supplémentaire.

In-4. Papier blanc. 6 vol. chinois dans une enveloppe.
Nouveau fonds 4369.

2442. 萬國公法會通

Oan koe kong fa hoei thong.

Droit international codifié.

Auteur : Bluntschli; traduction de W. A. P. Martin. Préfaces du traducteur (1880), de Oang Oen-chao (1896). Lithographie du Chen pao, à Changhai (1896).

10 livres.

In-18. Papier blanc, titre noir sur blanc. 1 vol., cartonnage.
Nouveau fonds 5122.

2443-2488. 法國律例

Fa koe liu li.

Codes français.

Traduits par Billequin; préface de Oang Oen-chao (1880). Impression du Thong-oen-koan, en caractères mobiles.

(2443-2464) Code civil.
(2465-2468) Code de procédure pénale.
(2469-2472) Code pénal.
(2473-2480) Code de procédure civile.
(2481-2486) Code de commerce.
(2487-2488) Code forestier.

Grand in-8. Papier blanc, titre noir sur blanc. 46 vol., chinois dans six enveloppes.
Nouveau fonds 4363 à 4368.

2489-2496. *Fa koe liu li.*

Double incomplet (Code de commerce et Code forestier).

8 vol. chinois dans une enveloppe.
Nouveau fonds 4384.

CHAPITRE IV : LIVRES CANONIQUES

—

Première Section : TEXTES COLLECTIFS

2497-2523. 新刻十三經注疏

Sin khẹ chi san king tchou sou.

Nouvelle édition des Treize King (livres canoniques) avec notes et commentaires.

Édition officielle du pavillon Ki-kou ; préface pour cette édition par Tshien Khien-yi de Yu-chan (1639).

Comparer Cat. imp., liv. 33, f. 42 (Chi san king tchou sou).

— I (2497).

周易兼義

Tcheou yi kien yi.

Le Yi king (Livre des Trans-formations).

Préface de Khong Ying-ta (574-648) pour le Tcheou yi tcheng yi ; notes de Oang Pi, des Oei (226-249), commentaires de Khong Ying-ta. Pour les livres 7 et 8, notes de Han Khang-po des Tsin.

A la fin, cartouche avec la date de 1631.

I. Le canonique, king (les koa) ; les thoan, attribués à Oen-oang ; les siang attribués à Tcheou-kong ; développement des thoan, thoan tchoan, développement des siang, siang tchoan, attribués l'un et l'autre à Confucius, livres 1 à 6.

II. Explications en appendice, hi seu, attribuées à Confucius, livres 7 et 8.

III. Explication des koa, choẹ koa, ordre des koa, siu koa, traité mé-langé des koa, tsa koa, livre 9.

Cat. imp., liv. 1, f. 11 (Tcheou yi tcheng yi).

Grand in-8. Couvertures originales en papier jaune. 1 vol., demi-rel., au chiffre de Louis-Philippe.
Fourmont 136.

— II (2498-2499).

尚書註疏

Chang chou tchou sou.

Le Chou king (Livre des His-toires).

Préface de Khong Ying-ta pour

11

le Chang chou tcheng yi (642);
préface de Khong 'An-koẹ (11ᵉ s.
a. C.). Texte et notes de Khong
'An-koẹ, commentaires de Khong
Ying-ta. A la fin, cartouche avec la
date de 1632.

(2498), préface du Chou king attribuée
à Confucius, livre 1.

(2498), livre de Yu (5 chapitres), livres
2 à 5.

(2498), livre des Hia (4 chapitres),
livres 6 et 7.

(2498), livre des Chang (17 chapitres),
livres 8 à 10.

(2498-2499), livre des Tcheou (32
chapitres), livres 11 à 20.

Cat. imp., liv. 11, f. 1.

Grand in-8. Couvertures originales en
papier jaune. 2 vol., demi-rel., au chiffre
de Louis-Philippe.

Fourmont 137.

— III (2500-2503).

毛詩註疏

Mao chi tchou sou.

Le Chi king (Livre des Odes).

Préface de Khong Ying-ta pour
le Mao chi tcheng yi; texte de Mao
Heng de Lou et de son élève Mao
Tchhang (11ᵉ s. a. C.), notes de
Tcheng Hiuen, surnom Khang-
tchheng (127-200), commentaires
de Khong Ying-ta. Préfaces du
Chi king. A la fin, cartouche avec
la date de 1630.

(2500-2501), Koẹ fong (28 sections),
livres 1 à 8.

(2501-2502), Siao ya (20 sections),
livres 9 à 15.

(2502-2503), Ta ya (14 sections), livres
16 à 18.

(2503), Tcheou song (4 sections), livre
19.

(2503), Lou song et Chang song (4
sections), livre 20.

Comparer Cat. imp., liv. 15, f. 4.

Grand in-8. Couvertures originales
en papier jaune. 4 vol., demi-rel., au
chiffre de Louis-Philippe.

Fourmont 138.

— IV (2504-2506).

周禮註疏

Tcheou li tchou sou.

Le Tcheou li (Rituel des
Tcheou).

Préface de Kia Kong-yen, originaire de Ming-tcheou, fonctionnaire à l'époque Yong-hoei (650-
655) pour le Tcheou li tcheng yi;
notes de Tcheng Hiuen, commentaires de Kia Kong-yen. A la fin,
cartouche avec la date de 1628.

(2504), fonctionnaires du ciel, le
Grand Ministre, thien koan tchong
tsai, livres 1 à 8.

(2504-2505), fonctionnaires de la terre,
le Préposé au Peuple, ti koan seu
thou, livres 9 à 16.

(2505), fonctionnaires du printemps,
le Chef des sacrifices, tchhoen koan
tsong po, livres 17 à 27.

(2506), fonctionnaires de l'été, le Préposé aux chevaux, hia koan seu
ma, livres 28 à 33.

(2506), fonctionnaires de l'automne, le Préposé aux brigands, tshieou koan seu kheou, livres 34 à 38.

(2506), fonctionnaires de l'hiver, le Mémorial des artisans, tong koan khao kong ki, livres 39 à 42.

Cat. imp., 19, f. 1 (Tcheou li tchou sou).

Grand in-8. Couvertures originales en papier jaune. 3 vol., demi-rel., au chiffre de Louis-Philippe.

Fourmont 153.

— V (2507-2509).

儀禮註疏

Yi li tchou sou.

Le Yi li (Cérémonial des princes et des patriciens).

Préface de Kia Kong-yen, des Thang; notes de Tcheng Hiuen, commentaires de Kia Kong-yen. A la fin, cartouche avec la date de 1636.

(2507), prise du chapeau viril chez les patriciens, chi koan li, livre 1.

(2507), mariage des patriciens, chi hoen li, livre 2.

(2507), visites des patriciens, chi siang kien li, livre 3.

(2507), banquets de district, hiang yin tsieou li, livre 4.

(2507), tir à l'arc dans les districts, hiang che li, livre 5.

(2507), banquets chez le prince, yen li, livre 6.

(2507), tir à l'arc chez le prince, ta che yi li, livre 7.

(2508), ambassades, phing li, livre 8.

(2508), banquet offert par le prince à un envoyé d'un autre État, kong seu ta fou li, livre 9.

(2508), audience d'un prince chez le Fils du Ciel, kin li, livre 10.

(2508), vêtements de deuil, sang fou, livre 11.

(2509), funérailles des patriciens, chi sang li, livre 12.

(2509), suite, ki si, livre 13.

(2509), suite, chi yu li, livre 14.

(2509), sacrifice régulier de grandes victimes, the cheng koei seu li, livre 15.

(2509), sacrifice régulier de petites victimes, chao lao koei seu li, livre 16.

(2509), fin des sacrifices, yeou seu tchhe livre 17.

Cat. imp., liv. 20, f. 1.

Grand in-8. Couvertures originales en papier jaune; manque le feuillet 1 du livre 1. 3 vol., demi-rel., au chiffre de Louis-Philippe.

Fourmont 165.

— VI (2510-2513).

禮記註疏

Li ki tchou sou.

Le Li ki (Mémoires sur les rites).

Préface de Khong Ying-ta pour le Li ki tcheng yi; notes de Tcheng Hiuen, commentaires de Khong Ying-ta. A la fin, cartouche avec la date de 1639.

(2510), Sommaire des rites, khiu li; serait ce qui subsiste des Khiu thai

li ki de Han Tshang (sections 1 et
2), livres 1 à 5.

(2510), Than Kong, attribué aux disciples de Tseu-yeou, noms Yen Yen'
né vers 506 a. C. (sections 3 et 4),
livres 6 à 10.

(2510), Règles royales, oang tchi, com-
pilées par les lettrés officiels sous
l'empereur Oen (179-157) (section
5), livres 11 à 13.

(2510-2511), Ordonnances pour chaque
mois, yue ling ; extraits du Liu chi
tchhoen tshieou dus à Ma Yong (section 6), livres 14 à 17.

(2511), Questions de Tseng-tseu, tseng
tseu oen ; dù à l'école de Tseng-tseu,
postnom Chen, surnom Tseu-yu, né
vers 505 a. C. (section 7), livres 18
et 19.

(2511), Oen-oang comme prince héritier, oen oang chi tseu (section 8),
livre 20.

(2511), Origine et développement des
rites, li yun, dù à Tseu-yeou ou à
son école (section 9), livres 21 et 22.

(2511), Formation du sage par les rites,
li khi, suite du précédent (section
10), livres 23 et 24.

(2511), Victime unique au sacrifice qui
se fait à la campagne, kiao the cheng,
suite des deux traités précédents
(section 11), livres 25 et 26.

(2511), Règles de la famille, nei tse
(section 12), livres 27 et 28.

(2511), Pendants de jade de la cou-
ronne royale, yu tsao (section 13),
livres 29 et 30.

(2512), Places dans le Ming-thang,
ming thang oei (section 14), livre
31.

(2512), Mémoire sur les détails secon-

daires des vêtements de deuil, sang
fou siao ki (section 15), livres 32
et 33.

(2512), Grand traité, ta tchoan (section 16), livre 34.

(2512), Règles secondaires du maintien, chao yi (section 17), livre 35.

(2512), Mémoire sur l'éducation, hio
ki (section 18), livre 36.

(2512), Mémoire sur la musique, yo
ki ; introduit peut-être dans le Li ki
par Ma Yong (section 19), livres 37
à 39.

(2512), Mémoires divers, tsa ki (sections 20 et 21), livres 40 à 43.

(2512), Mémoire principal sur les funérailles, sang ta ki (section 22),
livres 44 et 45.

(2512), Lois des sacrifices, tsi fa (section 23), livre 46.

(2512-2513), Sens des sacrifices, tsi
yi (section 24), livres 47 et 48.

(2513), Sommaire des sacrifices, tsi
thong, antérieur à 248 a. C., semble
de peu postérieur à Confucius (section 25), livre 49.

(2513), Enseignements des king, king
kiai (section 26), livre 50.

(2513), Questions du duc 'Ai, 'ai kong
oen (section 27), livre 50.

(2513), Confucius chez lui, tchong ni
yen kiu (section 28), livre 50.

(2513), Confucius de loisir, khong
tseu hien kiu (section 29), livre 51.

(2513), Mémoire sur les fossés, fang
ki (section 30), livre 51.

(2513), Équilibre et harmonie, tchong
yong, traité attribué à Khong Ki,
surnom Tseu-seu, né vers 500 a.
C., petit-fils de Confucius (section
31), livres 52 et 53.

(2513), Mémoire pour servir d'exemple, piao ki (section 32), livre 54.

(2513), Robes noires, tchi yi (section 33), livre 55.

(2513), Se hâter pour aller aux funérailles, pen sang (section 34), livre 56.

(2513), Questions sur les rites funéraires, oen sang (sections 35), livre 56.

(2513), Questions sur les vêtements de deuil, fou oen (section 36), livre 57.

(2513), Points secondaires des rites funéraires, kien tchoan (section 37), livre 57.

(2513), Questions sur le deuil de trois ans, san nien oen (section 38), livre 58.

(2513), Habit long d'une seule pièce, chen yi (section 39), livre 58.

(2513), Jeu de tirer dans une jarre, theou hou (section 40), livre 58.

(2513), Conduite du lettré, jou hing, traité postérieur à Confucius (section 41), livre 59.

(2513), Grande étude, ta hio, attribué à Tseu-seu (section 42), livre 60.

(2513), Sens des rites de la prise du chapeau, koan yi (section 43), livre 61.

(2513), Sens des rites du mariage, hoen li (section 44), livre 61.

(2513), Sens des rites du banquet de district, hiang yin tsieou yi (section 45), livre 61.

(2513), Sens des rites du tir à l'arc, che yi (section 46), livre 62.

(2513), Sens des rites du banquet chez le prince, yen yi (section 47), livre 62.

(2513), Sens des missions rituelles, phing yi (section 48), livre 63.

(2513), Quatre principes relatifs aux vêtements de deuil, sang fou seu tchi (section 49), livre 63.

Cat. imp., liv. 21, f. 1. — Pour l'origine de chaque traité, voir *The Sacred Books of the East, the Texts of Confucianism* translated by James Legge (vol. XXVII et XXVIII, in-8, Oxford, 1885).

Grand in-8. Couvertures originales en papier jaune. 4 vol., demi-rel., au chiffre de Louis-Philippe.
Fourmont 154.

— VII (2514-2517).

春秋左傳註疏

Tchhoen tshieou tso tchoan tchou sou.

Le Tchhoen tshieou avec le Tso tchoan (Annales de Lou avec commentaire de Tso).

De 721 à 463. Préface de Khong Ying-ta pour le Tchhoen tshieou tcheng yi ; texte du livre canonique attribué à Confucius, commentaire de Tso Khieou-ming (v° s. a. C.?) ; notes de Tou Yu, surnom Yuen-khai (222-284) ; commentaires de Khong Ying-ta. A la fin, cartouche avec la date de 1638.

60 livres. — Cat. imp., liv. 26, f. 2.

Grand in-8. Couvertures originales en papier jaune. 4 vol., demi-rel., au chiffre de Louis-Philippe.
Fourmont 128.

— VIII (2518-2519).

春秋公羊傳註疏

Tchhoen tshieou kong yang tchoan tchou sou.

Le Tchhoen tshieou avec le Kong yang tchoan (Annales de Lou avec commentaire de Kong-yang).

De 721 à 467. Préface de Ho Hieou (129-183), pour le Tchhoen tshieou kong yang kiai kou; texte du livre canonique, commentaire de Kong-yang Cheou (IIᵉ s. a. C.); notes explicatives de Ho Hieou, commentaires de Siu Yen, des Thang. A la fin, cartouche avec la date de 1634.

28 livres. — Cat. imp., liv. 26, f. 4.

Grand in-8. Couvertures originales en papier jaune. 2 vol., demi-rel., au chiffre de Louis-Philippe.
Fourmont 130.

— IX (2520).

春秋穀梁傳註疏

Tchhoen tshieou kou liang tchoan tchou sou.

Le Tchhoen tshieou avec le Kou liang tchoan (Annales de Lou avec commentaire de Kou-liang).

De 721 à 467. Préface de Fan Ning (IVᵉ s. p. C.), pour le Tchhoen tshieou kou liang tchoan tsi kiai; texte du livre canonique, commentaire de Kou-liang Chou (ou Hi, ou Tchhi), surnom Yuen chi (IIIᵉ s. a. C.?); notes explicatives de Fan Ning; commentaires de Yang Chi-hiun, des Thang. A la fin, cartouche avec la date de 1635.

20 livres. — Cat. imp., liv. 26, f. 7.

Grand in-8. Couvertures originales en papier jaune. 1 vol., demi-rel., au chiffre de Louis-Philippe.
Fourmont 129 A.

— X (2521).

孝經正義註疏

Hiao king tcheng yi tchou sou.

Le Hiao king (Livre de la Piété filiale).

Préface de l'empereur Hiuen-tsong des Thang (règne 712-755) pour le Hiao king tcheng yi; préface sans date de Fou Oang, surnom Fong-yeou; préface de Hing Ping, surnom Chou-ming (932-1010). Texte d'une conversation de Tseng Chen avec son maître Confucius; notes; commentaires de Hing Ping. A la fin, cartouche avec la date de 1629.

9 livres formant 18 sections. — Comparer Cat. imp., liv. 32, f. 4.

Grand in-8. Couvertures originales en papier jaune.

— XI (2521).

論語註疏解經

Loẹn yu tchou sou kiai king.

Le Loẹn yu (Entretiens de Confucius).

Préface annotée. Texte du classique attribué à divers disciples médiats de Confucius, notes explicatives de Ho Yen des Oei, surnom Phing-chou (III\ e s. p. C.); notes et commentaires de Hing Ping. A la fin, cartouche avec la date de 1637.

20 livres. — Cat. imp., liv. 35, f. 8 (Loẹn yu tcheng yi).

Grand in-8. Couvertures originales en papier jaune. 1 vol., demi-rel., au chiffre de Louis-Philippe.
Fourmont 146/147.

— XII (2522).

孟子註疏解經

Meng tseu tchou sou kiai king.

Le Meng tseu (Entretiens de Mencius).

Préface du Meng tseu tcheng yi par Soẹn Chi, surnom Tsong-jo (962-1033). Texte du classique attribué à quelques disciples de Mencius; notes de Tchao Khi, surnom Pin-khing († 201 p. C.); commentaire de Soẹn Chi. A la fin, cartouche avec date de 1631.

14 livres. — Cat. imp., liv. 35, f. 2.

Grand in-8. Couvertures originales en papier jaune. 1 vol., demi-rel., au chiffre de Louis-Philippe.
Fourmont 148.

— XIII (2523).

爾雅註疏

Eul ya tchou sou.

Le Eul ya (Vocabulaire par ordre méthodique).

Ouvrage ancien : préface annotée. Texte attribué à Pou Chang, surnom Tseu-hia, né en 507 a. C.; notes de Koo Pho, surnom King-choẹn (276-324); commentaires de Hing Ping. A la fin, cartouche avec la date de 1628.

11 livres formant 19 sections. — Cat. imp., liv. 40, f. 1.

Grand in-8. Couvertures originales en papier jaune. 1 vol., demi-rel., au chiffre de Louis-Philippe.
Fourmont 129 B.

2524-2554. *Sin khẹ chi san king tchou sou.*

Double.

— I (2524).

周易註疏

Tcheou yi tchou sou.

Double du n° 2497.

Manque la préface générale de Tshien Khien-yi.

Grand in-8. 1 vol., demi-rel., au chiffre de Louis-Philippe.
Fourmont 149.

— II (2525-2526).

尙書註疏

Chang chou tchou sou.

Double des n⁰ˢ 2498-2499.

Grand in-8. 2 vol., demi-rel., au chiffre de Louis-Philippe.
Fourmont 150.

— III (2527-2530).

毛詩註疏

Mao chi tchou sou.

Double des n⁰ˢ 2500-2503.

Grand in-8. 4 vol., demi-rel., au chiffre de Louis-Philippe.
Fourmont 151.

-- IV (2531-2534).

周禮註疏

Tcheou li tchou sou.

Double des n⁰ˢ 2504-2506.

Toutefois contient en outre un titre en noir sur blanc, Chi san king tchou sou, et la préface de Tshien Khien-yi (voir n⁰ 2497).

Grand in-8. 4 vol., demi-rel., au chiffre de Louis-Philippe.
Fourmont 142.

— V (2535-2537).

儀禮註疏

Yi li tchou sou.

Double des n⁰ˢ 2507-2509.

Grand in-8. 3 vol., demi-rel., au chiffre de Louis-Philippe.
Fourmont 144.

— VI (2538-2542).

禮記註疏

Li ki tchou sou.

Double des n⁰ˢ 2510-2513.

Grand in-8. 5 vol., demi-rel., au chiffre de Louis-Philippe.
Fourmont 143.

— VII (2543-2547).

春秋左傳註疏

Tchhoẹn tshieou tso tchoan tchou sou.

Double des n⁰ˢ 2514-2517.

Grand in-8. 5 vol., demi-rel., au chiffre de Louis-Philippe.
Fourmont 139.

— VIII (2548-2549).

春秋公羊傳註疏

Tchhoẹn tshieou kong. yang tchoan tchou sou.

Double des n⁰ˢ 2518-2519.

Grand in-8. 2 vol., demi-rel., au chiffre de Louis-Philippe.
Fourmont 141.

— IX (2550).

春秋穀梁傳註疏

Tchhoẹn tshieou kou liang tchoan tchou sou.

Double du n° 2520.

Grand in-8. Manque un feuillet au début. 1 vol., demi-rel., au chiffre de Louis-Philippe.

Fourmont 140.

— X (2551).

孝經正義註疏

Hiao king tcheng yi tchou sou.

Double du n° 2521, art. X.

Grand in-8.

— XI (2551-2552).

論語註疏解經

Loen yu tchou sou kiai king.

Double du n° 2521, art. XI.

Grand in-8.

— XII (2552-2553).

孟子註疏解經

Meng tseu tchou sou kiai king.

Double du n° 2522.

Grand in-8. 3 vol., demi-rel., au chiffre de Louis-Philippe.

Fourmont 131.

— XIII (2554).

爾雅註疏

Eul ya tchou sou.

Double du n° 2523.

Grand in-8. 1 vol., reliure, au chiffre de Charles X.

Fourmont 145.

2555-2586. # 重栞宋本十三經注疏。附校勘記

Tchhong khan song pen chi san king tchou sou. — Fou kiao khan ki.

Les Treize King gravés de nouveau d'après l'édition des Song. — Examens critiques.

Table générale de l'édition, liste des commentateurs consultés. Notice de Yuen Yuen de Yang-tcheou qui a surveillé cette publication. Notice finale de Hou Tsi de Liu-kiang (1816). Postface de Tchou Hoa-lin de Hiu-kiang (1826).

En tête de chaque ouvrage, extrait du Catalogue Impérial (n°s 1347-1373), liste des auteurs consultés; après chaque livre, Examen critique, Kiao khan ki, de Yuen Yuen. La gravure de toute la collection a été révisée par Lou Siuen-siun; elle a été faite à l'école des lettrés de Nan-tchhang (1815).

— I (2555).

重栞宋本周易注疏。附校勘記

Tchhong khan song pen tcheou yi tchou sou. — Fou kiao khan ki.

Le Yi king, avec commentaires, gravé, etc. — Examen critique.

Gravé sous la surveillance de

Yuen Yuen. Préface de Khong Ying-ta (574-648) pour le Tcheou yi tcheng yi. Notes de Oang Pi, des Oei (226-249); commentaires de Khong Ying-ta et de Han Khang-po des Tsin.

9 livres. — Cat. imp., liv. 1, f. 11.

— II (2555).

經典釋文

Kiug tien chi oen.

Par Lou Tẹ-ming des Thang. Partie de cet ouvrage relative au Yi king (voir plus bas nᵒˢ 3095-3097).

Comparer Cat. imp., liv. 33, f. 5. (3o livres).

— III (2556-2557).

重栞宋本尙書注疏。附校勘記

Tchhong khan song pẹn chang chou tchou sou. — Fou kiao khan ki.

Le Chou king, avec commentaires, gravé, etc. — Examen critique.

Gravé sous la surveillance de Tseng Hoei-tchhoẹn. Préface de Khong Ying-ta pour le Chang chou tcheng yi (642). Texte et notes de Khong 'An-koẹ (11ᵉ s. a. C.); commentaires de Khong Ying-ta et Lou Tẹ-ming.

20 livres. — Cat. imp., liv. 11, f. 1.

— IV (2557-2561).

重栞宋本毛詩注疏。附校勘記

Tchhong khan song pẹn mao chi tchou sou. — Fou kiao khan ki.

Le Chi king, avec commentaires, gravé, etc. — Examen critique.

Gravé sous la surveillance de Hoang Tchong-mou. Préface de Khong Ying-ta pour le Mao chi tcheng yi. Texte de Mao Heng et Mao Tchhang (11ᵉ s. a. C.); notes de Tcheng Hiuen (127-200); commentaires de Khong Ying-ta.

20 livres. — Cat. imp., liv. 15, f. 4.

— V (2562-2567).

重栞宋本禮記注疏。附校勘記

Tchhong khan song pẹn li ki tchou sou. — Fou kiao khan ki.

Le Li ki, avec commentaires, gravé, etc. — Examen critique.

Gravé sous la surveillance des directeurs des lettrés de Nan-tchhang. Préface de Khong Ying-ta pour le Li ki tcheng yi. Texte et notes de Tcheng Hiuen; notes de Lou Tę-ming; commentaires de Khong Ying-ta.

63 livres. — Cat. imp., liv. 21, f. 1.

— VI (2567-2572)

重栞宋本左傳注疏。附校勘記

Tchhong khan song pęn tso tchoan tchou sou. — Fou kiao khan ki.

Le Tso tchoan, avec commentaires, gravé, etc. — Examen critique.

Gravé sous la surveillance des directeurs des lettrés de Nan-tchhang. Préface de Khong Ying-ta pour le Tchhoęn tshieou tcheng yi. Pièce officielle de 1005 relative à une réimpression. Texte et notes de Tou Yu (222-284), notes de Lou Tę-ming, commentaires de Khong Ying-ta.

60 livres. — Cat. imp., liv. 26, f. 2.

— VII (2572-2574).

重栞宋本公羊注疏。附校勘記

Tchhong khan song pęn kong yang tchou sou. — Fou kiao khan ki.

Le Kong yang tchoan, avec

commentaires, gravé, etc. — Examen critique.

Gravé sous la surveillance de Fang Thi. Préface de Ho Hieou (129-183) pour le Tchhoęn tshieou kong yang kiai kou. Pièce officielle datée de 1005. Texte et notes de Ho Hieou, commentaires de Siu Yen, des Thang.

28 livres. — Cat. imp., liv. 26, f. 4.

— VIII (2574-2575).

重栞宋本穀梁注疏。附勘校記

Tchhong khan song pęn kou liang tchou sou. — Fou kiao khan ki.

Le Kou liang tchoan, avec commentaires, gravé, etc. — Examen critique.

Gravé sous la surveillance de Tcheng Tsou-tchhen et de Lieou Ping. Préface de Fan Ning (IVᵉ s. p. C.) pour le Tchhoęn tshieou kou liang tchoan tsi kiai. Texte et notes de Fan Ning; commentaires de Yang Chi-hiun, des Thang.

20 livres. — Cat. imp., liv. 26, f. 7.

— IX (2575-2576).

重栞宋本論語注疏。附校勘記

Tchhong khan song pęn loęn yu

tchou sou. — Fou kiao khan ki.

Le Loẹn yu, avec commentaires, gravé, etc. — Examen critique.

Gravé sous la surveillance de Yuen Chang-cheng. Texte; notes de Ho Yen (iiiᵉ s. p. C.); commentaires de Hing Ping (932-1010).

20 livres. — Cat. imp., liv. 35, f. 8.

— X (2576-2578).

重栞宋本孟子注疏。 附校勘記

Tchhong khan song pẹn meng tseu tchou sou. — Fou kiao khan ki.

Le Meng tseu, avec commentaires, gravé, etc. — Examen critique.

Gravé sous la surveillance de Tchhen Hiu. Préface de Soẹn Chi (962-1033) pour le Meng tseu tcheng yi. Texte et notes de Tchao Khi († 201 p. C.); commentaires de Soẹn Chi.

14 livres. — Cat. imp., liv. 35, f. 2.

— XI (2578).

重栞宋本孝經注疏。 附校勘記

Tchhong khan song pẹn hiao

king tchou sou. — Fou kiao khan ki.

Le Hiao king, avec commentaires, gravé, etc. — Examen critique.

Gravé sous la surveillance de Lou Tchẹ. Préface de Hing Ping pour le Hiao king tcheng yi; préface de Fou Oang. Texte, notes, commentaire de l'empereur Hiuen-tsong des Thang et de Hing Ping.

9 livres. — Cat. imp., liv. 32, f. 4.

— XII (2578-2582).

重栞宋本周禮注疏。 附校勘記

Tchhong khan song pẹn tcheou li tchou sou. — Fou kiao khan ki.

Le Tcheou li, avec commentaires, gravé, etc. — Examen critique.

Gravé sous la surveillance de Tcheou Tchou. Préface de Kia Kong-yen (viiᵉ s.) pour le Tcheou li tcheng yi. Texte et notes de Tcheng Hiuen; notes de Lou Tẹ-ming; commentaires de Kia Kong-yen.

42 livres. — Cat. imp., liv. 19, f. 1.

— XIII (2582-2585).

重栞宋本儀禮注疏 附校勘記

Tchhong khan song pẹn yi li tchou sou. — Fou kiao khan ki.

Le Yi li, avec commentaires, gravé, etc. — Examen critique.

Gravé sous la surveillance de 'O Ying-lin. Préface de Kia Kong-yen. Texte et notes de Tcheng Hiuen ; commentaires de Kia Kong-yen.

5o livres. — Comparer Cat. imp., liv. 2o, f. 1.

— XIV (2585-2586).

重栞宋本爾雅注疏。 附校勘記

Tchhong khan song pẹn eul ya tchou sou. — Fou kiao khan ki.

Le Eul ya, avec commentaires, gravé, etc. — Examen critique.

Gravé sous la surveillance de Hoang Tchong-kie. Texte et notes de Koo Pho (276-324) ; préface et commentaires de Hing Ping (932-1010).

1o livres. — Comparer Cat. imp., liv. 4o, f. 1.

Grand in-8. Titre en noir sur vert pour l'ensemble de la collection, en tête du Chi king (nᵒˢ 2557-256i) ; titre particulier en noir sur papier teinté en tête de chaque ouvrage. 32 vol., demi-rel., au chiffre de Napoléon III.
Nouveau fonds 1151 à 1182.

2587-2588. 五經旁訓 . 內 附忠孝二經

Oou king phang hiun. — Nei fou tchong hiao eul king.

Les Cinq King, avec notes juxtalinéaires ; avec les Livres de la Fidélité et de la Piété filiale.

Préface de l'éditeur, Kao Khi-tchhang, surnom Ki-cheng (1641) ; préface du même pour les Livres de la Piété filiale et de la Loyauté (1641). Ouvrage gravé à Oou-lin.

— I (2587).

孝經訓義

Hiao king hiun yi.

Le Hiao king, avec notes.

Notes par Kao Khi-tchhang, commentaires de Kao Hong-yun, surnom Thai-lai. L'ouvrage est attribué à un disciple de Confucius qui y rapporte une conversation du maître avec Tseng Chen, surnom Tseu-yu, né vers 505 a. C.

Comparer Cat. imp., liv. 32, f. 4.

— II (2587).

忠經訓義

Tchong king hiun yi.

Le Tchong king (Livre de la Fidélité), avec notes.

Notes de Khao Khi-tchhang,

commentaires de Kao Hong-yun. L'ouvrage est attribué à Ma Yong (76-166).

Comparer Cat. imp., liv. 95, f. 4.

— III (2587).

易經
Yi king.

Préface de Tchheng Yi, surnom Yi-tchhoan (1099). Texte avec notes de Kao Khi-tchhang, revu par Kao Siang-tchhen (Oo-kong) et Kao Siang khi (Oo-hien).

3 livres.

— IV (2587).

書經
Chou king.

Préface de Tshai Tchhen pour son édition du Chou king (1209). Texte avec notes de Kao Khi-tchhang, revu par Kao Heng-tchi (Cheng-seu) et Kao Siang-thai (Oo-lie)

4 livres.

— V (2587).

詩經
Chi king.

Préface de Tchou Hi (1177). Texte avec notes de Kao Khi-tchhang, revu par Kao Siang-ting (Oo-thiao) et Tcheou Chi-tcheng (Thang-heou).

4 livres.

— VI (2587-2588).

禮記
Li ki.

Préface de Tchhen Hao (1322). Texte, avec notes de Kao Ki-tchhang, revu par Kao Hong-yun (Thai-lai) et par Kao Siang-hao (Oo-khin).

6 livres.

— VII (2588).

春秋
Tchhoen tshieou.

Préface de Hou 'An-koe (1074-1138). Texte, avec notes de Kao Khi-tchhang, revu par Lieou Ming-sin (Khiue-tchang) et par Teng Chao (Yu-chou).

4 livres.

Petit in-8. Titre bleu sur blanc. 2 vol., demi-rel., au chiffre de Louis-Philippe (provenant des Missions Étrangères). *Fourmont* 133.

2589-2590. — I (2589).

書經旁訓
Chou king phang hiun.

Le Chou king, avec notes juxtalinéaires.

Préface de Tshai Tchhen (1209) ; texte de Khong 'An-koẹ, annoté.

2 livres (incomplet).

— II (2589).

詩經旁訓

Chi king phang hiun.

Le Chi king, avec notes juxtalinéaires.

Préface de Tchou Hi (1177).

3 livres.

— III (2590).

禮記旁訓

Li ki phang hiun.

Le Li ki, avec notes juxtalinéaires.

Préface de Tchhen Hao (1322).

4 livres.

— IV (2590).

春秋旁訓

Tchhoẹn tshieou phang hiun.

Le Tchhoẹn tshieou, avec notes juxtalinéaires.

Préface de Hou 'An-koẹ et de Tchheng Yi, surnom Tcheng-chou (1103).

4 livres.

Grand in-8. 2 vol., demi-rel., au chiffre de Louis-Philippe (provenant des Missions Étrangères).

Fourmont 134.

2591-2602. 五經四子書

Oou king seu tseu chou.

Les Cinq Livres canoniques et les Quatre Livres classiques.

Préface pour cette édition (1742) par le prince de Yi qui l'a fait préparer ; sceaux du prince. Gravé à Péking, au palais du prince de Yi ; nouvelle édition de la salle Ming-chạn.

— I (2591).

易經本義

Yi king pẹn yi.

Sens primitif du Yi king.

Préface, table. Texte et commentaires de Tchou Hi.

4 livres. — Cat. imp., liv. 3, f. 11.

— II (2591-2592).

書經集傳

Chou king tsi tchoan.

Le Chou king commenté.

Préface de Tshai Tchhen de Oou-yi (1209). Table. Texte et commentaires du même.

6 livres. — Cat. imp., liv. 11, f. 20.

— III (2593-2594).

詩經集傳

Chi king tsi tchoan.

Le Chi king commenté.

Préface de Tchou Hi (1177). Texte et commentaires du même.

8 livres. — Cat. imp., liv. 15, f. 18.

— IV (2594-2597).

禮記集說

Li ki tsi choę.

Le Li ki commenté.

Préface de Tchhen Hao (1322). Texte et commentaires du même.

10 livres. — Cat. imp., liv. 21, f. 7 (Yun tchoang li ki tsi choę).

— V (2597-2599).

春秋胡傳

Tchhoęn tshieou hou tchoan.

Le Tchhoęn tshieou, avec commentaires de Hou.

Préface de Hou 'An-koę (1074-1138). Cartes, tableaux chronologiques, géographiques, etc. Texte commenté.

30 livres. — Cat. imp., liv. 27, f. 11.

— VI (2600).

大學章句

Ta hio tchang kiu.

Le Ta hio annoté.

Préface de Tchou Hi (1189). Texte et commentaires du même.

1 livre. — Cat. imp., liv. 35, f. 21.

— VII (2600).

大學或問

Ta hio hoę oen.

Questions sur le Ta hio.
Par Tchou Hi.

1 livres. — Cat. imp., liv. 35, f. 23 (Seu chou hoę oen).

— VIII (2600).

中庸章句

Tchong yong tchang kiu.

Le Tchong yong annoté.

Préface de Tchou Hi (1189). Texte et commentaire du même.

1 livre. — Cat. imp., liv. 35, f. 21.

— IX (2600).

中庸或問

Tchong yong hoę oen.

Questions sur le Tchong yong.
Par Tchou Hi.

1 livre. — Cat. imp., liv. 35, f. 23 (Seu chou hoę oen).

— X (2600-2601).

論語集註

Loęn yu tsi tchou.

Le Loęn yu, avec commentaires.

Texte et commentaires de Tchou Hi.

10 livres. — Cat. imp., liv. 35, f. 21.

— XI (2601-2602).

孟子集註

Meng tseu tsi tchou.

Le Meng tseu, avec commentaires.

Texte et commentaires de Tchou Hi.

7 livres. — Cat. imp., liv. 35, f. 21.

In-18. Impression soignée sur papier blanc ; pour chaque ouvrage, titre noir sur blanc ; les volumes 1 à 9 ont des couvertures de soie jaune ; les volumes 10 à 12 ont des couvertures de soie bleue, avec titres écrits de la main du P. Amiot. 12 vol., demi-reliure.

Nouveau fonds 1974 à 1982, 1971 à 1973.

2603-2605. 五經句解

Oou king kiu kiai.

Les Cinq King annotés.

Édition de 1817 revue par Tchang, de Oou-kiun, gravée à la librairie Hoan-tsoei.

— I (2603).

易經增訂句解

Yi king tseng ting kiu kiai

Le Yi king annoté.

Préface de Tchheng Yi (1099). Texte et commentaires.

3 livres.

— II (2603).

詩經增訂句解

Chi king tseng ting kiu kiai.

Le Chi king annoté.

Préface de Tchou Hi (1177). Texte et commentaires.

4 livres.

— III (2604).

書經增訂句解

Chou king tseng ting kiu kiai.

Le Chou king annoté.

Préface de Tshai Tchhen (1209). Texte et commentaires.

4 livres.

— IV (2604-2605).

禮記增訂句解

Li ki tseng ting kiu kiai.

Le Li ki annoté.

Préface de Tchhen Hao (1322). Texte et commentaires.

6 livres.

— V (2605).

春秋增訂句解

Tchhoeu tshieou tseng ting kiu kiai.

Le Tchhoen tshieou annoté.

Préface de Hou 'An-koe (1074-1138). Texte et commentaires du même.

4 livres.

In-12. Titre noir sur jaune. 3 vol.
demi-rel., au chiffre de Louis-Philippe.
Nouveau fonds 662.

2606-2607. — I (2606).

周 易

Tcheou yi.

Le Yi king.

Édition officielle en caractères
sigillaires (fin du xviie siècle ou début du xviiie); liste de la commission chargée de surveiller l'impression, Li Koang-ti, Oang Yen,
etc. Table et texte.

1 livre.

— II (2606).

尙 書

Chang chou.

Le Chou king.
Même édition.
1 livre.

— III (2606).

毛 詩

Mao chi.

Le Chi king.
Même édition.
3 livres.

— IV (2606).

春 秋

Tchoen tshieou.

Le Tchhoen tshieou.

Texte du king seul. Même édition.

1 livre.

— V (2607).

周 禮

Tcheou li.

Le Tcheou li.
Même édition.
3 livres.

— VI (2607).

儀 禮

Yi li.

Le Yi li.
Même édition.
3 livres.

Grand in-8. Belle impression sur papier blanc; couvertures en soie bleue.
2 vol., reliure, au chiffre de Charles X.
Nouveau fonds 183.

———————

2608-2651. — I (2608-2610).

御纂周易折中

Yu tsoan tcheou yi tche tchong.

Le Yi king, avec commentaires, édition impériale.

Préface impériale (1715) avec
sceaux impériaux reproduits en
noir à la fin; avertissement; table

des matières ; liste des commentateurs consultés. Liste de la commission de rédaction, comprenant Li Koang-ti et autres. Le texte est accompagné de notes et de commentaires et orné de planches ; mémoires annexes.

1 livre préliminaire et 22 livres. — Cat. imp., liv. 6, f. 3.

— (2611-2614).

欽定書經傳說彙纂

Khin ting chou king tchoan choẹ hoei tsoan.

Le Chou king, avec commentaires, édition impériale.

Cet ouvrage a été commencé par ordre de l'empereur Cheng-tsou ; préface impériale (1730) transcrite par Oang Thou-ping. Table des matières. Liste de la commission de rédaction comprenant Oang Hiu-ling, Tchang Thing-yu et autres. Liste des auteurs consultés, tables généalogiques, cartes, figures et légendes, etc. Texte avec notes et commentaires.

1 livre préliminaire en 2 sections, 21 livres, 1 livre pour les préfaces du classique. — Cat. imp., liv. 12, f. 22.

— III (2615-2618).

欽定詩經傳說彙纂

Khin ting chi king tchoan choẹ hoei tsoan.

Le Chi king, avec commentaires, édition impériale.

Ouvrage commencé par ordre de l'empereur Cheng-tsou ; préface impériale (1727) transcrite par Tai Lin. Liste de la commission de rédaction comprenant Oang Hong-siu, Khoei-siu et autres. Table des matières. Avertissement, liste des commentateurs consultés ; cartes et figures avec légendes, etc. Diverses préfaces pour le classique, entre autres celle de Tchou Hi (1177). Texte avec notes et commentaires.

1 livre préliminaire en 2 sections, 21 livres, 2 livres pour les anciennes préfaces du classique. — Cat. imp., liv. 16, f. 18.

— IV (2619-2629).

欽定禮記義疏

Khin ting li ki yi sou.

Le Li ki, avec commentaires, édition impériale.

Édition de 1748. Avertissement, table des matières. Liste des auteurs consultés. Texte avec notes et commentaires (voir nos 2644-2651).

1 livre préliminaire ; livres 1 à 77, texte et commentaires ; livres 78 à 82 planches et légendes. — Cat. imp. liv. 21, f. 17.

— V (2630-2634).

欽定春秋傳說彙纂

Khin ting tchhoen tshieou tchoan choe hoei tsoan.

Le Tchhoen tshieou, avec commentaires, édition impériale.

Préface impériale (1721) transcrite par Oang Thou-ping. Liste de la commission de rédaction comprenant Oang Yen, Tchang Thing-yu et autres. Liste des auteurs consultés. Table des matières. Tableaux chronologiques, généalogiques, géographiques, etc. Texte du classique et des trois tchoan, avec notes et commentaires.

38 livres. — Cat. imp., liv. 29, f. 2.

— VI (2635-2643).

欽定儀禮義疏

Khin ting yi li yi sou.

Le Yi li, avec commentaires, édition impériale.

Édition de 1748. Avertissement; liste des auteurs consultés. Table des matières. Mémoires préliminaires, entre autres Explications de Tchou Hi sur la demeure patri-

cienne, Tchou tseu yi li chi kong. Texte avec notes et commentaires (voir nos 2644-2651).

Livres 1 à 40, texte et commentaires; livres 41 à 48, planches et légendes. — Cat. imp., liv. 20, f. 17.

— VII (2644-2651).

欽定周官義疏

Khin ting tcheou koan yi sou.

Le Tcheou li, avec commentaires, édition impériale.

Préface impériale (1748) transcrite par Liang Chi-tcheng, pour l'édition des Trois Rituels, San li yi sou (nos 2644-2651, 2635-2643, 2619-2629). Liste de la commission de rédaction comprenant Yun-lou, Hong-yen et autres. Table des matières; avertissement, liste des auteurs consultés, etc. Texte avec notes et commentaires.

Livres 1 à 44, texte et commentaire; livres 45 à 48, planches et légendes. — Cat. imp., liv. 19, f. 30.

Grand in-8. Titre noir sur jaune pour chaque ouvrage. 44 vol., demi-rel., au chiffre de Louis-Philippe.

Nouveau fonds 107.

Deuxième Section : TEXTES SÉPARÉS, LE YI KING

2652. 周易本義

Tcheou yi pẹn yi.

Sens primitif du Yi king.

Préface de Tchou Hi; texte établi et commenté par le même. Planches avec légendes. Édition soignée analogue au n° 2591, art. I, présentant quelques différences, impression du XVIIIᵉ siècle.

4 livres. — Cat. imp., liv. 3, f. 11.

In-18. Papier blanc. 1 vol., demi-rel., au chiffre de Louis-Philippe.
Fourmont 120 A.

2653. 芥子園重訂監本易經

Kiai tseu yuen tchhong ting kien pẹn yi king.

Le Yi king, nouvelle édition du Kiai tseu yuen d'après celle du Koẹ tseu kien.

Préface de Tchheng Yi (1099); texte de Tchou Hi. Planches avec légendes. Gravé en 1818.

I. Le canonique en 2 sections, livres 1 et 2.
II. Explications en appendice formant 2 sections, livre 3.
III. Explication des koa, ordre des koa, etc., livre 4.

Grand in-8. Titre noir sur jaune. 1 vol., cartonnage (provenant du chevalier de Paravey).
Nouveau fonds 4395.

2654-2659. — I (2654-2655).

周易本義

Tcheou yi pẹn yi.

Sens primitif du Yi king.

Préface de Tchheng Yi (1099), texte de Tchou Hi, avec commentaires et planches. Gravé à Chao-tcheou (1851).

4 livres. — Cat. imp., liv. 3, f. 11·

— (2656-2659).

書經集傳

Chou king tsi tchoan.

Le Chou king commenté.

Préface de Tshai Tchhen (1209). Texte et commentaires du même. Gravé à Chao-tcheou (1851); quelques feuillets manquent ou sont intervertis.

6 livres. — Cat. imp., liv. 11, f. 20.

Grand in-8. Titres en noir sur papier teinté, 6 vol. chinois dans 1 étui en toile bleue.
Nouveau fonds 4343.

2660-2662. 周易傳義大全

Tcheou yi tchoan yi ta tshiuen.

Le Yi king, avec commentaires.

Deux préfaces de Tchheng Yi, l'une de 1099 : texte et commentaire du Tcheou yi pẹn yi; autres commentaires, figures. Édition de Tchhen Ming-khing, gravée à la salle Tseng-yen (XVIIᵉ s.), reproduisant l'édition officielle de Hou Koang (1370-1418); liste de la commission chargée de préparer cette dernière édition.

24 livres. — Cat. imp., liv. 5, f. 1 (Tcheou yi ta tshiuen).

Petit in-8. Titre noir sur blanc. 3 vol., demi-rel. (provenant de la bibl. de l'Arsenal).
Nouveau fonds 1582 à 1584.

2663-2664. 重訂蔡虛齋先生易經蒙引

Tchhong ting tshai hiu tchai sien cheng yi king mong yin.

Le Yi king expliqué, édition de Tshai Hiu-tchai.

Texte du classique et commentaire de Tchou Hi; explication de l'un et de l'autre, par Tshai Hiu-tchai, postnom Tshing, surnom Kiai-fou, originaire de Tsin-kiang, docteur en 1484; présenté à l'em-

pereur par Tshoẹn-yuen, fils de l'auteur (1529). Postface de Sie Tsong-khai (1530). Nouvelle édition publiée par Song Tchao-yo, avec préface de Lin Hi-yuen (époque des Ming), à la librairie Kin-tchhang.

12 livres. — Cat. imp., liv. 5, f. 2.

Petit in-8. Titre noir sur blanc. 2 vol., demi-rel., au chiffre de Louis-Philippe (prov. des Missions Étrangères).
Fourmont 100.

2665. 易經直解

Yi king tchi kiai.

Le Yi king expliqué.

Texte et commentaires rassemblés par Oang Chi-khoei, de Sin-'an, et autres. Préface de Chi Ta-tchheng (1660); édition soignée publiée par les soins de Tchang Thai-yo, de Kiang-ling. En bas des pages texte et notes, en haut explications.

12 livres.

Petit in-8. Titre noir sur blanc. 1 vol., demi-rel., au chiffre de Louis-Philippe.
Fourmont 98.

2666. 易經講義會編遵註大全

Yi king kiang yi hoei pien tsoẹn tchou ta tshiuen.

Le Yi king annoté, avec commentaires.

Préface écrite par Teng Mai, surnom Pou-tchan, de Oou, en 1666, à Canton. Tableaux, figures avec légendes. En bas des pages, texte et commentaires de Tchou Hi (Tcheou yi pen yi, Cat. imp., liv. 3, f. 11) ; en haut des pages Yi king kiang yi, Explication du Yi king, par Li Kieou-oo ; entre les deux, extraits de divers commentaires. Gravé à la librairie Kin-tchhang.

4 livres.

Petit in-8. Titre noir sur blanc. 1 vol., demi-rel. (prov. de la bibl. de l'Arsenal). *Nouveau fonds* 1581.

2667. 友古堂合參易經全旨說約體要

Yeou kou thang ho tshan yi king tshiuen tchi choe yo thi yao.

Le Yi king annoté, avec divers commentaires, édition de la salle Yeou-kou.

Préface de Tchheng Yi (1099) ; préface de Tcheng Cheou-tchhang, de Hou-lin (1658) pour le commentaire de son père Tcheng Khong-pien. Figures avec légendes. Texte du Tcheou yi pen yi avec notes dans la moitié inférieure des pages ; commentaires dans la moitié supérieure. Gravé en 1668.

4 livres.

Grand in-8. Titre noir sur blanc,

1 vol., demi-rel., au chiffre de Louis-Philippe.
Fourmont 97.

2668. 崇道堂易經大全會解

Tchhong tao thang yi king ta tshiuen hoei kiai.

Le Yi king annoté, avec commentaires, édition de la salle Tchhong-tao.

Préface (1681) de Lai Tsi-tchi, surnom Yuen-tchheng, oncle de l'auteur ; avertissement de celui-ci, Lai Mou-tchhen, surnom Eul-cheng, de Siao-chan. Tableaux. Texte annoté du Tcheou yi pen yi en bas des pages ; dans la moitié supérieure, commentaires de Lai Eul-cheng. Publié par Tchou Kien-yu et Tchou Siun-tsong, de Si-ling.

4 livres.

Grand in-8. 1 vol., cartonnage.
Nouveau fonds 4394.

2669-2670. 日講易經解義

Ji kiang yi king kiai yi.

Le Yi king expliqué par les Explicateurs impériaux.

Texte, commentaires et figures. Préface de l'empereur Jen-tsou

(1683); dédicace de présentation par Yeou Nieou, Soẹn Tsai-fong et autres; liste de la commission de rédaction.

18 livres. — Cat. imp., liv. 6, f. 2.

Petit in-8. Titre en bleu et rouge sur papier teinté, avec sceau des Explicateurs. 2 vol., demi-rel., au chiffre de Louis-Philippe (prov. des Missions Étrangères).

Fourmont 101.

2671-2673. *Ji kiang yi king kiai yi.*

Double.

Manque la feuille de titre; sur la couverture chinoise du 1er volume, note manuscrite en latin, non signée.

Petit in-8. 3 vol., demi-rel., au chiffre de Louis-Philippe.

Fourmont 102.

2674-2675. *Ji kiang yi king kiai yi.*

Même ouvrage.

Édition imitée de la précédente.

Petit in-8. 2 vol., reliure, au chiffre de Louis-Philippe.

Nouveau fonds 161.

2676. *Ji kiang yi king kiai yi.*

Même ouvrage.

Impression soignée sur papier blanc.

Livre 9 seulement.

Petit in-8. 1 vol., cartonnage.
Nouveau fonds 2930.

2677-2678. *Ji kiang yi king kiai yi.*

Même ouvrage.

Édition plus grande que les nos 2669-2670, sur papier blanc.

Grand in-8. 2 vol., demi-rel., au chiffre de Louis-Philippe (provenant des Missions Étrangères).

Fourmont 103.

2679. 辨志堂新輯易經集觧

Pien tchi thang sin tsi yi king tsi kiai.

Le Yi king, avec notes et commentaires, nouvelle édition de la salle Pien-tchi.

Préface de Tchhen Si-kia (1686); avertissement de Oan King, surnom Cheou-yi, de Yong-chang ou Yong-kiang. En bas des pages texte du Tcheou yi pẹn yi (Cat. imp., liv. 3, f. 11), en haut, commentaires de Oan Seu-tcheng, de Yong-chang. Gravé à la salle Si-choang.

4 livres.

Grand in-8. Titre noir sur blanc. 1 vol., reliure, au chiffre de Louis-Philippe.
Nouveau fonds 163.

2680-2681. — I (2680-2681).

五經大全。周易大全

Oou king ta tshiuen. — Tcheou yi ta tshiuen.

Grande édition des Cinq King. — Grande édition du Yi king.

Préface de Tchheng Yi (1099). Liste des commentateurs consultés. Planches et légendes, notices diverses. Texte avec commentaires, rassemblés par Siu Kieou-yi. — Gravé en 1696. A rapprocher des n°s 2660-2662, 2697-2699, 2737-2739 et 2775-2776.

24 livres.

— II (2681).

易經考異

Yi king khao yi.

Examen des divergences du texte.

Par Oang Ying-lin, surnom Po-heou (1223-1296) de Siun-yi.

Grand in-8. Titre noir sur blanc, édition soignée. 2 vol., reliure au chiffre de Louis-Philippe.
Nouveau fonds 165, 166.

2682-2683.   五經大全。易經大全

Oou king ta tshiuen. — Yi king ta tshiuen.

Grande édition des Cinq King. — Grande édition du Yi king.

Préface (1711) de Hoang Yue, surnom Tsi fei, pour la réédition de la grande édition des Cinq King de Tchou-tseu. Préfaces de Tchheng Yi (1099). Figures et légendes; texte, commenté, revu par Tcheou Chi-hien , surnom Seu-hoang. Gravé en 1717.

1 livre préliminaire et 20 livres.

Grand in-8. Deux feuilles de titre en noir sur blanc. 2 vol., demi-rel., au chiffre de Louis-Philippe.
Fourmont 105.

2684-2685.   御纂周易折中

Yu tsoan tcheou yi tchẹ tchong.

Le Yi king, avec commentaires, édition impériale.

Même ouvrage qu'aux n°s 2608-2610 ; édition un peu plus grande ; sceaux impériaux reproduits en rouge à la fin de la préface.

In-4. Papier blanc, couvertures originales en soie bleue. 2 vol., reliure au chiffre de Charles X.
Nouveau fonds 282, 283.

2686-2687. *Yu tsoan tcheou yi tchẹ tchong.*

Double.

In-4. Couvertures originales en soie jaune. 2 vol., demi-rel., au chiffre de Louis-Philippe.
Fourmont 104.

13

2688-2690. *Yu tsoan tcheou yi tche tchong.*

Même ouvrage.

Édition un peu plus petite qu'aux nᵒˢ 2608-2610.

Grand in-8. Titre noir sur jaune. 3 vol., demi-rel., au chiffre de Louis-Philippe.
Fourmont 106.

───────

2691-2692. 周易洗心
Tcheou yi si sin.

Le Yi king, avec commentaires.

Préface (1730) de l'auteur Jen Khi-yun de King-khi. Texte et commentaires, figures, avec divers appendices à la fin. Ouvrage publié par les fils et petits-fils de l'auteur; réédition de 1831, du pavillon Tsoei-king.

10 livres. — Cat. imp., liv. 6, f. 42.

Grand in-8. Titre noir sur jaune. 2 vol., demi-rel., au chiffre de la République française.
Nouveau fonds 2886, 2887.

2693. 易經
Yi king.

Le Yi king

Figures et légendes, annexes, texte avec commentaires. Édition annamite (comparer nᵒˢ 2732, 2799, 2839), des années Minh-mạng (1821-1841).

4 livres (manque le livre 3).

Grand in-8. Feuillets intervertis et retournés. 1 vol., cartonnage.
Nouveau fonds 4691.

Troisième Section : TEXTES SÉPARÉS, LE CHOU KING

2694. 芥子園重訂監本書經
Kiai tseu yuen tchhong ting kien pẹn chou king.

Le Chou king, nouvelle édition du Kiai tseu yuen, d'après celle du Koẹ tseu kien.

Préface de Tshai Tchhen (1209;

texte avec commentaires du même. Gravé à Kin-ling (1790).

6 livres. — Cat. imp., liv. 11, f. 20.

Grand in-8. Titre noir sur jaune. 1 vol., cartonnage.
Nouveau fonds 4398.

2695. 尚書句解
Chang chou kiu kiai.

Le Chou king expliqué.

Texte, commentaires de Tshai Tchhen; préface du même (1209); notice de Tchou-tseu.

Livres 8 à 13 (du Khang kao au Tshin chi).

Grand in-8. 1 vol., cartonnage.
Nouveau fonds 2328.

2696. 書經集傳

Chou king tsi tchoan.

Le Chou king commenté.

Préface de Tshai Tchhen (1209). Tableau des neuf tcheou. Texte avec commentaires du même. Notes de Oou Pao-jan de Oou-lin.

6 livres. — Cat. imp., liv. 11, f. 20.

Grand in-8. Titre noir sur blanc. 1 vol., demi-rel., au chiffre de Louis-Philippe.
Fourmont 109.

2697-2699. 尙書大全

Chang chou ta tshiuen.

Grande édition du Chou king.

— I (2697).

書經考異

Chou king khao yi.

Examen des divergences du texte.

Par Oang Ying-lin (1223-1296). Cf. n° 2681.

— II (2697-2699).

書經大全

Chou king ta tshiuen.

Grande édition du Chou king.

Édition publiée par Siu Kieou-yi, au pavillon Pao-han de Oou-kiun. Malgré le manque d'indications précises, cette édition semble être une reproduction de celle de Hou Koang (cf. n°s 2660-2662, 2680-2681, 2737-2739, 2775-2776). Notices diverses, figures et cartes; texte avec commentaires.

10 livres. — Comparer Cat. imp., liv. 12, f. 13 (Chang chou ta tchoan).

Grand in-8. Titre noir sur blanc, couvertures originales en soie bleue. 3 vol., demi-rel., au chiffre de Louis-Philippe.
Fourmont 111.

2700-2702. *Chang chou ta tshiuen.*

Double du précédent.

— I (2700-2702).

Chou king ta tshiuen.

Double des n°s 2697-2699.

Renfermant en outre une postface.

— II (2702).

Chou king khao yi.

Double du n° 2697, art. I.

Petit in-8. Titre noir sur papier teinté.

3 vol., demi-rel. (prov. de la bibl. de l'Arsenal).

Nouveau fonds 1593 à 1595.

2703-2710. 書經直解

Chou king tchi kiai.

Le Chou king expliqué.

Texte et commentaire rédigé en langue parlée. Édition de Tchang Kiu-tcheng (époque des Ming); préface de l'auteur.

13 livres. — Cat. imp., liv. 13, f. 19.

Grand in-8. 8 vol. chinois dans 1 étui en toile bleue.

Nouveau fonds 170, 4944.

2711-2712. *Chou king tchi kiai.*

Même ouvrage.

Édition plus récente, impression défectueuse.

Grand in-8. Couvertures originales en soie. 2 vol., demi-rel., au chiffre de Louis-Philippe.

Nouveau fonds 169.

2713-2715. 書經註疏大全合纂

Chou king tchou sou ta tshiuen ho tsoan.

Le Chou king annoté et commenté.

Préface de l'éditeur Tchang Phou, de Leou-tong (1636). Pré-

face (642) de Khong Ying-ta pour le Chang chou tcheng yi (Cat. imp., liv. 11, f. 1); préface de Tshai Tchhen (1209) pour le Chou king tsi tchou (Cat. imp., liv. 11, f. 20, Chou tsi tchoan). Liste des commentaires consultés. Préface de Khong 'An-koę (iiᵉ s. a. C.); figures, tableaux, cartes. Texte et commentaire.

1 livre préliminaire et 59 livres.

Grand in-8. Couvertures chinoises en soie bleue. 3 vol., demi-rel., au chiffre de Louis-Philippe.

Fourmont 107.

2716-2717. 日講書經解義

Ji kiang chou king kiai yi.

Le Chou king expliqué par les Explicateurs impériaux.

Texte avec commentaires en langue parlée. Préface de l'empereur Jen-tsou (1680); dédicace de présentation par Khou-lę-na et autres; liste de la commission de rédaction.

13 livres. — Cat. imp., liv. 12, f. 21.

Grand in-8. Belle impression sur papier blanc. 2 vol., reliure, au chiffre de Charles X.

Nouveau fonds 167.

2718-2727. *Ji kiang chou king kiai yi.*

Double.

Imprimé sur papier teinté.

Grand in-8. 10 vol. chinois dans 1 étui recouvert de soie.

Nouveau fonds 168.

2728. 辨志堂訂正書經說約集解

Pien tchi thang ting tcheng chou king choẹ yo tsi kiai.

Le Chou king avec notes et commentaires, édition de la salle Pien-tchi.

Préface de 1689 par le frère de l'éditeur; avertissement de celui-ci, Oan King, surnom Cheou-yi, de Yong-chang ou Yong-kiang. En bas des pages, texte et commentaire du Chou king tsi tchoan (Cat. imp., liv. 11, f. 20), par Tshai Tchhen, avec préface du même (1209); en haut, commentaires de Oan King. Gravé à la salle Si-choang.

6 livres (manquent quelques feuillets).

Grand in-8. Titre noir sur blanc. 1 vol., demi-rel., au chiffre de Louis-Philippe.

Nouveau fonds 171.

2729. 深柳堂彙輯書經大全正解

Chen lieou thang hoei tsi chou king ta tshiuen tcheng kiai.

Le Chou king, avec notes et commentaires.

Préfaces de Lieou Mei (1688) et de Oou Tshiuen, surnom Soẹn-yeou (1690). Liste des collaborateurs, tableaux généalogiques, figures, etc. Texte et commentaires; le Yu kong est donné deux fois avec deux commentaires différents. Édition préparée par Oou Tshiuen de Tan-yang, d'après les historiens Lieou Hiun-fou, Fong Yi-cheng, Tchou Si-tchhang et Kao Tseu-hong.

12 livres et 1 livre supplémentaire après le 3e.

Grand in-8. Titre en bleu et rouge sur blanc, couvertures chinoises en soie bleue. 1 vol., reliure, au chiffre de Louis-Philippe.

Fourmont 110.

2730. 書經體註

Chou king thi tchou.

Le Chou king, avec commentaires.

Préface de Khieou Tchao-'ao de Yong-kiang; édition de Fan Tseu-teng, postnom Siang, de Thiao-khi, et de Kou Tshie-'an de Si-ling (XVIIe s.), gravée au pavillon Oou-yun (1803). Tables généalogiques, figures diverses, préface de Tshai Tchhen (1209). En bas, texte du Chou king avec commentaire de Tshai Tchhen (Cat. imp., liv. 11, f. 20); en haut, commentaires des éditeurs.

6 livres.

Grand in-8. Titre noir sur blanc. 1 vol., cartonnage.

Nouveau fonds 4397.

2731. *Chou king thi tchou.*

Même ouvrage.

Édition un peu plus grande (1829).

Grand in-8. Titre noir sur blanc, 1 vol., cartonnage.

Nouveau fonds 5107.

2732. 五經節要。書經

Oou king tsie yao. — *Chou king.*

Passages importants des Cinq King. — Le Chou king.

Édition annamite de la salle Ða-văn, sans date ni nom d'auteur, d'après l'original de Bùi. Préface impériale annamite et autres préfaces incomplètes (années Minh-mạng 1821-1841). Table des matières, mémoires préliminaires, examen des divergences du texte; préfaces chinoises diverses. Texte et commentaires (comparer nos 2693, 2799, 2839).

4 livres (manque le livre 2).

Grand in-8. 1 vol., cartonnage.

Nouveau fonds 4692.

Quatrième Section : TEXTES SÉPARÉS, LE CHI KING

2733. 監本詩經

Kien pẹn chi king.

Le Chi king, d'après l'édition du Koẹ tseu kien.

Préface de Tchou Hi pour le Chi king tsi tchoan (1177) ; texte avec commentaires du même. Gravé en 1686.

8 livres. — Cat. imp., liv. 15, f. 18.

In-8. Titre noir sur blanc, couvertures en soie jaune. 1 vol., demi-rel., au chiffre de Louis-Philippe.

Fourmont 113.

2734. 閩板詩經

Min pan chi king.

Le Chi king, édition Min.

Même ouvrage.

Édition analogue, de format un peu plus petit, gravée de nouveau d'après l'original de Siue-tshiuen, à Oou-mẹn, revue par Kin Tsi.

Petit in-8, Titre noir sur papier teinté. 1 vol., demi-rel., au chiffre de Louis-Philippe.

Fourmont 112.

2735. 監本詩經傳

Kien pẹn chi king tchoan.

Le Chi king, d'après l'édition du Koę tseu kien.

Préface de Tchou Hi (1177); texte et commentaires du même.

8 livres. — Cat. imp., liv. 15, f. 18.

Petit in-8. Titre noir sur jaune. 1 vol., demi-rel., au chiffre de Louis-Philippe. *Nouveau fonds* 175.

2736. 芥子園重訂監本詩經

Kiai tseu yuen tchhong ting kien pęn chi king.

Le Chi king, nouvelle édition du Kiai tseu yuen, d'après celle du Koę tseu kien.

Préface de Tchou Hi pour le Chi king tsi tchoan (1177); texte et commentaires du même; gravé à Kin-ling (1818).

8 livres. — Cat. imp., liv. 15, f. 18.

Grand in-8. 1 vol., cartonnage. *Nouveau fonds* 4396.

2737-2739. — I (2737-2739).

詩經大全

Chi king ta tshiuen.

Grande édition du Chi king.

Préface de Tchou Hi (1177); figures, cartes, tableaux, dissertations; texte du Chi king tsi tchoan avec commentaires. Édition de Siu Kieou-yi, gravée à Oou,

reproduisant l'édition officielle préparée par Hou Koang (1370-1418) et autres; liste de la commission de rédaction. Voir nᵒˢ 2660-2662, 2680-2681, 2697-2699, 2775-2776, 2806-2808.

20 livres. — Cat. imp., liv. 16, f. 9.

— II (2739).

詩經考異

Chi king khao yi.

Examen des divergences du texte.

Par Oang Ying-lin (1223-1296).

Grand in-8. Titre noir sur blanc. 3 vol., demi-rel., au chiffre de Louis-Philippe.
Fourmont 115.

2740-2741. — I (2740-2741).

Chi king ta tshiuen.

Double des nᵒˢ 2737-2739.

— II (2741).

Chi king khao yi.

Double du nᵒ 2739, art. II.

Grand in-8. 2 vol., demi-rel., au chiffre de Louis-Philippe.
Nouveau fonds 173.

2742-2744. — I (2742-2744).

Chi king ta tshiuen.

Double des nᵒˢ 2737-2739.

— II (2744).

Chi king khao yi.

Double du n° 2739, art. II.

Petit in-8. 3 vol., demi-reliure (prov. de la bibl. de l'Arsenal).

Nouveau fonds 1590 à 1592.

2745. 人瑞堂詩經集註

Jen choei thang chi king tsi tchou.

Le Chi king commenté, édition de la salle Jen-choei.

Préface de Tchou Hi pour le Chi king tsi tchoan, texte avec commentaires; notes dans la marge supérieure. Édition de Tseng Ti-kiun, gravée à la librairie de Fong-tchheng, province du Koang-tong (xvi° ou xvii° s.).

8 livres. — Cat. imp., liv. 15, f. 18.

Petit in-8. Titre noir sur papier teinté. 1 vol., demi-reliure (prov. de la bibl. de l'Arsenal).

Nouveau fonds 1586.

2746-2748. 詩經正解

Chi king tcheng kiai.

Le Chi king expliqué.

Préface de Ko Yun, de Lang-ye (1684); liste des personnes qui ont collaboré à l'édition. Préface de Tchou Hi (1177). Figures et légendes. Texte et commentaires de Kiang Oen-tshan et de Oou Tshiuen, originaires l'un et l'autre de Tan-yang.

30 livres. — Cat. imp., liv. 18, f. 20.

Petit in-8. 3 vol., demi-reliure (prov. de la bibl. de l'Arsenal).

Nouveau fonds 1587 à 1589.

2749. 增補詩經體註衍義合參

Tseng pou chi king thi tchou yen yi ho tshan.

Le Chi king annoté et commenté, avec explications.

Préface de Fan Pi-ying, surnom Tshieou-thao, originaire de Tchhang-tcheou (1687). Texte du Chi king tsi tchoan avec commentaires et préface de Tchou Hi (1177), en bas des pages; en haut, Chi king yen yi tsi tchou, par Kiang Tsin-yun de Kin-phou. Entre les deux textes, ligne continue de notes. Édition publiée par Kou Tshie-'an de Si-ling et Fan Tseu-teng, de Thiao-khi, avec figures et légendes.

8 livres.

Grand in-8. Titre noir sur blanc. 1 vol., cartonnage.

Nouveau fonds 5108.

2750. 辨志堂訂正詩經說約集解

Pien tchi thang ting tcheng chi king choe yo tsi kiai.

Le Chi king, avec notes et commentaires, édition de la salle Pien-tchi.

Préface de Tcheng Liang, surnom Han-tshoẹn, de Tsheu-khi (1688). Édition publiée par Fan Kia-hien, de Yong-chang, et Oan Cheou-yi, avec avertissement des éditeurs. Préface du Chi king tsi tchoan, par Tchou Hi (1177); texte, commentaires de ce dernier dans le bas des pages; en haut, notes des éditeurs.

8 livres.

Grand in-8. Titre noir sur blanc. 1 vol., demi-rel., au chiffre de Louis-Philippe.
Nouveau fonds 174.

2751. 詩經旁訓

Chi king phang hiun.

Le Chi king, avec explications interlinéaires.

Préface de Tchou Hi (1177); édition du XVIIᵉ siècle.

4 livres.

Grand in-8. 1 vol., demi-reliure (prov. de la bibl. de l'Arsenal).
Nouveau fonds 1585.

2752-2753. 黄太史參補 古今大方詩經大全

Hoang thai chi tshan pou kou kin ta fang chi king ta tshiuen.

Grande édition du Chi king,

par Hoang, grand historiographe.

Préface de Tchou Hi (1177) annotée; discussions et mémoires du même; les diverses préfaces anciennes du Chi king; figures et légendes. Texte et commentaires. Édition préparée par Hoang Tsi-fei, gravée à la salle San-oei par les soins de Ye Hiang-kao et autres (1717).

15 livres.

Grand in-8. Titre noir sur blanc. 2 vol., demi-reliure au chiffre de Louis-Philippe.
Fourmont 114.

2754-2757. 詩經

Chi king.

Le Chi king.

Préface de Tchou Hi (1177); diverses préfaces antiques. Texte et commentaires. Édition publiée par Teng de Sin-hoa, à Chao-tcheou (1851).

8 livres.

Grand in-8. Titre noir sur papier teinté. 4 vol. chinois dans 1 étui toile bleue.
Nouveau fonds 4344.

2758. 毛詩讀本。詩經 旁訓辨體合訂

Mao chi tou pẹn. — Chi king phang hiun pien thi ho ting.

Double édition du Chi king, avec notes.

Préface de Tchou Hi (1177). Sur le bas des pages, texte avec explication juxtalinéaire et commentaires ; autre commentaire sur le haut des pages. Édition préparée par Siu Li-kang de Chang-yu ; publiée à la salle Siun-kai (XIXe s.).

4 livres.

Grand in-8. Titre noir sur papier teinté. 1 vol., demi-rel., au chiffre de Napoléon III.
Nouveau fonds 1150.

Cinquième Section : TEXTES SÉPARÉS, LES RITUELS

2759-2761. 周禮註疏刪翼

Tcheou li tchou sou chan yi.

Le Tcheou li commenté.

Première préface sans signature ni date ; préface de Oang Tchitchhang, surnom Phing-tchong (1639), qui a préparé cette édition ; préface de Ye Phei-chou qui a surveillé l'impression. Texte et commentaires.

30 livres. — Cat. imp., liv. 19, f. 29.

Petit in-8. Titre noir sur blanc. 3 vol., demi-reliure (prov. de la bibl. de l'Arsenal).
Nouveau fonds 1599 à 1601.

2762. 周禮正文

Tcheou li tcheng oen.

Texte du Tcheou li.

Notice de Li Ling-hoa de Nanhai qui a surveillé l'impression ; préface de Li Tshong, surnom Thai-yin-oong, de Tshong-kou, qui a préparé l'édition, gravée au pavillon Pi-hiang (1818). Tableau des fonctions des Tcheou, table des matières. Texte avec très peu de notes.

6 livres.

Grand in-8. Titre noir sur jaune. 1 vol., cartonnage.
Nouveau fonds 4480.

2763-2764. 儀禮經傳通解

Yi li king tchoan thong kiai.

Ensemble des Rituels avec explications.

Ouvrage préparé par Tchou Hi, achevé seulement après sa mort ; rapport de Tchou Hi ; préface de Tchang Fou (1223), surnom Seuming. Table générale et tables détaillées. Texte des rituels, avec commentaires. Édition antérieure au xviii° siècle.

37 livres. — Cat. imp., liv. 22, f. 13.

Grand in-8. Titre noir sur blanc, 2 vol., demi-rel., au chiffre de Louis-Philippe.

Fourmont 163.

2765-2768. 儀禮經傳通解續

Yi li king tchoan thong kiai siu.

Ensemble des Rituels avec explications, suite.

Suite de l'ouvrage précédent, édition semblable. Table des matières ajoutée par l'éditeur.

29 livres. — Cat. imp., liv. 22, f. 13.

Grand in-8. 4 vol., demi-rel., au chiffre de Louis-Philippe.

Fourmont 164.

2769-2774. 儀禮經傳通解

Yi li king tchoan thong kiai.

Ensemble des Rituels avec explications.

Cet ouvrage est formé des deux précédents. Rapport de Tchou Hi avec note de son fils (1217); préface de Tchang Fou (1223). Préfaces pour la section des funérailles (1221) et pour celle des sacrifices (1223) par Yang Feou, de San-chan. Préfaces et notice pour la présente édition, par Liang Khai-tsong (1738), Lei Hong (1750), Tchhen Chi-koan (1750), Liang 'En-tchhi (1753). Liste des personnes qui ont collaboré à la publication. Liang Oan-fang, surnom Koang-'an, de Tong-yong, avec son fils Khai-tsong, surnom Khi-heou, a préparé l'édition. Avertissement. Table générale et tables détaillées. Édition de la salle Tsiu-kin.

(2769), rites domestiques. 5 livres.
(2769), rites des districts. 3 livres.
(2769-2770), rites des études. 12 livres.
(2770-2771), rites des États feudataires. 5 livres.
(2771-2772), rites de la Cour royale. 15 livres.
(2772-2773), rites des funérailles. 16 livres.
(2774), rites des sacrifices. 13 livres.

Comparer Cat. imp., liv. 22, f. 13.

Grand in-8. Titre noir sur jaune. 6 vol., demi-rel., au chiffre de Louis-Philippe.

Nouveau fonds 796.

2775-2776. 禮記大全

Li ki ta tshiuen.

Grande édition du Li ki.

Préface de Tchhen Hao de Tong-hoei-tse (1322). Texte commenté. Édition donnée par Hoang Tsi-fei (1717) à la salle San-oei, reproduisant l'édition officielle de Hou

Koang(1370-1418). Liste de la commission de rédaction du xve siècle. Comparer n°s 2660-2662, 2680-2681, 2697-2699, 2737-2739, 2806-2808.

3o livres. — Cat. imp., liv., 21, f. 9.

Grand in-8. Titre noir sur blanc. 2 vol., demi-rel., au chiffre de Louis-Philippe.

Fourmont 119.

2777-2778. 栢臺校正官板禮記集註

Po thai kiao tcheng koan pan li ki tsi tchou.

Le Li ki, avec commentaires, édition officielle.

Préface de Tchhen Hao (1322). Texte et commentaires du même. Édition gravée par les soins de Tcheng Kiuen et de Tchang Yi-hien (1606).

10 livres.

Petit in-8. Titre noir sur rouge. 2 vol., demi-reliure (prov. de la bibl. de l'Arsenal).

Nouveau fonds 1596, 1597.

2779-2780. 禮記集說

Li ki tsi tchoe.

Le Li ki, avec commentaires

Préface pour la présente édition par Tchang Lou-oei de Lou-

tchheng; préface de Oang Ying-khoei, surnom Hiuen-piao, de Sin-'an pour l'édition annotée préparée par lui (1631). Cette édition comprend le texte commenté de Tchhen Hao et les notes de Oang.

16 livres.

Grand in-8. 2 vol., demi-rel., au chiffre de Louis-Philippe.

Fourmont 117.

2781-2783. 禮記說義大全纂訂

Li ki choe yi ta tshiuen tsoan ting.

Grande édition du Li ki, avec commentaires.

Réédition donnée par Siu Khien-hio et Oang Yuen de Tchhang-tcheou (1675), avec onze préfaces de cette date. Préfaces de la première édition (1656), par Tshien Khien-yi, Yang Thing-kien et Yang Oou, surnommé Fong-ko : ce dernier est l'auteur de l'ouvrage. Liste des personnes qui ont surveillé l'impression ; biographie de Yang Oou.

24 livres (manquent les livres 13 et 14). — Cat. imp., liv. 24, f. 11 (Li ki choe yi tsi ting).

Grand in-8. Titre noir et rouge sur papier blanc. 3 vol., demi-rel., au chiffre de Louis-Philippe.

Fourmont 118.

2784-2785. 監本禮記

Kien pen li ki.

Le Li ki, édition du Koę tseu kien.

Préface de Tchhen Hao (1322), texte avec commentaires du même. Édition de 1685.

10 livres. — Cat. imp., liv. 21, f. 7.

Grand in-8. Titre noir et rouge sur papier blanc. 2 vol., demi-rel., au chiffre de Louis-Philippe.

Fourmont 116.

2786. 增訂禮記體註 說約大全

Tseng ting li ki thi tchou choę yo ta tshiuen.

Le Li ki annoté et commenté avec explications.

Préface de Fan Siang, surnom Tseu-teng, de Thiao-khi pour cette réédition (1713). En bas des pages, texte avec commentaires ; en haut, commentaires de Fan Siang.

4 livres (incomplet de quelques feuillets à la fin).

Grand in-8. Titre noir sur blanc. 1 vol., demi-reliure.

Nouveau fonds 176.

2787-2788. 全本禮記體 註

Tshiuen pen li ki thi tchou.

Le Li ki, avec commentaires.

Nouvelle édition de l'ouvrage de Fan Tseu-teng, faite par Siu Oen-tchhou et Siu King-hien, postnom Siuen, avec préface de ce dernier (1766). Décret impérial de 1690. Avertissement. En bas des pages, texte et commentaires ; en haut, commentaires de Fan.

10 livres.

Grand in-8. Titre noir sur jaune. 2 vol., cartonnage.

Nouveau fonds 4399, 4400.

2789-2798. 禮記集說

Li ki tsi choe.

Le Li ki, avec commentaires.

Préface de Tchhen Hao (1322), texte et commentaires du même. Édition gravée à Chao-tcheou (1851).

10 livres. — Cat. imp., liv. 21, f. 7.

Grand in-8. Titre noir sur papier teinté. 10 vol. chinois dans 1 étui.

Nouveau fonds 4345.

2799. 禮記

Li ki.

Le Li ki.

Préface de Tchhen Hao pour son édition du Li ki (1322). Texte et commentaires. Édition annamite (comparer n°ˢ 2693, 2732, 2839).

3 livres. — Comparer Cat. imp., liv. 21, f. 7.

Grand in-8 (incomplet de quelques feuillets). 1 vol., cartonnage.

Nouveau fonds 4697.

Sixième Section : TEXTES SÉPARÉS, LE TCHHOEN TSHIEOU

2800-2801. 春秋左傳讀本

Tchhoen tshieou tso tchoan tou pen.

Le Tchhoen tshieou, avec le Tso tchoan.

Préface de Tou Yu (222-284); texte, notes du même. Édition de 1796.

17 livres.

In-4. Titre noir sur jaune; papier blanc. 2 vol., cartonnage.
Nouveau fonds 4403, 4404.

2802-2803. 春秋經傳

Tchhoen tshieou king tchoan.

Le Tchhoen tshieou, avec les trois tchoan.

Préfaces de Hou 'An-koe (1074-1138), Tou Yu (222-284), Ho Hieou (129-183), Fan Ning (IVe s. p. C.), Tchheng Yi (1103). Cartes et notes géographiques, figures et légendes de Sou Tong-pho (1036-1101), tables chronologiques. Texte avec commentaires et notes.

1 livre préliminaire et 38 livres.

Grand in-8. Couvertures en soie jaune. 2 vol., demi-rel., au chiffre de Louis-Philippe.
Nouveau fonds 177.

2804-2805. 芥子園重訂監本春秋

Kiai tseu yuen tchhong ting kien pen tchhoen tshieou.

Le Tchhoen tshieou, nouvelle édition du Kiai tseu yuen, d'après celle du Koe tseu kien.

Préface de Hou 'An-koe (1074-1138). Traités, notices historiques et géographiques de Sou Chi (1036-1101) et autres. Notes de Lin Yao. Édition gravée à Kin-ling (1790).

30 livres. — Cat. imp., liv. 27, f. 11 (Tchhoen tshieou hou 'an koe tchoan).

Grand in-8. Titre noir sur jaune. 2 vol., cartonnage.
Nouveau fonds 4401, 4402.

2806-2808. 黃太史訂正春秋大全

Hoang thai chi ting tcheng tchhoen tshieou ta tshiuen.

Grande édition du Tchhoen

tshieou par Hoang, grand historiographe.

Édition analogue à la précédente; préparée par Hoang Tsi-fei et Yu Ta-feou, gravée à la salle San-oei (1711), d'après l'édition de Hou Koang (1370-1418). Liste de la commission de rédaction du xv⁰ siècle. Comparer nᵒˢ 2775-2776.

37 livres. — Comparer Cat. imp., liv. 28, f. 22.

Grand in-8. Titre noir sur blanc. 3 vol., demi-rel., au chiffre de Louis-Philippe.

Fourmont 127.

2809. 重訂春秋左傳句解

Tchhong ting tchhoen tshieou tso tchoan kiu kiai.

Le Tchhoen tshieou, avec commentaires.

Édition préparée par Soen Kong (époque des Ming), avec notes de Tchou Chen, des Song; revue par Kou Oou-fang. Préface de Oang 'Ao (1513), préface de Tou Yu. Texte du classique avec notes. Gravé à la salle Tsoen-kou.

35 livres. — Comparer Cat. imp., liv. 30, f. 4.

Grand in-8. Titre noir sur blanc. 1 vol., demi-rel., au chiffre de Louis-Philippe.

Fourmont 49.

2810-2811. 春秋大全

Tchhoen tshieou ta tshiuen.

Grande édition du Tchhoen tshieou.

Préface de Li Tchhang-keng (1625), avertissement de l'éditeur Fong Mong-long, surnom Yeou-long. Diverses notes historiques du même. Texte, avec les tchoan, commentaires divers.

30 livres. — Cat. imp., liv. 30, f. 21 (Pie pen tchhoen tshieou ta tshiuen).

Grand in-8. Titre noir sur blanc, couvertures en soie bleue. 2 vol., demi-rel., au chiffre de Louis-Philippe.

Fourmont 53.

2812. 麟經新旨

Lin king sin tchi.

Le Tchhoen tshieou, avec nouveaux commentaires.

Préface de Lieou Thong, surnom Thong-jen (1635). Préfaces anciennes de Tou Yu, Ho Hieou, Fan Ning, Tchheng Yi, Hou 'An-koe. Notices historiques. En bas des pages, texte avec les trois tchoan et les commentaires de Lin Yao; en haut, commentaires de Lieou Thong.

30 livres.

Petit in-8. Titre noir sur blanc. 1 vol., demi-reliure (prov. de la bibl. de l'Arsenal).

Nouveau fonds 1598.

2813-2814. 增補詳註批點春秋左傳解要

Tseng pou siang tchou phi tien tchhoẹn tshieou tso tchoan kiai yao.

Nouvelle édition du Tchhoẹn tshieou, avec commentaires.

Préface non datée de Oei Pang-ta, de Tshang-chan; édition de Han Yen, surnom Mou-liu, d'après celles de divers commentateurs, y compris Tchhen Tseu-long (XVII⁹ s.), gravée à la salle Lien-mẹ.

8 livres.

Petit in-8. Titre en noir sur jaune; notes du chevalier de Paravey sur la couverture. 2 vol., cartonnage.
Nouveau fonds 4471, 4472.

2815. 重訂批點春秋左傳句解

Tchhong ting phi tien tchhoẹn tshieou tso tchoan kiu kiai.

Même ouvrage.

Planches plus petites, gravées en l'année sin-mao (1771?).

Petit in-8. Titre noir sur jaune. 1 vol., demi-rel., au chiffre de Louis-Philippe.
Nouveau fonds 872.

2816. 春秋體註大全合參

Tchhoẹn tshieou thi tchou ta tshiuen ho tshan.

Le Tchhoẹn tshieou, annoté et commenté.

Édition préparée par Tcheou Tchhi, surnom Tan-lin de Thong-ling, d'après l'original de Fan Tseu-teng. Préface de Tcheou Tchhi (1711). Texte avec les tchoan. En bas des pages, texte et commentaires d'après Hou 'An-koẹ, autres commentaires, sous le titre de Tchhoẹn tshieou king tchoan tshan ting tou pẹn; en haut, commentaires de Tcheou Tchhi.

4 livres.

Grand in-8. Titre noir sur blanc. 1 vol., demi-reliure.
Nouveau fonds 178.

2817-2821. 日講春秋解義

Ji kiang tchhoẹn tshieou kiai yi.

Le Tchhoẹn tshieou expliqué par les Explicateurs impériaux.

Texte, accompagné des tchoan, avec commentaires. Traité relatif au classique. Préface de l'empereur Jen-tsou; autre préface composée et écrite par l'empereur Kao-tsong (1737), suivie des sceaux impériaux en rouge. Liste de la commission de rédaction comprenant Khou-lẹ-na, Li Koang-ti et autres.

64 livres. — Cat. imp., liv. 29, f. 1.

Grand in-8. Belle impression (des volumes chinois ont été intervertis à la reliure). 5 vol., demi-rel., au chiffre de Napoléon III.

Nouveau fonds 1270 à 1274.

2822. 春秋

Tchhoẹn tshieou.

Le Tchhoẹn tshieou.

Texte et commentaires de Hou 'An-koẹ.

Livres 8 à 15.

Grand in-8. 1 vol., cartonnage du XVIIIe siècle, avec le titre *Annales regni Lou*.

Fourmont 50.

2823-2838. 欽定春秋左傳讀本

Khin ting tchhoẹn tshieou tso tchoan tou pẹn.

Le Tchhoẹn tshieou commenté, édition impériale.

Réimpression faite à Chao tcheou (1851) de l'édition officielle de la salle Oou-ying. Rapport de Ying-hoo, Hoang Yue, etc., avec rescrit impérial (1823). Texte avec commentaires. Suivi d'un tableau des souverains et des États, de tables chronologiques et de tables de concordance des noms propres.

30 livres + 2 livres.

Grand in-8. Titre noir sur papier teinté. 16 vol. chinois dans 2 étuis de toile bleue.

Nouveau fonds 4346, 4347.

2839. 春秋

Tchhoẹn tshieou.

Le Tchhoẹn tshieou.

Texte avec les tchoan; accompagné de commentaires, notices préliminaires, préfaces de Hou 'An-koẹ, de Tou Yu. Édition annamite (comparer nos 2693, 2732, 2799).

4 livres.

Grand in-8. Plusieurs volumes chinois sont intervertis; pages manquantes. 1 vol., cartonnage.

Nouveau fonds 4693.

Septième Section : TEXTES SÉPARÉS, LES QUATRE LIVRES

2840-2843. 蔡虛齋先生四書蒙引

Tshai hiu tchai sien cheng seu chou mong yin.

Les Quatre Livres, édition de Tshai Hiu-tchai.

Préface de l'éditeur, Tshai Tshing de Tsin-kiang (1504); pré-

14

face de Lin Hi-yuen de Tsheu-yai (1527). Texte avec commentaires, réédition non datée de Song Tchao-yo, surnom Eul-fou, de Kie-ling.

15 livres. — Cat. imp., liv. 36, f. 14.

Petit in-8. 4 vol., demi-rel., au chiffre de Louis-Philippe (prov. des Missions Étrangères).

Fourmont 3o8.

2844-2846. 四書張閣老直解

Seu chou tchang ko lao tchi kiai.

Les Quatre Livres, avec commentaires de Tchang ko-lao.

Dédicace de présentation de l'auteur, Tchang Kiu-tcheng (1573); préface pour la réédition, par Oou Oei-ye Tsiun-kong, de Leou-tong (1651). En bas des pages, texte et commentaires de Tchang; en haut, guide pour la lecture, Tcheou lou tchi nan, de Li Koang-tsin.

37 livres.

Grand in-8. Titre noir et rouge sur blanc. 3 vol., demi-rel., au chiffre de Louis-Philippe.

Fourmont 126.

2847-2848. 經筵進講原本四書

King yen tsin kiang yuen pen seu chou.

Les Quatre Livres, édition des Explicateurs impériaux.

Édition analogue à la précédente, ayant pour base celle de Tchang Kiu-tcheng, surnom Thai-yo, et revue par Tchou Fong-thai, surnom Chen-jen, de Tsing-kiang. Préface de ce dernier (1672), dédicace de Tchang (1573). En bas des pages, texte et commentaires; en haut, commentaire explicatif.

Pas de division en livres.

Grand in-8. Couvertures en soie jaune. 2 vol., reliure, au chiffre de Louis-Philippe.

Nouveau fonds 192.

2849. 四書經筵直解

Seu chou king yen tchi kiai.

Les Quatre Livres expliqués par les Explicateurs impériaux.

Dédicace de Tchang Kiu-tcheng (1573). Édition différente des deux précédentes, mais de disposition semblable. Préfaces de Tchou Hi pour le Ta hio et le Tchong yong. Gravé en 1683.

1 + 1 + 10 + 7 livres. — Comparer Cat. imp., liv. 35, f. 21.

Grand in-8. 1 vol., demi-rel., au chiffre de Louis-Philippe.

Fourmont 135.

2850-2869. 日講四書解義

Ji kiang seu chou kiai yi.

Les Quatre Livres expliqués par les Explicateurs impériaux.

Commentaire explicatif. Préface impériale non datée; dédicace de présentation de La-cha-li, etc.; liste de la commission de rédaction. Édition de 1677.

26 livres. — Cat. imp., liv. 36, f. 22.

Petit in-8 (incomplet d'un demi-feuillet). 20 volumes chinois dans 2 étuis de cuir.
Nouveau fonds 205.

2870-2871. *Ji kiang seu chou kiai yi.*

Double.

Petit in-8. 2 vol., reliure, au chiffre de Charles X.
Nouveau fonds 190.

2872-2876. *Ji kiang seu chou kiai yi.*

Double.

Petit in-8. 5 vol., demi-rel. (prov. de la bibl. de l'Arsenal).
Nouveau fonds 1571 à 1575.

2877-2881. *Ji kiang seu chou kiai yi.*

Double.

Grand in-8 (manquent les livres 16 à 24). 5 vol., cartonnage.
Nouveau fonds 4743 à 4747.

2882. *Ji kiang seu chou kiai yi.*

Double.

Livres 4 et 21 à 24.

Grand in-8. 1 vol., cartonnage.
Nouveau fonds 2740.

2883-2884. *Ji kiang seu chou kiai yi.*

Double.

Livres 17, 16, 18, 20.

Petit in-8. 2 vol., cartonnage.
Nouveau fonds 2351, 2353.

2885-2888. *Ji kiang seu chou kiai yi.*

Même ouvrage.

Édition imitée, mais un peu plus grande.

Petit in-8. Titre noir sur blanc. 4 vol., demi-reliure.
Nouveau fonds 191.

2889-2891. *Ji kiang seu chou kiai yi.*

Double.

Sur papier plus grand.

Grand in-8. Couvertures en soie bleue; manquent les livres 13 et 14. 3 vol., demi-rel., au chiffre de Louis-Philippe.
Fourmont 121.

2892. *Ji kiang seu chou kiai yi.*

Même ouvrage.

Format légèrement différent.

Livre 19.

Grand in-8. 1 vol., cartonnage.
Nouveau fonds 2352.

2893. *Ji kiang seu chou kiai yi.*

Même ouvrage.

Édition différente.

Fragment du livre 21.

Petit in-8. 1 vol., cartonnage.
Nouveau fonds 2350.

2894. 增補四書講意一見能解

Tseng pou seu chou kiang yi yi kien neng kiai.

Les Quatre Livres expliqués.

Édition faite d'après l'original de Fang Meng-siuen, postnom Ying-siang, de Si-'an; préface de l'éditeur Lieou Jan-li de Tseu-khi. Texte et commentaires.

12 livres.

Petit in-8. Titre noir et rouge sur blanc; interversions à la reliure. 1 vol., demi-rel., au chiffre de Louis-Philippe (prov. des Missions Étrangères).
Fourmont 123.

2895. 崇道堂四書集註大全

Tchhong tao thang seu chou tsi tchou ta tshiuen.

Grande édition commentée des Quatre Livres, de la salle Tchhong-tao.

Cette édition a pour base celle de Tchou Hi et les planches en

sont gardées à la chapelle qui lui est consacrée. L'édition a été préparée par Tchang Thing-yu Tsin-kong, de Yue, et par Tchou Si-khi Yuen-yeou, de Tshien-thang. Préfaces de Tchang et de Tchou (1679); liste des commentateurs consultés, liste des collaborateurs. En bas des pages, texte de Tchou Hi avec notes; en haut, commentaires de Tchang et Tchou.

1 + 1 + 10 + 7 livres. — Comparer Cat. imp., liv. 35, f. 21.

Grand in-8. Belle impression, titre noir et rouge sur blanc. 1 vol., reliure, au chiffre de Charles X.
Nouveau fonds 194.

2896-2897. 四書集成

Seu chou tsi tchheng.

Grande édition des Quatre Livres.

Préface de Tchao Tshan-ying, surnom Tien-yang, de Phi-ling (1684), qui a préparé l'édition. Texte avec commentaires : préfaces de Tchou Hi.

29 livres (manquent les livres 6 à 8 et plusieurs feuillets).

Grand in-8. Titre noir et rouge sur blanc. 2 vol., demi-rel., au chiffre de Napoléon III.
Nouveau fonds 1959, 1960.

2898-2902. *Seu chou tsi tchheng.*

Double.

Petit in-8. 5 vol., demi-reliure (prov. de la bibl. de l'Arsenal).

Nouveau fonds 1576 à 1580.

2903. 辨志堂訂正四書訣約集解

Pien tchi thang ting tcheng seu chou choę yo tsi kiai.

Les Quatre Livres, avec notes et commentaires, édition de la salle Pien-tchi.

Édition de Oan King Cheou-yi, avec préfaces de Oan King (1685) et de Khieou Tchao-'ao (1685). Réédition de 1728. En bas des pages, texte et notes de Tchou Hi, préfaces du même; en haut, commentaires de Oan King et de Oou Pęnli, surnom Ling-chou, de Sin-'an.

1 + 1 + 10 + 7 livres. — Comparer Cat. imp., liv. 35, f. 21.

Grand in-8. Titre noir sur blanc. 1 vol., demi-rel., au chiffre de Louis-Philippe.

Nouveau fonds 193.

2904-2905. 四書述朱講義

Seu chou chou tchou kiang yi.

Les Quatre Livres, avec commentaires.

Édition de Li Sing-tchai, de Ki-choei, et de Hoang Tchhang-khiu,

surnom Khang-yao, de Oou-kiang, publiée par ordre du Ministère des Rites (1688). Préfaces de Hoang Tchhang-khiu et de Li Tchen-yu (1688). En bas des pages, texte, notes, préfaces de Tchou Hi; en haut, commentaires.

1 livre préliminaire et 1 + 1 + 10 + 7 livres. — Comparer Cat. imp., liv. 35, f. 21.

Grand in-8. Titre noir et rouge sur blanc. 2 vol., demi-reliure (prov. de la bibl. de l'Arsenal).

Nouveau fonds 1569, 1570.

2906. 增補四書講意備旨

Tseng pou seu chou kiang yi pei tchi.

Les Quatre Livres, avec commentaires.

D'après l'ouvrage original de Teng Lin Thoei-'an de Ki-kang (dynastie des Ming), revu et augmenté par Khi Oen-yeou Chantcheou de Pao-'an, Yin Yuen-tsin Lan-tchou de Pao-'an, Khieou Tchao 'ao Tshang-tchou de Yongchang. Préface de 1689. En bas des pages, texte annoté; en haut, commentaires.

1 + 1 + 4 + 4 livres.

Petit in-8. Titre noir sur blanc. 1 vol., demi-rel., au chiffre de Louis-Philippe.

Nouveau fonds 196.

2907. 新增四書補註 附考備旨

Sin tseng seu chou pou tchou fou khao pei tchi.

Les Quatre Livres, avec commentaires.

Même ouvrage que le précédent, revu par Tou Ting-ki Khi-yuen de Kiang-ning ; préface du même (1779). Réimpression de la salle Yong-'an (1803). En bas des pages, texte et commentaires ; en haut, double série de notes.

1 + 1 + 4 + 4 livres.

Grand in-8. Papier blanc, titre en noir sur rose. 1 vol., cartonnage.

Nouveau fonds 4592.

2908. 漱芳軒合纂四 書體註

Seou fang hien ho tsoan seu chou thi tchou.

Les Quatre Livres, avec commentaires.

Préface de l'éditeur Fan Siang Tseu-teng (1692). En bas des pages, texte et commentaires de Tchou Hi, en haut, commentaires de Fan Siang. Réimpression du pavillon Oou-yun (1811).

1 + 1 + 10 + 7 livres. — Comparer Cat. imp., liv. 35, f. 21.

In-4. Titre noir sur blanc. 1 vol., cartonnage.

Nouveau fonds 4405.

2909-2910. *Seou fang hien ho tsoan seu chou thi tchou.*

Même ouvrage.

Édition plus petite (1855).

Grand in-8. Titre noir sur blanc. 2 vol., cartonnage.

Nouveau fonds 5109, 5110.

2911. 參補旁訓四書 體註

Tshan pou phang hiun seu chou thi tchou.

Édition de Fan Siang de Thiao-khi, gravée au pavillon Oou-yun ; avec préface incomplète. En bas, texte commenté de Tchou Hi ; en haut, commentaires de Fan Siang.

1 + 1 + 10 + 7 livres. — Comparer Cat. imp., liv. 35, f. 21.

Grand in-8. Titre noir sur jaune. 1 vol., demi-rel., au chiffre de Napoléon III.

Nouveau fonds 1561.

2912. — I.

四書備旨進學靈捷解

Seu chou pei tchi tsin hio ling tsie kiai.

Les Quatre Livres commentés.

Édition de Tchang Yu-chou, surnom Sou-tshoęn, avec préface (1693). En bas des pages, texte et commentaires; en haut, deux séries de notes.

2 livres (Ta hio et Tchong yong, manque la suite).

— II.

Seu chou pei tchi tsin hio ling tsie kiai.

Double.

3 livres (Ta hio, Tchong yong, début du Loęn yu; manque la suite).

Petit in-8. Titre noir sur blanc. 1 vol., cartonnage.
Nouveau fonds 2386.

2913. *Seu chou pei tchi tsin hio ling tsie kiai.*

Même ouvrage.

Édition plus grande.

Livre 4 incomplet (Loęn yu).

Petit in-8. 1 vol., cartonnage.
Nouveau fonds 2372.

2914-2921. 四書朱子異同條辨

Seu chou tchou tseu yi thong thiao pien.

Les Quatre Livres, avec examen des commentaires de Tchou Hi.

Par Li Phei-lin de Tou-liang, avec préfaces de l'auteur (1702), de son frère Li Tcheng (1702), de Li Tchen-yu de Ki-choei (1705). Édition gravée à la salle Kin-pi par les soins de Li Tai-yun et de Li Tchao-heng. Liste des anciens commentateurs. Texte et commentaires; préfaces de Tchou Hi.

(2914), Ta hio. 3 livres.
(2915), Tchong yong. 3 livres.
(2916-2919), Loęn yu. 20 livres.
(2920-2921), Meng tseu. 14 livres.

Grand in-8. Titre noir sur papier teinté. 8 vol., reliure au chiffre de Louis-Philippe.
Fourmont 290 B.

2922. 銅板四書遵註合講

Thong pan seu chou tsoęn tchou ho kiang.

Les Quatre Livres, avec commentaires.

Édition préparée avec commentaires par Fou Khę-fou, surnom Thai-mo-oong. Préface de celui-ci (1730), liste des commentateurs consultés, figures avec légendes, examen géographique, etc. : toute cette partie préliminaire est imprimée en rouge. En bas des pages, texte avec commentaires de Tchou Hi; en haut, commentaires de Fou Khę-fou. Gravé au pavillon Tcho-ya (1833).

1 + 1 + 10 + 7 livres. — Cat. imp., liv. 35, f. 21.

In-4. Impression très nette, titre rouge sur jaune. 1 vol., demi-rel., au chiffre de la République française.

Nouveau fonds 2221.

2923-2924.

Thong pan seu chou tsoen tchou ho kiang.

Double.

In-4. 2 vol., demi-rel., au chiffre de Napoléon III.

Nouveau fonds 1461, 1462.

2925. 監本四書
Kien pen seu chou.

Les Quatre Livres, avec commentaires, d'après le texte du Koe tseu kien.

Texte avec commentaires ; quelques notes dans le haut des pages. Gravé au pavillon Oou-yun (1737).

1 + 1 + 10 + 7 livres. — Cat. imp., liv. 35, f. 21.

Grand in-8. Titre noir sur jaune. 1 vol., demi-rel., au chiffre de Louis-Philippe.

Nouveau fonds 198.

2926-2927. 御製袖珍 四書
Yu tchi sieou tchen seu chou.

Les Quatre Livres, avec commentaires et notices comparatives.

Édition soignée sur papier blanc, double des nᵒˢ 2600-2602.

— I (2926).

大學或問
Ta hio hoe oen.

Voir nᵒ 2600, art. VII.

— II (2926).

大學章句
Ta hio tchang kiu.

Voir nᵒ 2600, art. VI.

— III (2926).

中庸或問
Tchong yong hoe oen.

Voir nᵒ 2600, art. IX.

— IV (2926).

中庸章句
Tchong yong tchang kiu.

Voir nᵒ 2600, art. VIII.

— V (2926-2927).

論語集註
Loen yu tsi tchou.

Voir nᵒˢ 2600-2601.

— VI (2927).

孟子集註
Meng tseu tsi tchou.

Voir nᵒˢ 2601-2602.

In-18. 2 vol., demi-rel., au chiffre de Louis-Philippe.

Fourmont 120.

2928-2932. 四書朱子本義匯參

Seu chou tchou tseu pẹn yi hoei tshan.

Les Quatre Livres, avec commentaires.

Édition de Oang Han-kiai de Kin-than, avec préfaces par Oang Pou-tshing de Kin-than, et par Tshoei Ki (1745). Texte, avec commentaires considérables. Publié par la salle Oen-yu.

4 livres préliminaires et 3 livres + 6 livres + 20 livres + 14 livres. — Cat. imp., liv. 37, f. 51.

Grand in-8. Impression très nette. Titre noir sur jaune. 5 vol., demi-rel., au chiffre de Napoléon III.
Nouveau fonds 1380 à 1384.

2933-2936. 四書疏註撮言大全

Seu chou sou tchou tshoo yen ta tshiuen.

Les Quatre Livres avec commentaires.

Publiés par Ki Hiao-lan, postnom Yun, de Ho-kien, d'après le manuscrit de Hou Fei-tshai, surnom Yong-tchi, de Long-kang, avec préfaces de l'auteur et de l'éditeur (1763). Réédition de la librairie Mei-hoa (1833). Texte et commentaires.

1 livre + 2 livres + 20 livres + 14 livres.

Grand in-8. Bonne impression, titre noir sur jaune. 4 vol., demi-rel., au chiffre de Napoléon III.
Nouveau fonds 1385 à 1388.

2937-2941. 四書經註集證

Seu chou king tchou tsi tcheng.

Les Quatre Livres avec commentaires et notices explicatives.

Édition publiée par Yuen Yuen de Yi-tcheng ; préfaces par Yuen Yuen (1798), par Oang Thing-ki, de Kiang-tou (1798); postface de Lieou Thien-yeou. Gravé en 1834.

1 livre + 1 livre + 10 livres + 7 livres.

Petit in-8. Titre noir sur jaune. 5 vol., demi-rel., au chiffre de Napoléon III.
Nouveau fonds 1375 à 1379.

2942. 增訂纂序四書說約

Tseng ting tsoan siu seu chou choẹ yo.

Les Quatre Livres avec commentaires.

Par Yang Yi, surnom Tseu-chang. Texte d'après Tchou Hi dans le bas des pages; en haut, commentaires.

15

Livres 4 à 7.

Petit in-8. 1 vol., cartonnage du XVIIIe siècle, avec le titre *Mem tcu liber* (prov. des Missions Étrangères).

Fourmont 389.

2943-2945. 四書節要大全

Seu chou tsie yao ta tshiuen.

Les Quatre Livres.

Édition annamite avec quelques notes, d'après l'original de Bùi, de Thanh-thành; publiée à la salle Đa-văn (1841). Préface non datée de Tchheng-tsou des Ming. A rapprocher des n°s 2693, 2732, 2799 et 2839.

1 livre (Ta hio) + 3 livres (Loẹn yu) + 3 livres (Meng tseu) + 1 livre (Tchong yong, manquant).

Grand in-8. Feuillets intervertis et retournés, 3 vol., cartonnage.

Nouveau fonds 4694 à 4696.

2946-2947. 新刻張侗初先生永思齋四書演

Sin kho tchang thong tchhou sien cheng yong seu tchai seu chou yen.

Les Quatre Livres commentés et développés.

Préface de l'auteur Tchang Nai, surnom Chi-thiao, de Thong-tchhou; préface de Tcheou Tsong-

kien. En bas des pages, texte et commentaires; en haut, développement explicatif.

20 livres.

Petit in-8. 2 vol., demi-rel., au chiffre de Louis-Philippe.

Nouveau fonds 186.

2948-2949. 鐫項仲昭先生重訂四書同然解

Tsiuen hiang tchong tchao sien cheng tchhong ting seu chou thong jan kiai.

Les Quatre Livres, avec commentaires.

Édition de Khong Tcheng-yun, surnom Yu-heng, de Keou-yong; publiée de nouveau par Hiang Yu, surnom Tchong-tchao, de Oou.

Livres 7 à 13 (Meng tseu).

Petit in-8. 2 vol., cartonnage du XVIIIe siècle, titre *Sapientis Mem tcu liber*.

Fourmont 156, 157.

2950. 鳳儀四書

Fong yi seu chou.

Les Quatre Livres, avec commentaires.

Texte commenté; notes dans la marge supérieure. Gravé à la salle Thien-tẹ.

Petit in-8. Belle impression, titre bleu et rouge sur blanc. 1 vol., demi-rel., au chiffre de Louis-Philippe.

Nouveau fonds 195.

2951. *Fong yi seu chou.*
Double.

Petit-in-8. 1 vol., reliure, au chiffre de Louis-Philippe.
Nouveau fonds 197.

2952. 新刻四書正文

Sin kho seu chou tcheng oen.

Les Quatre Livres, texte seul.

Avec quelques notes dans la marge supérieure.

Livre 3 incomplet (début du Loẹn yu).

Petit in-8. 1 vol., cartonnage.
Nouveau fonds 2371.

2953. 裏如堂較正監韻分章分節四書正文

Li jou thang kiao tcheng kien yun fẹn tchang fẹn tsie seu chou tcheng oen.

Les Quatre Livres, texte seul.

D'après l'édition du Koẹ tseu kien; publié par Tchhen Tchi, surnom Lang-hoan. Première partie du Meng tseu.

Petit in-8. 1 vol., cartonnage.
Nouveau fonds 2384.

2954. 蔭槐堂四書真本

Yin hoai thang seu chou tchen pẹn.

Les Quatre Livres, avec commentaires, édition de la salle Yin-hoai.

Texte et commentaires, quelques notes dans la marge supérieure.

Petit in-8. Titre noir sur jaune. 1 vol., cartonnage.
Nouveau fonds 5114.

2955. 學庸意說

Hio yong yi choẹ.

Sens du Ta hio et du Tchong yong.

Texte et développement par Oang Hie-tchang de Tong-jou, préface par Hoang Hiu de Tong-oou (1795).

1 livre préliminaire et 11 livreś.

Petit in-8. Papier blanc, titre noir sur papier teinté. 1 vol., demi-rel., au chiffre de Napoléon III.
Nouveau fonds 1245.

2956. 新刻分章分節四書正文大學

Sin kho fẹn tchang fẹn tsie seu chou tcheng oen ta hio.

Le Ta hio, texte seul, de l'édition des Quatre Livres.

Impression d'aspect particulier, peut-être ancienne.

Petit in-8. 1 vol., chinois dans 1 étui cartonnage du XVIII⁰ siècle, avec le titre *Libri ta hio expositio* (prov. des Missions Étrangères).
Fourmont 122.

2957. — I.

大學綱目決疑章

Ta hio kang mou kiue yi tchang.

Le Ta hio, avec commentaires.

Édition non datée de Fang oai-chi Tę-tshing.

— II.

中庸直指

Tchong yong tchi tchi.

Le Tchong yong, avec commentaires.

Par le même.

Grand in-8. Papier blanc. 1 vol., demi-rel., au chiffre de la République française.

Nouveau fonds 1052.

2958. ## 新監本四書正文大學

Sin kien pęn seu chou tcheng oen ta hio.

Le Ta hio, texte seul ; de l'édition des Quatre Livres conforme à celle du Koę tseu kien.

Quelques notes dans la marge supérieure.

Petit in-8. 1 vol , cartonnage.
Fourmont 125.

2959. — I.

中庸集註章句大全

Tchong yong tsi tchou tchang kiu ta tshiuen.

Le Tchong yong, avec commentaires.

Préface de Tchou Hi (1189), texte, notes et commentaires du même.

Cat. imp., liv. 35, f. 21.

— II.

中庸或問

Tchong yong hoę oen.

Questions sur le Tchong yong.

Par Tchou Hi.

Comparer Cat. imp., liv. 35, f. 23 (Seu chou hoę oen).

Petit in-8. 1 vol., demi-reliure (prov. de la bibl. de l'Arsenal).
Nouveau fonds 1564.

2960. ## 中庸

Tchong yong.

Le Tchong yong.

Texte seul, lithographié par un Européen, sans lieu ni date.

In-32. Papier chinois blanc. 1 vol., cartonnage.
Nouveau fonds 5058.

2961-2962. ## 論語集註大全

Loęn yu tsi tchou ta tshiuen.

Le Loẹn yu, avec commentaires.

Texte; préface et commentaires de Tchou Hi.

20 livres. — Comparer Cat. imp., liv. 35, f. 21.

Petit in-8. 2 vol., demi-reliurè (prov. de la bibl. de l'Arsenal).
Nouveau fonds 1565, 1566.

2963 2964. 論語集註
Loẹn yu tsi tchou.

Le Loẹn yu, avec commentaires.

Texte, commentaires, quelques notes dans la marge supérieure.

10 livres. — Cat. imp., liv. 35, f. 21.

Petit in-8. 2 vol., cartonnage.
Nouveau fonds 2369, 2370.

2965. *Loẹn yu tsi tchou.*
Même ouvrage.

Publié à la salle Tchong-khing; à la fin, illustration représentant le dieu de la littérature.

Livres 6 à 10.

Grand in-8. 1 vol., cartonnage.
Nouveau fonds 2141.

2966. *Loẹn yu tsi tchou.*
Même ouvrage.

Belle édition imprimée en Corée, tout en chinois.

Livres 6 à 14.

In-folio. 1 vol., demi-rel., au chiffrè de Napoléon III.
Nouveau fonds 2140.

2967. 孟子集註
Meng tseu tsi tchou.

Le Meng tseu, avec commentaires.

Texte, commentaires; quelques notes dans la marge supérieure. Édition de 1580.

Grand in-8. 1 vol., cartonnage du XVIIIᵉ siècle, avec le titre *Memtcu liber.*
Fourmont 155.

2968. 皇明正韻稽畫場式京本提羣分節四書白文。下孟
Hoang ming tcheng yun kia hoa tchhang chi king pẹn thi tchang fẹn tsie seu chou po oen. Hia meng.

Le Meng tseu, texte seul.

Édition de 1589.

2ᵉ partie seulement.

Petit in-8. Le 1ᵉʳ feuillet manquant est remplacé par un feuillet (texte chinois) copié par Abel Rémusat : en tête du volume, notice manuscrite d'Abel Jeandet, signalant ce fait. 1 vol., cartonnage.
Nouveau fonds 5063.

2969-2970. — I (2969-2970).

孟子集註大全

Meng tseu tsi tchou ta tshiuen.

Le Meng tseu, avec commentaires.

14 livres. — Comparer Cat. imp., liv. 35, f. 21.

— II (2970).

論語考異

Loen yu khao yi.

Examen des divergences du Loen yu.

Par Oang Ying-lin, surnom Poheou de Siun-yi (cf. n° 2681).

Cat. imp., liv. 37, f. 6.

— III (2970).

孟子考異

Meng tseu khao yi.

Examen des divergences du Meng tseu.

Par le même.

Cat. imp., liv. 37, f. 6.

Petit in-8. 2 vol., demi-rel. (prov. de la bibl. de l'Arsenal).
Nouveau fonds 1567, 1568.

2971. 孟子集註

Meng tseu tsi tchou.

Le Meng tseu, avec commentaires.

Édition analogue au n° 2927, art. VI, mais plus petite.

7 livres.

In-18. Papier blanc. 1 vol., demi-rel., au chiffre de Louis-Philippe.
Nouveau fonds 203.

2972. *Meng tseu tsi tchou.*

Même ouvrage.

Quelques notes dans la marge supérieure.

Petit in-8. 1 vol., cartonnage.
Nouveau fonds 3414.

Huitième Section : **TEXTES SÉPARÉS, LE HIAO KING**.

2973. 孝經小學集註

Hiao king siao hio tsi tchou.

Le Hiao king et le Siao hio, avec commentaires.

Édition publiée par Tchhen Ming-khing, postnom Jen-si.

— I.

文公小學

Oen kong siao hio.

Le Siao hio (Petite étude) de Oen-kong.

Préface de l'auteur, Tchou Hi,

surnom Hoei-'an (1187). Préface de Fang Ta-tchen, de Thong-tchhoan pour la présente édition (1620), faite d'après celle de Tchou Oou-pi de Kao-'an (dynastie des Song). Texte et notes.

6 livres. — Cat. imp., liv. 92, f. 25.

— II.

孝經集註

Hiao king tsi tchou.

Le Hiao king, avec commentaires.

Préface de l'empereur Hiuen-tsong (règne 712-755). Texte avec notes (cf. n° 2587, art. I).

Comparer Cat. imp., liv. 32, f. 4.

Grand in-8. Titre noir et rouge sur blanc; couvertures chinoises en soie bleue. 1 vol., demi-rel., au chiffre de Louis-Philippe.
Nouveau fonds 268.

2974. — I.

孝經

Hiao king.

Le Hiao king.

Préface de Hiuen-tsong avec notes; décret impérial de 1633. Texte; commentaires de Oang Siang.

18 sections.

— II.

忠經

Tchong king.

Le Tchong king (Livre de la Fidélité).

Préface de Ma Yong (142 p. C.), auteur de l'ouvrage. Texte avec commentaires de Oang Siang.

18 sections. — Cat. imp., liv. 95, f. 4.

— III.

小學

Siao hio.

Le Siao hio.

Avec préface de Tchhen Siuen (1473); édition publiée par Tcheng de Phou-yang, à Kin-ling. Préface de Tchou Hi (1187). Texte et notes.

6 livres. — Cat. imp., liv. 92, f. 25.

Petit in-8. 1 vol., reliure, au chiffre de Charles X.
Nouveau fonds 889.

2975. ## 孝經小學纂註

Hiao king siao hio tsoan tchou.

Le Hiao king et le Siao hio, avec commentaires.

Édition du Kiai tseu yuen, publiée par ordre impérial par les soins de Kao Yu, surnom Tseu-tchao, de Liang-khi. Postface de 1736 sans signature. Réédition.

— I.

孝經注解

Hiao king tchou kiai.

Le Hiao king commenté et expliqué.

Commentaires de l'empereur Hiuen-tsong ; explications de Seu-ma Koang (1009-1086), notes de Fan Tsou-yu (1041-1098). Préfaces de ces trois commentateurs. Texte et notes.

Comparer Cat. imp., liv. 32, f. 4 (Hiao king tcheng yi) ; liv. 32, f. 6 (Kou oen hiao king tchi kiai).

— II.

小學纂註

Siao hio tsoan tchou.

Le Siao hio, avec commentaires.

Texte de Tchou Hi, publié par Kao Yu ; préface de Tchhen Hong-meou de Koei-lin (1736).

6 livres. — Cat. imp., liv. 95, f. 20.

— III.

童蒙須知

Thong mong siu tchi.

Premières instructions pour les enfants.

Sans nom d'auteur (cf. n° 3405). 6 sections.

— IV.

訓子從學帖

Hiun tseu tshong hio thie.

Instructions pour les enfants qui vont à l'école.

Par Tchou Hi. A la fin, vie de ce sage.

In-24. Titre noir sur jaune. 1 vol., demi-rel., au chiffre de Napoléon III. *Nouveau fonds* 1244.

2976. 重刊古文孝經

Tchhong khan kou oen hiao king.

Le Hiao king, texte antique ; nouvelle édition.

Édition japonaise tout en chinois. Texte ancien avec préface de Khong 'An-koe (11e s. a. C.) ; notes de Dazai Siyun, de Sin-yau. Préface de ce dernier (1731) ; première édition de 1732, réédition de 1778. Publié à Kiyau-to par Kobayasi Sin-bei. L'édition de 1732 a été réimprimée en Chine en 1776.

Cat. imp., liv. 32, f. 1.

Grand in-8. 1 vol., reliure, au chiffre de Charles X. *Nouveau fonds* 211.

Neuvième Section : TEXTES SÉPARÉS, LE EUL YA.

2977-2979. 五雅

Oou ya.

Les Cinq Vocabulaires appelés Ya.

Préface de Lang Khoei-kin, surnom Kong-tsai, de Oou-lin (1626), pour l'édition préparée par lui.

— I (2977).

爾雅

Eul ya.

Le Eul ya.

Notes de Koo Pho (276-324); réédition par Lang Khoei-kin et Ye Tseu-pen, surnom Meou-chou (dynastie des Ming). Voir n° 2523.

2 livres (formant 19 sections). — Cat. imp., liv. 40, f. 1.

— II (2977).

小爾雅

Siao eul ya.

Le petit Eul ya.

Par Khong Fou, des Han ; notes de Song Hien. Réédition par Lang Pi-kin et Tchou Chi-pao.

13 sections. — Cat. imp., liv. 43, f. 1.

— III (2977).

逸雅

Yi ya.

Vocabulaire par ordre méthodique.

Par Lieou Hi, surnom Tchheng-koe, des Han ; réédition de Chi Kieou-ting, surnom Yu-tchi, des Ming.

8 livres.

— IV (2977-2978).

廣雅

Koang ya.

Le Eul ya développé.

Par Tchang Yi, fonctionnaire en 227-232; prononciations et explications de Tshao Hien (dynastie des Soei); édition de Lang Khoei-kin et Ye Tseu-pen.

10 livres. — Cat. imp., liv. 40, f. 11.

— V (2978-2979).

埤雅

Phi ya.

Le Eul ya augmenté.

Par Lou Thien de Yue-tcheou, époque Hi-ning (1068-1077); pu-

16

blié par Lang Khoei-kin et Yẹ Tseu-pẹn,

20 livres. — Cat. imp., liv. 40, f. 16.

Grand in-8. 3 vol., demi-rel., au chiffre de Louis-Philippe.
Nouveau fonds 586.

2980. 爾雅正文直音

Eul ya tcheng oen tchi yin.

Le Eul ya, texte et notes.

Édition de Soẹn Khan, surnom Pou-thao, de Kao-yeou, avec avertissement de l'auteur (1795); deux préfaces de 1800. Préface de Lou Tẹ-ming pour le Eul ya yin yi. Publié en 1810.

2 livres formant 19 sections. — Cat. imp., liv. 40, f. 1.

Grand in-8. Papier blanc; titre noir sur jaune. 1 vol., demi-rel., au chiffre de Louis-Philippe.
Nouveau fonds 358.

Dixième Section : TRAITÉS COLLECTIFS SUR LES LIVRES CANONIQUES.

2981. 六經圖考

Lou king thou khao.

Planches pour les six King, avec examen.

Ouvrage composé par Yang Kia de Pou-yi pendant la période 1131-1162; complété par Tchhen Sen, Mao Pang-han et autres, qui l'ont fait graver, avec préface de Miao Tchhang-yen (1165). Édition de la salle Li-keng, avec préface de Phan Chen-ting (1662).

Planches et légendes pour le Tcheou li (livre 1), Yi king (livre 2), Chou king (livre 3), Chi king (livre 4), Li ki (livre 5), Tchhoẹn tshieou (livre 6). — Cat. imp., livre 33, f. 10 (Lou king thou).

Grand in-8. Titre noir sur blanc. 1 vol., demi-rel., au chiffre de Louis-Philippe.
Nouveau fonds 454.

2982-2983. 七經圖

Tshi king thou.

Figures pour les sept King.

Cet ouvrage a pour base le précédent, édition de Tchhen Sen, avec préface de Miao Tchhang-yen (1165); il a été complété et édité par Oou Ki-chi, de Sin-'an, qui y a mis une préface (1615); préface de Tsiao Tseu de Lang-ye (1615).

Planches et légendes pour le Yi king (2 livres), Chou king (2 livres),

Chi king (2 livres), Tchhoẹn tshieou (2 livres), Li ki (2 livres), Tcheou li (2 livres), Yi li (4 livres). — Cat. imp., liv. 34, f. 7.

In-folio. Belle impression sur papier blanc, couvertures chinoises jaunes portant une note manuscrite du P. Parrenin, Péking, 1738. 2 vol., reliure, au chiffre de Charles X.

Nouveau fonds 569.

2984. 朱子六經圖。附四書圖

Tchou tseu lou king thou. Fou seu chou thou.

Figures pour les six King d'après Tchou-tseu. Figures pour les Quatre Livres.

Ouvrage de Kiang Yen-yai, de Thong-tchheng; avec préfaces de Kiang Oei-long, surnom Long-mien (1709) et de Ye Han-yun, surnom Tchhang-chan (1709). Planches et légendes.

16 livres (manquent les livres 5 à 16). — Cat. imp., liv. 34, f. 20 (Lou king thou).

Grand in-8. Titre noir sur blanc. 1 vol., cartonnage.

Nouveau fonds 2721.

2985. 五經類語

Oou king lei yu.

Extraits des Cinq King classés méthodiquement.

Extraits et commentaires de Liang Yu-khiao de Kang, avec préface de l'auteur, sans date; à la fin de l'ouvrage, diverses pièces dont une est datée de 1515. Ouvrage gravé par Tchhen Tchang-khing de Oou.

8 livres.

Petit in-8. Titre noir sur blanc. 1 vol., demi-reliure.

Nouveau fonds 181.

2986-3099. 新刊經解

Sin khan king kiai.

Traités sur les King, nouvelle édition.

Ouvrage compilé et gravé par les soins de Na-lan Tchheng-tẹ, Mantchou de la bannière jaune unie, docteur en 1676; ce personnage est aussi appelé Na-la Sing-tẹ, surnom Yong-jo. Gravé à la salle Thong-tchi. Préface de Na-lan (1673); préface de Siu Khien-hio (1680). Table générale, incomplète de la partie relative au Chi king.

— I (2986).

子夏易傳

Tseu hia yi tchoan.

Le Yi king, d'après Tseu-hia.

Ouvrage de Pou Chang, surnom Tseu-hia (✝507 a. C.); texte du Yi king avec commentaires et figures. Préface de Na-lan Tchheng-tẹ (1676) qui a surveillé l'impression.

11 livres. — Cat. imp., liv. 1, f. 3·

— II (2986).

易數鈎隱圖。附遺論九事

Yi chou keou yin thou. — Fou yi loẹn kieou chi.

Figures avec légendes relatives au Yi king; traités annexes.

Par Lieou Mou, surnom Tchhang-min, de San-khiu (dynastie des Song), avec préface de l'auteur. Préface de Na-lan Tchheng-tẹ (1677) qui a dirigé l'impression.

3 + 1 livres. — Cat. imp., liv. 2, f. 1.

— III (2986-2987).

橫渠易說

Heng khiu yi choẹ.

Explications sur le Yi king, par Heng-khiu.

Texte et commentaires. Auteur : Tchang Tsai, surnom Tseu-heou, nom littéraire Heng-khiu (1020-1067); originaire de Ta-liang. A la suite, vie de l'auteur par Liu Ta-lin.

3 livres. — Cat. imp., liv. 2, f. 6.

— IV (2987).

易學

Yi hio.

La science du Yi king.

Texte avec figures par Oang Chi, de Thong-tcheou (époque des Song). Préface de l'auteur. Préface de Na-lan Tchheng-tẹ (1677) qui a surveillé l'impression.

1 livre.

— V (2987-2988).

紫巖居士易傳

Tseu yen kiu chi yi tchoan.

Le Yi king, d'après Tseu-yen.

Texte et commentaires, par Tchang Siun, surnom Tẹ-yuen, mort en 1164. L'impression a été surveillée par Na-lan Tchheng-tẹ.

10 livres. — Cat. imp., liv. 2, f. 14.

— VI (2988-2989).

漢上易集傳。附卦圖。叢說

Han chang yi tsi tchoan. — Fou koa thou. — Tshong choẹ.

Le Yi king, avec commentaires. Figures des koa. Explications mélangées.

Par Tchou Tchen, surnom Tseu-fa, docteur dans les années 1111-1117. Préface et dédicace de présentation de l'auteur. Préface de

Na-lan Tchheng-tẹ, éditeur et correcteur (1676).

11 + 3 + 1 livres. — Cat. imp., liv. 2, f. 18.

— VII (2989).

易璇璣
Yi siuen ki.

Explications sur le Yi king.

Par Oou Hang, surnom Tẹ-yuen, nom littéraire Hoan-khi, originaire de Pou-yi, sous-préfecture de Tchhong-jen; préface de l'auteur (1146). Préface de l'éditeur correcteur Na-lan Tchheng-tẹ (1677).

3 livres. — Cat. imp., liv. 3, f. 3.

— VIII (2989-2990).

周易義海撮要
Tcheou yi yi hai tshoo yao.

Résumé du Tcheou yi yi hai.

Le Tcheou yi yi hai, ensemble des explications du Yi king, comprenant les commentaires depuis l'époque des Han, avait été compilé par Fang Chen-khiuen de Chou, dans les années 1068-1077; le résumé est dû à Li Heng, surnom Yen-phing, de Kiang-tou, fonctionnaire dans les années 1165-1173. Préface de Li Heng (1160); préface de Na-lan Tchheng-tẹ (1677), éditeur et correcteur.

12 livres. — Cat. imp., liv. 3, f. 15.

— IX (2990-2991).

易小傳
Yi siao tchoan.

Le Yi king, petite édition.

Texte avec commentaires. Par Chen Kai, surnom Cheou-yo, ou Yuen-yo, de Oou-hing; l'ouvrage, présenté à l'empereur en 1158, est accompagné de diverses pièces de l'époque. Préface et dédicace de l'auteur. La gravure a été surveillée par Na-lan Tchheng-tẹ.

12 livres. — Cat. imp., liv. 2, f. 17.

— X (2991).

復齋易說
Fou tchai yi choẹ.

Explications sur le Yi king, par Fou tchai.

Texte avec commentaires par Tchao Yen-sou, surnom Tseu-khin, de Yen ling, membre de la famille impériale des Song. Postfaces de son élève Yu Tchong-kho (1221) et de Hiu Hing-yi, de Phou-yang (1221). Vie de l'auteur. Postface de Na-lan Tchheng-tẹ, correcteur et éditeur (1676).

6 livres. — Cat. imp., liv. 3, f. 17.

— XI (2991).

古周易
Kou tcheou yi.

Le Yi king antique.

Explications et figures, sans texte du classique; par Liu Tsou-khien, surnom Po-kong, nom littéraire Tong-lai (1137-1181). A la fin, notice de l'auteur (1181) et notice de Tchou Hi (1182). Impression surveillée par Na-lan Tchheng-tẹ.

1 livre divisé en 12 sections. — Cat. imp., liv. 3, f. 25.

— XII (2992-2993).

童溪易傳

Thong khi yi tchoan.

Le Yi king, d'après Thong khi.

Par Oang Tsong-tchhoan, surnom King-meng, docteur en 1181, originaire de Ning-tẹ. Préface de l'auteur, préface de Lin Choẹn, surnom Ping-chou. Texte du classique avec commentaires; publié par les soins de Na-lan Tchheng-tẹ.

30 livres. — Cat. imp., liv. 3, f. 30.

— XIII (2993).

周易裨傳

Tcheou yi pei tchoan.

Le Yi king, nouvelle explication.

Texte avec figures par Lin Tchi, surnom Tẹ-kieou de Kou-choei, préfecture de Song-kiang, docteur dans les années 1174-1189. Préface

de l'auteur. Notice biographique de 1354 pour une édition de 1355. Préface de l'éditeur et correcteur Na-lan Tchheng-tẹ (1677).

2 livres. — Cat. imp., liv. 3, f. 27 (Yi pei tchoan).

— XIV (2993).

易圖說

Yi thou choẹ.

Figures et légendes par le Yi king.

Par Oou Jen-kie, surnom Teou-nan, de Koẹn-chan (dynastie des Song). A la fin notice de Ho Yuen-cheou (1236) pour une édition faite au Hou-koang. Préface de Na-lan Tchheng-tẹ (1676), éditeur et correcteur.

3 livres. — Cat. imp., liv. 3, f. 24.

— XV (2993).

易學啓蒙通釋附圖

Yi hio khi mong thong chi fou thou.

Explication du Yi king, avec figures.

Figures et légendes, sans texte du classique. Par Hou Fang-phing, surnom Chi-lou, nom littéraire Yu-tchai, de Oou-yuen (dynastie des Song). Liste des ouvrages consultés. Préface de Tchen Yi de Yun-thai (1186); postfaces de Lieou King (Tsie-tchi) et de Hiong

Hoo, de Oou-yi, l'une et l'autre datées de 1292. Le Catalogue Impérial mentionne une préface de l'auteur de 1289. Préface de l'éditeur correcteur Na-lan Tchheng-tẹ (1677).

2 livres. — Cat. imp., liv. 3, f. 49.

— XVI (2994).

周易玩辭
Tcheou yi oan seu.

Explications sur le Yi king.

Par Hiang 'An-chi, surnom Phing-fou, docteur en 1175, originaire de Song-kiang. Préface de l'auteur (1198) ; notice de Yo Tchang (1211) ; notice incomplète de Ma Thing-loan, de Phoo-yang, pour une édition de 1265. Préfaces de Siu Tchi-siang et Ma Toan-lin (1307). Préface de Na-lan Tchheng-tẹ (1676).

16 livres. — Cat. imp., liv. 3, f. 19.

— XVII (2995).

東谷易翼傳
Tong kou yi yi tchoan.

Commentaire de Tong-kou pour le Yi king, en supplément aux commentaires de Tchheng-tseu.

Par Tcheng Jou-hiai, surnom Chọen-kiu, de Tchhou-tcheou (époque des Song). Préface de l'auteur ; préface de Na-lan Tchheng-tẹ

(1676) qui a surveillé l'impression.

2 livres. — Cat. imp., liv. 3, f. 40.

— XVIII (2995-2996).

三易備遺
San yi pei yi.

Traité sur les trois systèmes du Yi king.

Par Tchou Yuen-cheng, surnom Ji-hoa, de Tong-kia ; complété par son fils Chi-li. Préface de l'auteur (1270), pièce officielle de 1272 ; préface de Lin Tshien-tchi, surnom Neng-yi (1293) ; postface de Tchou Chi-li (1295). Préface de Na-lan Tchheng-tẹ, éditeur et correcteur (1676). Texte avec figures.

10 livres. — Cat. imp., liv. 3, f. 51.

— XIX (2996).

丙子學易編
Ping tseu hio yi pien.

Études sur le Yi king, de l'année ping-tseu (1216).

Par Li Sin-tchhoan, surnom Oei-tchi, nom littéraire Sieou-yen, de Long-tcheou. Préface de l'auteur (1216), lettre du même avec réponse au sujet de l'ouvrage. Table des 15 livres. L'ouvrage même est perdu ; on n'en a conservé qu'un résumé dû à Yu Yen, surnom Chi-kien. A la fin, notice de ce dernier, datée de 1324 ; notice de Kao Seu-tẹ, de Lin-khiong

(1248). Préface de Na-lan Tchheng-tẹ (1676).

1 livre. — Cat. imp., liv. 3, f. 33.

— XX (2996).

易學啓蒙小傳。附古經傳

Yi hio khi mong siao tchoan. — Fou kou king tchoan.

Explication du Yi king, avec figures et supplément.

Par Choei Yu-khiuen, de Pa-kiun, élève de Oei Liao-ong. Préface de l'auteur (1248); postface de la même année par Chi Tseu-hoei de Tan-leng. Na-lan Tchheng-tẹ a surveillé l'impression.

1 livre. — Cat. imp., liv. 3, f. 42.

— XXI (2996).

水村易鏡

Choei tshoẹn yi king.

Miroir du Yi king, de Choei-tshoẹn.

Figures et légendes, par Lin Koang-chi, surnom Fong-cheng, de Phou-thien. Préface de l'auteur (1251). Préface de Na-lan Tchheng-tẹ, éditeur et correcteur (1676).

1 livre. — Cat. imp., liv. 7, f. 5.

— XXII (2996-2998).

晦菴先生朱文公易說

Hoei 'an sien cheng tchou oen kong yi choẹ.

Explications de Tchou Hi sur le Yi king.

Rassemblées par Tchou Kien, surnom Tseu-ming, descendant de Tchou Hi, avec notice de Kien (1252). Préface de Na-lan Tchheng-tẹ, éditeur et correcteur (1676).

23 livres. — Cat. imp., liv., 3, f. 41 (Tchou oen kong yi choẹ).

— XXIII (2998-2999).

周易輯說

Tcheou yi tsi choẹ; autre titre :

大易緝說

Ta yi tsi choẹ.

Collection d'explications sur le Yi king.

Questions et discussions avec figures. Par Oang Chen-tseu, surnom Soẹn-khing, de Khiong-tcheou (époque des Song). Préfaces de Oang Li, de Tchhang-yuen (1301) et de Tchheng Oen-hai, de Koang-phing (1303). Préface de l'éditeur et correcteur Na-lan Tchheng-tẹ (1677).

10 livres. — Cat. imp., liv. 4, f. 11.

— XXIV (2999-3000).

周易輯聞。附易雅。竑宗

Tcheou yi tsi oen. — Fou yi ya. — Chi tsong.

Opinions sur le Yi king, avec annexes.

Texte, figures et tableaux, par Tchao Jou-mei, de la famille impériale des Song, fonctionnaire sous le règne de Li-tsong (1224-1264). Postfaces non datées par l'auteur, pour l'ouvrage et les deux suppléments. Postface de Li Lin de Tchhang-cha (1316) et notice de la même date par Thien Tsẹ au sujet de la gravure d'une édition. Na-lan Tchheng-tẹ a surveillé l'impression.

6 + 1 + 1 livres. — Cat. imp., liv. 3, f. 43.

— XXV (3000-3003).

周易傳義附錄

Tcheou yi tchoan yi fou lou.

Le Yi king, avec commentaires, explications et annexes.

Texte du classique ; commentaires de Tchou Hi et de Tchheng Yi ; notes et additions de Tong Kiai, surnom Tcheng-chou, docteur en 1256, originaire de Lin-hai. Préface de Tchheng Yi (1099) avec notes ; préface de Tong Kiai (1266). Préface de l'éditeur correcteur Na-lan Tchheng-tẹ (1676).

14 livres. — Cat. imp., liv. 3, f. 48.

— XXVI (3003-3004).

學易記

Hio yi ki.

Étude du **Yi king**.

Texte et commentaires, avec figures et légendes. Par Li Kien, avec préface de l'auteur (1260). Liste des commentateurs consultés. Gravure surveillée par Na-lan Tchheng-tẹ.

9 livres. — Cat. imp., liv. 4, f. 16.

— XXVII (3004).

讀易私言

Tou yi seu yen.

Propos sur la lecture du Yi king.

Par Hiu Heng, surnom Phing-tchong, nom posthume Oen-tcheng, originaire de Ho-nei (époque des Yuen). Préface par Na-lan Tchheng-tẹ, éditeur et correcteur (1676).

1 livre. — Cat. imp., liv. 4, f. 1.

— XXVIII (3004-3006).

大易集說

Ta yi tsi choẹ.

Le Yi king, avec commentaires.

Par Yu Yen, surnom Chi-kien, nom littéraire Yu-oou, de Lin-oou. Préface de l'auteur (1296) ; postface du même (1313) ; diverses notices préliminaires. Préface de Na-lan Tchheng-tẹ (1676).

10 livres. — Comparer Cat. imp., liv. 3, f. 52 (Tcheou yi tsi choẹ, 40 livres, par Yu Yuen, nom littéraire Yu-oou).

— XXIX (3006-3007).

周易本義附錄纂註
Tcheou yi pẹn yi fou lou tsoan tchou.

Le Yi king, édition de Tchou Hi commentée.

Texte; commentaire de Tchou Hi; commentaire de Hou Yi-koei, surnom Thing-fang, nom littéraire Choang-hou, de Oou-yuen (vivait en 1324). Tableaux. Préface de Na-lan Tchheng-tẹ (1677), éditeur et correcteur.

15 livres. —Cat. imp., liv. 4, f. 2 (Yi pẹn yi fou lou tsoan sou).

— XXX (3007).

周易啟蒙翼傳. 外篇
Tcheou yi khi mong yi tchoan. — Oai phien.

Étude sur le Yi king, avec annexe.

Par Hou Yi-koei, d'après une œuvre de son père Fang-phing; préface de Yi-koei (1313). Texte; figures et légendes. Gravé sous la surveillance de Na-lan Tchheng-tẹ.

3 + 1 livres. — Cat. imp., liv. 4, f. 2 (Yi hio khi mong yi tchoan).

— XXXI (3008-3009).

周易本義通釋
Tcheou yi pẹn yi thong chi.

Le Yi king, édition de Tchou Hi expliquée.

Par Hou Ping-oen, surnom Tchong-hou, nom littéraire Yun-fong, de Oou-yuen. Préface de l'auteur (1316); table des koa et des divisions du Yi king. Texte, commentaires et explications. Impression surveillée par Na-lan Tchheng-tẹ.

12 livres. — Cat. imp., liv. 4, f. 12.

En tête, formant 1 livre préliminaire :

輯錄雲峰文集易義
Tsi lou yün fong oen tsi yi yi.

Explications sur le Yi king tirées des œuvres de Yun-fong.

Avec une notice de Hou Kong, son descendant à la 9e génération.

1 livre. — Comparer Cat. imp., liv. 166, f. 58 (Yun fong tsi).

— XXXII (3009).

易纂言
Yi tsoan yen.

Propos sur le Yi king.

Texte et commentaires avec figures et légendes. Par Oou Tchheng, surnom Yeou-tshing, nom littéraire Tshao-liu, docteur à la fin des années 1265-1274, originaire de Tchhong-jen. Impression dirigée par Na-lan Tchheng-tẹ.

1 + 10 livres. — Cat. imp., liv. 4, f. 3 (en 10 livres).

— XXXIII (3009-3010).

周易本義集成

Tcheou yi pẹn yi tsi tchheng.

Le Yi king, édition de Tchou Hi, avec commentaires divers.

Par Hiong Liang-fou, surnom Jen-tchong, nom littéraire Mei-pien, de Nan-tchhang; préface de l'auteur (1322); préface de Tchhen Kiu, surnom Meng-chi, de Hiu-kiang (1322). Liste des auteurs consultés. Texte, notes, commentaires; figures. Préface de Na-lan Tchheng-tẹ (1677), éditeur et correcteur.

12 livres. — Cat. imp., liv. 4, f. 14.

— XXXIV (3010-3012).

周易會通

Tcheou yi hoei thong.

Grande collection de commentaires sur le Yi king.

Texte, commentaires, figures et légendes. Par Tong Tchen-khing, surnom Ki-tchen, élève de Hou Yi-koei, originaire de Phoo-yang. Préface de l'auteur (1328), avec notice finale de son fils Tchoan (1334). Préfaces de Tchheng-tseu, de

Tchou-tseu (1182), de Tchen Yi (1186). Liste des disciples des frères Tchheng; liste des auteurs consultés. Préface de Na-lan Tchheng-tẹ (1677), éditeur et correcteur.

Préliminaires, 14 livres et annexes. — Cat. imp., liv. 4, f. 22.

— XXXV (3012).

易圖通變

Yi thou thong pien.

Étude sur les formes du Ho thou et du Lo chou.

Figures avec légendes par Lei Seu-tshi, surnom Tshi-hien, nom littéraire Khong-chan, de Lin-tchhoan. Préface de l'auteur (1300); préface de Oou Tshiuen-tsie (1332). Préface de l'éditeur correcteur Na-lan Tchheng-tẹ (1677).

5 livres. — Cat. imp., liv. 3, f. 56.

— XXXVI (3012).

易象圖說內篇外篇

Yi siang thou chọẹ nei phien oai phien.

Figures et légendes du Yi king, deux sections.

Par Tchang Li, surnom Tchong-chọẹn, de Tshing-kiang. Préface de l'auteur (1364), préface de Hoang Tchen-tchheng (1357). Imprimé sous la direction de Na-lan Tchheng-tẹ.

3 + 3 livres. — Cat. imp., liv. 108, f. 33.

— XXXVII (3012).

大 易 象 數 鉤 深 圖

Ta yi siang chou keou chen thou.

Figures et légendes pour le Yi king.

Par Tchang Li. Impression dirigée par Na-lan Tchheng-tẹ.

3 livres. — Cat. imp., liv. 4, f. 15.

— XXXVIII (3013).

周 易 參 義

Tcheou yi tshan yi.

Le Yi king, avec explications.

Texte et commentaire. Par Liang Yin, surnom Meng-king, originaire de Sin-yu. Préface de l'auteur (1340). Préface de Na-lan Tchheng-tẹ, éditeur et correcteur (1677).

12 livres. — Cat. imp., liv. 4, f. 26.

— XXXIX (3013-3018).

合 訂 删 補 大 易 集 義 粹 言

Ho ting chan pou ta yi tsi yi soei yen.

Collection revue des principaux commentaires du Yi king.

Compilation de Lou Yuen-fou, complétée par Na-lan Tchheng-tẹ qui y a mis une préface (1677); insérée dans le Sin khan king kiai

(nᵒˢ 2986-3099) par Siu Khien-hio de Koẹn-chan. Cet ouvrage a pour bases le Ta yi tsi yi (64 livres) de Tchhen Long-chan, et le Ta yi soei yen (70 livres) de Tseng Tchong, complétés par des extraits des philosophes des Song.

80 livres. — Cat. imp., liv. 6, f. 28.

———————

— XL (3018-3019).

書 古 文 訓

Chou kou oen hiun.

Texte antique du Chou king avec explications.

Par Sie Ki-siuen, surnom Chi-long, nom littéraire Ken-tchai, de Yong-kia, né en 1143. Préface non datée (le 1ᵉʳ feuillet est manuscrit). Imprimé sous la direction de Na-lan Tchheng-tẹ.

16 livres. — Cat. imp., liv. 13, f. 1.

— XLI (3019-3022).

尙 書 全 解

Chang chou tshiuen kiai.

Le Chou king, avec commentaires.

Par Lin Tchi-khi, surnom Chao-ying, nom littéraire Tchoẹ-tchai, de Heou-koan. Préface de l'auteur; préfaces par son petit-fils Keng (1250) et par Teng Kiun de Hiu-kiang. Imprimé sous la direction de Na-lan Tchheng-tẹ.

4o livres (manque le livre 34 qui est perdu). — Cat. imp., liv. 11, f. 6.

— XLII (3022-3023).

禹 貢 論。後 論。山 川 地 理 圖

Yu kong loẹn. — Heou loẹn. — Chan tchhoan ti li thou.

Deux traités sur le Yu kong; cartes géographiques.

Par Tchheng Ta-tchhang, surnom Thai-tchi, de Hieou-ning. Préface dédicatoire de l'auteur (1177) pour le premier traité; préface du même non datée pour le second traité. — Préface dédicatoire de l'auteur pour les cartes géographiques; préface par Pheng Tchhoẹn-nien, de Chi-po (1181); postface de Tchhen Ying-hing (1181); les cartes sont absentes, restent les légendes; toute cette partie a été intervertie à la reliure et mise après le second traité. — Préface générale de Na-lan Tchheng-tẹ (1677), correcteur et éditeur; postface de Koei Yeou-koang, de Koẹn-chan.

2 + 1 + 2 livres, formant 52 + 8 + 2 sections. — Cat. imp., liv. 11, f. 10.

— XLIII (3023).

尙 書 說

Chang chou choẹ.

Le Chou king, avec commentaires.

Par Hoang Tou, surnom Oen-chou, nom littéraire Soei-tchhou, de Sin-tchhang, docteur dans les années 1131-1162. Préface de Na-lan Tchheng-tẹ, éditeur et correcteur (1676).

7 livres. — Cat. imp., liv. 11, f. 17.

— XLIV (3023-3024).

增 修 東 萊 書 說

Tseng sieou tong lai chou choẹ.

Le Chou king avec commentaires de Tong-lai, édition augmentée.

Chi Lan, de Kin-hoa, a complété l'ouvrage de son maître Liu Tsou-khien. Préface de Chi Lan (1207); tableaux généalogiques, géographiques et autres; texte et commentaires. Préface de Na-lan Tchheng-tẹ, éditeur et correcteur (1676).

35 livres. — Cat. imp., liv. 11, f. 15 (Chou choẹ).

— XLV (3024).

書 疑

Chou yi.

Doutes sur le Chou king.

Par Oang Po, surnom Hoei-tchi, nom littéraire Lou-tchai, de Kin-hoa, mort en 1274. En annexe, vie de l'auteur. Préface de Na-lan Tchheng-te, éditeur et correcteur (1677).

9 livres. — Cat. imp., liv. 13, f. 3.

— XLVI (3025).

書集傳或問

Chou tsi tchoan hoe oen.

Questions sur le Chou king.

Tchhen Ta-yeou, de Tong-yang, docteur en 1228-1233, ayant publié sous le titre de Chang chou tsi tchoan une édition du Chou king avec commentaires, aujourd'hui perdue, exposa ensuite ses doutes sous forme d'examen critique. Préface de l'auteur sans date. Préface de Na-lan Tchheng-te, éditeur et correcteur (1676).

2 livres. — Cat. imp., liv. 11, f. 28 (Chang chou tsi tchoan hoe oen).

— XLVII (3025).

禹貢集解

Yu kong tsi kiai.

Le Yu kong, avec explications.

Texte commenté, cartes avec légendes. Par Fou Yin, surnom Thong-chou, originaire de Yi-oou, établi à Hing-khi de Tong-yang (époque des Song). Préface non

datée par Khiao Hing-kien, surnom Cheou-pheng, de Tong-yang. Préface de Na-lan Tchheng-te (1676).

2 livres (manquent les feuillets 35 à 71 du 1er livre). — Comparer Cat. imp., liv. 11, f. 14 (Yu kong choe toan 4 livres).

— XLVIII (3025-3026).

尚書詳解

Chang chou siang kiai.

Le Chou king, avec commentaires.

Par Hou Chi-hing de Liu-ling (époque des Song). Imprimé sous la direction de Na-lan Tchheng-te.

13 livres. — Cat. imp., liv. 11, f. 30.

— XLIX (3026).

尚書表注

Chang chou piao tchou.

Le Chou king, avec notes marginales.

Par Kin Li-siang, surnom Ki-fou, nom littéraire Jen-chan, de Lan-khi, fonctionnaire à la fin des Song et au début des Yuen. Préface de l'auteur, sans date; gravé sous la surveillance de Na-lan Tchheng-te.

2 livres. — Cat. imp., liv. 11, f. 31.

— L (3026-3027).

尙書纂傳

Chang chou tsoan tchoan.

Le Chou king, avec commentaires.

Par Oang Thien-yu, surnom Li-ta, de Mei-phou. Préface de l'auteur (1288); préfaces de Lieou Than (1286), de Lieou Tchhen-oong (1280?), de Pheng Ying-long, surnom Yi-fou, qui a revu et publié l'ouvrage. Postface de Tshoei Kiun-kiu (1288). Préface de Na-lan Tchheng-tẹ (1677).

46 livres formant 58 sections. — Cat. imp., liv. 12, f. 9.

— LI (3027-3028).

書傳

Chou tchoan.

Le Chou king.

Texte avec commentaires. Ouvrage ayant pour base le Chou tsi tchoan de Tshai Tchhen, édition de Tchou Hi; publié par Tong Ting, surnom Ki-heng, de Phoo-yang, élève de Tchou-tseu. Préface de l'auteur (1308); préface de Tshai Tchhen (1209). Liste des commentaires et autres ouvrages consultés. Impression dirigée par Na-lan Tchheng-tẹ.

6 livres. — Cat. imp., liv. 12, f. 5 (Chang chou tsi lou tsoan tchou).

— LII (3028-3029).

書纂言

Chou tsoan yen.

Propos sur le Chou king.

Texte avec commentaires, rapprochement du texte moderne et du texte antique. Par Oou Tchheng, surnom Yeou-tshing, nom littéraire Tshao-liu, de Tchhong-jen, docteur à la fin des années 1265-1274. Préface de Na-lan Tchheng-tẹ (1677), éditeur et correcteur.

4 livres. — Cat. imp., liv. 12, f. 1.

— LIII (3029-3030).

書蔡傳旁通

Chou tshai tchoan phang thong.

Explications détaillées sur le Chou king de Tshai Tchhen.

Par Tchhen Chi-khai, surnom Tong-hoei-tsẹ, avec préface de l'auteur (1321). Liste des auteurs consultés. Gravé sous la direction de Na-lan Tchheng-tẹ.

6 livres formant 11 sections. — Cat. imp., liv. 12, f. 7.

A la suite de cet ouvrage, la table en indique un qui manque :

尙書句解

Chang chou kiu kiai.

Le Chou king expliqué.

Par Tchou Tsou-yi, surnom Tseu-yeou, de Liu-ling (dynastie des Yuen).

13 livres. — Cat. imp., liv. 12, f. 10.

— LIV (3030-3031).

書集傳纂疏

Chou tsi tchoan tsoan sou.

Le Chou king de Tshai Tchhen, édition commentée.

Par Tchhen Li, surnom Cheou-oong, nom littéraire Ting-yu, de Hieou-ning. Préface de l'auteur (1327). Gravé sous la direction de Na-lan Tchheng-tẹ.

6 livres. — Cat. imp., liv. 12, f. 2.

— LV (3031-3032).

尚書通考

Chang chou thong khao.

Examen complet du Chou king.

Histoire et critique de l'ouvrage, sa transmission, étude des mœurs de l'antiquité, rapprochement avec les autres livres canoniques. Tableaux synoptiques. Par Hoang Tchen-tchbeng, surnom Yuen-tchen, de Chao-oou (époque des Yuen). Préface de Na-lan Tchheng-tẹ (1677), éditeur et correcteur.

10 livres. — Cat. imp., liv. 12, f. 6.

— LVl (3032).

讀書管見

Tou chou koan kien.

Remarques sur le Chou king, édition de Tshai Tchhen.

Par Oang Tchhong-yun, surnom Yu-keng ou Keng-ye, de Ki-choei, docteur en 1334. Gravé sous la direction de Na-lan Tchheng-tẹ.

2 livres. — Cat. imp., liv. 12, f. 8.

— LVII (3032).

定正洪範。圖書宗旨

Ting tcheng hong fan. — Thou chou tsong tchi.

Le Hong fan corrigé. Sens du Ho thou et du Lo chou.

Texte, avec notes, commentaires; figures et légendes. Par Hou Yi-tchong, surnom Yun-oen, de Tchou-ki. Préface de l'auteur (1354); préface de Kong Chi-thai, de Siuen-tchheng (1360). Liste des auteurs consultés. Gravé sous la direction de Na-lan Tchheng-tẹ.

1 livre. — Cat. imp., liv. 13, f. 7 (2 livres).

————————

— LVIII (3032).

毛詩指說

Mao chi tchi choẹ.

Explications sur le Chi king.

Par Tchheng Po-yu de l'époque

des Thang. Notice par Hiong Khẹ, de Kien-'an (1172). Postface de Na-lan Tchheng-tẹ (1676) qui a surveillé l'impression.

1 livre formant 4 sections. — Cat. imp., liv. 15, f. 10.

— LIX (3032-3033).

詩本義譜

Chi pẹn yi phou; autre titre :

鄭氏詩譜

Tcheng chi chi phou.

Explications sur les diverses pièces du Chi king.

Par 'Eou-yang Sieou, surnom Yong-chou, nom posthume Oen-tchong, de Liu-ling (1017-1072). Note préliminaire, liste des odes et hymnes établie par régions et par époques, postface par l'auteur. Gravé sous la direction de Na-lan Tchheng-tẹ.

1 livre préliminaire + 15 livres. — Cat. imp., liv. 15, f. 11.

— LX (3033-3036).

毛詩集解

Mao chi tsi kiai.

Explication des pièces du Chi king.

Par Li Tchhou, surnom Yu-tchong, de San-chan, et Hoang Tchhoẹn, surnom Chi-fou, fonctionnaire à Nan-kien; revu par Li

Yong, surnom Chen-khing, de San-chan, et par Liu Tsou-khien, surnom Po-kong, de Tong-lai : ces quatre auteurs sont de l'époque des Song. Table générale chronologique des pièces; table des princes sous le règne desquels elles ont été composées. Histoire de la transmission des textes du Chi king (Lou chi, Tshi chi, Han chi, Mao chi). Carte géographique. Gravé par les soins de Na-lan Tchheng-tẹ.

42 livres. — Cat. imp., liv. 15, f. 15.

— LXI (3036).

毛詩名物解

Mao chi ming oou kiai.

Répertoire méthodique du Chi king.

Par Tshai Yuen-tou, postnom Pien, nom littéraire Hing-hoa sien-yeou-jen, docteur en 1070. Préface de Na-lan Tchheng-tẹ (1676), correcteur et éditeur.

20 livres. — Cat. imp., liv. 15, f. 14.

— LXII (3036-3037).

詩集傳名物鈔

Chi tsi tchoan ming oou tchhao.

Extraits du Chi king relatifs aux objets.

Répertoire des noms d'objets,

classés suivant l'ordre des odes. Par Hiu Khien, surnom Yi-tchi, nom littéraire Po-yun, de Kin-hoa (vivait dans les années 1314–1320). Préface de Oou Chi-tao (1339). Gravé sous la direction de Na-lan Tchheng-tẹ.

8 livres. — Cat. imp., liv. 16, f. 1.

— LXIII (3037).

詩 疑 問

Chi yi oen.

Discussions sur le Chi king.

Par Tchou Tchoo, surnom Meng-tchang, de Kien-tchhang (Sin-tchheng), docteur en 1342. Préface de Na-lan Tchheng-tẹ (1676), éditeur et correcteur.

7 livres. — Cat. imp., liv. 16, f. 6.

— LXIV (3037).

詩 經 疑 問 附 編

Chi king yi oen fou pien.

Annexes aux discussions sur le Chi king.

Par Tchao Tẹ, de Yu-tchang, issu de la famille impériale des Song, résidant sous les Yuen à Tong-hou. Gravé sous la direction de Na-lan Tchheng-tẹ.

1 livre. — Cat. imp., liv. 16, f. 6 (Chi yi oen. — Fou chi pien choẹ).

— LXV (3037-3038).

詩 解 頤

Chi kiai yi.

Explications sur le Chi king.

Par Tchou Chạn, surnom Pei-oan, nom littéraire Yi-tchai, fonctionnaire dans les années 1368-1398, originaire de Fong-tchheng. Notice de son élève Ting Long de Fong-tchheng (1392). Gravé sous la direction de Na-lan Tchheng-tẹ.

4 livres. — Cat. imp., liv. 16, f. 8.

— LXVI (3038).

春 秋 尊 王 發 微

Tchhoẹn tshieou tsoẹn oang fa oei.

Le Tchhoẹn tshieou, avec commentaires.

Par Soẹn Fou, surnom Ming-fou, nom littéraire Thai-chan, originaire de Phing-yang, vivait dans les années 1041-1048. Notice finale de Oei 'An-hing, de Phoo-yang (1151). Appendice relatif à l'auteur, lettre, épitaphe. Préface de Na-lan Tchheng-tẹ (1676), éditeur et correcteur.

12 livres. — Cat. imp., liv. 26, f. 21.

— LXVII (3038).

春 秋 皇 綱 論

Tchhoẹn tshieou hoang kang loẹn.

Discussions sur le Tchhoẹn tshieou.

Par Oang Tsan, de Thai-yuen (époque des Song). Préface de Na-lan Tchheng-tẹ (1676), éditeur et correcteur.

5 livres. — Cat. imp., liv. 26, f. 22.

— LXVIII (3038-3039).

春秋劉氏傳
Tchhoẹn tshieou lieou chi tchoan.

Le Tchhoẹn tshieou, avec commentaires de Lieou.

Par Lieou Tchhang, surnom Yuen-fou, de Sin-yu, docteur dans les années 1041-1048. Gravé par les soins de Na-lan Tchheng-tẹ.

15 livres. — Cat. imp., liv. 26, f. 26 (Tchhoẹn tshieou tchoan).

— LXIX (3039-3040).

春秋權衡
Tchhoẹn tshieou khiuen heng.

Examen du Tchhoẹn tshieou.

Par Lieou Tchhang. Préfaces de Tchou Yi-tsoẹn (1674). Gravé par les soins de Na-lan Tchheng-tẹ.

17 livres. — Cat. imp., liv. 26, f. 25.

— LXX (3040).

春秋意林
Tchhoẹn tshieou yi lin.

Remarques sur le Tchhoẹn tshieou.

Par Lieou Tchhang. Gravé par les soins de Na-lan Tchheng-tẹ.

2 livres. — Cat. imp., liv. 26, f. 27.

— LXXI (3040).

春秋名號歸一圖
Tchhoẹn tshieou ming hao koei yi thou.

Tables de concordance des divers noms d'hommes dans le Tchhoẹn tshieou.

Par Fong Ki-sien, de Chou (époque des Cinq Dynasties). Gravé par les soins de Na-lan Tchheng-tẹ.

2 livres. — Cat. imp., liv. 26, f. 19.

— LXXII (3040).

春秋年表
Tchhoẹn tshieou nien piao.

Tables chronologiques pour le Tchhoẹn tshieou.

Auteur inconnu. Gravé par les soins de Na-lan Tchheng-tẹ.

1 livre. — Cat. imp., liv. 26, f. 20.

— LXXIII (3040-3041).

春秋列國臣傳
Tchhoẹn tshieou lie koẹ tchhen tchoan.

Biographies des **ministres** et

officiers des divers États (période du Tchhoẹn tshieou).

Ces biographies sont rangées par époques. Auteur Oang Tang, surnom Tseu-seu, de Mei-tcheou, fonctionnaire dans les années 1086-1093. Notice biographique sur l'auteur. Gravé sous la direction de Na-lan Tchheng-tẹ.

30 liv res. — Cat. imp., liv. 57, f. 25 (Tchhoẹn tshieou lie koẹ tchou tchhen tchoan).

— LXXIV (3041).

春秋本例

Tchhoẹn tshieou pẹn li.

Habitudes de style du Tchhoẹn tshieou.

Examen méthodique des expressions, passages cités et expliqués. Par Tshoei Tseu-fang, surnom Yen-tchi ou Po-tchi, nom littéraire Si-tchheou, de Feou-ling. Préface de Na-lan Tchheng-tẹ, éditeur et correcteur (1676).

20 livres. — Cat. imp., liv. 27, f. 3.

— LXXV (3041-3043).

春秋經筌

Tchhoẹn tshieou king tshiuen.

Le Tchhoẹn tshieou, avec commentaires.

Par Tchao Pheng-fei, surnom Khi-ming, nom littéraire Mou-

nou, de Tso-mien. L'auteur recherche le sens primitif du livre canonique, avant les trois tchoan. Préface de l'auteur non datée; préface de son élève Tshing-yang Mong-yen de Chi-tshiuen (1272). Préface de Na-lan Tchheng-tẹ (1677), éditeur et correcteur.

16 livres. — Cat. imp., liv. 27, f. 32.

— LXXVI (3043-3044).

石林春秋傳

Chi lin tchhoẹn tshieou tchoan.

Le Tchhoẹn tshieou, avec commentaires, par Chi-lin.

Par Ye Mong-tẹ, surnom Chao-yun, nom littéraire Chi-lin, de Oou, docteur en 1097. Préface non datée par l'auteur qui, dans son commentaire, compare les trois tchoan pour en tirer le sens primitif du king. Notices finales par Ye Yun, petit-fils de l'auteur, et par Tchen Tẹ-sieou, l'une et l'autre de 1205. Préface de Na-lan Tchheng-tẹ (1677), éditeur et correcteur.

20 livres. — Cat. imp., liv. 27, f. 6.

— LXXVII (3045).

春秋後傳

Tchhoẹn tshieou heou tchoan.

Le Tchhoẹn tshieou, avec commentaires.

Par Tchhen Fou-liang, surnom Kiun-kiu, nom littéraire Tchi-tchai, de Choei-'an, docteur en 1172. Préface de Leou Yo, de Seu-ming (1207). Notices par Tcheou Mien (1208) et Tshing-chang tao-jen (1608). Gravé par les soins de Na-lan Tchheng-tẹ.

12 livres. — Cat. imp., liv. 27, f. 14.

— LXXVIII (3045-3047).

春 秋 集 解

Tchhoẹn tshieou tsi kiai.

Le Tchhoẹn tshieou, avec les tchoan, accompagnés de commentaires.

Attribué à Liu Tsou-khien ; d'après le Catalogue impérial, cette attribution est erronée ; l'auteur serait Liu Pẹn-tchong, surnom Kiu-jen, et l'ouvrage daterait de 1136. Préface de Na-lan Tchheng-tẹ, éditeur et correcteur (1676).

3o livres. — Cat. imp., liv. 27, f. 10.

— LXXIX (3047-3048).

春 秋 左 氏 傳 說

Tchhoẹn tshieou tso chi tchoan choẹ.

Traité sur divers points du Tso tchoan.

Par Liu Tsou-khien, surnom Po-kong, nom littéraire Tong-lai.

Introduction de l'auteur. Gravé par les soins de Na-lan Tchheng-tẹ.

2o livres. — Cat. imp., liv. 27, f. 16.

— LXXX (3048).

春 秋 左 氏 傳 事 類 始 末

Tchhoẹn tshieou tso chi tchoan chi lei chi mo.

Le Tso tchoan classé méthodiquement.

Par Tchang Tchhong, surnom Meou-chen. Préface de l'auteur (1187) ; préface de Sie 'O, de Lin-kiang (1188). Gravé par les soins de Na-lan Tchheng-tẹ.

5 livres. — Cat. imp., liv. 49, f. 3.

— LXXXI (3048-3049).

春 秋 提 綱

Tchhoẹn tshieou thi kang.

Extraits méthodiques du Tchhoẹn tshieou.

Classés sous quatre rubriques : guerres, ambassades, alliances, règlements divers. Par Tchhen Tsẹ-thong, nom littéraire Thie-chan (époque des Yuen). Préface de Hou Koang-chi. Gravé par les soins de Na-lan Tchheng-tẹ.

1o livres. — Cat. imp., liv. 28, f. 1.

— LXXXII (3049).

春秋王霸列國世紀編

Tchhoen tshieou oang pa lie koe chi ki pien.

Tableaux chronologiques des divers États à l'époque du Tchhoen tshieou.

Par Li Khi, surnom Khai-po, de Oou. Préface de l'auteur (1211); préface de Tcheou Tseu-te de Yu-tchhoan (1345). Gravé par les soins de Na-lan Tchheng-te.

3 livres. — Cat. imp., liv. 27, f. 27.

— LXXXIII (3049-3050).

春秋通說

Tchhoen tshieou thong choe.

Le Tchhoen tshieou, avec commentaires.

Par Hoang Tchong-yen, surnom Jo-hoei, de Yong-kia. Préface de l'auteur (1230); dédicace du même et rapport de Li Ming-fou (1236). Gravé par les soins de Na-lan Tchheng-te.

13 livres (la table n'en indique que 12). — Cat. imp., liv. 27, f. 28.

— LXXXIV (3050).

春秋集註。綱領

Tchhoen tshieou tsi tchou. — Kang ling.

Le Tchhoen tshieou commenté, avec introduction.

Par Tchang Hia, surnom Yuen-te, de Tshing-kiang. Dédicace de l'auteur (1235), avec diverses autres pièces relatives à la présentation de l'ouvrage. Préface de Oei Tsong-oou (1275). Préface de Na-lan Tchheng-te (1677), éditeur et correcteur.

1 + 11 livres. — Cat. imp., liv. 27, f. 26 (Tchhoen tshieou tsi tchou).

— LXXXV (3050-3051).

春秋或問

Tchhoen tshieou hoe oen.

Questions sur le Tchhoen tshieou.

Relatives à l'intention de blâme ou d'éloge renfermée dans les expressions, accompagnées d'un examen des faits. Par Liu Ta-koei, surnom Koei-chou, nom littéraire Pho-khing, de Nan-'an, docteur en 1247. Postface de Ho Mong-chen (1254). Gravé par les soins de Na-lan Tchheng-te.

20 livres. — Cat. imp., liv. 27, f. 33.

— LXXXVI (3051).

春秋五論

Tchhoen tshieou oou loen.

Cinq dissertations sur le Tchhoen tshieou.

Par Liu Ta-koei. Préface de Na-lan Tchheng-te, éditeur et correcteur (1677).

1 livre. — Cat. imp., liv. 27, f. 33.

— LXXXVII (3051-3053).

春秋詳說

Tchhoẹn tshieou siang choẹ.

Le Tchhoẹn tshieou, avec commentaires.

Par Kia Hiuen-oong, surnom Tsẹ-thang. Préface non datée et introduction par l'auteur ; notice finale de Kong Sou. L'ouvrage a été achevé vers 1286. Gravé par les soins de Na-lan Tchheng-tẹ.

3o livres. — Cat. imp., liv. 27, f. 35.

— LXXXVIII (3053).

春秋類對賦

Tchhoẹn tshieou lei toei fou.

Pièce descriptive sur le Tchhoẹn tshieou.

Par Siu Tsin-khing, avec préface de l'auteur (1051). Note finale par 'Eou Teou-ying (1308). Préface de Na-lan Tchheng-tẹ, éditeur et correcteur (1676).

1 livre. — Cat. imp., liv. 137, f. 6 (Tchhoẹn tshieou king tchoan lei toei fou).

— LXXXIX (3053).

春秋諸國統紀．目錄

Tchhoẹn tshieou tchou koẹ thong ki. — Mou lou.

Sommaire des faits du Tchhoẹn tshieou concernant chaque État avec dissertation explicative.

Par Tshi Li-khien, surnom Po-heng, de Cha-lou. Note de l'auteur au début de la dissertation (1317). Préface de Oou Tchheng, sans date. Notice finale de Seu-kong (1317), déplacée à la reliure et mise après l'art. XC. Gravé par les soins de Na-lan Tchheng-tẹ.

6 + 1 livres. — Cat. imp., liv. 28, f. 3.

— XC (3053-3055).

春秋本義

Tchhoẹn tshieou pẹn yi.

Le Tchhoẹn tshieou, avec commentaires.

Accompagné de diverses annexes. Par Tchheng Toan-hio, surnom Chi-chou, nom littéraire Tsi-tchai, de Seu-ming, docteur en 1321. Gravé par les soins de Na-lan Tchheng-tẹ.

3o livres. — Cat. imp., liv. 28, f. 5.

— XCI (3055).

春秋或問

Tchhoẹn tshieou hoẹ oen.

Questions sur le Tchhoẹn tshieou.

Par Tchheng Toan-hio. Préface de Na-lan Tchheng-tẹ (1676).

10 livres. — Cat. imp., liv. 28, f. 6.

— XCII (3056-3057).

春 秋 集 傳

Tchhoẹn tshieou tsi tchoan.

Le Tchhoẹn tshieou, avec commentaires.

Ouvrage achevé en 1357 par Tchao Phang, surnom Tseu-chang, de Hieou-ning. Postface de Yi Chang-yi (années 1522-1566?). Préface de Na-lan Tchheng-tẹ, éditeur et correcteur (1677).

15 livres. — Cat. imp., liv. 28, f. 13.

— XCIII (3057-3058).

春 秋 屬 辭

Tchhoẹn tshieou chou seu.

Éclaircissement du Tchhoẹn tshieou par les Rituels et autres ouvrages.

Par Tchao Phang. Préface de l'auteur; préface par Song Lien de Kin-hoa. Gravé par les soins de Na-lan Tchheng-tẹ.

15 livres. — Cat. imp., liv. 28, f. 14.

— XCIV (3058).

春 秋 師 說

Tchhoẹn tshieou chi choẹ.

Explications de mon maître sur le Tchhoẹn tshieou.

Par Tchao Phang, d'après son maître Hoang Tsẹ. Préface de Tchao Phang (1348). Notice biographique de Hoang Tsẹ (surnom Tchhou-oang, de Kieou-kiang, né en 1260). Gravé par les soins de Na-lan Tchheng-tẹ.

3 livres. — Cat. imp., liv. 28, f. 13.

— XCV (3058).

春 秋 左 氏 傳 補 注

Tchhoẹn tshieou tso chi tchoan pou tchou.

Commentaires sur le Tso tchoan pour compléter ceux de Tou Yu.

Par Tchao Phang, avec préface non datée de l'auteur et postface non datée de Kin Kiu-king. Gravé par les soins de Na-lan Tchheng-tẹ.

10 livres. — Cat. imp., liv. 28, f. 16.

— XCVI (3058-3059).

春 秋 諸 傳 會 通

Tchhoẹn tshieou tchou tchoan hoei thong.

Le Tchhoẹn tshieou, texte et tchoan, avec commentaires.

Par Li Lien, surnom Tseu-kien, de Liu-ling. Préface de l'auteur (1349). Préfaces des éditeurs et commentateurs successifs, Tou Yu, Ho Hieou, Fan Ning, Tchheng-tseu, etc. Gravé par les soins de Na-lan Tchheng-tẹ.

24 livres. — Cat. imp., liv. 28, f. 10.

— XCVII (3059-3060).

春 秋 集 傳 釋 義 大 成

Tchhoẹn tshieou tsi tchoan chi yi ta tchheng.

Le Tchhoẹn tshieou, avec commentaires.

Par Yu Kao, surnom Sin-yuen, de Sin-'an (époque des Yuen). Préfaces des principaux commentateurs ; tables généalogiques. Préface de Na-lan Tchheng-tẹ (1676), éditeur et correcteur.

12 livres. — Cat. imp., liv. 28, f. 1.

— XCVIII (3060-3061).

讀 春 秋 編

Tou tchhoẹn tshieou pien.

Le Tchhoẹn tshieou annoté.

Par Tchhen Chen, surnom Tseu-oei, nom littéraire Tshing-tshiuen-tchai, de Phing-kiang (1293-1362). Préface de Na-lan Tchheng-tẹ, éditeur et correcteur (1677).

12 livres. — Cat. imp., liv. 27, f. 35.

— XCIX (3061).

春 王 正 月 考

Tchhoẹn oang tcheng yue khao.

Examen de l'expression Tchhoẹn oang tcheng yue.

Par Tchang Yi-ning, surnom Tchi-tao, nom littéraire Tshoei-phing, de Kou-thien, docteur en 1327. Préface de l'auteur (1370) ; notice finale de Long, petit-fils de l'auteur (1426). Préface de Na-lan Tchheng-tẹ, éditeur et correcteur (1677).

2 livres (intervertis à la reliure). — Cat. imp., liv. 28, f. 19.

———

A la suite de cet ouvrage manque le suivant, marqué à la table :

三 禮 圖

San li thou.

Figures pour les Trois Rituels.

Par Nie Tchhong-yi.

Voir nº 3202.

— C (3061-3065).

周 禮 訂 義

Tcheou li ting yi.

Le Tcheou li, avec commentaires.

Par Oang Yu-tchi, surnom Tsheu-tien, nom littéraire Tong-yen, de Lo tshing, fonctionnaire en 1242. Préface de Tchen Tẹ-sieou, de Kien-'an (1232) ; post-face de Tchao Jou-theng, surnom

19

Meou-chi, de Phien (1237); pieces officielles de 1242 et 1243 au sujet de l'impression de l'ouvrage. Liste des commentateurs consultés. Préface de Na-lan Tchheng-tẹ (1676), éditeur et correcteur.

80 livres. — Cat. imp., liv., 19, f. 16.

— CI (3065).

虛齋考工記解

Kiuen tchai khao kong ki kiai.

Explication du Khao kong ki, par Kiuen-tchai.

Auteur : Lin Hi-yi, surnom Sou-oong, de Fou-tshing, docteur en 1235. Figures ; explication et prononciation des caractères difficiles. Gravé par les soins de Na-lan Tchheng-tẹ.

2 livres. — Cat. imp., liv. 19, f. 17.

— CII (3065-3066).

儀禮圖．儀禮旁通圖

Yi li thou. — Yi li phang thong thou.

Le Yi li, avec figures. — Figures et tableaux pour éclaircir le Yi li.

Par Yang Fou, surnom Meou-tshai, nom littéraire Sin-tchai, de Fou-tcheou. Préface de l'auteur (1228); préface de Tchhen Phou, de Ning-tẹ. Rapport de Tchou Hi, etc.

17 + 1 livres (le livre 17 manque; le second ouvrage, en 1 livre, est déplacé et est relié dans le vol. 3081, immédiatement avant l'art. CXI). — Cat. imp., liv. 20, f. 7.

— CIII (3066-3076).

禮記集說

Li ki tsi choe.

Le Li ki, avec commentaires.

Par Oei Chi, surnom Tcheng-chou, de Koẹn-chan. L'ouvrage a été commencé en 1205-1207 et présenté à l'Empereur en 1226. Préface de l'auteur (1226); préface par Oei Liao-oong, de Lin-khiong (1225). Postface de l'auteur (1226); notice non signée de 1240. Liste des commentateurs consultés, avec notice biographique sur chacun d'eux. Préface de Na-lan Tchheng-tẹ (1677), éditeur et correcteur.

160 livres. — Cat. imp., liv. 21, f. 4.

— CIV (3076-3077).

禮經會元

Li king hoei yuen.

Ensemble des rites, d'après les divers rituels.

Par Ye Chi, surnom Sieou-fa, nom littéraire Tchou-ye yu-seou, nom posthume Oen-khang, de Tshien-thang, docteur en 1184. Préface par Phan Yuen-ming, de Hai-ling (1365); préface par Tchhen

Ki, de Lin-hai (1366). Vie de l'auteur. Notice de son descendant à la 6ᵉ génération, Koang-kiu (1365). Gravé par les soins de Na-lan Tchheng-tę.

4 livres. — Cat. imp., liv. 19, f. 10.

— CV (3077).

太平經國之書

Thai phing king koę tchi chou.

Traité du gouvernement antique, d'après les rituels.

Par Tcheng Po-khien, surnom Tsie-khing, de Yong-kia (xvᵉ siècle). Préface de l'auteur ; préface par Kao Chou-seu, de Siang-fou (1536). Tableaux des fonctions sous les Tcheou, Tshin et Han. Gravé par les soins de Na-lan Tchheng-tę.

1 livre préliminaire et 11 livres. — Cat. imp., liv. 19, f. 12.

— CVI (3077).

夏小正解

Hia siao tcheng kiai.

Explication du Hia siao tcheng.

Ce traité est tiré du recueil Ta tai li, dû à Tai Tę, des Han. Commentaires de Fou Song-khing, surnom Tseu-tsiun, de Chan-yin ; préface du commentateur (1121). Gravé par les soins de Na-lan Tchheng-tę.

4 livres. — Cat. imp., liv. 21, f. 32 (Hia siao tcheng tai chi tchoan).

— CVII (3077-3079).

儀禮集說

Yi li tsi choę.

Le Yi li, avec commentaires.

Par 'Ao Ki-kong, surnom Kiun-chạn, de Tchhang-lo. Préface de l'auteur (1301). Gravé par les soins de Na-lan Tchheng-tę.

17 livres (les livres 16 et 17, déplacés, sont reliés dans le vol. 3081, immédiatement après l'art. CX). — Cat. imp., liv. 20, f. 13.

— CVIII (3079).

儀禮逸經傳

Yi li yi king tchoan.

Suppléments anciens et modernes au Yi li.

Par Oou Tchheng, surnom Yeou-tshing, nom littéraire Tshao-liu, nom posthume Oęn-tcheng, de Tchhong-jen, docteur à la fin de la période 1265-1274. Préface par Li Tsiun-min (1354). Notice finale de Tchheng Min-tcheng.

1 livre (8 + 10 sections). — Cat. imp., liv. 20, f. 10 (en 2 livres).

— CIX (3079-3080).

經禮補逸

King li pou yi.

Supplément aux Rituels.

Par Oang Khẹ-khoan, surnom Tẹ-fou, de Sin-'an, licencié en 1326, mort en 1372. Préface de l'auteur; préface par Tseng Lou, de Lin-kiang (1369). Pièces relatives à l'auteur, mises en supplément. Gravé par les soins de Na-lan Tchheng-tẹ.

9 livres. — Cat. imp., liv. 20, f. 15.

— CX (3080-3081).

禮記陳氏集說補正

Li ki tchhen chi tsi choẹ pou tcheng.

Le Li ki, avec commentaires, suppléments et corrections.

Cet ouvrage a pour base l'édition de Tchhen Hao (Li ki tsi choẹ); il est de Na-lan Tchheng-tẹ.

38 livres. — Cat. imp., liv. 21, f. 20 (Tchhen chi li ki tsi choẹ pou tcheng).

NOTA. — Pour les deux fragments qui suivent cet article, voir aux art. CVII et CII.

— CXI (3081-3082).

儀禮

Yi li.

Texte du Yi li.

Texte attribué à Tseu-hia, sans préface ni autre indication. Gravé par les soins de Na-lan Tchheng-tẹ.

Cet ouvrage n'est pas indiqué à la table générale.

———

— CXII (3082).

孝經註解

Hiao king tchou kiai.

Le Hiao king, avec commentaires.

Préface de Hiuen-tsong, des Thang, pour le Hiao king tcheng yi (722); préface de Seu-ma Koang (1009-1086), surnom Kiun-chi, nom posthume Oen-tcheng, pour le Kou oen hiao king tchi kiai; préface de Fan Tsou-yu (1041-1098) surnom Choẹn-fou, pour le Kou oen hiao king choẹ. Cette édition est basée sur les trois qui sont citées; gravée par les soins de Na-lan Tchheng-tẹ.

1 livre. — Comparer Cat. imp., liv. 32, f. 4 et f. 6.

— CXIII (3082).

孝經大義

Hiao king ta yi.

Le Hiao king, avec commentaires.

Par Tong Ting, surnom Ki-heng, de Phoo-yang. Préface de 1305. Gravé par les soins de Na-lan Tchheng-tẹ.

1 livre. — Cat. imp., liv. 32, f. 10,

— CXIV (3082).

孝經定本

Hiao king ting pẹn; autre titre :

草廬孝經

Tshao liu hiao king.

Le Hiao king, avec commentaires par Tshao-liu.

L'auteur Oou Tchheng, suit le texte moderne et le commentaire de Tchou Hi. Gravé par les soins de Na-lan-Tchheng-tẹ.

1 livre. — Cat. imp., liv. 32, f. 11.

— CXV (3082).

孝經句解

Hiao king kiu kiai; autre titre :

晦菴先生所定古文孝經句解

Hoei 'an sien cheng so ting kou oen kiao king kiu kiai.

Le Hiao king, avec commentaires, d'après l'édition de Tchou Hi.

Par Tchou Chen, surnom Ki-siuen, nom littéraire Tcheou-han, de Sin-'an (vivait en 1251). Gravé par les soins de Na-lan Tchheng-tẹ.

1 livre. — Cat. imp., liv. 32, f. 18.

— CXVI (3082).

南軒論語解

Nan hien lọẹn yu kiai; autre titre:

癸巳論語解

Koei seu loẹn yu kiai.

Le Loẹn yu, avec commentaires par Nan-hien.

L'auteur Tchang Tchhi, surnom King-fou, nom littéraire Nan-hien, de Koang-han (1133-1181), a achevé son ouvrage en 1173, année koei-seu, d'où le titre. Préface de l'auteur (1173). Gravé par les soins de Na-lan Tchheng-tẹ.

10 livres. — Cat. imp., liv. 35, f. 28.

— CXVII (3083).

論語集說

Loẹn yu tsi choe.

Le Loẹn yu, avec commentaires.

Par Tshai Tsie, de Yong-kia. Dédicace de présentation par l'auteur (1245); lettre de Kiang Oen-long au sujet de l'ouvrage (1246). Préface de Na-lan Tchheng-tẹ, éditeur et correcteur (1676).

10 livres. — Cat. imp., liv. 35, f. 36.

— CXVIII (3083-3084).

南軒孟子說

Nan hien meng tseu choe ; autre titre :

癸巳孟子說

Koei seu meng tseu choe.

Le Meng tseu, avec commentaires par Nan-hien.

Ouvrage de Tchang Tchhi, achevé en 1173 comme l'art. CXVI. Préface de l'auteur (1173). Gravé par les soins de Na-lan Tchhengte.

7 livres. — Cat. imp., liv. 35, f. 29.

— CXIX (3084-3085).

孟子集疏

Meng tseu tsi sou.

Le Meng tseu, avec commentaires.

Ouvrage ayant pour base l'édition de Tchou Hi ; par Tshai Mou, surnom Tchong-kio, nom littéraire Kio-hien, fils de Tshai Tchhen, de Kien-'an. Notice finale de Hang, frère aîné de Mou, postérieure aux années 1239 et 1246. Préface de Na-lan Tchheng-te, éditeur et correcteur (1676).

14 livres. — Cat. imp., liv. 35, f. 34.

— CXX (3085).

孟子音義

Meng tseu yin yi.

Prononciation et explication des caractères difficiles du Meng tseu.

Ouvrage composé par ordre impérial par Soen Chi, surnom Tsongjo (962-1033). Préface de l'auteur. Gravé par les soins de Na-lan Tchheng-te.

2 livres. — Cat. imp., liv. 35, f. 11.

— CXXI (3085-3087).

四書纂疏

Seu chou tsoan sou.

Les Quatre Livres, avec commentaires.

Par Tchao Choen-soen, surnom Ko-'an, de Koa-tshang (époque des Song). Préface non datée de l'auteur ; préface par Hong Thiensi, de Tshing-yuen. Liste des commentateurs consultés. Préface de Na-lan Tchheng-te (1677), éditeur et correcteur.

26 livres. — Cat. imp., liv. 35, f. 39.

— a (3085).

大學纂疏

Ta hio tsoan sou.

Le Ta Hio, avec commentaires.

Introduction explicative de

Tchao Choẹn-soẹn; préface de Tchou Hi (1189). Texte du Ta hio tchang kiu de Tchou Hi.

1 livre. — Comparer Cat. imp., liv. 35, f. 21.

— CXXII *b* (3085).

中庸纂疏

Tchong yong tsoan sou.

Le Tchong yong, avec commentaires.

Préface de Meou Tseu-tshai, de Ling-yang (1256). Introduction explicative de Tchao Choẹn-soẹn; préface de Tchou Hi (1189). Texte du Tchong yong tchang kiu de Tchou Hi.

1 livre. — Comparer Cat. imp., liv. 35, f. 21.

— CXXIII *c* (3086).

論語纂疏

Loẹn yu tsoan sou.

Le Loẹn yu, avec commentaires.

Introduction explicative pour le Loẹn yu et le Meng tseu par Tchao Choẹn-soẹn; remarques par le même sur la lecture du Loẹn yu et du Meng tseu. Préface pour le Loẹn yu tsi tchou de Tchou Hi; texte.

10 livres. — Comparer Cat. imp. liv. 35, f. 21.

— CXXIV *d* (3087).

孟子纂疏

Meng tseu tsoan sou.

Le Meng tseu, avec commentaires.

Préface pour le Meng tseu tsi tchou de Tchou Hi; texte.

14 livres. — Comparer Cat. imp., liv. 35, f. 21.

— CXXV (3087-3089).

四書集編

Seu chou tsi pien.

Les Quatre Livres, avec commentaires.

Par Tchen Tẹ-sieou, surnom Hi-yuen, nom posthume Oen-tchong, de Phou-tchheng; ouvrage de 1227. Préfaces de Tchi-tao, fils de l'auteur (1271) et de Lieou Tshai-tchi (1273); préface de Sie Heou-chạn (1272) mise en tête de l'art. CXXVI. L'ouvrage comprend le texte et les notes de Tchou Hi pour les Quatre Livres, avec les préfaces du même auteur comme aux art. CXXI-CXXIV; commentaires de Tchen Tẹ-sieou. Gravé par les soins de Na-lan Tchheng-tẹ.

1 + 1 + 10 + 14 livres. — Cat. imp., liv. 35, f. 33; comparer Cat. imp., liv. 35, f. 21.

— CXXVI (3089-3091).

四書通

Seu chou thong.

Grande édition des Quatre Livres.

Ayant pour base, comme les précédentes, le texte et les notes de Tchou Hi; commentaires de Hou Ping-oen, surnom Tchong-hou, nom littéraire Yun-fong, de Oou-yuen. Préface de l'auteur (1324); préface de Teng Oen-yuen, de Pa-si (1326); notice relative à la gravure de l'ouvrage par Tchang Tshoen-tchong (1329). Liste des commentateurs consultés. On trouve en outre une préface de Sie Heou-chan (1272) qui appartient à l'art. CXXV. Gravé par les soins de Na-lan Tchheng-te.

1 + 1 + 10 + 14 livres. — Cat. imp., liv. 36, f. 4; comparer Cat. imp., liv. 35, f. 21.

— CXXVII (3091).

四書通證

Seu chou thong tcheng.

Supplément critique au Seu chou thong.

Explication de divers points des Quatre Livres, à l'aide des autres Classiques. Par Tchang Tshoen-tchong, surnom Te-yong, de Sin-'an. Préface de Hou Ping-oen (1328). Liste des auteurs consultés.

Gravé par les soins de Na-lan Tchheng-te.

6 livres. — Cat. imp., liv. 36, f. 5.

— CXXVIII (3091-3093).

四書纂箋

Seu chou tsoan tsien.

Les Quatre Livres, avec commentaires.

Par Tchan Tao-tchhoan, de Lin-tchhoan (époque des Yuen). Préface de Hou Yi-tchong (1343). L'auteur cite, annote et compare les explications d'un grand nombre de commentateurs. Gravé par les soins de Na-lan Tchheng-te.

28 livres (la table n'en indique que 26). — Cat. imp., liv. 36, f. 8.

— a (3091).

大學章句纂箋

Ta hio tchang kiu tsoan tsien.

Le Ta hio, avec commentaires.

Texte et notes de Tchou Hi; préface du même (1189); commentaires de Tchan Tao-tchhoan.

1 livre. — Comparer Cat. imp., liv. 35, f. 21.

— CXXIX *b* (3091-3092).

大學或問纂箋

Ta hio hoe oen tsoan tsien.

Questions sur le Ta hio, avec commentaires.

Texte de Tchou Hi, commentaires de Tchan Tao-tchhoan.

1 livre. — Comparer Cat. imp., liv. 35, f. 23.

— CXXX *c* (3092).

中庸章句纂箋

Tchong yong tchang kiu tsoan tsien.

Le Tchong yong, avec commentaires.

Texte et notes de Tchou Hi, préface du même (1189); commentaires de Tchan Tao-tchhoan. Entre les feuillets 9 et 10, le relieur a intercalé les livres 9 et 10 de l'art. CXXXII.

1 livre. — Comparer Cat. imp., liv. 35, f. 21.

— CXXXI *d* (3092).

中庸或問纂箋

Tchong yong hoe oen tsoan tsien.

Questions sur le Tchong yong, avec commentaires.

Texte de Tchou Hi; commentaires de Tchan Tao-tchhoan.

1 livre. — Comparer Cat. imp., liv. 35, f. 23.

— CXXXII *e* (3092).

論語集註纂箋

Loen yu tsi tchou tsoan tsien.

Le Loen yu, avec commentaires.

Remarques par Tchan Tao-tchhoan sur la lecture du Loen yu et du Meng tseu. Texte, notes, préface de Tchou Hi; commentaires de Tchan.

10 livres (manquent les livres 9 et 10, voir art. CXXX). — Comparer Cat. imp., liv. 35, f. 21.

— CXXXIII *f* (3093).

孟子集註纂箋

Meng tseu tsi tchou tsoan tsien.

Le Meng tseu, avec commentaires.

Texte, notes, préface de Tchou Hi; commentaires de Tchan Tao-tchhoan.

14 livres. — Comparer Cat. imp., liv. 35, f. 21.

— CXXXIV (3093-3094).

四書通旨

Seu chou thong tchi.

Explication complète des Quatre Livres.

Résumé systématique de la philosophie des Quatre Livres, par Tchou Kong-tshien, surnom Khe-cheng, de Lo-phing, fonctionnaire en 1341-1368. Gravé par les soins de Na-lan Tchheng-te.

6 livres. — Cat. imp., liv. 36, f. 9.

20

— CXXXV (3094-3095).

四書辨疑

Seu chou pien yi.

Discussion des points douteux des Quatre Livres.

De l'époque des Yuen; le nom de l'auteur est perdu. Gravé par les soins de Na-lan Tchheng-tę.

15 livres. — Cat. imp., liv. 36, f. 2.

— CXXXVI (3095).

學庸啓蒙

Hio yong khi mong.

Le Ta hio et le Tchong yong, avec explications.

Par King Sing, surnom Nou-'an, de Yu-yao. Préface de l'auteur (1362); notice de Hia Chi, de Tshien-thang (1438); postfaces du même (1434) et de Tsiang Ki, de Tshien-thang (1400). Gravé par les soins de Na-lan Tchheng-tę.

2 livres (à la table, 1 livre). — Cat. imp., liv. 36, f. 12 (Ta hio tchong yong tsi choę khi mong).

— CXXXVII (3095-3097).

經典釋文

King tien chi oen.

Vocabulaire des caractères difficiles des King et autres ouvrages classiques.

Par Lou Yuen-lang, surnom Tę-ming, de Oou, fonctionnaire dans les années 627-649. Préface de l'auteur postérieure à 643. Gravé par les soins de Na-lan Tchheng-tę. Les caractères sont expliqués ouvrage par ouvrage; les ouvrages étudiés sont les suivants :

Préface, table, etc., livre 1.
Yi king, livre 2.
Chou king, livres 3 et 4.
Chi king, livres 5 à 7.
Tcheou li, livres 8 et 9.
Yi li, livre 10.
Li ki, livres 11 à 14.
Tso tchoan, livres 15 à 20.
Kong-yang tchoan, livre 21.
Kou-liang tchoan, livre 22.
Hiao king, livre 23.
Loęn yu, livre 24.
Lao tseu, livre 25.
Tchoang tseu, livres 26 à 28.
Eul ya, livres 29 et 30.

Cat. imp., liv. 33, f. 5.

— CXXXVIII (3097).

七經小傳

Tshi king siao tchoan.

Résumé et explication des Sept King.

Par Lieou Tchhang, surnom Yuen-fou, de Sin-yu, docteur dans les années 1041-1048. Gravé par les soins de Na-lan Tchheng-tę. Les Sept King sont : Chou king, Chi king, Tcheou li, Yi li, Li ki, Kong-yang tchoan, Loęn yu.

3 livres. — Cat. imp., liv. 33, f. 7.

— CXXXIX (3098).

六經奧論

Lou king 'ao loẹn.

Mémoires et figures sur divers points des Six King.

Attribués ou à Tcheng Tshiao, ou à Tcheng Yu-tchong (époque des Song). Gravé par les soins de Na-lan Tchheng-tẹ. Les Six King sont : Yi king, Chou king, Chi king, Tchhoẹn tshieou, Yi li, Li ki, Tcheou li.

1 livre préliminaire et 6 livres. — Cat. imp., liv. 33, f. 16.

— CXL (3098).

六經正誤

Lou king tcheng oou.

Corrections au texte des Six King.

Par Mao Kiu-tcheng, surnom Yi-fou, de Khiu-tcheou ; cet auteur était fonctionnaire de l'Université impériale en 1221, quand ordre fut donné de graver une nouvelle édition des livres canoniques. Préface par Oei Liao-oong, de Lin-khiong (1225). Gravé par les soins de Na-lan Tchheng-tẹ. Les Six King sont : Yi king, Chou king, Chi king, Li ki, Tcheou li, Tchhoẹn tshieou avec les trois tchoan.

6 livres. — Cat. imp., liv. 33, f. 11.

— CXLI (3098-3099).

經說

King choẹ.

Explications sur les King.

Par Hiong Pheng-lai, surnom Yu-kho, de Yu-tchang, docteur en 1274, mort dans les années 1321-1323. Vie de l'auteur. Gravé par les soins de Na-lan Tchheng-tẹ.

7 livres. — Cat. imp., liv. 33, f. 20 (Oou king choẹ).

— CXLII (3099).

十一經問對

Chi yi king oen toei.

Questions et réponses sur les Onze King.

Par Ho Yi-soẹn (peut-être du début des Yuen). Gravé par les soins de Na-lan Tchheng-tẹ. Les Onze King sont : Loẹn yu, Hiao king, Meng tseu, Ta hio, Tchong yong, Chi king, Chou king, Tcheou li, Yi li, Tchhoẹn tshieou avec les trois tchoan, Li ki.

5 livres. — Cat. imp., liv. 33, f. 21.

— CXLIII (3099).

五經蠡測

Oou king li tshẹ.

Opinions sur les Cinq King.

Par Tsiang Ti-cheng, surnom Chou-jen, de Fou-ning. Préface

de l'auteur (1370). Préface de Min Oen-tchen, de Feou-liang (1538). Gravé par les soins de Na-lan Tchheng-tę. Les Cinq King sont : Yi king, Chou king, Chi king, Tchhoęn tshieou, Li ki.

6 livres. — Cat. imp., liv. 33, f. 23.

Grand in-8. 114 vol., demi-rel., au chiffre de Louis-Philippe.
Nouveau fonds 1.

3100-3101. 五 經 類 編
Oou king lei pien.

Extraits des commentaires des Cinq King, rangés par ordre méthodique.

Par Tcheou Chi-tchang, surnom Tchang-tchheng, de Leou-tong. Préface de l'auteur (1684). Préfaces de Oang Yen (1683), Thang Soęn-hoa (1690); postface de Oang Mou (1724). Planches conservées à la salle Kou-yi.

28 livres et 1 livre supplémentaire. — Cat. imp., liv. 139, f. 11.

Grand in-8. Titre noir et rouge sur blanc. 2 vol., demi-reliure.
Nouveau fonds 180.

3102. 五 經 典 要 註 釋
Oou king tien yao tchou chi.

Morceaux choisis des Cinq King, avec commentaires.

Choix de Tchang Tchhao-chen, surnom Yuen-cha; commentaires de Yuen Tchoang-hing, surnom Chou-ta. Préface de Tchang Tchhao-chen (1690). Gravé à la salle Tcheng-choęn.

5 livres.

Grand in-8. Titre noir sur blanc. 1 vol., demi-reliure.
Nouveau fonds 182.

3103. — I. 經 義 雜 記
King yi tsa ki.

Dissertations relatives à divers passages des Livres canoniques.

Par Tsang Lin, surnom Yu-lin, de Oou-tsin, et Yen Yeou-chan, surnom Po-chi (années 1662-1722); gravé sous la direction de Yuen Yuen et de Tsang Yong-thang, descendant de l'auteur, à la salle Pai-king à Oou-tsin. Postface de Yen Yuen-tchao (1798).

3o livres.

— II. 經 義 雜 記 敘 錄
King yi tsa ki siu lou.

Livre explicatif du King yi tsa ki.

Par Tsang Yong-thang; daté de 1799.

1 livre.

Grand in-8. Titre noir sur jaune. 1 vol., demi-rel., au chiffre de Napoléon III.

Nouveau fonds 1307.

3104-3192. 皇清經解

Hoang tshing king kiai.

Traités sur les King, composés sous la dynastie régnante.

Les traités contenus dans cet ouvrage ont été rassemblés et gravés par les soins de Yuen Yuen, surnom Po-yuen, de Yi-tcheng (1763-1850), haut fonctionnaire et lui-même auteur d'un grand nombre d'ouvrages; Li Ping-cheou et Li Ping-oen, de Lin-tchhoan, ont contribué aux frais de l'impression et lui ont donné leurs soins; la liste des collaborateurs à divers titres est contenue dans le livre préliminaire. Préface de Hia Sieou-chou, de Sin-kien (1829); notice de la même année par Yen Kie, de Tshien-thang. Gravé à la salle Hio-hai.

1400 livres.

— I, livres 1 à 3 (3104).

左傳杜解補正

Tso tchoan tou kiai pou tcheng.

Supplément au Tso tchoan édité par Tou Yu.

Par Kou Yen-oou, autre postnom Kiang, surnom Ning-jen, de Koen-chan (1613-1682). Notice finale de Yen Kie. Ouvrage gravé par les soins de Li Ping-cheou, revu par Yang Meou-kien, de Kia-ying.

3 livres. — Cat. imp., liv. 29, f. 5.

— II, livre 4 (3104).

音論

Yin loen.

Sur les sons et rimes antiques.

Par le même. Ouvrage gravé par les soins de Li Ping-cheou, revu par Fan Fong, du contingent chinois des Bannières mantchoues.

1 livre. — Comparer Cat. imp., liv. 42, f. 42 (en 3 livres).

— III, livres 5 à 7 (3104).

易音

Yi yin.

Prononciation ancienne de caractères du Yi king.

Les caractères sont rangés d'après leur place dans les diverses parties du texte canonique (thoan seu et hiao seu; thoan tchoan et siang tchoan; hi seu, choe koa, siu koa, tsa koa). Par le même. Gravé par les soins de Li Ping-oen, revu par Fan Fong.

3 livres. — Cat. imp., liv. 42, f. 44.

— IV, livres 8 à 17 (3104).

詩本音

Chi peṇ yin.

Prononciation primitive du Chi king.

Les caractères sont rangés dans l'ordre des quatre sections. Par le même. Gravé par les soins de Li Ping-cheou; revu par Fan Fong, Li Heng-tchhoeṇ, de Kia-ying, Tchang Kia-hong, de Kia-ying, etc.

10 livres. — Cat. imp., liv. 42, f. 43.

— V, livres 18 et 19 (3104).

日知錄

Ji tchi lou.

Notes quotidiennes prises sur des lectures.

Par le même. Gravé par les soins de Li Ping-cheou; revu par Ye Tshiuen de Kia-ying.

2 livres. — Comparer Cat. imp., liv. 119, f. 16.

— VI, livres 20 à 23 (3105).

四書釋地。續。又續。三續

Seu chou chi ti. — Siu. — Yeou siu. — San siu.

Étude géographique des Quatre Livres, avec trois suites.

Par Yen Tcheng-kiun, surnom Jo-khiu, de Thai-yuen (1636-1704).

Gravé par les soins de Li Ping-cheou; revu par Yao Li, de Hang-tcheou, et Fan Fong.

4 livres. — Comparer Cat. imp., liv. 36, f. 32 (en 1 + 1 + 2 + 2 livres).

— VII, livre 24 (3105).

孟子生卒年月考

Meng tseu cheng tsou nien yue khao.

Examen des dates de la naissance et de la mort de Meng-tseu.

Par le même. Gravé par les soins de Li Ping-cheou; revu par Fan Fong.

1 livre. — Cat. imp., liv. 59, f. 16.

— VIII, livres 25 et 26 (3105).

潛邱劄記

Tshien khieou tcha ki.

Notes prises en lisant à Tshien-khieou.

Par le même. Gravé par les soins de Li Ping-cheou; revu par Oen Sin-yuen, de Kia-ying.

2 livres. — Comparer Cat. imp., liv. 119, f. 20 (en 6 livres).

— IX, livres 27 à 47 (3105-3108).

禹貢錐指

Yu kong tchoei tchi.

Étude sur le Yu kong.

Par Hou Oei, surnom Fei-ming, nom littéraire Tong-tshiao, de Tę-tshing (1633-1714). Avertissement de l'auteur (1701). 47 cartes de l'empire en totalité et par parties; notice sur les cartes de la Chine depuis les Tcheou. Gravé par les soins de Li Ping-cheou; revu par Fan Fong, Yang Meou-kien, etc.

20 + 1 livres. — Cat. imp., liv. 12, f. 33 et nᵒˢ 3196, 3197.

— X, livres 48 et 49 (3108).

學禮質疑
Hio li tchi yi.

Examen du calendrier et de différents rites.

Par Oan Seu-ta, surnom Tchhong-tsong, de Yin. Préface non datée de l'auteur. Gravé par les soins de Li Ping-cheou, revu par Tchang Kia-hong.

2 livres. — Cat. imp., liv. 22, f. 4.

— XI, livres 5o à 59 (3108).

學春秋隨筆
Hio tchhoẹn tshieou soei pi.

Notes critiques sur le Tchhoẹn tshieou.

Par le même. Gravé par les soins de Li Ping-oen; revu par Ye Tshiuen.

10 livres. — Cat. imp., liv. 31, f. 5.

— XII, livres 6o à 89 (3108-3110).

毛詩稽古編
Mao chi ki kou pien.

Examen des antiquités du Chi king.

Par Tchhen Khi-yuen, surnom Tchhang-fa, de Oou-kiang. Ouvrage achevé en 1687. Gravé par les soins de Li Ping-cheou; revu par Li Heng-tchhoẹn, Tchang Kia-hong, Khieou Tchhong, de Kia-ying, etc.

3o livres (Koẹ fong, livres 1 à 8; Siao ya, livres 9 à 16; Ta ya, livres 17 à 22; Song, livres 23 et 24; explications générales, livres 25 à 29; annexes, livre 3o). — Cat. imp., liv. 16, f. 25.

— XIII, livres 90 à 119 (3110-3111).

仲氏易
Tchong chi yi.

Études, avec figures, sur le Yi king.

Par Mao Khi-ling, autre nom Chen, surnom Ta-kho, nom littéraire Tshieou-tshing, de Si-ho (1623-1713), d'après les travaux de son frère aîné Si-ling. Gravé par les soins de Li Ping-cheou; revu par Yang Meou-kien, Tchang Kia-hong, etc.

3o livres. — Cat. imp., liv. 6, f. 14.

— XIV, livres 120 à 155 (3111-3113).

春秋毛氏傳

Tchhoen tshieou mao chi tchoan.

Le Tchhoen tshieou, édition de Mao Si-ho.

Par le même; texte avec commentaires; avertissement de l'auteur. Gravé par les soins de Li Ping-cheou; revu par Tchang Kia-hong, Fan Fong, etc.

36 livres. — Cat. imp., liv. 29, f. 13.

— XV, livres 156 et 157 (3113).

春秋簡書刊誤

Tchhoen tshieou kien chou khan oou.

Divergences des divers textes du Tchhoen tshieou.

Par le même. Gravé par les soins de Li Ping-cheou; revu par Fan Fong.

2 livres. — Cat. imp., liv. 29, f. 15.

— XVI, livres 158 à 161 (3113).

春秋屬辭比事記

Tchhoen tshieou chou seu pi chi ki.

Étude comparative des faits rapportés par le Tchhoen tshieou.

Par le même. Gravé par les soins de Li Ping-cheou; revu par Fan Fong.

4 livres. — Cat. imp., liv. 29, f. 17.

— XVII, livres 162 à 176 (3113-3114).

經問

King oen.

Questions et réponses sur les King.

Explications de Mao Si-ho, rassemblées par ses disciples. Gravé par les soins de Li Ping-cheou; revu par Li Heng-tchhoen, Ye Tshiuen, etc.

15 livres. — Comparer Cat. imp., liv. 33, f. 35 (18 + 3 livres).

— XVIII, livres 177 à 183 (3114).

論語稽求篇

Loen yu ki khieou phien.

Discussions sur les explications du Loen yu.

Par Mao Si-ho. Gravé par les soins de Li Ping-cheou; revu par Ye Tshiuen.

7 livres. — Comparer Cat. imp., liv. 36, f. 28 (en 4 livres).

— XIX, livres 184 à 189 (3114).

四書賸言

Seu chou theng yen.

Conversations de Mao Si-ho sur les Quatre Livres.

Rassemblées par ses disciples Cheng Thang et Oang Si et par

son fils Mao Yuen-tsong. Gravé par les soins de Li Ping-cheou, revu par Khieou Tchhong.

6 livres. — Cat. imp., liv. 36, f. 29.

———

— XX, livres 190 à 193 (3114).

詩說
Chi choe.

Étude critique sur le Chi king.

Par Hoei Tcheou-thi, surnom Yuen-long, de Tchhang-tcheou, docteur en 1691. Gravé par les soins de Li Ping-cheou; revu par Tchang Kia-hong.

4 livres. — Comparer Cat. imp., liv. 16, f. 32 (en 3 livres).

———

— XXI, livre 194 (3114).

湛園札記
Tchan yuen tcha ki.

Notes prises en lisant à Tchan-yuen.

Par Kiang Chen-ying, surnom Si-ming, docteur en 1697, originaire de Tsheu-khi. Gravé par les soins de Li Ping-cheou; revu par Oen Sin-yuen.

1 livre. — Comparer Cat. imp., liv. 119, f. 22 (en 4 livres).

———

— XXII, livres 195 à 204 (3115-3116).

經義雜記
King yi tsa ki.

Dissertations relatives à divers passages des Livres canoniques.

Par Tsang Lin. Préface de Yuen Yuen; postface de Yen Jo-khiu (1697). Gravé par les soins de Li Ping-cheou, revu par Oen Sin-yuen.

10 livres. — Comparer n° 3103, art. I.

———

— XXIII, livres 205 et 206 (3116).

解春集
Kiai chong tsi.

Recueil de discussions sur les Livres canoniques.

Par Fong King, surnom Pheng-king, de Tshien-thang. Gravé par les soins de Li Ping-cheou; revu par Yang Meou-kien.

2 livres.

———

— XXIV, livre 207 (3116).

尚書地理今釋
Chang chou ti li kin chi.

Étude sur la géographie du Chou king.

Par Tsiang Thing-si, surnom Yang-soen, de Chang-chou, docteur en 1703. Gravé par les soins de Li Ping-oen; revu par Tchang Kia-hong.

1 livre. — Cat. imp., liv. 12, f. 38.

———

21

— XXV, livres 208 à 213 (3116).

易說

Yi choe.

Explications sur le Yi king.

Par Hoei Chi-khi, surnom Tchong-jou, de Oou, docteur en 1709. Gravé par les soins de Li Ping-cheou; revu par Fan Fong.

6 livres. — Cat. imp., liv. 6, f. 34.

— XXVI, livres 214 à 227 (3116-3117).

禮說

Li choe.

Explications sur le Tcheou li.

Par le même. Gravé par les soins de Li Ping-cheou; revu par Fan Fong.

14 livres. — Cat. imp., liv. 19, f. 36.

— XXVII, livres 228 à 242 (3118-3119).

春秋說

Tchhoen tshieou choe.

Explications sur le Tchhoen tshieou, texte et tchoan.

Par le même. Gravé par les soins de Li Ping-cheou; revu par Khieou Tchhong, Tchang Kia-hong, Ye Tshiuen, Than Ying, de Nan-hai, etc.

15 livres.

———

— XXVIII, livre 243 (3119).

白田草堂存稿

Po thien tshao thang tshoen kao.

Dissertations diverses sur les Livres canoniques.

Par Oang Meou-hong, surnom Tseu-tchong, docteur en 1718, originaire de Pao-ying. Gravé par les soins de Li Ping-cheou; revu par Yang Meou-kien.

1 livre. — Comparer Cat. imp., liv. 184, f. 34 (en 24 livres).

———

— XXIX, livres 244 à 250 (3119).

周禮疑義舉要

Tcheou li yi yi kiu yao.

Discussion sur les principaux points douteux du Tcheou li.

Par Kiang Yong, surnom Chensieou, de Ou-yuen, né en 1681. Revu par Fan Fong.

7 livres (manquent la fin du livre 2 = 245 et le début du livre 3 = 246). — Cat. imp., liv. 19, f. 40.

— XXX, livre 251 (3119).

深衣考誤

Chen yi khao oou.

Examen et correction du traité Chen yi, du Li ki.

Avec figures. Par le même. Gravé par les soins de Li Ping-cheou; revu par Ye Tshiuen.

1 livre. — Cat. imp., liv. 21, f. 29.

— XXXI, livres 252 à 255 (3119).

春秋地理考實

Tchhoen tshieou ti li khao chi.

Examen de la géographie du Tchhoen tshieou.

Par le même ; avec préface de l'auteur (1758). Revu par Oen Sin-yuen.

4 livres. — Cat. imp., liv. 29, f. 37.

— XXXII, livres 256 à 260 (3120).

羣經補義

Khiun king pou yi.

Explication de divers passages des King.

Par le même. Revu par Than Ying et Yang Meou-kien.

5 livres. — Cat. imp., liv. 33, f. 45.

— XXXIII, livres 261 à 270 (3120).

鄉黨圖考

Hiang tang thou khao.

Examen de divers rites antiques, avec figures.

Par le même. Gravé par les soins de Li Ping-oen ; revu par Li Heng-tchhoen et autres.

10 livres.

— XXXIV, livres 271 à 287 (3121).

儀禮章句

Yi li tchang kiu.

Le Yi li, avec commentaires.

Par Oou Thing-hoa, surnom Tchong-lin, premier postnom Lan-fang, de Jen-hoo, licencié en 1714. Préface de Cheou-khi, fils de l'auteur ; notice finale de Yen Kie. Gravé par les soins de Li Ping-oen ; revu par Yang Meou-kien, Ye Tshiuen, etc.

17 livres. — Cat. imp., liv. 20, f. 26.

— XXXV, livres 288 à 301 (3121-3123).

觀象授時

Koan siang cheou chi.

Examen d'anciens textes sur l'astronomie.

Par Tshin Hoei-thien, de Kin-koei. Préface non datée. Gravé par les soins de Li Ping-cheou ; revu par Tchang Kia-hong, Khieou Tchhong, etc.

14 livres.

— XXXVI, livres 302 à 308 (3123).

經史問答

King chi oen ta.

Questions et réponses sur les Livres canoniques et historiques.

Par Tshiuen Tsou-oang, de Yin. Gravé par les soins de Li Ping-oen ; revu par Tshin Phei-fan, de Ling-tchhoan.

7 livres.

———

— XXXVII, livre 309 (3123).

質疑

Tchi yi.

Questions et réponses sur les Livres canoniques.

Par Hang Chi-tsiun, de Jen-hoo. Note finale de Yen Kie. Revu par Fan Fong.

1 livre.

———

— XXXVIII, livres 310 à 315 (3123).

注疏考證

Tchou sou khao tcheng.

Discussion de divers commentaires.

Relativement aux Chou king, Li ki, Tso tchoan, Kong-yang tchoan, Kou-liang tchoan. Par Tshi Chao-nan, de Thien-thai. Gravé par les soins de Li Ping-cheou ; revu par Oen Sin-yuen.

6 livres.

———

— XXXIX, livres 316 à 318 (3124).

周官祿田考

Tcheou koan lou thien khao.

Examen des lou thien' du Tcheou li.

Par Chen Thong, surnom Koan-yun, nom littéraire Koo-thang, de Oou-kiang. Gravé par les soins de Li Ping-oen ; revu par Fan Fong.

3 livres. — Cat. imp., liv. 19, f. 38.

———

— XL, livre 319 (3124).

尙書小疏

Chang chou siao sou.

Commentaires de quelques passages du Chou king.

Par le même. Gravé par les soins de Li Ping-cheou ; revu par Fan Fong.

1 livre. — Cat. imp., liv. 14, f. 30.

———

— XLI, livres 320 à 327 (3124).

儀禮小疏

Yi li siao sou.

Commentaire partiel du Yi li.

Avec figures. Par le même. Gravé par les soins de Li Ping-oen, revu par Li Heng-tchhoen.

8 livres. — Comparer Cat. imp., liv. 20, f. 38 (en 1 livre).

———

— XLII, livre 328 (3124).

春秋左傳小疏

Tchhoen tshieou tso tchoan siao sou.

Commentaire partiel du Tso tchoan.

Par le même. Revu par Fan Fong.

1 livre. — Cat. imp., liv. 29, f. 34.

— XLIII, livre 329 (3124).

果堂集

Koo thang tsi.

Mémoires divers de Koo-thang.

Sur des questions d'archéologie. Par le même. Revu par Oen Sin-yuen.

1 livre.

— XLIV, livres 330 à 350 (3124-3125).

周易述

Tcheou yi chou.

Le Yi king, avec commentaires.

Par Hoei Tong, surnom Ting-yu, nom littéraire Song-yai, de Yuen-hoo. Après la section choę koa, se trouve un mémoire en 2 livres, savoir :

易微言

Yi oei yen.

Extraits divers au sujet du Yi king. — Les planches gravées ont été revues par Fan Fong, Ye Tshiuen, etc.

21 livres. — Cat. imp., liv. 6, f. 45 (en 23 livres).

— XLV, livres 351 et 352 (3126).

古文尚書考

Kou oen chang chou khao.

Examen du Chou king, texte antique.

Par le même. Gravé par les soins de Li Ping-oen ; revu par Fan Fong.

2 livres.

— XLVI, livres 353 à 358 (3126).

春秋左傳補注

Tchhoęn tshieou tso tchoan pou tchou.

Supplément au commentaire de Tou Yu sur le Tso tchoan.

Par le même. Gravé par les soins de Li Ping-cheou ; revu par Ye Tshiuen, Li Heng-tchhoęn, etc.

6 livres. — Cat. imp., liv. 29, f. 31 (Tso tchoan pou tchou).

— XLVII, livres 359 à 374 (3126).

九經古義

Kieou king kou yi.

Sens antique des Neuf King.

Explications sur les Yi king, Chou king et Chi king, sur les Trois Rituels, sur les trois tchoan du Tchhoęn tshieou (Loęn yu en supplément). Par Hoei Tong. Gravé par les soins de Li Ping-oen ; revu par Ye Tshiuen.

16 livres. — Cat. imp., liv. 33, f. 39.

———

— XLVIII, livres 375 à 387 (3127).

春秋正辭

Tchhoen tshieou tcheng seu.

Éclaircissement du Tchhoen tshieou.

Par Tchoang Tshoen-yu, de Oou-tsin. Ouvrage imité du Tchhoen tshieou chou seu de Tchao Phang (nᵒˢ 3057, 3058). Gravé par les soins de Li Ping-oen, revu par Tshin Phei-fan.

13 livres.

———

— XLIX, livre 388 (3127).

鍾山札記

Tchong chan tcha ki.

Notes philosophiques et historiques de Tchong-chan.

Par Lou Oen-tchhao, de Yu-yao. Revu par Oen Sin-yuen.

1 livre.

———

— L, livre 389 (3127).

龍城札記

Long tchheng tcha ki.

Notes de Long-tchheng.

Par le même. Revu par Oen Sin-yuen.

1 livre.

———

— LI, livres 390 à 403 (3127-3129).

尙書集注音疏

Chang chou tsi tchou yin sou.

Le Chou king, avec commentaires, discussions, tables, etc.

Par Tcheng Cheng, de Oou-kiang. Gravé par les soins de Li Ping-oen, revu par Fan Fong, Khieou Tchhong, etc.

14 livres.

———

— LII, livres 404 à 434 (3129-3132).

尙書後案

Chang chou heou 'an.

Le Chou king, avec commentaires.

Par Oang Ming-cheng, surnom Fong-kiai, de Oou. Préface de l'auteur ; liste des auteurs consultés. Les livres 433 et 434 (en 3 sections) sont consacrés aux anciennes préfaces du Chou king, à celles de plusieurs commentaires et à des études sur les divers livres. Gravé par les soins de Li Ping-oen, revu par Tshin Phei-fan.

31 livres.

— LIII, livres 435 à 438 (3132-3133).

周禮軍賦說

Tcheou li kiun fou choę.

Sur les institutions militaires du Tcheou li.

Par le même. Gravé par les soins de Li Ping-oen, revu par Tchang Kia-hong, Khieou Tchhong, etc.

4 livres.

———

— LIV, livres 439 à 442 (3133).

十駕齋養新錄

Chi kia tchai yang sin lou.

Notes archéologiques, littéraires, etc., du pavillon Chi-kia.

Par Tshien Ta-hin, surnom Sin-mei, nom littéraire Hiao-tcheng, de Kia-ting (1728-1804). Gravé par les soins de Li Ping-cheou; revu par Oen Sin-yuen.

4 livres.

— LV, livres 443 à 448 (3133).

潛研堂文集

Tshien yen thang oen tsi.

Morceaux divers sur les King, de la salle Tshien-yen.

Par le même. Revu par Oen Sin-yuen.

6 livres.

———

— LVI, livres 449 à 484 (3134-3135).

四書考異

Seu chou khao yi.

Examen et discussion des Quatre Livres.

Par Thi Hao, de Jen-hoo. Gravé par les soins de Li Ping-oen, revu par Li Heng-tchhoęn, Yang Meou-kien, etc.

36 livres.

———

— LVII, livres 485 à 490 (3135).

尚書釋天

Chang chou chi thien.

Astronomie du Chou king.

Avec figures. Par Cheng Po-eul, de Sieou-choei. Gravé par les soins de Li Ping-oen; revu par Tchang Kia-hong et Ye Tshiuen.

6 livres.

———

— LVIII, livres 491 et 492 (3136).

讀書脞錄

Tou chou tshoo lou.

Notes prises en lisant les King.

Par Soęn Tchi-tsou, de Jen-hoo; revu par Oen Sin-yuen.

2 livres.

— LIX, livres 493 et 494 (3136).

讀書脞錄續編

Tou chou tshoo lou siu pien.

Notes prises, etc..., suite.

Par le même. Gravé par les soins

de Li Ping-oen ; revu par Oen Sin-yuen.

2 livres.

————————

— LX, livres 495 à 502 (3136).

弁 服 釋 例
Pien fou chi li.

Règles expliquées des coiffures et des vêtements.

Par Jen Ta-tchhoen, de Hinghoa. Gravé par les soins de Li Ping-cheou ; revu par Tchang Kiahong et autres.

8 livres.

— LXI, livre 503 (3136).

釋 繪
Chi tseng.

Explication du mot tseng (soieries).

Par le même. Gravé par les soins de Li Ping-oen ; revu par Tshin Phei-fan.

1 livre.

————————

— LXII, livres 504 à 523 (3137-3138).

爾 雅 正 義
Eul ya tcheng yi.

Le Eul ya, avec commentaires.

Texte ; notes de Koo Pho ; commentaires de Chao Tsin-han, de Yu-yao. Préface sans date. Revu

par Tchang Kia-hong, Fan Fong, Li Heng-tchhoen, Khieou Tchhong, etc.

20 livres.

————————

— LXIII, livre 524 (3138).

宗 法 小 記
Tsong fa siao ki.

Sur la division des familles en branches.

Texte et tableaux. Par Tchheng Yao-thien, de Hi. Revu par Yang Meou-kien.

1 livre.

— LXIV, livres 525 à 534 (3138).

儀 禮 喪 服 足 徵 記
Yi li sang fou tsou tcheng ki.

Les vêtements de deuil, d'après le Yi li.

Texte, commentaires et figures. Par Tchheng Yao-thien, surnom Yi-tchheou. Préface de Yuen Yuen. Gravé par les soins de Li Pingcheou ; revu par Tchang Kia-hong.

10 livres.

— LXV, livre 535 (3138).

釋 宮 小 記
Chi kong siao ki.

Sur le kong (palais, demeure patricienne).

Par le même. Gravé par les soins de Li Ping-oen ; revu par Li Heng-tchhoẹn.

1 livre.

— LXVI, livres 536 à 539 (3139).

考工創物小記

Khao kong tchhoang oou siao ki.

Examen des industries du Khao kong ki.

Texte et figures nombreuses. Par le même. Gravé par les soins de Li Ping-cheou ; revu par Ye Tshiuen et Fan Fong.

4 livres.

— LXVII, livre 540 (3139).

磬折古義

Khing tchẹ kou yi.

Sens de l'expression khing tchẹ (courbure du khing).

Avec figures. Par le même. Revu par Fan Fong.

1 livre.

— LXVIII, livre 541 (3139).

溝洫疆理小記

Keou siu kiang li siao ki.

Sur les canaux servant de limites.

Texte et figures. Par le même.

Gravé par les soins de Li Ping-oen ; revu par Khieou Tchhong.

1 livre.

— LXIX, livres 542 à 544 (3139).

禹貢三江考

Yu kong san kiang khao.

Sur les trois Kiang du Yu kong.

Par le même. Avec une préface de l'auteur et un mémoire de Yuen Yuen. Gravé par les soins de Li Ping-oen ; revu par Li Heng-tchhoẹn.

3 livres.

— LXX, livre 545 (3139).

水地小記

Choei ti siao ki.

Sur la division territoriale antique et sur le Khao kong ki.

Avec figures. Par le même. Gravé par les soins de Li Ping-oen ; revu par Yang Meou-kien.

1 livre.

— LXXI, livre 546 (3139).

解字小記

Kiai tseu siao ki.

Mémoire explicatif sur divers caractères.

Par le même. Gravé par les soins

de Li Ping-cheou ; revu par Yang Meou-kien.

1 livre.

— LXXII, livre 547 (3139).

聲律小記

[*Cheng liu siao ki.*

Mémoire sur la musique.

Avec figures. Par le même. Gravé par les soins de Li Ping-oen ; revu par Yang Meou-kien.

1 livre.

— LXXIII, livres 548 à 551 (3140).

九穀考

Kieou kou khao.

Sur les neuf espèces de grains.

Avec figures. Par le même. Gravé par les soins de Li Ping-cheou ; revu par Ye Tshiuen.

4 livres.

— LXXIV, livre 552 (3140).

釋草小記

Chi tshao siao ki.

Mémoire sur la section des herbes, du Eul ya.

Avec figures. Par le même. Gravé par les soins de Li Ping-cheou ; revu par Fan Fong.

1 livre.

— LXXV, livre 553 (3140).

釋蟲小記

Chi tchhong siao ki.

Mémoire sur la section des animaux inférieurs, du Eul ya.

Avec figures. Par le même. Gravé par les soins de Li Ping-oen, revu par Fan Fong.

1 livre.

————

— LXXVI, livres 554 à 556 (3140).

禮箋

Li tsien.

Notes sur divers points des rites.

Avec figures. Par Kin Pang, de Hi, élève de Kiang Chen-sieou. Gravé par les soins de Li Ping-oen ; revu par Li Heng-tchhoen.

3 livres.

————

— LXXVII, livres 557 à 560 (3140).

毛鄭詩考正

Mao tcheng chi khao tcheng.

Critique du Chi king, textes de Mao et de Tcheng.

Par Tai Tchen, surnom Tong-yuen, de Hieou-ning. Gravé par les soins de Li Ping-oen ; revu par Ye Tshiuen.

4 livres.

— LXXVIII, livres 561 et 562 (3140).

詩經補注

Chi king pou tchou.

Supplément aux commentaires du Chi king.

Par le même. Gravé par les soins de Li Ping-cheou; revu par Li Heng-tchhoẹn.

2 livres.

— LXXIX, livres 563 et 564 (3141).

考工記圖

Khao kong ki thou.

Figures et explications pour le Khao kong ki.

Par le même, qui, en 1755, a complété un ouvrage écrit par lui-même et y a ajouté des figures dues à son maître, Tchheng Tchong-yun (1747, 1748). Préface de Ki Yun, de Ho-kien. Gravé par les soins de Li Ping-oen; revu par Fan Fong.

2 livres.

— LXXX, livres 565 et 566 (3141).

東原集

Tong yuen tsi.

Recueil de Tong-yuen.

Mémoires, préfaces, etc., du même. Gravé par les soins de Li Ping-cheou; revu par Oen Sin-yuen.

2 livres.

— LXXXI, livres 567 à 599 (3141-3143).

古文尙書撰異

Kou oen chang chou tchoan yi.

Examen critique du texte antique du Chou king.

Par Toan Yu-tshai, de Kin-than; ouvrage composé en 1782. Préface de l'auteur. Revu par Khieou Tchhong, Yang Meou-kien, etc.

33 livres (la table n'en indique que 32).

— LXXXII, livres 600 à 629 (3143).

毛詩故訓傳

Mao chi kou hiun tchoan.

Examen du sens antique du Chi king.

Par le même, avec notice de 1784. Gravé par les soins de Li-Ping-cheou; revu par Ye Tshiuen, Fan Fong, etc.

30 livres.

— LXXXIII, livres 630 à 633 (3144).

詩經小學

Chi king siao hio.

Étude sur le Chi king.

Par le même. Gravé par les soins de Li Ping-cheou; revu par Fan Fong.

4 livres.

— LXXXIV, livres 634 à 639 (3144).

周禮漢讀考

Tcheou li han tou khao.

Examen des explications des Han sur le Tcheou li.

Par le même. Préface de l'auteur (1793). Revu par Li Heng-tchhoẹn, Ye Tshiuen, etc.

6 livres.

— LXXXV, livre 640 (3144).

儀禮漢讀考

Yi li han tou khao.

Examen des explications des Han sur le Yi li.

Par le même. Gravé par les soins de Li Ping-oen; revu par Ye Tshiuen.

1 livre.

— LXXXVI, livres 641 à 655 (3144-3148).

說文解字注

Choe oen kiai tseu tchou.

Le Choẹ oen kiai tseu, avec commentaires.

Dictionnaire achevé par Hiu Chen, surnom Chou-tchong, de Jou-nan, en 100 p. C.; commentaires de Toan Yu-tshai. Gravé par les soins de Li Ping-cheou; revu par Tshin Phei-fan.

15 livres formant 31 sections.

— LXXXVII, livres 656 à 660 (3148).

六書音均表

Lou chou yin kiun piao.

Traité des sons antiques des caractères.

Avec tableaux. Par Toan Yu-tshai. Gravé par les soins de Li Ping-cheou; revu par Fan Fong.

5 livres.

— LXXXVIII, livres 661 à 666 (3148).

經韻樓集

King yun leou tsi.

Recueil de morceaux du pavillon King-yun.

Par le même. Gravé par les soins de Li Ping-cheou; revu par Oen Sin-yuen.

6 livres.

———

— LXXXIX, livres 667 à 676 (3149-3150).

廣雅疏證

Koang ya sou tcheng.

Le Koang ya, avec commentaires.

Vocabulaire de Tchang Yi (n°ᵃ 2977-2978), avec dédicace de l'auteur. Notice et commentaires par Oang Nien-soẹn, de Kao-yeou. Gravé par les soins de Li Ping-oen ; revu par Than Ying, Li Heng-tchhoẹn, etc.

10 livres formant 20 sections.

— XC, livres 677 et 678 (3150).

讀書雜志
Tou chou tsa tchi.

Notices diverses sur les King.

Par Oang Nien-soẹn. Revu par Yao Li.

2 livres.

———

— XCI, livres 679 à 691 (3151).

春秋公羊通義
Tchhoẹn tshieou kong yang thong yi.

Le Tchhoẹn tshieou et le Kong-yang tchoan, expliqués.

Par Khong Koang-sen, de Khiu-feou. Préface de l'auteur (1783). Gravé par les soins de Li Ping-cheou ; revu par Li Heng-tchhoẹn, Tchang Kia-hong, etc.

13 livres.

— XCII, livres 692 à 697 (3152).

禮學卮言
Li hio tchi yen.

Sur différents points des Trois Rituels.

Avec figures. Par le même. Gravé par les soins de Li Ping-oen ; revu par Tchang Kia-hong.

6 livres.

— XCIII, livres 698 à 710 (3152).

大戴禮記補註
Ta tai li ki pou tchou.

Supplément aux commentaires du Li ki, de Tai l'aîné.

Par le même. Gravé par les soins de Li Ping-oen ; revu par Khieou Tchhong, Fan Fong, etc.

13 livres. — Comparer Cat. imp., liv. 21, f. 30.

———

— XCIV, livres 711 à 716 (3152).

經學卮言
King hio tchi yen.

Sur divers points des Trois King (Yi, Chou, Chi).

Par le même. Gravé par les soins de Li Ping-cheou ; revu par Li Heng-tchhoẹn.

6 livres.

———

— XCV, livres 717 et 718 (3153).

溉亭述古錄
Kai thing chou kou lou.

Dissertations diverses sur les King.

Par Tshien Thang, de Kia-ting. Gravé par les soins de Li Ping-cheou ; revu par Tchang Kia-hong.

2 livres.

— XCVI, livres 719 à 726 (3153).

羣經識小

Khiun king tchi siao.

Notes sur les King.

Par Li Toen, de Kao-yeou. Gravé par les soins de Li Ping-oen ; revu par Fan Fong.

8 livres.

———

— XCVII, livres 727 à 734 (3153).

經讀考異

King tou khao yi.

Examen des divergences des King.

Par Oou Yi, de Yen-chi. Gravé par les soins de Li Ping-cheou, revu par Oen Sin-yuen.

8 livres.

———

— XCVIII, livres 735 à 773 (3153-3154).

尙書今古文注疏

Chang chou kin kou oen tchou sou.

Le Chou king, texte moderne et texte antique, avec commentaires.

Par Soen Sing-yen, de Yanghou. Gravé par les soins de Li Ping-cheou ; revu par Fan Fong, Li Heng-tchhoen, etc.

39 livres.

— XCIX, livre 774 (3154).

問字堂集

Oen tseu thang tsi.

Recueil de la salle Oen-tseu.

Notes diverses sur les King, par le même. Gravé par les soins de Li Ping-oen, revu par Tchang Kia-hong.

1 livre.

———

— C, livres 775 à 783 (3155).

儀禮釋官

Yi li chi koan.

Sur les fonctions officielles des États feudataires, d'après le Yi li.

Par Hou Khoang-tchong, de Tsi-khi. Préface de l'auteur ; texte avec tableaux. Gravé par les soins de Li Ping-oen, revu par Fan Fong.

9 livres.

———

— CI, livres 784 à 796 (3155-3156).

禮經釋例

Li king chi li.

Règles rituelles, d'après le Yi li et le Tcheou li.

Règles relatives aux repas, aux hôtes, au tir à l'arc, aux sacrifices, aux vêtements, etc. Par Ling Thing-khan, surnom Tsheutchong, de Hi. Préface de l'auteur (1799). Gravé par les soins de Li Ping-cheou, revu par Ye Tshiuen.

13 livres.

— CII, livre 797 (3156).

校禮堂文集
Kiao li thang oen tsi.

Recueil de la salle Kiao-li.

Par le même. Gravé par les soins de Li Ping-oen, revu par Ye Tshiuen.

1 livre.

— CIII, livre 798 (3156).

劉氏遺書
Lieou chi yi chou.

Œuvres de Lieou.

Discussion de divers passages du Loen-yu, par Lieou Thai-kong, de Pao-ying. Gravé par les soins de Li Ping-cheou, revu par Fan Fong.

1 livre.

— CIV, livres 799 et 800 (3156).

述學
Chou hio.

Explication de divers points des King.

Par Oang Tchong, de Kiang-

tou. Avec figures. Gravé par les soins de Li Ping-cheou, revu par Tchang Kia-hong.

2 livres.

— CV, livre 801 (3157).

經義知新錄 (ou 記)
King yi tchi sin lou (ou *ki*).

Notes sur divers passages des King.

Par le même. Gravé par les soins de Li Ping-cheou, revu par Fan Fong.

1 livre.

— CVI, livre 802 (3157).

大戴禮正誤
Ta tai li tcheng oou.

Corrections aux Rites de Tai l'aîné.

Par le même. Gravé par les soins de Li Ping-oen, revu par Yao Li.

1 livre. — Comparer Cat. imp., liv. 21, f. 30.

— CVII, livres 803 à 806 (3157).

曾子註釋
Tseng tseu tchou chi.

Préceptes et exemples de Tseng-tseu.

Par Yuen Yuen. Gravé par les

soins de Li Ping-cheou, revu par Fan Fong.

4 livres formant 10 sections.

— CVIII, livres 807 à 817 (3157).

周易校勘記

Tcheou yi kiao khan ki.

Examen critique du Yi king.

Par le même. Avertissement pour l'édition des Treize King (nᵒˢ 2555-2586); préface de l'auteur pour le Tcheou yi tchou sou kiao khan ki (nᵒ 2555, art. I). Liste des textes consultés. Gravé par les soins de Li Ping-cheou; revu par Tchang Kia-hong, Li Heng-tchhoen, etc.

11 livres. — Comparer nᵒ 2555, art. I.

— CIX, livres 818 à 839 (3157-3158).

尚書校勘記

Chang chou kiao khan ki.

Examen critique du Chou king.

Par le même. Préface de l'auteur. Liste des textes consultés. Gravé par les soins de Li Ping-cheou; revu par Tchang Kia-hong, Li Heng-tchhoen, etc.

22 livres. — Comparer nᵒˢ 2556-2557.

— CX, livres 840 à 849 (3158-3159).

毛詩校勘記

Mao chi kiao khan ki.

Examen critique du Chi king.

Par le même. Préface de l'auteur. Liste des textes consultés. Gravé par les soins de Li Ping-oen; revu par Li Heng-tchhoen, Fan Fong, etc.

10 livres. — Comparer nᵒˢ 2557-2561.

— CXI, livres 850 à 863 (3159-3160).

周禮校勘記

Tcheou li kiao khan ki.

Examen critique du Tcheou li.

Par le même. Préface de l'auteur. Liste des textes consultés. Gravé par les soins de Li Ping-cheou; revu par Li Heng-tchhoen, Fan Fong, etc.

14 livres. — Comparer nᵒˢ 2578-2582.

— CXII, livres 864 à 881 (3160-3161).

儀禮校勘記

Yi li kiao khan ki.

Examen critique du Yi li.

Par le même. Préface de l'auteur. Liste des textes consultés. Gravé par les soins de Li Ping-cheou; revu par Tchang Kia-hong, Ye Tshiuen, etc.

18 livres (manque le 1er feuillet du 1er livre). — Comparer nᵒˢ 2582-2585.

— CXIII, livres 882 à 948 (3162-3163).

禮 記 校 勘 記
Li ki kiao khan ki.

Examen critique du Li ki.

Par le même. Préface de l'auteur. Liste des textes consultés. Gravé par les soins de Li Ping-cheou; revu par Li Heng-tchhoẹn, Tchang Kia-hong, etc.

67 livres. — Comparer nᵒˢ 2562-2567.

— CXIV, livres 949 à 990 (3164-3166).

春 秋 左 氏 傳 校 勘 記
Tchhoẹn tshieou tso chi tchoan kiao khan ki.

Examen critique du Tso tchoan.

Par le même. Préface de l'auteur. Liste des textes consultés. Gravé par les soins de Li Ping-oẹn; revu par Li Heng-tchhoẹn, Ye Tshiuen, etc.

42 livres. — Comparer nᵒˢ 2567-2572.

— CXV, livres 991 à 1002 (3166).

春 秋 公 羊 傳 校 勘 記
Tchhoẹn tshieou kong yang tchoan kiao khan ki.

Examen critique du Kong-yang tchoan.

Par le même. Préface de l'au-

teur. Liste des textes consultés. Gravé par les soins de Li Ping-oẹn; revu par Ye Tshiuen, Fan Fong, etc.

12 livres. — Comparer nᵒˢ 2572-2574.

— CXVI, livres 1003 à 1015 (3166).

春 秋 穀 梁 傳 校 勘 記
Tchhoẹn tshieou kou liang tchoan kiao khan ki.

Examen critique du Kou-liang tchoan.

Par le même. Liste des textes consultés. Gravé par les soins de Li Ping-cheou, revu par Fan Fong.

13 livres. — Comparer nᵒˢ 2574-2575.

— CXVII, livres 1016 à 1026 (3167).

論 語 校 勘 記
Loẹn yu kiao khan ki.

Examen critique du Loẹn yu.

Par le même. Préface de l'auteur. Liste des textes consultés. Gravé par les soins de Li Ping-cheou; revu par Fan Fong, Li Heng-tchhoẹn, etc.

11 livres. — Comparer nᵒˢ 2575-2576.

— CXVIII, livres 1027 à 1030 (3167).

孝 經 校 勘 記
Hiao king kiao khan ki.

23

Examen critique du Hiao king.

Par le même. Préface de l'auteur. Liste des textes consultés. Gravé par les soins de Li Ping-oen; revu par Tchang Kia-hong.

4 livres. — Comparer n° 2578, art. XI.

— CXIX, livres 1031 à 1038 (3167-3168).

爾 雅 校 勘 記

Eul ya kiao khan ki.

Examen critique du Eul ya.

Par le même. Préface de l'auteur. Liste des textes consultés. Gravé par Li Ping-cheou; revu par Tchang Kia-hong, Li Heng-tchhoen, etc.

8 livres. — Comparer n^{us} 2585-2586.

— CXX, livres 1039 à 1054 (3168).

孟 子 校 勘 記

Meng tseu kiao khan ki.

Examen critique du Meng tseu.

Par le même. Préface de l'auteur. Liste des textes consultés. Gravé par les soins de Li Ping-cheou; revu par Ye Tshiuen, Yang Meou-kien, etc.

16 livres formant 30 sections. — Comparer n°s 2576-2578.

— CXXI, livres 1055 et 1056 (3169).

車 制 圖 考

Kiu tchi thou khao.

Examen et figures des chars, d'après le Khao kong ki.

Par le même. Gravé par les soins de Li Ping-oen; revu par Ye Tshiuen.

2 livres.

— CXXII, livres 1057 et 1058 (3169).

積 古 齋 鐘 鼎 彝 器 欵 識

Tsi kou tchai tchong ting yi khi khoan tchi.

Collection d'inscriptions antiques.

Par le même. Gravé par les soins de Li Ping-oen; revu par Tchang Kia-hong.

2 livres. — Comparer n° 1146, art. I (en 10 livres).

— CXXIII, livres 1059 à 1067 (3169).

疇 人 傳

Tchheou jen tchoan.

Vies des mathématiciens.

Par le même. Revu par Li Heng-tchhoen, Ye Tshiuen, etc.

9 livres. — Comparer n°s 1094 et 1095 (en 46 livres).

— CXXIV, livres 1068 à 1074 (3169-3170).

揅經室集
Yen king chi tsi.

Recueil de Yen-king-chi.

Notices, mémoires sur les King, avec figures et cartes. Par le même. Gravé par les soins de Li Ping-oen ; revu par Fan Fong.

7 livres.

— CXXV, livres 1075 et 1076 (3170).

撫本禮記鄭注考異
Fou pen li ki tcheng tchou khao yi.

Étude du Li ki avec commentaires de Tcheng, édition de Fou-tcheou.

Cette édition a été gravée à Fou-tcheou en 1177 ; un exemplaire appartenant à Kou Pao-tchhong, de Yuen-hoo, fait l'objet de cette étude. Postface de Kou Koang-khi, parent de Pao-tchhong (1806), reliée entre les livres 1075 et 1076. L'auteur de l'ouvrage est Tchang Toen-jen, surnom Kou-yu, de Yang-tchheng. Préface de l'auteur (1806). Gravé par les soins de Li Ping-cheou, revu par Tshin Phei-fan.

2 livres.

— CXXVI, livres 1077 à 1088 (3170).

易章句
Yi tchang kiu.

Le Yi king, avec commentaires.

Par Tsiao Siun, de Kiang-tou. Gravé par les soins de Li Ping-cheou ; revu par Ye Tshiuen, Than Ying, etc.

12 livres.

— CXXVII, livres 1089 à 1108 (3170-3172).

易通釋
Yi thong chi.

Explication développée du Yi king.

Par le même. Préface de l'auteur (1813). Gravé par les soins de Li Ping-oen, revu par Tchang Kia-hong.

20 livres.

— CXXVIII, livres 1109 à 1116 (3172).

易圖略
Yi thou lio.

Figures et explication abrégée du Yi king.

Par le même. Préface de l'auteur (1813). Gravé par les soins de Li Ping-oen, revu par Ye Tshiuen, Li Heng-tchhoen, etc.

8 livres.

— CXXIX, livres 1117 à 1146 (3172-3174).

孟子正義

Meng tseu tcheng yi.

Le Meng tseu, avec commentaires.

Par le même. Gravé par les soins de Li Ping-cheou; revu par Than Ying, Khieou Tchhong, Tchang Kia-hong, etc.

30 livres.

— CXXX, livres 1147 et 1148 (3174).

周易補疏

Tcheou yi pou sou.

Supplément aux commentaires du Yi king.

Par le même. Préface de l'auteur (1818). Gravé par les soins de Li Ping-cheou, revu par Fan Fong.

2 livres.

— CXXXI, livres 1149 et 1150 (3174).

尚書補疏

Chang chou pou sou.

Supplément aux commentaires du Chou king.

Par le même. Avec préface de l'auteur (1818). Gravé par les soins de Li Ping-oen, revu par Fan Fong.

2 livres.

— CXXXII, livres 1151 à 1155 (3175).

毛詩補疏

Mao chi pou sou.

Supplément aux commentaires du Chi king.

Par le même. Préface de l'auteur (1818). Gravé par les soins de Li Ping-oen, revu par Fan Fong.

5 livres.

— CXXXIII, livres 1156 à 1158 (3175).

禮記補疏

Li ki pou sou.

Supplément aux commentaires du Li ki.

Par le même. Préface de l'auteur (1818). Gravé par les soins de Li Ping-oen, revu par Ye Tshiuen.

3 livres.

— CXXXIV, livres 1159 à 1163 (3175).

春秋左傳補疏

Tchhoen tshieou tso tchoan pou sou.

Supplément aux commentaires du Tso tchoan.

Par le même. Préface de l'auteur (1817). Gravé par les soins de Li Ping-oen, revu par Yang Meou-kien.

5 livres.

— CXXXV, livres 1164 et 1165 (3175).

論語補疏

Loẹn yu pou sou.

Supplément aux commentaires du Loẹn yu.

Par le même. Gravé par les soins de Li Ping-oen, revu par Tchang Kia-hong.

2 livres.

———

— CXXXVI, livres 1166 à 1169 (3175).

周易述補

Tcheou yi chou pou.

Supplément au Tcheou yi chou.

Par Kiang Fan, de Kan-tshiuen. Préface non datée de Ling Thing-khan. Gravé par les soins de Li Ping-cheou ; revu par Yang Meou-kien, Ye Tshiuen, etc. Pour le Tcheou yi chou, voir nᵒˢ 3124-3125, art. XLIV.

4 livres.

———

— CXXXVII, livres 1170 à 1177 (3176).

拜經日記

Pai king ji ki.

Journal de la salle Pai-king.

Notes et mémoires avec figures et tableaux, par Tsang Yong, de Oou-tsin. Gravé par les soins de Li Ping-oen, revu par Tchang Kia-hong.

8 livres.

———

— CXXXVIII, livre 1178 (3176).

拜經文集

Pai king oen tsi.

Recueil de la salle Pai-king.

Par le même. Gravé par les soins de Li Ping-cheou, revu par Fan Fong.

1 livre.

———

— CXXXIX, livre 1179 (3176).

瞥記

Phie ki.

Coup d'œil sur diverses questions relatives aux King.

Par Liang Yu-cheng, de Jen-hoo. Gravé par les soins de Li Ping-cheou, revu par Khieou Tchhong.

1 livre.

———

— CXL, livres 1180 à 1207, 1ʳᵉ section (3176-3180).

經義述聞

King yi chou oen.

Explications de divers passages des King.

Les ouvrages expliqués sont les Trois King principaux, les Trois

Rituels avec le Rituel de Tai l'aîné, les Trois tchoan du Tchhoen tshieou avec les Koe yu, le Eul ya. Par Oang Yin-tchi, de Kao-yeou. Préface de Yuen Yuen (1817). Gravé par les soins de Li Ping-cheou; revu par Tshin Phei-fan, Yang Meou-kien, Yao Li, etc.

28 livres.

— CXLI, livre 1207, 2e et 3e sections (3180).

通說

Thong choe.

Traités divers.

Notes philologiques et littéraires, table des anciennes rimes. Par le même. Table pour chaque section.

2 livres.

— CXLII, livres 1208 à 1217 (3180).

經傳釋詞

King tchoan chi seu.

Étude des particules dans le style des King.

Par le même. Préface de l'auteur (1798). Revu par Oen Sin-yuen.

10 livres.

———

— CXLIII, livres 1218 à 1226 (3181).

周易虞氏義

Tcheou yi yu chi yi.

Le Yi king, avec commentaire de Yu.

Publié par Tchang Hoei-yen, de Oou-tsin. Gravé par les soins de Li Ping-oen, revu par Li Heng-tchhoen, Ye Tshiuen, Fan Fong, etc.

9 livres.

— CXLIV, livres 1227 et 1228 (3181).

周易虞氏消息

Tcheou yi yu chi siao si.

Explications fragmentées de Yu, sur le Yi king.

Publiées par Tchang Hoei-yen. Gravé par les soins de Li Ping-cheou, revu par Tchang Kia-hong.

2 livres.

— CXLV, livres 1229 et 1230 (3181).

虞氏易禮

Yu chi yi li.

Application du Yi king aux rites, par Yu.

Publié par Tchang Hoei-yen. Gravé par les soins de Li Ping-oen, revu par Tchang Kia-hong.

2 livres.

— CXLVI, livres 1231 et 1232 (3181).

周易鄭氏義

Tcheou yi tcheng chi yi.

Explications sur le Yi king, par Tcheng.

Publié par Tchang Hoei-yen. Revu par Yang Meou-kien.

2 livres.

— CXLVII, livre 1233 (3181).

周易荀氏九家義

Tcheou yi siun chi kieou kia yi.

Explications de neuf commentateurs sur le Yi king, par Siun.

Publié par Tchang Hoei-yen. Gravé par les soins de Li Ping-cheou; revu par Yang Meou-kien.

1 livre.

— CXLVIII, livres 1234 à 1247 (3182).

易義別錄

Yi yi pie lou.

Opinions diverses sur le Yi king.

Rassemblées par Tchang Hoei-yen. Gravé par les soins de Li Ping-cheou, revu par Yang Meou-kien, Ye Tshiuen, etc.

14 livres.

———

— CXLIX, livres 1248 à 1250 (3182-3183).

五經異義疏證

Oou king yi yi sou tcheng.

Commentaire et examen du Oou king yi yi.

Par Tchhen Cheou-khi, de Min. Préface de l'auteur (1813). Le Oou king yi yi, de Hiu Chen (11ᵉ s. p. C.) était en partie perdu avant les Song. Revu par Khieou Tchhong et Fan Fong.

3 livres.

— CL, livres 1251 et 1252 (3183).

左海經辨

Tso hai king pien.

Discussion sur divers points des King, de Tso-hai.

Par le même. Gravé par les soins de Li Ping-oen; revu par Fan Fong et Khieou Tchhong.

2 livres.

— CLI, livres 1253 et 1254 (3183).

左海文集

Tso hai oen tsi.

Collection de mémoires, de Tso-hai.

Par le même. Gravé par les soins de Li Ping-oen; revu par Yao Li.

2 livres.

———

— CLII, livres 1255 et 1256 (3183).

鑑止水齋集

Kien tchi choei tchai tsi.

Recueil de mémoires, de Kien-tchi-choei-tchai.

Par Hiu Tsong-yen, de Tẹ-tshing. Avec figures. Gravé par les soins de Li Ping-cheou, revu par Tchang Kia-hong.

2 livres.

———

— CLIII, livres 1257 à 1276 (3184-3185).

爾 雅 義 疏
Eul ya yi sou.

Le Eul ya, avec commentaires.

Par Ho Yi-hing, de Tshi-hia, d'après l'édition de Koo Pho. Gravé par les soins de Li Ping-cheou, revu par Fan Fong, Yang Meou-kien, etc.

20 livres.

———

— CLIV, livres 1277 à 1279 (3185).

春 秋 左 傳 補 注
Tchhoẹn tshieou tso tchoan pou tchou.

Supplément aux commentaires du Tso tchoan.

Par Ma Tsong-lien, de Thong-tchheng. Gravé par les soins de Li Ping-cheou; revu par Fan Fong et Ye Tshiuen.

3 livres.

———

— CLV, livres 1280 à 1289 (3185-3186).

公 羊 何 氏 釋 例
Kong yang ho chi chi li.

Principes de Ho Hieou pour l'explication du Kong-yang tchoan.

Par Lieou Fong-lou, de Oou-tsin. Préface de l'auteur (1805); tables chronologiques. Gravé par les soins de Li Ping-cheou, revu par Li Heng-tchhoẹn et Ye Tshiuen.

10 livres.

———

— CLVI, livre 1290 (3186).

公 羊 何 氏 解 詁 箋
Kong yang ho chi kiai kou tsien.

Notes sur les explications de termes du Kong-yang tchoan, par Ho Hieou.

Par le même. Gravé par les soins de Li Ping-oen; revu par Tchang Kia-hong.

1 livre.

———

— CLVII, livre 1291 (3186).

發 墨 守 評
Fa mẹ cheou phing.

Critique du Fa mẹ cheou.

Par le même. Le Fa mẹ cheou est un traité de Tcheng Hiuen (127-200), opposé à un traité du même titre de Ho Hieou (Cat. imp., liv. 26, f. 9). Revu par Tchang Kia-hong.

1 livre.

— CLVIII, livres 1292 et 1293 (3186).

穀梁癈疾申何

Kou liang fei tsi chen ho.

Sur le Khi fei tsi.

Par le même. Préface de l'auteur (1796). Tcheng Hiuen a composé contre Ho Hieou un traité portant ce titre (Cat. imp., liv. 26, f. 9). Gravé par les soins de Li Ping-cheou, revu par Tchang Kia-hong.

2 livres.

— CLIX, livres 1294 et 1295 (3186).

左氏春秋考証

Tso chi tchhoẹn tshieou khao tcheng.

Examen du Tchhoẹn tshieou, d'après Tso.

Par le même. Revu par Fan Fong.

2 livres.

— CLX, livre 1296 (3186).

箴膏肓評

Tchen kao hoang phing.

Critique du Tchen kao hoang.

Par le même. Préface de l'auteur (1812). Le traité intitulé

Tchen kao hoang a été écrit par Tcheng Hiuen contre Ho Hieou (Cat. imp., liv. 26, f. 9). Gravé par les soins de Li Ping-oen, revu par Fan Fong.

1 livre.

— CLXI, livres 1297 et 1298 (3186).

論語述何

Loẹn yu chou ho.

Sur le Loẹn yu.

Par le même. Préface de l'auteur (1812). Revu par Fan Fong.

2 livres.

— CLXII, livres 1299 à 1301 (3186).

燕寢考

Yen tshin khao.

Sur l'appartement appelé yen-tshin.

Par Hou Phei-hoei, de Tsi-khi. Gravé par les soins de Li Ping-oen, revu par Ye Tshiuen.

3 livres (les feuillets 1 et 2 du livre 1299 sont reliés en tête du livre 1399 et remplacés par les feuillets 1 et 2 du livre 1399).

— CLXIII, livre 1302 (3186).

研六室雜著

Yen lou chi tsa tchou.

Mémoires divers de Yen-lou-chi.

Par le même. Revu par Fan Fong.

1 livre.

———————

— CLXIV, livres 1303 à 1315 (3186-3187).

春秋異文箋

Tchhoen tshieou yi oen tsien.

Sur les différents textes du Tchhoen tshieou, d'après les trois tchoan.

Par Tchao Than, de Jen-hoo. Gravé par les soins de Li Ping-cheou, revu par Tshin Phei-fan.

13 livres.

— CLXV, livre 1316 (3187).

寶甓齋札記

Pao phi tchai tcha ki.

Notices de Pao-phi-tchai.

Par le même. Gravé par les soins de Li Ping-oen, revu par Fan Fong.

1 livre.

— CLXVI, livre 1317 (3187).

寶甓齋文集

Pao phi tchai oen tsi.

Recueil de Pao-phi-tchai.

Par le même. Gravé par les soins de Li Ping-oen, revu par Tshin Phei-fan.

1 livre.

———————

— CLXVII, livres 1318 à 1321 (3187).

夏小正疏義。附釋音。異字記。大象圖

Hia siao tcheng sou yi. — Fou chi yin. — Yi tseu ki. — Ta siang thou.

Le Hia siao tcheng, avec commentaires, prononciation, figures, etc.

Par Hong Tchen-hiuen, de Lin-hai. Préface de l'auteur. Gravé par les soins de Li Ping-cheou, revu par Khieou Tchhong.

4 livres. — Comparer Cat. imp., liv. 21, f. 32; liv. 24, f. 30.

———————

— CLXVIII, livre 1322 (3187).

秋槎雜記

Tshieou tchha tsa ki.

Notices diverses de Tshieou-tchha.

Par Lieou Li-siun, de Pao-ying. Gravé par les soins de Li Ping-oen, revu par Tshin Phei-fan.

1 livre.

———————

— CLXIX, livres 1323 à 1326 (3188).

吾亦廬稿

Oou yi liu kao.

Œuvres de Oou-yi-liu.

Par Tshoei Ying-lieou, de Hai-yen. Gravé par les soins de Li Ping-oen; revu par Tshin Phei-fan.

4 livres.

————

— CLXX, livre 1327 (3188).

論語偶記

Loen yu 'eou ki.

Notices relatives au Loen yu et à d'autres ouvrages.

Par Fang Koan-hiu, de Jen-hoo. Gravé par les soins de Li Ping-oen, revu par Fan Fong.

1 livre.

————

— CLXXI, livre 1328 (3188).

經書算學天文考

King chou soan hio thien oen khao.

Sur les mathématiques et l'astronomie dans les King et les Quatre Livres.

Par Tchhen Meou-ling, de Chang-yuen. Préface de Hiu Khing-tsong, de Te-tshing; notice de l'auteur (1797). Figures. Gravé par les soins de Li Ping-cheou, revu par Tshin Phei-fan.

1 livre.

————

— CLXXII, livres 1329 et 1330 (3188).

四書釋地辨證

Seu chou chi ti pien tcheng.

Discussion du Seu chou chi ti.

Par Song Siang-fong, de Tchhang-tcheou. Pour le Seu chou chi ti, voir n° 3105, art. VI. Gravé par les soins de Li Ping-cheou, revu par Tshin Phei-fan.

2 livres.

————

— CLXXIII, livres 1331 à 1354 (3188-3189).

毛詩紬義

Mao chi tchheou yi.

Explication de divers passages du Chi king.

Par Li Fou-phing, de Kia-ying. Gravé par les soins de Li Ping-cheou, revu par Tshin Phei-fan.

24 livres.

————

— CLXXIV, livre 1355 (3189).

公羊禮說

Kong yang li choe.

Traité sur les rites dans le Kong-yang tchoan.

Par Ling Chou, de Kiang-tou. Gravé par les soins de Li Ping-cheou, revu par Ye Tshiuen.

1 livre.

— CLXXV, livres 1356 à 1359 (3189-3190).

禮說

Li choe.

Traité des rites d'après les classiques.

Par le même. Gravé par les soins de Li Ping-cheou, revu par Yao Li.

4 livres.

———

— CLXXVI, livre 1360 (3190).

孝經義疏

Hiao king yi sou.

Explication et histoire du Hiao king.

Par Yuen Fou, de Yi-tcheng. Gravé par les soins de Li Ping-cheou, revu par Fan Fong.

1 livre.

———

— CLXXVII, livres 1361 à 1368 (3190).

經傳考證

King tchoan khao tcheng.

Examen de divers passages des King.

Par Tchou Pin, de Pao-ying. Gravé par les soins de Li Ping-oen, revu par Tshin Phei-fan.

8 livres.

———

— CLXXVIII, livre 1369 (3190).

甓齋遺稿

Phi tchai yi kao.

Œuvres de Phi-tchai.

Par Lieou Yu-lin, de Pao-ying. Gravé par les soins de Li Ping-oen, revu par Fan Fong.

1 livre. ———

———

— CLXXIX, livre 1370 (3190).

說緯

Choe oei.

Notices diverses sur les King.

Par Oang Song, de Lang-khiong au Yun-nan. Gravé par les soins de Li Ping-oen, revu par Yao Li.

1 livre.

———

— CLXXX, livres 1371 à 1400 (3190-3192).

經義叢鈔

King·yi tshong tchhao.

Extraits d'ouvrages divers sur les King.

Préparés par Yen Kie, de Tshien-thang. Avec figures. Gravé par les soins de Li Ping-cheou; revu par Tshin Phei-fan, Fan Fong, Yang Meou-kien, Tchang Kia-hong, etc.

30 livres (les feuillets 1 et 2 du livre 1399 sont reliés en tête du livre 1299).

Grand in-8. Titre noir sur papier teinté. 89 vol., demi-rel., au chiffre de Louis-Philippe.

Nouveau fonds 46.

Onzième Section : **TRAITÉS SUR LE YI KING.**

3193. 郭氏易觧

Koo chi yi kiai.

Explications de Koo sur le Yi king.

Par Koo Tseu-tchang, de Thai-hoo. Préface de l'auteur (1617).

15 livres.

Grand in-8. 1 vol., demi-rel., au chiffre de Louis-Philippe.
Nouveau fonds 162.

3194. 易圖觧

Yi thou kiai.

Explications et figures pour le Yi king.

Par Tẹ-pei Tsi-tchai, de la famille impériale. Préface de l'auteur (1736) ; préface par Li Fou, de Lin-tchhoan (1736).

Grand in-8. 1 vol., cartonnage.
Nouveau fonds 2346.

3195.   *Yi thou kiai.*
Double.

Grand in-8. 1 vol., demi-rel., au chiffre de Louis-Philippe.
Nouveau fonds 164.

Douzième Section : **TRAITÉS SUR LE CHOU KING.**

3196-3197. 禹貢錐指

Yu kong thoei tchi.

Étude sur le Yu kong.

Même ouvrage qu'aux nᵒˢ 3105-3108, art. IX. Cette édition contient en outre la dédicace à l'empereur (1705) ; rapport à l'empereur ; préface de Siu Ping-yi. Un frontispice orné de dragons représente une tablette honorifique donnée par l'empereur à Hou Oei (1705).

20 + 1 livres. — Cat. imp., liv. 12, f. 33.

Petit in-8. Titre noir sur jaune. 2 vol., demi-rel., au chiffre de Louis-Philippe.
Nouveau fonds 477, 478.

3198. — I.

禹貢註節讀

Yu kong tchou tsie tou.

Étude résumée sur le Yu kong.

Extrait de l'ouvrage précédent. Préface de Ma Tsiun-liang (1789).

1 livre.

— II.

禹貢圖說

Yu kong thou choe.

Cartes et légendes pour le Yu-kong.

Par Ma Tsiun-liang, d'après le Yu kong thoei tchi.

Grand in-8. Titre noir sur papier teinté. 1 vol., demi-rel., au chiffre de Louis-Philippe.
Nouveau fonds 438.

3199. # 禹貢水道輯略

Yu kong choei tao tsi lio.

Résumé de l'hydrographie du Yu kong.

Par Tshao Mong-lai, surnom Hiao-thing, de Yu. Préface de Li Hoang, surnom Hiao-kiang, de Oou-lin, postérieure à 1782. Gravé en 1813.

1 livre.

In-18. Titre noir sur jaune. 1 vol., demi-rel., au chiffre de la République française.
Nouveau fonds 735.

Treizième Section : TRAITÉS SUR LE CHI KING.

3200. # 毛詩名物圖說

Mao chi ming oou thou choe.

Répertoire méthodique du Chi king.

Termes relatifs aux animaux et aux plantes expliqués et discutés, avec figures. Par Siu Chi-fou, de Oou; préface de Siu Ting (1771). Gravé la même année.

9 livres.

In-4. Titre noir sur blanc, belle impression. 1 vol., demi-rel., au chiffre de Louis-Philippe.
Nouveau fonds 461.

Quatorzième Section : RITUELS.

3201. # 白虎通音註

Po hou thong yin tchou.

Collection de Po-hou, avec notes.

Traité des rites et de l'adminis-tration composé par ordre impérial, par Pan Kou († 92 p. C.). Préface de Yen Tou, surnom Kho-tchai, de Tong-phing (1305). Notices par Tchoang Chou-tsou, de Yang-hou. Postface de l'édition du xive siècle sans nom d'auteur. Liste des auteurs consultés. Notice de Lou Oen-tchhao, de Thai-tshang, qui a préparé la présente édition; préface du même (1784). Gravé en 1802 à la salle Pao-king.

4 livres formant 8 sections. — Comparer Cat. imp., liv. 118, f. 1.

In-12. Titre noir sur rose. 1 vol., demi-rel., au chiffre de Louis-Philippe. *Nouveau fonds* 737.

3202. 三禮圖
San li thou.

Figures pour les Trois Rituels.

Texte et planches, par Nie Tchhong-yi, de Lo-yang, fonctionnaire dans les années 954-960. Préface de Na-lan Tchheng-tẹ (1676). Gravé à la salle Thong-tchi (extrait de l'ouvrage nᵒˢ 2986-3099).

20 livres. — Cat. imp., liv. 22, f. 1 (San li thou tsi tchou); nᵒ 3061, art. XCIX.

In-4. Titre noir sur jaune. 1 vol., demi-rel., au chiffre de Louis-Philippe. *Nouveau fonds* 415.

3203. 朱子家禮
Tchou tseu kia li.

Rituel domestique de Tchou-tseu.

Préface de l'auteur, Tchou Hi,

de Sin-'an (1130-1200). Notice de Phan Chi-kiu, surnom Tchong-chạn, de Lin-hai (1213); annexes par divers élèves de Tchou Hi, avec notice finale par Tcheou Fou, de Chang-jao (1245). Texte avec notes originales de Tchou Hi.

5 livres. — Cat. imp., liv. 22, f. 19 (Kia li).

Grand in-8. Titre noir sur blanc. 1 vol. cartonnage du XVIIIe siècle, portant le titre *Sapientis Tchu tcu officia*. *Fourmont* 310.

3204. 文公家禮儀節
Oen kong kia li yi tsie.

Rituel domestique de Tchou-tseu.

Traitant des quatre rites et des rites accessoires, édition différente de la précédente (1474). Préface de Khieou Siun, surnom Khiong-chan, qui a préparé l'édition. Liste des auteurs consultés. Gravé au pavillon Pao-han, de Oou.

8 livres. — Cat. imp., liv. 25, f. 30.

Grand in-8. Titre noir et rouge sur blanc, interversions à la reliure. 1 vol., cartonnage du XVIIIe siècle avec le titre *Sapientis Tchu tcu officia* (prov. des Missions Étrangères). *Fourmont* 311.

3205. *Oen kong kia li yi tsie.*

Même ouvrage.

Préface de Yang Chen, surnom

Cheng-'an, de Tchheng-tou (1488-1529). Gravé à la salle Tchen-hien.

8 livres.

Petit in-8. Titre noir sur jaune. 1 vol., demi-rel., au chiffre de Louis-Philippe. *Nouveau fonds* 864.

3206. *Oen kong kia li yi tsie.*

Même ouvrage.

Préfaces de Yang Chen et de Khieou Siun; l'édition est ici attribuée à Yang Cheng-'an. Gravé à Kin-ling.

8 livres.

Petit in-8. Titre noir sur blanc. 1 vol., reliure, au chiffre de Louis-Philippe. *Nouveau fonds* 890.

3207. 朱子家禮

Tchou tseu kia li.

Rituel domestique de Tchou-tseu.

Réédition des publications de Khieou Siun et Yang Chen. Préfaces par Song Lo, de Chang-khieou (1701); par Yang Cheng-'an; par Khieou Khiong-chan; par Tcheou Khong-kiao; préface originale de l'auteur; postface de Oang Kien, de Sin-'an (1701). Liste des auteurs consultés. Gravé au collège de Tseu-yang.

1 livre préliminaire + 8 livres.

Grand in-8. 1 vol., demi-reliure (prov. de la bibl. de l'Arsenal). *Nouveau fonds* 1682.

3208. 校補金石例四種

Kiao pou kin chi li seu tchong.

Quatre ouvrages sur les formules et modèles d'inscriptions funéraires.

Publiés avec une préface commune écrite par Li Yao, à Hang-tcheou (1832) et une autre de Lou Kien-tsheng (1755).

— I.

金石例

Kin chi li.

Règles des inscriptions sur métal et sur pierre.

Auteur : Phan 'Ang-siao, surnom Tshang-yai; préfaces de Yang Pęn (1345), Oang Seu-ming (1348), etc.

10 livres. — Cat. imp., liv. 196, f. 3.

— II.

墓銘舉例

Mou ming kiu li.

Règles des inscriptions funéraires.

Auteur : Oang Hing, surnom Tchi-tchong (xve siècle); préfaces de 1755.

4 livres. — Cat. imp., liv. 196, f. 5.

— III.

金石要例

Kin chi yao li.

Règles importantes des inscriptions.

Auteur : Hoang Tsong-hi, surnom Li-tcheou, de la dynastie régnante ; ouvrage revu par Oang Ying-joei.

1 livre.

— IV.

金石例補
Kin chi li pou.

Supplément au Kin chi li.

Par Koo Lin, surnom Siang-po, qui y a mis une préface (1811) ; avec une autre préface de Oang Kia-hi (1813).

2 livres.

In-4. Papier blanc, titre sur papier blanc. 1 vol., demi-rel., au chiffre de Napoléon III.

Nouveau fonds 1295.

3209. — I.

四禮初稾
Seu li tchhou kao.

Traité des quatre rites.

Avec notes et figures. Par Song Hiun, surnom Li-'an. Préface de l'auteur (1573). Publié par Chen Han, de Oou.

4 livres. — Cat. imp., liv. 25, f. 33.

— II.

四禮約言
Seu li yo yen.

Entretiens abrégés sur les quatre rites.

Par Liu Oei-khi, surnom Yu-chi, de Sin-'an ; publié par Chen Han. Préface de l'auteur (1624).

4 livres. — Cat. imp., liv. 25, f. 38.

Grand in-8. 1 vol., demi-reliure (prov. de la bibl. de l'Arsenal).

Nouveau fonds 1685.

3210-3211. ## 律曆融通
Liu li yong thong.

Traités sur le calendrier et sur la musique.

Présentés à l'empereur par l'auteur Tchou Tsai-yu, prince héritier de Tcheng ; avec rapports du même (1595).

— I (3210).

聖壽萬年曆
Cheng cheou oan nien li.

Étude sur un calendrier perpétuel.

Calcul de la marche des astres.

2 livres. — Comparer Cat. imp., liv. 106, f. 13.

— II (3210).

萬年曆備考
Oan nien li pei khao.

Examen du calendrier perpétuel.

25

Du solstice d'hiver dans les divers calendriers, de l'ombre du gnomon, occultations et éclipses anciennes et modernes. A la fin, divers rapports de Sie Thinghiun (1595), deux pièces du Bureau d'Astrologie (1596, 1597). Postface.

3 livres.

— III (3210).

律曆融通
Liu li yong thong.

Sur le calendrier et la musique.

Préface de l'auteur (1581). Annexes.

4 livres. — Cat. imp., liv. 106, f. 13.

— IV (3210).

律學新說
Liu hio sin choe.

Nouveau traité des tubes musicaux.

Avec examen des poids et mesures. Préface de l'auteur (1584). Annexes.

4 livres. — Comparer Cat. imp., liv. 38, f. 20 (Yo liu tshiuen chou).

— V (3210).

鄉飲詩樂譜
Hiang yin chi yo phou.

Mélodies des odes chantées aux banquets de district.

6 livres. — Comparer Cat. imp., liv. 38, f. 20 (Yo liu tshiuen chou).

— VI (3211).

樂學新說
Yo hio sin choe.

Nouveau traité sur la musique dans l'éducation.

Comparer Cat. imp., liv. 38, f. 20 (Yo liu tshiuen chou).

— VII (3211).

樂經古文
Yo king kou oen.

Ancien texte du Yo king.

Tiré du Tcheou li.

— VIII (3211).

筭學新說
Soan hio sin choe.

Nouveau traité sur le calcul.

Appliqué aux tubes musicaux ; daté de 1603.

Comparer Cat. imp., liv. 38, f. 20 (Yo liu tshiuen chou).

— IX (3211).

操縵古樂譜
Tshao man kou yo phou.

Collection de mélodies antiques.

Poésies et airs notés pour le

khin. le se, le tambour, etc. Rapport de l'auteur (1606). Texte explicatif.

Comparer Cat. imp., liv. 38, f. 20 (Yo liu tshiuen chou).

— X (3211).

旋宮合樂譜

Siuen kong ho yo phou.

Collection de mélodies à changements de ton.

Airs notés ; texte et figures relatifs aux sacrifices.

Comparer Cat. imp., liv. 38, f. 20 (Yo liu tshiuen chou).

— XI (3211).

小舞鄉樂譜

Siao oou hiang yo phou.

Mélodies des petites danses.

Airs notés ; instruments et accessoires. Texte.

— XII (3211).

宋儒朱熹論舞大略。
二佾綴兆圖

Song jou tchou hi loen oou ta lio. — Eul yi tchoei tchao thou.

Résumé de la dissertation de Tchou Hi sur la danse. — Figures des poses des danseurs.

Comparer Cat. imp., liv. 38, f. 20 (Yo liu tshiuen chou).

— XIII (3211).

六代小舞譜

Lou tai siao oou phou.

Collection des petites danses des six dynasties.

Texte, avec planches, sur les danses des époques de Hoang-ti, Yao, Choen, des Hia, des Yin, des Tcheou.

Comparer Cat. imp., liv. 38, f. 20 (Yo liu tshiuen chou).

— XIV (3211).

靈星小舞譜

Ling sing siao oou phou.

Collection des danses de la cour de Kao-ti, des Han.

Texte, figures, musique notée.

2 livres. — Comparer Cat. imp., liv. 38, f. 20 (Yo liu tshiuen chou).

In-folio. Belle impression sur papier blanc ; couvertures chinoises en papier jaune. 2 vol., reliure au chiffre de Charles X.

Nouveau fonds 1036.

3212. 重定齊家寶要

Tchhong ting tshi kia pao yao.

Rituel domestique, nouvelle édition.

Traitant des quatre rites et des rites accessoires. Par Tchang Oenkia, surnom Tchong-kia, de Oou-lin (dynastie actuelle). Préface de Tchang Yeou-min, surnom Yong-lin, frère du précédent. Planches conservées à leur domicile.

2 livres. — Cat. imp., liv. 25, f. 43.

Grand in-8. Bonne impression, titre noir sur blanc. 1 vol., demi-reliure (prov. de la bibl. de l'Arsenal).
Nouveau fonds 1687.

3213-3219. 讀禮通考
Tou li thong khao.

Examen général des rites d'après les auteurs.

Par Siu Khien-hio, surnom Kien-'an, de Koen-chan. Préface de son fils Chou-kou (1696). Liste des auteurs consultés. Gravé à la salle Koan-chan.

120 livres. — Cat. imp., liv. 20, f. 43.

Grand in-8. Titre noir sur rouge. 7 vol., demi-rel., au chiffre de Louis-Philippe.
Nouveau fonds 29.

3220. 古樂經傳
Kou yo king tchoan.

Le Yo king antique.

D'après les anciens rituels. Par Li Koang-ti, de 'An-khi (1642-1718).

5 livres. — Cat. imp., liv. 38, f. 30.

Petit in-8. 1 vol., demi-rel., au chiffre de Louis-Philippe.
Nouveau fonds 400.

3221-3225. 御製律呂正義
Yu tchi liu liu tcheng yi.

Véritable explication des tubes musicaux, composée par l'Empereur.

Préface de 1713; texte avec planches. Un supplément est consacré à la théorie musicale européenne d'après les PP. Thomas Pereira et Tę Li-ko (Italien).

4 livres + 1 livre supplémentaire. — Cat. imp., liv. 38, f. 23 (Yu ting liu liu tcheng yi).

Grand in-8. 5 vol. chinois dans 1 enveloppe recouverte de soie.
Nouveau fonds 242.

3226-3233. 禮書綱目
Li chou kang mou.

Principes des rites.

Mis en ordre méthodique; d'après les rituels anciens, histoires et autres documents. Par Kiang Yong, surnom Chen-tchai, de Oou-yuen; préface de l'auteur (1721). Préface de Yuen Yuen (1807); préface de Oang Thing-tchen, de Hoai-'an (1810). Vie de l'auteur (1680-1762), par Lieou Ta-khoei;

extrait du Catalogue impérial. Gravé à Oou-tchheng, à la salle Leou-'en (1810).

1 livre préliminaire + 85 livres. — Cat. imp., liv. 22, f. 15.

Grand in-8. Titre noir sur jaune. 8 vol., demi-rel., au chiffre de Louis-Philippe. *Nouveau fonds* 42.

3234-3253. 五禮通考

Oou li thong khao.

Examen général des cinq rites.

Par Tshin Hoei-thien (1697-1759), de Kin-koei. Préface de l'auteur; préface par Fang Koan-tchheng, de Thong-tchheng; préface par Tsiang Fen-kong, de Yang-hou (la date est incomplète, entre 1746 et 1754). Table des matières en 2 sections; avertissement; texte.

1 livre préliminaire (4 sections) + 262 livres. — Cat. imp., liv. 22, f. 16.

Grand in-8. Titre noir sur rouge, interversions à la reliure. 20 vol., demi-rel., au chiffre de Louis-Philippe. *Nouveau fonds* 27.

3254. 賡和錄

Keng hoo lou; sous-titre :

律呂正義述要

Liu liu tcheng yi chou yao.

Principes des tubes musicaux.

Texte avec figures. Par Fou Song-yen. Préface de l'auteur (1762); postface par Ho Tshong, de Lien-phing. Gravé à la salle Yo-tchi.

2 livres.

Grand in-8. Papier blanc. Titre noir sur blanc. 1 vol., demi-rel., au chiffre de Louis-Philippe. *Nouveau fonds* 466.

Quinzième Section : **TRAITÉS SUR LE TCHHOEN TSHIEOU.**

3255. 春秋繁露

Tchhoen tshieou fan lou.

Appendice critique au Tchhoen tshieou.

Ouvrage de Tong Tchong-chou, conseiller de Oou-ti des Han, gravé de nouveau par les soins de son descendant à la 46e généra-tion, Tong Oen-tchhang, en 1689. Cette édition renferme diverses notices relatives à l'ouvrage et à l'auteur et des préfaces par Leou Yu, de Seu-ming (1047), par Oang Ming-tsi (1625) et par Siu Khi-koei (1688). Notes de Soen Kong, surnom Yue-fong (époque des Ming). Vie de Tong Tchong-chou.

17 livres. — Cat. imp., liv. 29, f. 43.

Grand in-8. Papier blanc, titre noir

sur blanc. 1 vol., demi-rel., au chiffre de Louis-Philippe.
Nouveau fonds 179.

Seizième Section : TRAITÉS RELATIFS AUX QUATRE LIVRES, ENTRETIENS DES SAGES

3256. 孔子家語

Khong tseu kia yu.

Entretiens domestiques de Confucius.

Commentaires de Oang Sou, surnom Tseu-yong, de Tong-hai (vers 240 p. C.); préface du même. A la fin, notice non signée (1507). Édition du pavillon Ki-kou; planches gravées au pavillon Pao-han, de Oou.

10 sections. — Cat. imp., liv. 91, f. 3.

Grand in-8. Bonne impression, titre noir sur blanc. 1 vol., cartonnage du XVIIIe siècle, avec le titre *Sapientis Com factu dicta*.
Fourmont 312.

3257. *Khong tseu kia yu.*

Double.

Planches usées.

Petit in-8. 1 vol., reliure, au chiffre de Charles X.
Fourmont 132.

3258. *Khong tseu kia yu.*

Même ouvrage.

Sans notes. Préface de Oang Sou. Publié par Khong Yu-khi, descendant du sage à la 67e génération (XVIIe siècle).

2 livres (44 sections). — Comparer Cat. imp., liv. 91, f. 3.

Grand in-8. 1 vol., demi-rel., au chiffre de Louis-Philippe.
Nouveau fonds 223.

3259. 孔子家語原註

Khong tseu kia yu yuen tchou.

Entretiens domestiques de Confucius, avec commentaires.

Commentaires et préface de Oang Sou. Préface de 1780. Édition gravée à la salle Oen-cheng (1805).

4 livres. — Cat. imp., liv. 91, f. 3.

In-18. Titre noir sur jaune. 1 vol., demi-reliure.
Nouveau fonds 1968.

3260. 孔叢子

Khong tshong tseu.

Recueil relatif à Confucius.

Recueil contenant des propos du sage et de ses disciples, des anecdotes diverses; attribué à Khong Fou, surnom Tseu-yu, nom littéraire Khong-tshong-tseu († vers 210 a. C.). Appendice par Khong Tsang. Préface de Li Lien-chi, de Ta-liang (année ting-tchheou). Édition sans notes publiée par Khong Yu-khi et Khong Yu-thing, descendants du sage à la 67ᵉ génération (xviiᵉ siècle).

3 livres formant 21 + 2 sections. Cat. imp., liv. 91, f. 7; liv. 95, f. 3 (Khong tshong tseu tcheng yi).

Grand in-8. 1 vol., demi-reliure. *Nouveau fonds* 1923.

3261. *Khong tshong tseu.*

Double.

Grand in-8. 1 vol., demi-rel., au chiffre de Louis-Philippe.
Nouveau fonds 214.

3262. 孔子集語

Khong tseu tsi yu.

Propos de Confucius.

Par Sie Kiu, surnom Chou-yong, de Yong-kia. Préface de l'auteur (1246); pièces officielles relatives à l'ouvrage (1260). Préface pour la présente édition (1737), par Khong Koang-khi, de Khiue-li, descendant de Confucius à la 70ᵉ génération. Planches conservées à Khiue-li.

2 livres. — Comparer Cat. imp., liv. 92, f. 54.

Grand in-8. Papier blanc, titre noir sur jaune, couvertures en papier jaune. 1 vol., reliure, au chiffre de Louis-Philippe.
Nouveau fonds 213.

3263. 增補四書精繡圖像人物備考

Tseng pou seu chou tsing sieou thou siang jen oou pei khao.

Examen des personnages, objets, coutumes mentionnés dans les Quatre Livres; édition augmentée et illustrée.

L'ouvrage primitif est dû à Sie Fang-chan, de Oou-tsin (le même que Sie Ying-khi, docteur en 1535?); l'édition augmentée est de Tchhen Jen-si, surnom Ming-khing, de Tchhang-tcheou. Préface de 1719 pour une réimpression; gravé de nouveau à la salle Tchi-hoo, de Oou (1741). Texte avec notes, figures avec légendes; les notices sont rangées dans l'ordre des Quatre Livres.

12 livres. — Comparer Cat. imp., liv. 37, f. 13 (Seu chou jen oou khao, 10 livres; pou khao, 8 livres).

Petit in-8. Titre noir sur blanc. 1 vol., demi-reliure.

Nouveau fonds 206.

3264. 銅板四書人物備考

Thong pan seu chou jen oou pei khao.

Même ouvrage.

Avec préface de 1733, sans signature; édition gravée à la salle Yong-meou (1734).

Grand in-8. Belle impression, titre noir et rouge sur blanc. 1 vol., reliure, au chiffre de Charles X.

Nouveau fonds 207.

3265-3267. 四書題鏡
Seu chou thi king.

Explication des Quatre Livres.

Par Oang Li-siang, surnom Ling-tchhoan, de Thiao-chang. Préface de l'auteur (1744). Liste des auteurs consultés, dissertation générale. Explication détaillée, sans texte des Quatre Livres. Gravé à Tsin-kiang (1823).

In-12. Titre noir sur jaune. 3 vol., demi-rel., au chiffre de Louis-Philippe.

Nouveau fonds 841.

3268. 新選四書姓氏題文

Sin siuen seu chou sing chi thi oen.

Caractères des personnages des Quatre Livres.

Les notices, dues à divers auteurs, sont rangées dans l'ordre : Ta hio, Loen yu, Tchong yong, Meng tseu. Préface de Tchao 'Ai-ki (1782). L'ouvrage est dû à Tchhou Yong-tchhoan, de Phi-ling, et à Oou Lan-kai, de Hai-yen. Gravé à la salle Seu-tshai.

Petit in-8. 1 vol., demi-rel., au chiffre de la République française.

Nouveau fonds 622.

Dix-septième Section : TRAITÉS SUR LE HIAO KING.

3269-3274. 御定孝經衍義
Yu ting hiao king yen yi.

Développement du Hiao king, publié par ordre impérial.

Préface de l'empereur (1690); dédicace par Ye Fang-'ai et

Tchang Ying (1682). L'ouvrage a été publié dans tout l'empire à la suite d'un décret, et spécialement au Fou-kien par les soins du vice-roi Hing Yong-tchhao et du gouverneur Pien Yong-yu. Table générale, table détaillée.

1 livre préliminaire en 2 sections + 100 livres. — Cat. imp., liv. 94, f. 8.

Grand in-8. 6 vol., demi-rel., au chiffre de Louis-Philippe (prov. des Missions Étrangères).
Fourmont 313.

3275-3279. *Yu ting hiao king yen yi.*

Même ouvrage.

Édition imitée, un peu plus grande, ne semblant pas gravée au Fou-kien.

Grand in-8. Papier blanc. 5 vol., demi-rel., au chiffre de Louis-Philippe.
Nouveau fonds 52.

Dix-huitième Section : TRAITÉS SUR LE EUL YA.

3280. 爾雅圖
Eul ya thou.

Figures pour le Eul ya.

Réédition faite par les soins de Tseng Yu, de Nan-tchheng (1801) avec préface de l'éditeur (1801), d'après un exemplaire illustré de l'époque des Song. Préface de Koo Pho; texte; commentaires du même. Gravé au pavillon Tsi-hio.

3 livres formant 4 sections.

In-folio. Papier blanc, titre noir sur jaune. 1 vol., demi-rel., au chiffre de Louis-Philippe.
Nouveau fonds 572.

3281-3283. *Eul ya thou.*

Double.

Planches usées.

In-folio. 3 vol. chinois dans 1 enveloppe couverte en toile bleue.
Nouveau fonds 4380.

3284. *Eul ya thou.*

Double.

Manquent le feuillet du titre et le premier feuillet de la préface de l'éditeur.

In-folio. 1 vol., demi-reliure.
Nouveau fonds 1838.

Chapitre V : PHILOSOPHIE, MORALE

—

3285. 女四書集註

Niu seu chou tsi tchou.

Les Quatre Livres pour les femmes, avec commentaires.

Gravé à la salle Ying-sieou (1817).

4 livres.

— I.

曹大家女誡

Tshao ta kou niu kiai.

Préceptes pour les femmes, par la dame Tshao.

Par Pan Tchao, veuve de Tshao Cheou, surnommé Chi-chou; fille de Pan Pieou (3-54). Préface de l'auteur, sans date. Préface de l'empereur Chen-tsong (1580). Commentaires par Oang Siang, surnom Tsin-cheng, de Lang-ye. Gravé par les soins de Tcheng Han, surnom Tcho-tchi, de Phou-yang.

7 sections.

— II.

宋若昭女論語

Song jo tchao niu loęn yu.

Le Loęn yu des femmes, par Song Jo-tchao.

Cette femme-auteur, originaire de Pei-tcheou, vivait sous les Thang; elle fut célèbre à partir des années 785-804 et mourut en 825 ou 826. Texte avec notes, publié par Oang Siang et Tcheng Han.

12 articles.

— III.

王節婦女範

Oang tsie fou niu fan.

Règles pour les femmes, par la dame Oang.

La dame Oang, née Lieou, originaire de Kiang-ning, fut la première femme de Oang Tsi-king. Texte annoté publié par Oang Siang, son fils, et Tcheng Han.

— IV.

仁孝文皇后內訓

Jen hiao oen hoang heou nei hiun.

Instructions domestiques de l'impératrice Jen-hiao-oen.

Cette impératrice, née Siu, fut la première femme de l'empereur Tchheng-tsou. Préface par celui-ci (1405). Texte annoté par Oang Siang.

20 sections. — Cat. imp., liv. 93, f. 5 (Nei hiun).

Petit in-8. Titre noir sur jaune. 1 vol., demi-rel., au chiffre de Napoléon III.
Nouveau fonds 1343.

3286. *Niu seu chou tsi tchou.*

Double du précédent.

Petit in-8. 1 vol., demi-reliure.
Nouveau fonds 263.

———

3287. 新註便蒙演說日記故事

Sin tchou pien mong yen choę ji ki kou chi.

Recueil d'exemples moraux pour les enfants ; autre titre :

新增註釋演說二十四孝故事

Sin tseng tchou chi yen choę eul chi seu hiao kou chi.

Les vingt-quatre exemples de piété filiale expliqués et développés.

Comprenant les vingt-quatre traits de piété filiale avec gravures (livre 1), des exemples d'intelligence précoce (livre 2), de bonne éducation domestique (livre 3), de perfectionnement de soi-même (livre 4), de fidélité et de dévouement (livre 5).

Petit in-8. Vieille impression sans date. 1 vol., cartonnage.
Nouveau fonds 2349.

3288. 繡像二十四孝圖

Sieou siang eul chi seu hiao thou.

Les vingt-quatre exemples de piété filiale, illustrés.

Au début du volume, une chanson. Gravé à la salle Fou-oen, à Canton.

In-18. Titre noir sur rouge, impression grossière. 1 vol., demi-rel., au chiffre de Napoléon III.
Nouveau fonds 1220.

3289.

Les vingt-quatre exemples de piété filiale.

Texte et illustrations imprimés en rouge sur papier blanc ; sans date.

In-12. 1 vol., demi-reliure.
Nouveau fonds 4339.

———

3290. 千字文註解
Tshien tseu oen tchou kiai.

Le Tshien tseu oen (livre des mille mots) expliqué.

Résumé des principes de la philosophie, de la morale, de l'histoire, etc., en phrases rimées de quatre caractères. Par Tcheou Hing-seu, surnom Seu-tsoan. (+ 521). En bas des pages, texte en grands caractères; en haut commentaire par Oou Ting, surnom Oei-'an, de Si-ling. Préface de ce dernier. Gravé à la salle Hao-jan.

Petit in-8. Titre noir sur jaune. 1 vol., cartonnage (prov. des Missions Étrangères).

Fourmont 16.

3291. 會元千字文

Hoei yuen tshien tseu oen.

Le Tshien tseu oen.

Texte seul : planches conservées au pavillon Oou-yun.

Petit in-8. Titre noir sur rouge. 1 vol., demi-rel., au chiffre de Napoléon III.

Nouveau fonds 1250.

3292. 新鍥考數問奇諸家字法

Sin khie khao chou oen khi tchou kia tseu fa.

Manuel d'instruction élémentaire.

Par Tchhen San-tshe, surnom Han-choen, de Hoang-yuen. En bas des pages, le Tshien tseu oen; en haut, termes doubles rangés méthodiquement et expliqués.

4ᵉ livre seul.

Petit in-8. 1 vol., demi-rel., au chiffre de Napoléon III.

Nouveau fonds 1291.

3293-3295. 皇極經世緒言

Hoang ki king chi siu yen.

Le Hoang ki king expliqué.

Traité sur le principe des choses, les koa, etc., par Chao Yong, surnom Yao-fou, nom posthume Khang-tsie (1011-1077). Explications de Hoang Yue-tcheou réunies par Hoang Thai-tshiuen (époque des Ming). Préfaces par Lieou Seu-tsou, surnom Teou-thien, de Si-tchhang (1746) ; par Pao Yao, surnoms Li-thien et Yi-'an (1799); par Siu Pang-ping, surnom Chou-thang, de Tshien-thang ; postface de Siu Pang-ping (1799). Gravé en 1830, avec une vie de Chao Yong, des figures avec légendes et autres pièces annexes.

1 livre préliminaire (2 sections) + 9 livres (11 sections). — Comparer Cat. imp., liv. 108, f. 9, Hoang ki king chi chou (12 livres).

Grand in-8. Titre noir sur jaune. 3 vol., demi-rel., au chiffre de Louis-Philippe.

Nouveau fonds 557.

3296.

Notes manuscrites en chinois sur

le thai ki et les principes de la philosophie, formant 2 sections ; à la fin de chacune, on a intercalé une feuille double de papier européen portant une table dressée en chiffres.

Petit in-8. 1 vol., cartonnage (ayant appartenu à Fourmont).
Nouveau fonds 3394.

3297. 增補五子近思錄詳解

Tseng pou oou tseu kin seu lou siang kiai.

Réflexions des Cinq Sages, avec notes.

En 1175, Liu Tong-lai, étant venu passer quelques jours chez Tchou Hi, les deux philosophes lurent ensemble diverses œuvres de Tcheou-tseu (postnom Toẹn-chi, puis Toẹn-yi, surnom Meou-chou, 1017-1073), des frères Tchheng (l'aîné, postnom Hao, surnom Po-choẹn, nom littéraire Ming-tao, 1032-1085 ; le cadet, postnom Yi, surnom Tcheng-chou, nom littéraire Yi-tchhoan, 1033-1107), de Tchang-tseu (postnom Tsai, surnom Tseu-heou, nom littéraire Heng-khiu, 1020-1067). De leurs conversations ils tirèrent les Réflexions des Quatre Sages, Seu tseu kin seu lou, avec préface (1175) de Tchou Hi (surnom Tchong-hoei, noms littéraires Hoei-'an, Tseu-yang, 1130-1200) et préface (1176) de Liu Tsou-khien (surnom Po-kong, nom littéraire Tong-lai, 1137-1181). Oang Yeou, surnom Khi-oo, nom littéraire Sing-khi, de Sin-'an, avec quelques collaborateurs, a complété ce premier Kin seu lou par des extraits des œuvres de Tchou-tseu et en a fait le présent ouvrage. Postface au sujet du livre de Oang Yeou, par Tchou Khi-koẹn (1693). Liste des œuvres des cinq sages d'où les extraits sont tirés ; liste des commentateurs du Seu tseu kin seu lou ; liste des auteurs, etc., extraits annotés. Gravé à la salle Tshoei-hoa.

14 livres. — Comparer Cat. imp., liv. 92, f. 20 (Kin seu lou).

Petit in-8. Titre noir sur blanc. 1 vol., demi-rel., au chiffre de Louis-Philippe.
Nouveau fonds 486.

3298. 小學體註大成。內附孝忠經

Siao hio thi tchou ta tchheng. — Nei fou hiao tchong king.

Le Siao hio commenté avec le Hiao king et le Tchong king.

Par Mao Ki-teng, surnom Chi-tcheng, Chen Jo-yu, surnom Ming-yuen, et Li Tsong-yuen, surnom Tchang-mei, tous trois de Oou-mẹn.

Préface de Tchou Hi, auteur du Siao-hio(1187); préface par Tchhen Siuen, de Thien-thai, pour son édition commentée (1473). Ensuite, en bas des pages, introduction à la lecture du Siao hio, Sia hio kiu tou, par Tchhen Siuen ; en haut, vie de Tchhen Siuen, surnom Chi-hien, noms littéraires Khę-'an et Tan-yai, nom posthume Kong-min, originaire de Lin-hai, docteur en 1460; vie de Tchou-tseu. Gravé à la salle Khoei-pi.

— I.

忠 經 集 註
Tchong king tsi tchou.

Le Tchong king, avec commentaires.

En bas des pages, préface de l'auteur Ma Yong (142 p. C.); texte, avec commentaires de Tcheng Hiuen. En haut des pages :

忠 經 體 註 大 全 說 約 大 成
Tchong king thi tchou ta tshiuen choę yo ta tchheng.

Commentaires sur le Tchong king.

Par Khieou Tshang-tchou et Chen Chi-heng, surnom Siang-khi, de Hang.

Cat. imp., liv. 95, f. 4; n° 2974, art. II.

— II.

孝 經 集 註
Hiao king tsi tchou.

Le Hiao king, avec commentaires.

En bas des pages, préface de Hiuen-tsong des Thang; texte avec commentaires de Tchhen Siuen. En haut des pages :

孝 經 體 註 大 全 說 約 大 成
Hiao king thi tchou ta tshiuen choę yo ta tchheng.

Commentaires sur le Hiao king.

Par Khieou Tshang-tchou et Chen Chi-heng.

Cat. imp., liv., 32, ff. 4 et 6; n° 2974, art. I.

— III.

小 學 集 註
Siao hio tsi tchou.

Le Siao hio, avec commentaires.

En bas des pages, introduction, dissertation; texte de Tchou Hi et notes de Tchhen Siuen. En haut des pages :

小 學 大 成
Siao hio ta tchheng.

Commentaires sur le Siao hio.

Par Mao Ki-teng, Chen Jo-yu, Li Tsong-yuen.

6 livres. — Cat. imp., liv. 92, f. 25; n° 2974, art. III.

Grand in-8. Titre noir sur jaune. 1 vol., demi-rel., au chiffre de Louis-Philippe.
Nouveau fonds 355.

3299. *Siao hio thi tchou ta tchheng. — Nei fou hiao tchong king.*

Même ouvrage.

Édition légèrement différente gravée au pavillon Oou-yun.

— I.

Tchong king tsi tchou.
Tchong king thi tchou ta tshiuen choẹ yo ta tchheng.

Même ouvrage qu'au n° 3298, art. I.

— II.

Hiao king tsi tchou.
Hiao king thi tchou ta tshiuen choẹ yo ta tchheng.

Même ouvrage qu'au n° 3298, art. II.

— III.
Siao hio tsi tchou.
Siao hio ta tchheng.

Même ouvrage qu'au n° 3298, art. III.

Grand in-8. Titre noir sur blanc. 1 vol., cartonnage.
Nouveau fonds 4520.

3300. *Siao hio thi tchou ta tchheng. — Nei fou hiao tchong king.*

Même ouvrage.

Édition légèrement différente, un peu plus grande, gravée à la salle Lao-hoei-hien, de Fo-Chan.

— I.

Tchong king tsi tchou.
Tchong king thi tchou ta tshiuen choẹ yo ta tchheng.

Même ouvrage qu'au n° 3298, art. I.

— II.

Hiao king tsi tchou.
Hiao king thi tchou ta tshiuen choẹ yo ta tchheng.

Même ouvrage qu'au n° 3298, art. II.

— III.

Siao hio tsi tchou.
Siao hio ta tchheng.

Même ouvrage qu'au n° 3298, art. III.

Grand in-8. Titre noir sur jaune, feuillets intervertis à la reliure. 1 vol., demi-rel., au chiffre de Napoléon III.
Nouveau fonds 1556.

3301-3302. 大學衍義
Ta hio yen yi.

Développement des principes du Ta hio avec exemples.

Par Tchen Tẹ-sieou, surnom King-yuen, nom littéraire Si-chan (1178-1235). Préface et dédicace officielle de l'auteur, pièces relatives à la publication de l'ouvrage (1234). Décrets au sujet d'une nouvelle édition (1527, 1530). Préface de Tchhen Jen-si (1632). Table analytique ; table par livres.

43 livres. — Cat. imp., liv. 92, f. 40.

Grand in-8. 2 vol., demi-reliure (prov. de la bibl. de l'Arsenal).
Nouveau fonds 1630, 1631.

3303-3310. 大學衍義補
Ta hio yen yi pou.

Supplément au Ta hio yen yi.

Par Khieou Siun, surnom Tchong-chen, de Khiong-chan. Préface de l'auteur ; dédicace officielle (1487) ; décrets de 1488. Préface de l'éditeur Tchhen Jen-si Ming-khing. Avertissement, introduction ; table analytique, table par livres.

160 livres. — Cat. imp., liv. 93, f. 9.

Grand in-8. 8 vol., demi-reliure (prov. de la bibl. de l'Arsenal).
Nouveau fonds 1632 à 1639.

3311-3318. — I (3311-3312).
Ta hio yen yi.
Double des nᵒˢ 3301-3302.

— II (3313-3318).
Ta hio yen yi pou.
Double des nᵒˢ 3303-3310.

Grand in-8. 8 vol., demi-rel., au chiffre de Louis-Philippe.
Nouveau fonds 51.

3319-3320. *Ta hio yen yi.*

Même ouvrage qu'aux nᵒˢ 3301-3302. Préface de Soẹn Kia-kan, de Ho-ho (1727).

Petit in-8. Bonne impression ; couvertures chinoises en papier jaune. 2 vol., reliure, au chiffre de Charles X.
Nouveau fonds 887.

3321. 三字經
San tseu king.

Le San tseu king (Livre des phrases de trois caractères).

Résumé élémentaire des principes de la morale, de la philosophie, de l'histoire en phrases rimées. Par Oang Po-heou, postnom Ying-lin (1223-1296). Attribué aussi à Liang Ying-cheng (dynastie des Ming). Texte seul.

Grand in-8. Belle impression sur papier blanc ; titre noir sur blanc. 1 vol., demi-reliure.
Nouveau fonds 1914.

3322. *San tseu king.*
Double.

Grand in-8. Papier teinté. 1 vol. chinois.
Nouveau fonds 4908.

3323. — I.

金玉樓觧元三字經

Kin yu leou kiai yuen san tseu king.

Le San tseu king, édition du pavillon Kin-yu.

Texte seul, d'après l'édition du Koę tseu kien.

Titre noir sur rouge.

— II.

金玉樓狀元幼學詩

Kin yu leou tchoang yuen yeou hio chi ; autre titre :

鑑韻幼學詩帖

Kien yun yeou hio chi thie.

Préceptes moraux pour les enfants, édition du pavillon Kin-yu.

D'après l'édition du Koę tseu kien (voir n° 3442).

Titre noir sur rouge.
Petit in-8. 1 vol , cartonnage.
Nouveau fonds 4713.

3324. 觧元三字經

Kiai yuen san tseu king.

Le San tseu king.

Édition plus grande, gravée au pavillon Oou-yun.

Petit in-8. Titre noir sur rouge. 1 vol., demi-rel., au chiffre de Napoléon III.
Nouveau fonds 1292.

3325. 純正蒙求

Choęn tcheng mong khieou.

Premières connaissances morales et historiques.

Par Hou Ping-oen, surnom Tchong-hou, nom littéraire Yun-fong, de Oou-yuen (époque des Yuen). Préfaces par Ying Toęn-tshi, de Oou-yuen, sans date ; par Oen Thien-yeou, de Liu-chan (1526) ; par Phan Tseu (1531).

3 livres. — Cat. imp., liv. 136, f. 1.

Grand in-8. 1 vol., demi-rel., au chiffre de Napoléon III.
Nouveau fonds 1218.

3326. 鐸書

To chou.

Conseils moraux au peuple.

Développement par Ilan Lin, surnom Yu-kong, de six maximes recommandées par l'empereur Thai-tsou des Ming (1397) ; ouvrage non daté. Préfaces de Ilan Lin, de Li Tcheng-sieou.

Grand in-8. 1 vol., cartonnage.
Nouveau fonds 3329.

3327. *To chou.*

Double.

1 vol., cartonnage.
Nouveau fonds 3330.

3328. 鐸書訓解

To chou hiun kiai.

Conseils moraux avec explication.

Même texte, avec développement en langue parlée ; préambule du début de la dynastie actuelle. Gravé à Tchou-ki par les soins de Kin Kien-heou (1689).

Grand in-8. 1 vol., cartonnage du XVIIIᵉ siècle, avec le titre *Explicatio rerum.* (prov. des Missions Étrangères).

Fourmont 167.

3329-3332. 性理大全書

Sing li ta tshiuen chou.

Système général des connaissances philosophiques et autres.

Ouvrage illustré composé par ordre impérial par Hou Koang, surnom Koang-ta (1370-1418), et autres fonctionnaires. Liste des auteurs. Rapport-dédicace de Hou Koang et autres. Préface impériale (1415). Réédition gravée à la salle Oen-tchhou par les soins de Li Kieou-oo, revue par Oou Mien-hio, de Sin-'an, avec une notice de 1597.

70 livres. — Cat. imp., liv. 93, f. 7.

Grand in-8. Titre noir sur blanc. 4 vol., demi-rel., au chiffre de Louis-Philippe.

Fourmont 292.

3333-3337. *Sing li ta tshiuen chou.*

Double.

Grand in-8. 5 vol., demi-rel., au chiffre de Louis-Philippe (prov. des Missions Étrangères).

Fourmont 294.

3338-3342. 新刻性理大全書

Sin khẹ sing li ta tshiuen chou.

Même ouvrage.

Réédition de Ying-thien, postérieure à la précédente, mais antérieure à la chute des Ming. La notice de 1597 n'est pas datée.

Grand in-8. 5 vol., demi-rel., au chiffre de Louis-Philippe.

Fourmont 295.

3343. *Sing li ta tshiuen chou.*

Même ouvrage.

Édition différente (livres 36 à 39).

Grand in-8. 1 vol., cartonnage (prov. des Missions Étrangères).

Fourmont 293.

3344-3350. — I (3344-3348).

性理大全會通

Sing li ta tshiuen hoei thong.

Système général des connaissances philosophiques et autres.

Ouvrage de Hou Koang, édition de

Li Kieou-oo, revu par Tchong Jen-kie, surnom Choei-sien, de Tshien-thang et publié avec la collaboration de Oang Ming-tsi, de Oou. Préface de l'empereur (1415); dédicace de Hou Koang; liste de ses collaborateurs. Préface de Tchong Jen-kie, sans date. Figures, planches conservées aux salles Koang-yu et Tsiu-kin. La table de l'ouvrage suivant (nᵒˢ 3349-3350) est reliée dans celui-ci.

70 livres.

— II (3349-3350).

性理會通

Sing li hoei thong.

Système général, etc., suite.

Avec figures. Par Tchang Hing-tchheng, de Lin-khiong, et Tchong Jen-kie. Pour la table, voir la notice précédente.

42 livres.

Grand in-8. Titre noir sur blanc. 7 vol., demi-rel., au chiffre de Louis-Philippe.

Fourmont 299, 301.

3351-3356. — I (3351-3355).

Sing li ta tshiuen hoei thong.

Même ouvrage qu'aux nᵒˢ 3344-3348.

— II (3356).

Sing li hoei thong.

Même ouvrage qu'aux nᵒˢ 3349-3350.

Grand in-8. Couvertures originales en papier jaune. 6 vol., demi-rel., au chiffre de Louis-Philippe.

Fourmont 300, 302.

3357-3359. 性理大全綜要

Sing li ta tshiuen tsong yao.

Principes du Sing li ta tshiuen.

Abrégé de l'œuvre de Hou Koang, par Tchan Hoai, de Sin-'an, publié sous la direction de Tchhen Jen-si, de Oou. Préface de ce dernier (1632); préface de l'empereur Tchheng-tsou (1415); dédicace de Hou Koang. Gravé à la salle Yi-cheng.

22 livres. — Cat. imp., liv. 96, f. 43.

Grand in-8. Titre noir et rouge sur blanc; couvertures chinoises en soie bleue. 3 vol., demi-rel., au chiffre de Louis-Philippe.

Fourmont 298.

3360-3362. *Sing li ta tshiuen tsong yao.*

Double.

Grand in-8. 3 vol., demi-rel., au chiffre de Louis-Philippe (prov. des Missions Étrangères).

Fourmont 298 A.

3363-3366. 性理大全彙要

Sing li ta tshiuen hoei yao ; autre titre :

性理標題彙要

Sing li piao thi hoei yao.

Résumé du Sing li ta tshiuen.

Par Tchan Hoai, avec préface de l'auteur. Gravé au pavillon Pao-oen, par les soins de Tchhen Jen-si.

22 livres. — Cat. imp., liv. 96, f. 44.

Grand in-8. Titre noir sur blanc ; feuillets déchirés au livre 12. 4 vol., demi-rel., au chiffre de Louis-Philippe.

Fourmont 296, 303.

3367. 性理大全標題輯要

Sing li ta tshiuen piao thi tsi yao.

Abrégé du Sing li ta tshiuen.

Par Tchou Khi-koen, surnom Oo-yu, de Han-yang. Préface de l'auteur (1689); préface de Hiang Yi-loan, de Oou-men (1689). Liste des auteurs consultés. Texte avec figures. Publié par les soins des lettrés du collège de Tseu-yang, gravé au pavillon Pa-yong, de Oou.

8 livres.

Grand in-8. Belle impression, titre

noir sur blanc. 1 vol., demi-rel., au chiffre de Louis-Philippe (prov. des Missions Étrangères).

Fourmont 297.

3368. 性理大全體註正蒙補訓解

Sing li ta tshiuen thi tchou tcheng mong pou hiun kiai.

Le Sing li ta tshiuen facilité et commenté.

En bas des pages, texte principal avec notes; en haut, commentaires par Tchang Tao-cheng Chen-kao, de Yong-chang et Khieou Thing-koei Tan-tchi. Préface de Tchang Tao-cheng (1705). Publié par les soins de Khieou Tshang-tchou. Gravé à la salle Long-cheng.

6 livres.

Grand in-8. Titre noir sur blanc. 1 vol., relíure.

Nouveau fonds 35.

3369. 御纂性理精義

Yu tsoan sing li tsing yi.

Principes du Sing li ta tshiuen, ouvrage composé par ordre impérial.

Préface de l'empereur (1717) avec sceaux impériaux à la fin. Dédicace de Li Koang-ti et autres. Liste des membres de la commission de rédaction. Liste des auteurs consultés. Planches conservées au pavillon Tsoen-king.

12 livres. — Cat. imp., liv. 94, f. 9.

Grand in-8. Titre noir sur jaune. 1 vol., demi-rel., au chiffre de la République française.
Nouveau fonds 577.

3370. 性理節要
Sing li tsie yao.

Abrégé du Sing li ta tshiuen.

Ouvrage en langue chinoise gravé en Annam, à la salle Hiệp-văn (1848), d'après l'original de Bùi ; revu par Nguyễn.

5 livres.

Grand in-8. 1 vol., cartonnage.
Nouveau fonds 4711.

3371. 交友論
Kiao yeou loen.

Traité de l'amitié.

Par le P. Ricci (1552-1610); résumé d'entretiens entre le P. Ricci et le prince de Kien-'an, pendant un voyage fait à Nan-tchhang (1599). Préface de Khiu Jou-khoei (1599); préface par Fong Ying-king, de Hiu-yi (1601). A la fin, date de 1595.

Cat. imp., liv. 125, f. 30. — Cordier, Essai, 120.

Petit in-8. 1 vol., cartonnage.
Nouveau fonds 2971.

3372-3374. 人鏡陽秋
Jen king yang tshieou.

Morale en actions : anecdotes classées méthodiquement.

Cet ouvrage, enrichi de nombreuses illustrations, est divisé en 4 sections (fidélité, piété filiale, modération, justice) subdivisées en livres. Table générale, tables des quatre sections. Liste des ouvrages consultés : liste des correcteurs. Auteur : Oang Thing-nou, surnom Tchhang-tchao, nom littéraire Oou-oou, de Sin-tou. Préface de l'auteur (1600); préfaces de Oou Kao-tsie, surnom Hi-yi (1599), de Li Teng, nom littéraire Jou-tchen (1598), etc.

22 livres.

In-4. Belle impression sur papier blanc. 3 vol., reliure, au chiffre de Charles X (provenant des Missions Étrangères).
Fourmont 40.

3375. 人譜。類記附
Jen phou. — Lei ki fou.

Psychologie de l'homme, avec figures.

Par Lieou Tsong-tcheou, surnom Khi-tong, noms littéraires Tsi-chan et Kai-hoa, de Chan-yin, doctour en 1601, appartenant à l'école de Yao-kiang qui se tenait a Tsi-chan, mort en 1645. Notice finale de son fils Tchao-tchhou. Préface de Hong Tcheng-tchi (1726); préface de Song-yun (1811). Imprimé à Canton à la salle Yun-hiang.

1 livre + 2 livres. — Cat. imp., liv. 93, f. 26.

Petit in-8. Bonne impression; titre noir sur jaune. 1 vol., demi-rel., au chiffre de Louis-Philippe.

Nouveau fonds 401.

3376. 二十五言

Eul chi oou yen.

Vingt-cinq réflexions morales.

Par le P. Ricci. Préface par Fong Ying-king, de Hiu-yi (1604), pour la seconde édition; postface de Siu Koang-khi, de Yun-kien (1604). Gravé à la salle Khin-yi, au Fou-kien.

Cat. imp., liv. 125, f. 28. — Cordier, Essai, 124.

Grand in-8. Papier blanc. Le 1er feuillet est déplacé. 1 vol., cartonnage (prov. de la Société de Jésus).

Fourmont 260.

3377. *Eul chi oou yen.*

Double.

Cordier, Essai, 124.

Grand in-8. Papier blanc. 1 vol., cartonnage.

Nouveau fonds 2902.

3378. *Eul chi oou yen.*

Même ouvrage.

Édition un peu plus grande, sans date, revue par Oang Jou-choen.

Petit in-8. 1 vol. chinois.
Nouveau fonds 4810.

3379. 西學凡

Si hio fan.

Sur les sciences européennes.

Par le P. Aleni (1582-1649). Préfaces de Yang Thing-kiun (1623), de Ho Yi-yuen (1626). Postface de Hiong Chi-khi. Gravé par la mission du Fou-kien, à la salle Khin-yi, sans date.

Cat. imp., liv. 125, f. 31. — Cordier, Essai, 15.

Grand in-8. 1 vol., cartonnage (prov. de la Société de Jésus).
Nouveau fonds 3085.

3380. *Si hio fan.*

Double.

Tirage plus récent fait sur les mêmes planches.

Cordier, Essai, 15.

Grand in-8. 1 vol., cartonnage.
Nouveau fonds 3086.

3381-3383. 新增智囊補

Sin tseng tchi nang pou.

Recueil d'anecdotes sur la prudence.

Par Fong Mong-long, qui a compilé l'ouvrage (1626); préface de l'auteur. Imprimé à la salle Hoei-oen de Fo-chan, par les soins de Fong Yeou-long.

28 livres. — Cat. imp., liv. 132, f. 11.

In-12. Titre sur papier jaune. 3 vol., demi-rel., au chiffre de Louis-Philippe. *Nouveau fonds* 522.

3384. 寰有詮

Hoan yeou tshiuen.

Traité de l'univers.

Par le P. Francisco Furtado (1587-1653) et Li Tchi-tsao. Préface de ce dernier (1628). Planches gardées au pavillon Ling-tchou-hiuen.

6 livres. — Cat. imp., liv. 125, f. 35. — Cordier, Essai, 73.

Grand in-8. 1 vol., cartonnage. *Nouveau fonds* 2919.

3385. 睡畫二答

Choei hoa eul ta.

Traité sur le sommeil et traité sur la peinture.

Par le P. Francesco Sambiaso (1582-1649). Publié par Soen Yuen-hoa, de Yun-kien. Introduc-

tion de Li Tchi-tsao (1629). Gravé en 1629.

Cordier, Essai, 134, 135.

Grand in-8. 1 vol., cartonnage du XVIIIe siècle, avec le titre *Tractatus de pictura.*
Fourmont 363.

3386. *Choei hoa eul ta.*

Même ouvrage.

Édition un peu plus grande, peut-être postérieure.

Cordier, Essai, 134.

Grand in-8. 1 vol., cartonnage. *Nouveau fonds* 3204.

3387. *Choei hoa eul ta.*

Double.

Cordier, Essai, 135.

Grand in-8. 1 vol., cartonnage. *Nouveau fonds* 2897.

3388. *Choei hoa eul ta.*

Double.

Grand in-8. 1 vol. chinois. *Nouveau fonds* 4866.

3389. 童幼教育

Thong yeou kiao yu.

Traité de l'éducation européenne.

Par le P. Alfonso Vagnoni (1566-1640); publié, avec l'autorisation du P. Emmanuel Diaz, par les soins des PP. Nicolao Longobardi (1559-1654), Gaspar Ferreira (1571-1649) et Jean Terenz (1576-1630). Préface de Han Lin, nom littéraire Yu-'an.

2 livres contenant 18 sections. — Cordier, Essai, 166.

Grand in-8. 1 vol., cartonnage. *Fourmont* 219.

3390. *Thong yeou kiao yu.*

Même ouvrage.

Édition un peu plus grande.

Grand in-8. 1 vol., cartonnage. *Nouveau fonds* 3306.

3391. *Thong yeou kiao yu.*

Double.

Grand in-8 (incomplet). 1 vol., cartonnage. *Nouveau fonds* 3308.

3392. *Thong yeou kiao yu.*

Même ouvrage.

Édition un peu plus petite qu'au n° 3389, sur papier blanc.

Cordier, Essai, 166.

Grand in-8. 1 vol., cartonnage (prov. des Missions Étrangères). *Nouveau fonds* 3307.

3393. 勵學古言

Li hio kou yen.

Encouragement à l'étude.

Par le même. Introduction de l'auteur (1632). Publié la même année, avec l'autorisation du P. Emmanuel Diaz, par les soins de Tchhen So-sing, de Nan-kiang, et de Yang Oen-tchang, de Tong-yong.

Cordier, Essai, 158.

Grand in-8. 1 vol., cartonnage (prov. de la Société de Jésus). *Nouveau fonds* 2994.

3394. 斐錄答彙

Fei lou ta hoei.

Dialogue sur la philosophie naturelle et la psychologie.

Par le même. Revu par Pi Kong-tchhen, de Tong-lai; gravé de nouveau par les soins de Yang Oen-tchang, de Kiang. Préface de Liang Yun-keou, surnom Tsiang-sien, de Tchong-tcheou (1636); postface de Pi Kong-tchhen (1635).

2 livres (le 2e est en tête du volume).

Grand in-8. 1 vol., cartonnage. *Nouveau fonds* 3208.

3395. 達道紀言

Ta tao ki yen.

Morale tirée de l'histoire ancienne de l'Occident.

Par le même, avec la collaboration de Han Yun, surnom King-po, de Tsin. Préface de ce dernier (1636).

Cordier, Essai, 154.

Grand in-8. Bonne impression. 1 vol., cartonnage.
Nouveau fonds 3134.

3396-3397.   修身西學
Sieou chen si hio.

Du perfectionnement de soi-même, d'après la morale européenne.

Par le même. Publié avec l'autorisation du P. Francisco Furtado, à l'église catholique, King-kiao thang, de Kiang.

10 livres. — Cordier, Essai, 156.

Grand in-8. Titre noir sur blanc. 2 vol., cartonnage.
Nouveau fonds 3091, 3092.

3398.   齊家西學
Tshi kia si hio.

Du bon ordre dans la famille, d'après la morale européenne.

Par le même. Publié à l'église de Kiang avec l'autorisation du P. Francisco Furtado.

5 livres. — Cordier, Essai, 152.

Petit in-8. Titre noir sur blanc; interversion de reliure. 1 vol., cartonnage.
Nouveau fonds 3315.

3399.   十慰
Chi oei.

Les dix consolations.

Par le même, avec une introduction de l'auteur. Publié par la mission du Fou-kien, avec l'autorisation du P. Emmanuel Diaz.

10 sections. — Cordier, Essai, 164.

Grand in-8. Titre noir sur teinté. 1 vol., cartonnage.
Nouveau fonds 2779.

3400.   *Chi oei.*
Double.

Impression plus nette.

Grand in-8. 1 vol. chinois (prov. des Missions Étrangères).
Nouveau fonds 4763[1].

3401.   *Chi oei.*
Même ouvrage.

Édition d'une écriture légèrement différente; pas de feuille de titre.

Cordier, Essai, 164.

Grand in-8. 1 vol., cartonnage.
Nouveau fonds 2780.

3402.   *Chi oei.*
Double.

Petit in-8. 1 vol. chinois (prov. de la Société de Jésus).
Nouveau fonds 4763[2].

3403.   *Chi oei.*
Double.

Cordier, Essai, 164.

Petit in-8. 1 vol., cartonnage (prov. de la Société de Jésus).
Fourmont 205.

28

3404. 閨門必讀

Koei men pi tou.

Lectures pour les femmes.

Rassemblées et publiées à la salle Han-tse, par Yen Heng, surnom Phing-chou, de Oou-tchheng (époque des Ming).

4 livres.

— I.

女小學

Niu siao hio.

Le Siao hio des femmes.

Principes de morale et d'histoire en phrases de quatre caractères; texte et notes, par Yen Heng et par Fang Ying-chi.

— II.

女論語

Niu loen yu.

Le Loen yu des femmes.

Même ouvrage qu'au n° 3285, art. II; publié et annoté par Yen Heng et Fang Ying-chi.

— III.

女孝經

Niu hiao king.

Le Hiao king des femmes.

Publié et annoté par Yen Heng. Ouvrage de Tcheng, épouse de Heou-mo-tchhen Miao (époque des Thang).

18 articles. — Cat. imp., liv. 95, f. 4.

— IV.

女訓內篇

Niu hiun nei phien.

Instructions pour les femmes.

Texte et notes par Yen Heng et Fang Ying-chi.

Petit in-8. Titre noir sur blanc. 1 vol., cartonnage.
Nouveau fonds 2367.

3405. 家訓世範類編

Kia hiun chi fan lei pien.

Collection de préceptes moraux.

Par Tsiang Chi-ki, nom littéraire Oou-meou, de Kiu-yong (époque des Ming); l'auteur a réuni : 1° les Règles domestiques, Kia fa, de Seu-ma Oen-kong (comparer Cat. imp., liv. 91, f. 30, Kia fan); 2° les Connaissances pour les enfants, Thong mong siu tchi, de Tchou Oen-kong (n° 2975, art. III); 3° des principes de morale, sans titre, par Yuen Tshai, surnom Kiun-tsai, de Khiu-tcheou (époque des Song); 4° des préceptes de Li Tcheng (époque des Ming). Préfaces de Lieou Tchen (époque des Song) et de Tong Tshe (époque des Ming).

Gravé au pavillon Chi-khiu, de Mei-chou.

5 livres.

In-32. Titre noir sur blanc. 1 vol., demi-reliure.

Nouveau fonds 1992.

3406. 五十言餘
Oou chi yen yu.

Cinquante réflexions morales.

Par le P. Giulio Aleni. Introduction de Tchang Keng. Gravé à la mission du Fou-kien, en 1645, avec l'autorisation du P. Francisco Furtado.

Cordier, Essai, 13.

Grand in-8. Titre noir sur papier teinté. 1 vol., cartonnage (prov. des Missions Étrangères).

Fourmont 239.

3407. *Oou chi yen yu.*

Même ouvrage.

Édition un peu plus petite.

Cordier, Essai, 13.

Grand in-8. Papier blanc. 1 vol., cartonnage.

Nouveau fonds 3043.

3408. *Oou chi yen yu.*

Double.

Cordier, Essai, 13.

Grand in-8. Papier teinté foncé (man-

que le dernier feuillet). 1 vol., cartonnage.

Nouveau fonds 3044.

3409. 性學觕述
Sing hio tshou chou.

Traité de l'âme et psychologie.

Par le même. Préface de l'auteur, écrite à la mission de Ooulin (1624); introduction de Tchou Chi-heng, surnom Tę-sien, de Nan-tcheou (1646). Préfaces non datées par Tchhen Yi, originaire du Fou-kien et par Khiu Chi-seu, surnom Po-lio, de Hai-yu. Gravé à la mission du Fou-kien avec l'autorisation du P. Francisco Furtado en 1646 (2e année Long-oou).

8 livres. — Cordier, Essai, 17.

Grand in-8. Titre noir sur papier teinté. 1 vol., cartonnage.

Nouveau fonds 3101.

3410. *Sing hio tshou chou.*

Même ouvrage.

Manque la préface de Khiu : la feuille de titre, de gravure différente, est rédigée de même, mais les caractères Long-oou sont supprimés.

Cordier, Essai, 17.

Grand in-8. 1 vol., cartonnage.
Nouveau fonds 3102.

3411. *Sing hio tshou chou.*

Double.

Sans feuille de titre.

Cordier, Essai, 17.

Grand in-8. 1 vol., cartonnage.
Nouveau fonds 3103.

3412. *Sing hio tshou chou.*

Même ouvrage.

Reproduction gravée à la mission de Chang-hai, en 1873.

Cordier, Essai, 17. — Catalogus librorum, 43.

Petit in-8. Papier blanc. 1 vol., demi-reliure.
Nouveau fonds 3649.

3413. 名理探

Ming li than.

Traité de logique.

Par le P. Francisco Furtado (1587-1653). Introduction de Li Tchi-tsao. Publié avec l'autorisation du P. Emmanuel Diaz.

5 livres. — Cordier, Essai, 72.

Grand in-8. 1 vol., cartonnage.
Nouveau fonds 3028.

3414. 名理探十倫

Ming li than chi loen.

Les dix catégories de la logique.

Par le même. Introduction de Li Tchi-tsao.

5 livres. — Cordier, Essai, 72.

Grand in-8. 1 vol., cartonnage.
Nouveau fonds 3029.

3415. 逑友篇

Khieou yeou phien.

Sur l'amitié.

Pour faire suite au Kiao yeou loen (nº 3371). Par le P. Martino Martini (1614-1661). Introduction de l'auteur; préfaces par Tchang 'An-meou, de Si-hou; par Tchou Chi, surnom Tseu-kien, de Lan-khi; par Siu Eul-kio, surnom Choen-tchi, de Song-kiang (1661). Publié avec l'autorisation du P. Jacques le Favre (1610-1676).

2 livres. — Cordier, Essai, 96.

Petit in-8. Manque le feuillet du titre. 1 vol., cartonnage.
Nouveau fonds 2977.

3416. *Khieou yeou phien.*

Double.

Cordier, Essai, 96.

Petit in-8. 1 vol., cartonnage.
Nouveau fonds 2978.

3417. 主制羣徵

Tchou tchi khiun tcheng.

Preuves philosophiques de la Providence.

Par le P. Adam Schall (1591-1669).

2 livres. — Cordier, Essai, 140.

Grand in-8. 1 vol., cartonnage. *Nouveau fonds* 3200.

3418. *Tchou tchi khiun tcheng.* Double.

Cordier, Essai, 140.

Grand in-8. 1 vol., cartonnage. *Nouveau fonds* 3201.

3419. *Tchou tchi khiun tcheng.* Double.

Cordier, Essai, 140.

Grand in-8. 1 vol., cartonnage. *Fourmont* 213.

3420. *Tchou tchi khiun tcheng.* Double.

Grand in-8. 1 vol. chinois. *Nouveau fonds* 4865.

3421. *Tchou tchi khiun tcheng.* Double.

Grand in-8. 1 vol. chinois. *Nouveau fonds* 4865.

———

3422-3423. 夏冰錄
Hia ping lou.

Comparaison du confucianisme et du bouddhisme.

Par Yu Mi. Préfaces de Kong Ting-tseu (1666) et de Chi Chou-tsiun, surnom Yong-'an (1671). Introduction de 1672 ou postérieure à cette date par le bonze Than-koei, surnom Kin-chi, de Tan-hia (noms temporels Kin Pao, surnom Tao-yin, docteur).

3 livres + 1 livre supplémentaire.

Grand in-8. Papier blanc incomplet. 1 vol. chinois, 1 vol., cartonnage. *Nouveau fonds* 4942, 2329.

3424. 愚齋語錄。閑道錄
Yu tchai yu lou. — *Hien tao lou.*

Propos de Yu-tchai.

Propos philosophiques de Hiong Seu-li, de Hoan-tchhoan, imprimés par les soins de ses élèves Li Koang-ti, et autres. Préface de Siao Khi-tchao (1667); postface de Hong Ming-pai (1671).

3 livres. — Cat. imp., liv. 97, f. 20.

Grand in-8. Titre en bleu sur blanc avec sceaux en rouge; édition soignée. 1 vol., cartonnage. *Nouveau fonds* 2331.

———

3425. 聖諭十六條
Cheng yu chi lou thiao.

Instructions morales de l'Empereur, en seize articles.

Cet ouvrage, connu sous le nom de Saint Édit, comprend seize maximes dues à l'empereur Cheng-tsou, accompagnées d'un développement explicatif. Décrets impériaux de 1670 et 1685 au sujet de la publication du Saint Édit. Proclamation de Thang, gouverneur du Kiang-sou.

Petit in-8. 1 vol., couverture chinoise en soie bleue.

Nouveau fonds 4916.

3426. 上 諭 直 解

Chang yu tchi kiai.

Même ouvrage.

Sans les décrets impériaux ni la proclamation de Thang. Préface pour l'édition nouvelle de 1685, par Li Chi-tcheng, gouverneur du Koang-tong.

Grand in-8. Papier blanc, belle impression; incomplet (5 feuillets seulement).

Nouveau fonds 4974.

3427. 上 諭 十 六 條 直 解

Chang yu chi lou thiao tchi kiai.

Même ouvrage.

Édition du Tchę-kiang avec proclamation du gouverneur de la province, Fan Tchheng-mou. Texte et explication en langue parlée.

Grand in-8. Papier blanc. 1 vol., cartonnage.

Nouveau fonds 2725.

3428. 上 諭 直 解

Chang yu tchi kiai.

Même ouvrage.

Édition différente. Texte et explication en langue parlée.

Grand in-8. Papier blanc; incomplet à la fin du 16e article. 1 vol., cartonnage.

Nouveau fonds 2724.

3429. — I.

聖 諭 廣 訓

Cheng yu koang hiun.

Le Saint Édit, avec paraphrase.

Même ouvrage; paraphrase de l'empereur Chi-tsong. Préface du même (1724) avec le sceau impérial à la fin.

Cat. imp., liv. 94, f. 2.

— II.

Enturingke tacikhiyan be neileme badarambukha bitkhe.

Le Saint Édit, avec paraphrase.

Traduction en mantchou du texte, de la paraphrase et de la préface (1724), avec sceaux impériaux.

In-4. Belle impression sur papier blanc; couverture originale en papier jaune. 1 vol., demi-rel., au chiffre de Napoléon III.

Nouveau fonds 1803.

3430. *Cheng yu koang hiun.*

Même ouvrage.

Texte, paraphrase, préface comme au n° précédent, art. I; paraphrase en langue parlée. Notices de Sien-fou et de Han Fong, sur la publication de l'ouvrage faite (1808) d'après une ancienne édition de Oang Yeou-pho.

2 livres.

In-18. Titre-frontispice orné de dragons, imprimé en noir sur jaune. 1 vol., demi-rel. (prov. de la bibl. Sainte-Geneviève).
Nouveau fonds 2081.

3431. *Cheng yu koang hiun.*

Double.

In-12. Titre semblable. 1 vol., demi-rel., au chiffre de Louis-Philippe.
Nouveau fonds 769.

3432. 聖諭衍義三字歌俗解

Cheng yu yen yi san tseu ko sou kiai.

Le Saint Édit, avec paraphrase en vers et en langue parlée.

Texte des seize articles; paraphrase en vers de trois caractères, paraphrase en langue parlée. Par Li Lai-tchang, avec notice de l'auteur (1816). Gravé à Canton d'après l'original de Péking.

In-12. Titre noir sur rose. 1 vol., cartonnage.
Nouveau fonds 5033.

3433-3434. 文行粹抄

Oen hing soei tchhao.

Exemples de vertus tirés de l'histoire et classés méthodiquement.

Par Li Kieou-kong, surnom Khi-siu, de Fou-thang. Préface de l'auteur (1678); préface de Lieou Yun-tę (1680). Gravé à la salle Liu-tchoang.

5 livres.

Grand in-8. Belle impression sur papier blanc, titre noir sur blanc. 1 vol., cartonnage et 1 vol. chinois (prov. de la Société de Jésus).
Nouveau fonds 3398, 4899.

3435. — I. 愚齋語錄。下學堂劄記

Yu tchai yu lou. — Hia hio thang tcha ki.

Propos de Yu-tchai : traité sur l'étude.

Par Hiong Seu-li, avec préface de l'auteur (1685). Postface de Tou Siun.

3 livres. — Cat. imp., liv. 97, f. 21.

— II.

愚齋語錄．下學堂規．會約

Yu tchai yu lou. — Hia hio thang koei. — Hoei yo.

Propos de Yu-tchai : règles et association pour l'étude.

Par le même. Postface de Chi Hoang.

Grand in-8. 1 vol., cartonnage.
Nouveau fonds 2912.

3436. *Yu tchai yu lou. — Hia hio thang koei. — Hoei yo.*

Même ouvrage.

Voir n° précédent, art. II.

Grand in-8. 1 vol., cartonnage.
Nouveau fonds 2911.

3437. 愚齋語錄

Yu tchai yu lou.

Propos de Yu-tchai.

Comprenant les ouvrages nᵒˢ 3424 et 3435, art. I (livres 1 et 2 seulement) ; édition renfermant diverses préfaces et postfaces nouvelles (1685, 1686, 1688).

Grand in-8. Titre en bleu sur papier blanc. 1 vol., demi-reliure.
Nouveau fonds 1927.

3438. 樸園邇語

Pho yuen eul yu.

Sentences et réflexions morales.

Par Hiong Seu-li. Préface de l'auteur (1686).

2 livres.

Grand in-8. Bonne impression. 1 vol., cartonnage.
Nouveau fonds 3063.

3439. 歸潔園偶筆

Koei kie yuen 'eou pi.

Notes philosophiques prises au courant du pinceau.

Rédigées en langue parlée par le même, avec introduction de l'auteur (1687).

Grand in-8. 1 vol. chinois.
Nouveau fonds 4958.

3440. 朱氏家訓衍義

Tchou chi kia hiun yen yi.

Instructions domestiques de Tchou, avec explications.

Préceptes moraux appuyés d'anecdotes. Par Tchou Yong-choen, surnom Tchi-yi, nom littéraire Po-liu, de Koen-chan (1617-1689) ; parfois confondu avec Tchou Hi. Préface de Lieou Hiu, surnom Yao-tchhang ; postface de 1826, par Tchou Khai, surnom Tsie-yin. Édition publiée à la capitale de la province par Siu Ta Tsong-chi.

3 livres.

Petit in-8. Titre noir sur jaune. 1 vol., demi-rel., au chiffre de Louis-Philippe.
Nouveau fonds 868.

3441. 初學入門

Tchhou hio jou men.

Traité élémentaire.

Paraphrase facile de quelques passages du Loen yu, précédée d'une liste d'expressions rangées par ordre méthodique. Par Oou Khoei-fou. Préface de 1691.

Petit in-8. 1 vol., demi-reliure. *Nouveau fonds* 382.

3442. 幼學詩

Yeou hio chi.

Préceptes moraux pour les enfants.

Livre d'éducation première en vers de cinq caractères, contenant des préceptes moraux et des notions diverses ; à la fin, image du dieu de la littérature.

Exemplaire interfolié de papier français ; à la fin du volume (début européen), titre manuscrit : Livre chinois très curieux, imprimé en papier de soye à Nankin puis à Kanton, aporté par Louis Chancel Chevalier de la Grange officier sur l'Amphitrite qui fit le voyage de la Chine 1700.

A la page suivante, résumé manuscrit de l'ouvrage.

Comparer n° 3323, art. II.

Petit in-8. 1 vol., reliure du XVIIIe siècle. *Nouveau fonds* 3395.

3443. 狀元幼學詩

Tchoang yuen yeou hio chi ; autre titre :

鑑韻幼學詩帖

Kien yun yeou hio chi thie.

Même ouvrage.

Gravé au pavillon Oou-yun.

Petit in-8. Titre noir sur rouge. 1 vol., demi-rel., au chiffre de Napoléon III.

Nouveau fonds 1438.

3444. 庭訓格言

Thing hiun ko yen.

Enseignements domestiques.

Par l'empereur Cheng-tsou ; préface de son successeur Chi-tsong (1730) avec le sceau impérial imprimé en rouge.

Cat. imp., liv. 94, f. 3.

In-4. Belle impression, bel exemplaire ; couverture originale en soie. A la fin, on lit la note manuscrite : *Instructions de Cam hi à ses enfants. Envoyé de Péking par M. Poirot en 1778, reçu en 1779, en chinois.* 1 vol., reliure, au chiffre de Charles X.

Nouveau fonds 233.

3445. 實踐錄

Chi tsien lou.

Sur la véritable conformité au confucianisme.

29

Par Tẹ-phei, surnom Tsi-tchai. Notice et appendice par l'auteur (1736). Préface par Li Khiai, de Thong-kiang (1736).

Grand in-8. Bonne impression. 1 vol., cartonnage.

Nouveau fonds 2777.

3446. *Chi tsien lou.*

Double.

Grand in-8 1 vol., cartonnage.
Nouveau fonds 2778.

3447. 訓 俗 遺 規

Hiun sou yi koei.

Conseils moraux.

Conseils et traités extraits de divers auteurs. Par Tchhen Hong-meou, surnom Jou-tseu, nom littéraire Yong-mẹn, de Lin-koei. Préface de l'auteur (1742); préface pour la présente réédition par Oang Tchi-heng, nom littéraire Pho-tchoang (1766). Gravé à la salle Pao-yi.

4 livres. — Cat. imp., liv. 133, f. 15 (en 5 livres).

Petit in-8. Titre noir sur jaune. 1 vol., demi-rel., au chiffre de Louis-Philippe.

Nouveau fonds 398.

3448-3449. 性 理 眞 詮

Sing li tchen tshiuen.

Véritable critique de l'univers.

Traité de l'âme, de Dieu, etc. Par le P. Antoine Gaubil (1689-1759). Préface de l'auteur (1753). Gravé à l'église Cheou-chan, dans la ville impériale (1753), avec autorisation des PP. de Souza (1697-1757) et de Hallerstein (1703-1774).

4 livres formant 6 sections. — Catologus librorum, 220 (attribuant l'ouvrage au P. de la Charme, 1695-1767).

Grand in-8. Titre noir sur papier teinté; quelques feuillets sont intervertis. 2 vol., cartonnage.

Nouveau fonds 3104, 3105.

3450-3451. *Sing li tchen tshiuen.*

Double.

Grand in-8. Papier blanc. 2 vol., cartonnage.

Nouveau fonds 3106, 3107.

3452. 洗 心 輯 要

Si sin tsi yao.

Théorie psychologique du cœur.

Avec figures. Par Siu Tsin-chan, nom littéraire Tchhao-lou, de Fong-tchheng. Préface de l'auteur (1774); préface par Lou Mong-hiong, de Si-ling (1775). Gravé à la salle Tchi-cheng.

2 livres.

In-12. Titre noir sur blanc. 1 vol., demi-reliure.

Nouveau fonds 744.

3453. 人生必讀書擇要

Jen cheng pi tou chou tchę yao.

Dissertations sur les principales vertus, avec citations des auteurs.

Par Thang Pieou, surnom Yisieou, de Hou-choei; revu et augmenté par Koo Thien-king, surnom Sing-hien, de Siang-nan, et par Lao Thong, de Nan-hai. Préface de l'auteur; postface de Lao Thong (1786). Liste des ouvrages consultés. Imprimé à la salle Ho-king.

2 livres.

Grand in-8. Titre noir sur jaune. 1 vol., demi-rel., au chiffre de Louis-Philippe. *Nouveau fonds* 220.

3454. 音釋四言雜字

Yin chi seu yen tsa tseu.

Principes élémentaires d'éducation.

Relatifs à la morale, à la famille, à l'agriculture; rédigés en phrases de quatre caractères.

Petit in-8. 1 vol., cartonnage du XVIII⁰ siècle, intitulé *Phrases* (prov. des Missions Étrangères). *Fourmont* 17.

3455. *De pietate erga parentes.*

孝敬爻毋

Hiao king fou mou.

Par Tchi-yeou-ni-mou Mei-oou-yi-ko (?). Manque le début de la table.

Grand in-8. Manuscrit d'une écriture peu soignée. 1 vol., cartonnage (prov. des Missions Étrangères). *Fourmont* 367.

3456. 叚類歇安慰

Kia lei hie 'an oei.

Livre des consolations.

Sans nom d'auteur, ni lieu, ni date.

Grand in-8. Manuscrit. 1 vol., cartonnage avec le titre *Liber consolationum* (prov. des Missions Étrangères). *Fourmont* 368.

3457. 王宜温和

Oang yi oen hoo.

Sur les devoirs d'un roi.

Sans nom d'auteur ni date.

Petit in-8. Manuscrit. 1 vol., cartonnage. *Nouveau fonds* 3359.

3458. 王政須臣

Oang tcheng siu tchhen.

Sur la nécessité des ministres dans une monarchie.

Sans nom d'auteur ni date.

Petit in-8. Manuscrit de même papier et même écriture que le précédent. ɪ vol., cartonnage.

Nouveau fonds 3362.

3459. 治政源本

Tchi tcheng yuen pęn.

Principes du gouvernement.

Sans nom d'auteur ni date.

Petit in-8. Manuscrit de même papier et même écriture que les deux précédents. ɪ vol., cartonnage.

Nouveau fonds 2387.

3460. 治民西學

Tchi min si hio.

Sur le gouvernement en Occident.

Sans nom d'auteur ni date.

Petit in-8. Manuscrit de même écriture et même papier que les précédents. ɪ vol., cartonnage.

Nouveau fonds 3ɪ53.

3461. 重訂初學行文語類

Tchhong ting tchhou hio hing oen yu lei.

Résumé des classiques et des histoires à l'usage des enfants, avec tableaux.

Par Sơęn Thing, surnom Changteng, de Seu-ming. Préface de 1800; préface de 1830 pour la présente édition faite à la salle Fou-oen, de Chạn-chan, par les soins de Li Tseu-thing.

4 livres.

In-ɪ8. Titre noir sur jaune. ɪ vol., demi-rel., au chiffre de Louis-Philippe.

Nouveau fonds 748.

3462-3464. 情史

Tshing chi.

Les sentiments de l'homme illustrés par des exemples historiques et autres.

Ouvrage signé d'un pseudonyme, Tchạn-tchạn-oai-chi, du Kiang-nan. Préface par Long Tseu-yeou, de Oou. Table générale méthodique; table spéciale pour chaque livre. Gravé en 1806.

24 livres.

In-ɪ2. Titre noir sur jaune. 3 vol., demi-rel., au chiffre de Louis-Philippe.

Nouveau fonds 6ɲ3.

3465-3466. — 1 (3465).

新選寶善省心編

Sin siuen pao chạn sing sin pien.

Morceaux choisis d'auteurs divers relatifs à des questions de morale.

Par Yang Koang-hien, surnom Khin-ming, de Tchao-khing. Préface du compilateur (1832); autres préfaces (1833, 1834). Gravé à la salle Lo-chan, à Canton (1833).

6 livres (le 6e livre forme deux ouvrages séparés qui sont notés ci-dessous).

Titre noir sur jaune.

— II (3466).

詞 聯 試 賦

Seu lien chi fou.

Recueil de morceaux en vers, en prose poétique, etc.

Préface par Tchong Koang-teou, surnom Hoei-yuen, de Phan-yu. Gravé à Canton (1833).

Titre noir sur papier teinté.

— III (3466).

寶 善 省 心 編 附 刻 報 果 艮 方

Pao chạn sing sin pien fou khẹ pao koo liang fang.

Traités de morale et d'hygiène taoïstes, gravés en annexe aux Morceaux choisis.

Attribués au dieu de la littérature, au dieu du Tong-yo, etc. En tête du 2e livre, préface de Liang Hien-tchhao, de Kiai-chi (1832). Figures. Gravé à Canton (1833).

2 livres.

Titre noir sur papier teinté.
Grand in-8. Impression soignée. 2

vol., demi-rel., au chiffre de Napoléon III.
Nouveau fonds 1347, 1348.

3467. ## 新 鐫 昔 時 賢 文

Sin tsiuen si chi hien oen.

Aphorismes moraux et pratiques du temps passé.

Rédigés en phrases rythmées. En haut des pages, liste des noms de famille, Po kia sing. Gravé à la salle Oen-tẹ, de Lou-kiang (1834).

Grand in-8. Titre noir sur jaune. 1 vol., cartonnage.
Nouveau fonds 4566.

3468. ## 幼 學 須 知

Yeou hio siu tchi.

Connaissances élémentaires.

Notions morales, anecdotiques, historiques rangées par ordre méthodique. Texte avec notes.

Petit in-8. Incomplet au début et à la fin. 1 vol. chinois.
Nouveau fonds 4938.

3469. ## 振 賢 堂 校 正 箋 註 幼 學 詳 解 訂 本

Tchen hien thang kiao tcheng tsien tchou yeou hio siang kiai ting pẹn.

Principes de morale pour les enfants.

Éléments des connaissances nécessaires relatives à la morale, à la philosophie, à la vie pratique, rangés par ordre méthodique. Texte avec notes. Par Tchheng Teng-ki, surnom Yun-cheng, de Si-tchhang, d'après l'original de

Khieou Khiong-chan. Gravé à la salle Tchen-hien, de Fo-chan.

Petit in-8. Titre noir sur jaune. 1 vol., demi-rel., au chiffre de Napoléon III. *Nouveau fonds* 1508.

———

CHAPITRE VI : LITTÉRATURE

—

Première Section : ANCIENS CLASSIQUES OU SAGES (TSEU)

3470-3472. 諸子品節

Tchou tseu phin tsie.

Extraits des œuvres des anciens classiques.

Avec préface de Tchhen Chen, surnom Tseu-yuen, de Oou-hing (1590) ; texte et notes. Œuvres de Lao-tseu, Tchoang-tseu, etc., Oang Tchhong (27-97 p. C.), Lieou Hiang (80-9 a. C.), etc.

5o livres. — Cat. imp., liv. 131, f. 18.

Grand in-8 (le 3ᵉ vol. est relié en désordre). 3 vol., demi-rel., au chiffre de Louis-Philippe.
Nouveau fonds 901.

3473. 子品金函

Tseu phin kin han.

Extraits des anciens classiques.

Depuis Thai-kong-oang (xiiᵉ s. a. C.) et Lao-tseu, avec quelques auteurs postérieurs aux Han et aux

Thang (jusqu'au début des Ming). Notice sur chaque auteur. Collection réunie par Tchhen Jen-si, surnom Ming-khing, de Tchhang-tcheou ; préface par le même.

4 livres.

Grand in-8. Couvertures chinoises en papier jaune. 1 vol., reliure, au chiffre de Charles X.
Nouveau fonds 224.

3474-3477. 諸子彙函

Tchou tseu hoei han.

Extraits des classiques.

Depuis Yu-tseu, postnom Hiong (1250 a. C. ?) jusqu'à Yu Li-tseu, de la dynastie des Ming ; liste chronologique des auteurs, liste des commentateurs ; opinions diverses sur les œuvres. Préface de Oen Tchen-meng, surnom Oen-khi, nom littéraire Yo-yuen yi-chi, de Tchhang-tcheou (1625). Collection due à Koei Yeou-koang, surnom Hi-fou, de Koen-chan. Planches conservées à la salle Ta-kou.

26 livres. — Cat. imp., liv. 131, f. 23.

Grand in-8. Titre noir sur jaune; impression défectueuse; dernier livre incomplet. 4 vol., demi-rel., au chiffre de Louis-Philippe.

Nouveau fonds 458.

3478. 合諸名家點評諸子鴻藻

Ho tchou ming kia tien phing tchou tseu hong tsao.

Extraits des classiques, annotés.

Depuis Kiang-tseu (Thai-kong-oang) et Yu-tseu. Liste des auteurs. Préface de Tsang Tchao-jou, surnom Ming-ta, de Si-oou (1626). Table des morceaux contenus dans chaque livre. Collection publiée à Oou-lin, par Kiang Seu-joei, surnom Tchhoan-yu, de Tsheu-choei, revue par divers correcteurs.

12 livres.

Grand in-8. 1 vol., demi-rel., au chiffre de Louis-Philippe.

Fourmont 291.

3479-3489. 十子全書

Chi tseu tshiuen chou.

Œuvres complètes des dix Sages.

Gravées de nouveau à la salle

Tsiu-oeṅ, à Kou-sou (1804). Préface générale de la collection par Hoang Phei-lie (1807) et table générale placées en tête du premier ouvrage.

Édition soignée sur papier blanc; titre général en noir sur rose, titres spéciaux en noir sur blanc.

— I (3479).

老子評註

Lao tseu phing tchou; autre titre:

道德經評註

Tao tẹ king phing tchou.

Le Lao tseu, ou le Tao tẹ king (Livre de la Voie et de la Vertu), avec commentaires.

Préface par Hong Liang-ki (1807) pour l'édition collective du Lao tseu tchang kiu, de Ho-chang-kong (époque des Han, IIe s. a. C.) et du Tchoang tseu tchou, par Koo Siang, surnom Tseu-hiuen, de Ho-nan († 312). Préface de l'empereur Kao (1374); préface attribuée à Ho-chang-kong. Généalogie et biographie de Lao-tseu; autre biographie tirée de Seu-ma Tshien. Lao-tseu, nom Li, postnom Eul, surnom Po-yang, nom posthume (?) Tan, de Hou-hien (royaume de Tchhou), né en 604 a. C. (?), école taoïste. Édition d'après Ho-chang-kong, avec notes de

Koei Yeou-koang et Oen Tchen-meng, des Ming; texte, commentaires, notes.

2 livres formant 81 chapitres. — Comparer Cat. imp., liv. 146, f. 5 (Lao tseu tchou).

In-4. 1 vol., demi-rel., au chiffre de Napoléon III.
Nouveau fonds 1196.

— II (3480).

莊子評註

Tchoang tseu phing tchou.

Le Tchoang tseu, avec commentaires.

D'après l'édition de Koo Siang, avec le vocabulaire de Lou Te-ming (nᵒˢ 3095-3097). Préface non datée par Tshai Yi-tchong, de Tchong-chan; biographie de Tchoang-tseu d'après Seu-ma Tshien. Tchoang-tseu, postnom Tcheou, surnom Tseu-hieou, du royaume de Song (IVᵉ s. a. C.), école taoïste. Texte, commentaire et notes.

10 livres (3 sections, interne, externe, diverse). — Comparer Cat. imp., liv. 146, f. 21 (Tchoang tseu tchou).

In-4. 1 vol., demi-rel., au chiffre de Napoléon III.
Nouveau fonds 1197.

— III (3481).

荀子箋釋

Siun tseu tsien chi.

Le Siun tseu, avec commentaires.

Œuvres de Siun-khing, postnom Khoang, de Tchao (IIIᵉ s. a. C.), école orthodoxe. Préface de Sie Thang, surnom Tong-chou, de Kia-chan (1786); préface de Yang Liang (818); à la fin, rapport non daté de Lieou Hiang, surnom Tseu-tcheng (80-9 a. C.). Liste des textes consultés. Texte, avec commentaire de Yang Liang.

20 livres (32 sections). — Cat. imp., liv. 91, f. 5.

— IV (3481).

荀子校勘補遺

Siun tseu kiao khan pou yi.

Examen critique et supplément du Siun tseu.

Postface par Tshien Ta-hin de Kia-ting (1786).

20 livres.

In-4. 1 vol., demi-rel., au chiffre de Napoléon III.
Nouveau fonds 1199.

— V (3482).

列子箋釋

Lie tseu tsien chi; autre titre :

冲虛至德眞經

Tchhong hiu tchi te tchen king.

Le Lie tseu avec commentaires, ou le Livre vrai de la

vertu suprême par Tchhong-hiu.

Œuvre de Lie Yu-kheou (IV° s. a. C. ?) qui a reçu dans les années 742-755 le nom posthume de Tchhong-hiu, école taoïste. Préface de Lieou Hiang (14 a. C.); préface et commentaire de Tchang Tchan, surnom Tchhou-tou (époque des Tsin orientaux). Texte et commentaires.

8 livres (8 sections). — Comparer Cat. imp., liv. 146, f. 20 (même titre, commentaire de Kiang Yu, des Song).

In-4. 1 vol., demi-rel., au chiffre de Napoléon III.
Nouveau fonds 1206.

— VI (3483-3484).

管子評註

Koan tseu phing tchou.

Le Koan tseu, avec commentaires.

Œuvres attribuées à Koan Yi-oou, surnom Tchong, ministre de Tshi († 645 a. C.), relatives au gouvernement. Préfaces par Koo Tcheng-yu, de Ming-long; par Tchao Yong-hien, de Oou; préface de Chen Ting-sin, surnom Tseu-yu, de Si-hou (1625); préface de la même date par Tchou Yang-choęn, surnom Yuen-yi. Vie de Koan-tseu, d'après Seu-ma Tshien. Texte; commentaires par Fang Hiuen-ling, de Lin-tseu (578-648)

et par Lieou Tsi, de Liu-tshiuen (époque des Thang); notes de Chen Ting-sin, Tchou Yang-choęn, Tchou Tchhang-tchhoęn (docteur en 1583).

24 livres formant 86 sections. — Cat. imp., liv. 101, f. 13 (Koan tseu kio); comparer Cat. imp., liv. 101, f. 1 (Koan tseu).

In-4. 2 vol., demi-rel., au chiffre de Napoléon III.
Nouveau fonds 1201, 1202.

— VII (3485).

韓非子評註

Han fei tseu phing tchou.

Le Han fei tseu, avec commentaires.

Œuvres de Han Fei, du royaume de Han († 233 a. C.), école des lois. Préface par Oang Chi-tcheng, de Yen-chan (1526-1593). Texte et notes.

20 livres (55 sections). — Cat. imp., liv. 101, f. 7 (Han tseu).

In-4. 1 vol., demi-rel., au chiffre de Napoléon III.
Nouveau fonds 1200.

— VIII (3486).

淮南子箋釋

Hoai nan tseu tsien chi.

Le Hoai nan tseu, avec commentaires.

Œuvres de Lieou 'An, roi de Hoai-nan († 122 a. C.), petit-fils de Kao-ti des Han, école taoïste. Préface par Kao Yeou, de Tchokiun (vers 200 p. C.); commentaire du même. Édition revue par Tchoang Khoei-ki, de Oou-tsin avec notice du même (1788).

21 livres. — Cat. imp., liv. 117, f. 16.

In-4. 1 vol., demi-rel., au chiffre de Napoléon III.
Nouveau fonds 1198.

— IX (3487).

楊子箋釋

Yang tseu tsien chi; autre titre :

新纂門目五臣音註楊子法言

Sin tsoan mẹn mou oou tchhen yin tchou yang tseu fa yen.

Le Yang tseu, avec commentaires, ou le Fa yen de Yang-tseu, avec les commentaires des cinq fonctionnaires.

Œuvre de Yang Hiong, surnom Tseu-yun (53 a. C.-18 p. C.), école orthodoxe; commentaires de Li Koei, Lieou Tsong-yuen, surnom Tseu-heou (773-819), Song Hien, Oou Pi et Seu-ma Koang surnom Kiun-chi (1019-1086). Préface de Song Hien (1036), dédicace à l'empereur par le même (1037), préface de Seu-ma Koang (1081).

10 livres (13 sections). — Cat. imp., liv. 91, f. 17 (Fa yen tsi tchou).

In-4. 1 vol., demi-rel., au chiffre de Napoléon III.
Nouveau fonds 1205.

— X (3488).

文中子箋釋

Oen tchong tseu tsien chi; autre titre :

文中子中說

Oen tchong tseu tchong choẹ.

Le Oen tchong tseu, avec commentaires; ou le Tchong choẹ, de Oen-tchong-tseu.

Œuvre de Oang Thong, surnom Tchong-yen (584-617), école orthodoxe. Préface de Tou Yen (postérieure à 628); commentaire de Yuen Yi.

10 livres. — Cat. imp., liv. 91, f. 24 (Tchong choẹ).

— XI (3488).

文中子世家

Oen tchong tseu chi kia.

Vie et généalogie de Oentchong-tseu.

Par Tou Yen.

Comparer Cat. imp., liv. 91, f. 24.

— XII (3488).

論禮樂事

Loẹn li yo chi.

Entretien sur les rites et la musique.

Conversation entre Thai-tsong des Thang, Fang Hiuen-ling et Oei Tcheng, surnom Hiuen-tchheng, nom posthume Oen (581-643); notée en 646 par Oang Fou-tchi, fils de Oen-tchong-tseu.

Comparer Cat. imp., liv. 91, f. 24.

— XIII (3488).

東皐子答陳尙書書

Tong kao tseu ta tchhen chang chou chou.

Réponse de Tong-kao-tseu au ministre Tchhen Chou.

D'après Oang Fou-tchi, Tong-kao-tseu, nom Oang, postnom Tsi, surnom Oou-kong, était frère cadet de Oen-tchong-tseu.

Comparer Cat. imp., liv. 91, f. 24.

— XIV (3488).

關子明事

Koan tseu ming chi.

Sur Koan Tseu-ming.

Koan, postnom Lang, originaire de Hiai.

Comparer Cat. imp., liv. 91, f. 24.

— XV (3488).

王氏家書雜錄

Oang chi kia chou tsa lou.

Sur la famille Oang.

Par Oang Fou-tchi (649).

Comparer Cat. imp., liv. 91, f. 24.

In-4. 1 vol., demi-rel., au chiffre de Napoléon III.
Nouveau fonds 1204.

— XVI (3489).

鶡冠子評註

Ho koan tseu phing tchou.

Le Ho koan tseu, avec commentaires.

Œuvres d'un auteur anonyme du royaume de Tchhou, école taoïste. Préface de Lou Tien, surnom Nong-chi (1042-1102); préface de Han Yu (768-824); préface de Tchou Yang-choen (XVIIᵉ siècle, avant 1644). Texte; commentaires de Lou Tien; notes par Oang Yu, surnom Yong-khi, de Min-tchong.

3 livres (19 sections). — Cat. imp., liv. 117, f. 9.

In-4. 1 vol., demi-rel., au chiffre de Napoléon III.
Nouveau fonds 1203.

3490.　御書道德經寶章

Yu chou tao te king pao tchang.

Texte du Tao te king écrit de la main de l'Empereur.

Fac-similé en blanc sur noir

d'un autographe impérial, avec sceaux impériaux, préparé par Tchao Meng-fou de la maison impériale des Song (1254-1322); reproduit en 1715.

81 sections.

In-4. Belle impression; couverture en soie jaune. 1 vol., *en forme de paravent dans 1 enveloppe couverte en soie jaune.*

Nouveau fonds 1117.

3491.   老子口義

Lao tseu kheou yi.

Le Lao tseu expliqué.

Préface par Tchao Ping-tchong, de 'Eou-ning (la date est déchirée) écrite pour l'édition nouvelle des Œuvres expliquées des trois Sages, San tseu kheou yi (voir n°ˢ 3509 et 3533-3536). Introduction par l'auteur du commentaire, Lin Hi-yi, nom littéraire Sou-oong, surnom Kiuen-tchai, de Fou-tshing, docteur en 1235. Revu par Chi Koan-min, des Ming. Texte et commentaire.

2 livres (81 sections). — Comparer Cat. imp., liv. 146, f. 25 (Tchoang tseu kheou yi).

Grand in-8. 1 vol., demi-rel., au chiffre de Napoléon III.
Nouveau fonds 1321.

3492.

Texte du Tao tẹ king en caractères anciens, écrit par Kao Tao, en l'année ki-mao (1279?); suivi d'une notice en caractères li, datée de 1290; estampage collé en atlas.

In-folio. 1 vol., cartonnage.
Nouveau fonds 2202.

3493.   老子集解

Lao tseu tsi k'iai.

Le Lao tseu, avec commentaires.

Par Sie Hoei, surnoms Si-yuen et Ta-ning, de Hou-hien, qui a rédigé son commentaire de 1530 à 1536. Préface de l'auteur; préfaces de Kao Chou-seu et Kao Cheng-seu. Introduction par Oang San-tẹ, de Thai-khieou (1633). Liste des commentateurs. Texte et commentaires; à la fin, examen critique du texte.

2 livres (81 sections).

Grand in-8. Belle impression. 1 vol., reliure fleurdelisée.
Fourmont 288.

3494.   老子翼

Lao tseu yi.

Le Lao tseu expliqué.

Par Tsiao Hong, surnom Joheou, de Ying-thien; revu par Oang Yuen-tcheng, surnom Meng-khi, de Mo-ling. Préface de l'auteur (1587); préface de Oang Yuen-tcheng (1588). Liste des auteurs consultés; supplément et examen du texte.

3 livres. — Cat. imp., liv. 146, f. 12.

Grand in-8. Manque le 1ᵉʳ feuillet du livre 3; en tête du volume, table des sections en français et en chinois sur papier européen. 1 vol., demi-rel., au chiffre de Napoléon III.

Nouveau fonds 1320.

3495. 道德經釋辭
Tao tẹ king chi seu.

Le Tao tẹ king, avec commentaires.

Par Oang Yi-tshing, nom religieux Thi-oou-tseu, de Sieou-yun; revu par son élève Oou Oei-tchong, nom religieux Tcheng-fou-tseu. Dissertation par l'auteur (1597); préface de Yao Meng-yu, nom religieux Kin-ye-tseu (1597). Préface par Ho Tshing, surnom Chen-hien, nom religieux Tan-yang-tseu, descendant à la 4ᵉ génération de Oang Yi-tshing (1661); autres préfaces de la même date. Texte et commentaire.

2 livres (81 sections).

Grand in-8. 1 vol., demi-rel., au chiffre de Napoléon III.
Nouveau fonds 1427.

———

3496. 老子道德經解
Lao tseu tao tẹ king kiai.

Le Tao tẹ king de Lao-tseu, expliqué.

Par le bonze Tẹ-tshing, de la montagne Han, à Kien-ye (1546-1622). Vie de Lao-tseu, notices, etc. Texte et notes.

2 livres.

Grand in-8. Papier blanc, belle impression. 1 vol., demi-reliure.
Nouveau fonds 3549.

3497. *Lao tseu tao tẹ king kiai.*
Double.

Grand in-8. Papier blanc de plus grand format. 1 vol., demi-rel., au chiffre de Louis-Philippe.
Nouveau fonds 416.

———

3498. 道德經評註
Tao tẹ king phing tchou.

Le Tao tẹ king, avec commentaires.

Même ouvrage qu'au n° 3479. Préface de Oen Tchen-meng (1624).

2 livres (81 sections).

Grand in-8. 1 vol., demi-rel., au chiffre de Louis-Philippe.
Nouveau fonds 407.

3499. — I.

太上道德寶章翼
Thai chang tao tẹ pao tchang yi.

Le Tao tẹ king, avec commentaires.

Édition d'après Po Yu-tchan (époque des Song) et Tchheng Yi-ning, surnom Fou-koei-tseu. Éloges en vers et prose par les empereurs Hien-tsong (règne 805-820). Tchen-tsong (règne 997-1022), Jen-tsong (règne 1022-1063). Préface par Kin Tao, surnom Koo-yi, autre nom Hiuen-thong-tseu, de Yue (1665). Préface de la même date par Lou Tshing. Liste des auteurs consultés. Vie de Lao-tseu par Kin Tao. Histoire de son œuvre, connue aussi sous le nom de Oou tshien yen. Postface de Fou-koei-tseu. Notice de Li Tcho-oou, surnom Hong-fou (1574). Texte et notes.

2 livres (81 sections).

— II.

拂塵了義

Fou tchhen liao yi.

Petit traité de morale taoïste.

Attribué à Tchong-li Khiuen, surnom Tcheng-yang-tseu, immortel de l'époque des Han ; revu par Kin Tao. Introduction et postface par Po Yu-tchan, surnom Khiong koan.

Grand in-8. Manuscrit. 1 vol., demi-rel., au chiffre de Napoléon III.
Nouveau fonds 1429.

3500. # 道德經

Tao tẹ king.

Le Tao tẹ king.

Collection d'ouvrages relatifs à ce classique. Préface sans date attribuée à Choen-yang-tseu, nom et postnom Liu Yen, surnom Tong-pin, immortel taoïste de l'époque des Thang ; postface par Meou Yun-tchong, surnom Mou-yuen (1690) ; autres notices en caractères sigillaires et en caractères li ; préface de Ho-chang-kong.

— I.

道德經古今本考正

Tao tẹ king kou kin pẹn khao tcheng.

Examen et correction des textes anciens et modernes du Tao tẹ king.

2 livres.

— II.

道德經轉語

Tao tẹ king tchoan yu.

Paraphrase du Tao tẹ king.

Paraphrase annotée, sans le texte du classique. Par Tchhen Koan-oou, surnom Chang-yang-tseu.

2 livres.

–– III.

道德經釋義

Tao tẹ king chi yi.

Le Tao tẹ king expliqué.

Par Choen-yang-tseu; publié
par Meou Mou-yuen. Texte d'après
l'édition de Ho-chang-kong et notes.

2 livres.

— IV.

常清靜經

Chang tshing tsing king.

Livre explicatif des principes
du Tao tẹ king.

Par Choen-yang-tseu, publié par
Meou Mou-yuen.

— V.

金玉經

Kin yu king.

Sur les mauvais esprits, l'origine des choses, etc.

Par Choen-yang-tseu; publié
par Meou Mou-yuen. Postfaces
par Thien King-yuen (1660) et par
Tchhen Oei-yuen (1660). Texte et
notes.

8 sections.

Grand in-8. Papier blanc, titre noir
sur rose. 1 vol., demi-rel., au chiffre de
Napoléon III.
Nouveau fonds 1426.

3501. 老子道德經

Lao tseu tao tẹ king.

Le Tao tẹ king de Lao-tseu.

Commentaire de Oang Pi (226-
249); notices par Tchao Yue-tchi,

surnom Fou-tchi, de Song-chan
(1115), et par Hiong Khẹ, sans
date. Table des matières et notice
datées de 1775. Édition conforme
à l'édition impériale de la salle
Oou-ying; planches de 1817 gardées à la salle Ming-sin. Texte et
notes.

2 livres. — Cat. imp., liv. 146, f. 8
(Lao tseu tchou).

In-12. Titre noir sur rouge; manque
le 1er feuillet du 2e livre. 1 vol., demi-
reliure.
Nouveau fonds 753.

———

3502. 道德經解

Tao tẹ king kiai.

Le Tao tẹ king, expliqué.

Même ouvrage qu'au n° 3500,
art. III, publié par Lou Chi, de
Yun-mẹn. Texte et notes.

2 livres (81 sections).

Petit in-8. 1 vol., demi-rel., au chiffre de Louis-Philippe.
Nouveau fonds 805.

3503. *Tao tẹ king kiai.*

Même ouvrage.

Planches plus grandes; édition
de la salle Chang-loẹn.

Grand in-8. Titre noir sur jaune. 1 vol.,
demi-rel., au chiffre de Napoléon III.
Nouveau fonds 1428.

———

3504. 沖虛至德眞經

Tchhong hiu tchi tę tchen king.

Le Livre vrai de la vertu suprême, par Tchhong-hiu.

Même ouvrage qu'au n° 3482.

Petit in-8. 1 vol., demi-rel., au chiffre de Louis-Philippe.
Nouveau fonds 802.

3505. 列子沖虛經

Lie tseu tchhong hiu king.

Le Livre de Lie-tseu Tchhong-hiu.

Publié et revu par Soęn Kong, surnom Oen-yong, de Keou-yu. Préface de Lieou Hiang (14 a. C.). Examen critique du texte. Texte et notes.

8 sections.

Grand in-8. 1 vol., demi-rel., au chiffre de Louis-Philippe.
Nouveau fonds 408.

3506. 列子盧重元注

Lie tseu lou tchhong yuen tchou.

Le Lie tseu, avec commentaire de Lou Tchhong-yuen.

Préface par le commentateur (époque des Thang); préface de l'éditeur Tshin 'En-fou, de Kiang-tou (1804). Texte commenté; examen critique pour chaque livre. Gravé en 1803.

8 livres.

Grand in-8. Papier blanc, titre noir sur blanc. 1 vol., demi-rel., au chiffre de Napoléon III.
Nouveau fonds 1325.

3507. 列子釋文

Lie tseu chi oen.

Lexique du Lie tseu.

Par Yin King-choęn, des Thang, complété par Tchhen King-yuen, des Song.

2 livres.

Petit in-8. 1 vol., demi-reliure.
Nouveau fonds 801.

3508. 列子釋文考異

Lie tseu chi oen khao yi.

Lexique et examen critique du texte du Lie tseu.

Par Jen Ta-tchhoęn, de Hing-hoa.

Petit in-8. 1 vol., demi-reliure.
Nouveau fonds 806.

3509. 列子口義

Lie tseu kheou yi.

Le Lie tseu, expliqué.

Commentaire de Lin Hi-yi, revu par Chi Koan-min. Introduction de Lin Hi-yi. Texte et notes.

8 livres. — Comparer Cat. imp., liv. 146, f. 25 (Tchoang tseu kheou yi); voir n°ˢ 3491 et 3533-3536.

Grand in-8. 1 vol., demi-rel., au chiffre de Napoléon III.
Nouveau fonds 1324.

3510.　列子沖虛眞經

Lie tseu tchhong hiu tchen king.

Le Livre vrai de Lie-tseu Tchhong-hiu.

Édition de Lieou Tchhen-oong, surnom Hoei-meng, de Liu-ling, postérieur à Lin Hi-yi. Texte et notes.

2 livres (8 sections).

Grand in-8. Édition soignée. 1 vol., demi-rel., au chiffre de Napoléon III.
Nouveau fonds 1557.

3511. *Lie tseu tchhong hiu tchen king.*

Même ouvrage.

Planches plus petites.

Grand in-8. 1 vol., demi-rel., au chiffre de Louis-Philippe.
Nouveau fonds 411.

————

3512-3513.　莊子南華眞經

Tchoang tseu nan hoa tchen king.

Le Nan hoa king, de Tchoang-tseu.

Commentaire de Koo Siang, lexique de Lou Tẹ-ming (voir n° 3480). Édition due à Tchou Tong-koang, de Lin-tchhoan et à Tchang Teng-yun, de Ning-yang (époque des Ming). Préface de

Koo Siang. Texte et commentaire des 3 sections. Au 1er livre, date manuscrite en rouge (1765).

10 livres. — Comparer Cat. imp., liv. 146, f. 21 (Tchoang tseu tchou).

Grand in-8. Impression en rouge sur papier blanc; couvertures en papier chinois jaune. 2 vol., demi-rel., au chiffre de Louis-Philippe.
Nouveau fonds 688.

————

3514-3545. — I (3514-3524).

南華眞經義海纂微

Nan hoa tchen king yi hai tsoan oei.

Le Nan hoa king, avec collection de commentaires.

Par Tchhou Po-sieou, de Hang-tcheou, qui acheva son ouvrage en 1270. Préfaces par Lieou Tchen-soẹn (1265) et par Thang Han de Phoo-yang (1265). Liste des commentateurs consultés.

106 livres (3 sections). — Cat. imp., liv. 146, f. 26.

— II (3525-3532).

南華眞經註疏

Nan hoa tchen king tchou sou.

Le Nan hoa king, avec commentaires.

Commentaire et préface de Koo Siang; commentaire et préface de Tchheng Hiuen-ying, des Thang.

35 livres (3 sections).

— III (3533-3536).

南華眞經口義

Nan hoa tchen king kheou yi.

Le Nan hoa king, expliqué.

Par Lin Hi-yi, avec préface de l'auteur ; postface par Lin King-tẹ de Tchong-hoo (1260). Texte et commentaire.

32 livres (3 sections). — Comparer Cat. imp., liv. 146, f. 25 (10 livres); voir aussi nᵒˢ 3491 et 3509.

— IV (3537-3539).

南華眞經循本

Nan hoa tchen king siun pẹn.

Le Nan hoa king, avec commentaires.

Par Lo Mien-tao de Liu-ling. Avec une vie de Tchoang-tseu.

30 livres (3 sections).

— V (3540-3542).

南華眞經新傳。拾遺

Nan hoa tchen king sin tchoan. — Chi yi.

Le Nan hoa king, nouvelle édition commentée, avec supplément.

Par Oang Yuen-tsẹ, postnom Phang, fils de Oang 'An-chi (1021-1086), originaire de Lin-tchhoan. Préface sans nom d'auteur (1106 ?).

20 + 1 livres (3 sections). — Cat. imp., liv. 146, f. 24.

— VI (3543-3544).

南華眞經章句音義

Nan hoa tchen king tchang kiu yin yi.

Lexique pour le Nan hoa king.

Par Pi-hiu-tseu. Préface de l'auteur (1084).

14 livres (les livres 2 et 3 sont intervertis).

— VII (3545).

南華眞經餘事闕誤

Nan hoa tchen king yu chi khiue oou.

Supplément et corrections au Nan hoa king.

Par le même.

— VIII (3545).

南華眞經餘事雜錄

Nan hoa tchen king yu chi tsa lou.

Pièces annexes au Nan hoa king.

Dissertations, préfaces, morceaux de divers auteurs.

2 livres.

— IX (3545).

南華眞經直音

Nan hoa tchen king tchi yin.

Prononciation des caractères difficiles du Nan hoa king.

Présenté à l'empereur par Kia Chan-siang, nom religieux Tchhong-te Oou-tchen ta-chi; notice de Fong Khieou-tseu (1086).

— X (3545).

莊子內篇訂正

Tchoang tseu nei phien ting tcheng.

Dissertations sur la première section du Tchoang tseu.

Par Oou Tchheng de Lin-tchhoan.

2 livres (12 chapitres).

Grand in-8. Manuscrit soigné sur papier blanc; couvertures en papier chinois jaune. 32 vol., demi-rel., au chiffre de Napoléon III.
Nouveau fonds 1881 à 1912.

3546. 莊子內篇註

Tchoang tseu nei phien tchou.

Le Tchoang tseu, 1re section, avec commentaires.

Par le bonze Te-tshing de la montagne Han, surnom Khoang-liu yi-seou. Texte et notes. Gravé à la salle Phi-ye de Kou-sou (1621).

7 livres.

Grand in-8. 1 vol., demi-rel., au chiffre de la République française.
Nouveau fonds 4172.

3547. 莊子因

Tchoang tseu yin.

Le Tchoang tseu, avec commentaire explicatif.

Préface de la première édition écrite à Kin-ling (1663); nouvelle préface par Lin Yun-ming, surnom Si-tchong, de San-chan (1688). Avertissement, vie de Tchoang-tseu, dissertations. Auteur : Lin Yun-ming.

6 livres (3 sections).

Grand in-8. 1 vol., demi-rel., au chiffre de Louis-Philippe.
Fourmont 286.

3548. 莊子解

Tchoang tseu kiai.

Le Tchoang tseu expliqué.

Texte de la première section seule, avec notes par Oou Chi-chang, de Koei-tchhi (1713); imprimé par les soins de Thang Tcheng-pang, surnom Oo-tcheng, de Oan-ling. Préface de l'auteur (1714); postface de Thang Tcheng-pang. Gravé à la salle Koang-yu (1715).

3 livres. — Cat. imp., liv. 147, f. 11.

Grand in-8. Titre noir sur blanc avec sceaux rouges. 1 vol., demi-reliure.
Fourmont 287.

3549. 南華經解

Nan hoa king kiai.

Le Nan hoa king expliqué.

Par Siuen Ying, surnom Meou Kong, de Kiu-khiu. Préface de l'auteur (1721); autre préface et introduction. Texte et notes. Gravé à la salle Khi-yuen.

3 sections.

Petit in-8. Titre noir sur jaune. 1 vol., demi-rel., au chiffre de Napoléon III. *Nouveau fonds* 1552.

3550. 莊子南華經

Tchoang tseu nan hoa king.

Le Nan hoa king, de Tchoang-tseu.

Texte des trois sections; notes revues par Hoang Tcheng-oei, sur-nom Hoang-chou, de Sin-'an. Gravé à la salle Hong-oen.

8 livres.

In-24. Titre noir sur blanc. 1 vol., demi-rel., au chiffre de Louis-Philippe. *Fourmont* 285.

3551. 鬼谷子陶宏景注

Koei kou tseu thao hong king tchou.

Le Koei kou tseu, avec com-mentaire de Thao Hong-king.

L'auteur, Koei-kou-tseu, nommé

Oang Hiu, aurait été disciple de Lao-tseu et aurait vécu au IVᵉ s. a. C. Le commentateur est originaire de Mo-ling (451-536). Préface par Tshin 'En-fou, de Kiang-tou (1805). Examen de l'ouvrage et appendice Texte annoté. Édition du pavillon Chi-yen.

3 livres. — Comparer Cat. imp., liv. 117, f. 12 (Koei kou tseu, 1 livre).

Grand in-8. Papier blanc, titre noir sur blanc. 1 vol., demi-rel., au chiffre de Napoléon III. *Nouveau fonds* 1318.

3552. — I.

荀子箋釋

Siun tseu tsien chi.

Double du nº 3481, art. III.

— II.

荀子校勘補遺

Siun tseu kiao khan pou yi.

Double du nº 3481, art. IV.

Grand in-8. Papier teinté, titre noir sur jaune. 1 vol., demi-rel., au chiffre de Louis-Philippe. *Nouveau fonds* 793.

3553. 韓非子評註

Han fei tseu phing tchou.

Double du nº 3485.

Grand in-8. Papier teinté, titre noir

sur rose. 1 vol., demi-rel., au chiffre de Louis-Philippe.
Nouveau fonds 807.

3554.   淮南鴻烈解
Hoai nan hong lie kiai.

Le Hong lie tchoan de Hoai-nan-tseu, avec commentaire.

Même texte et même commentaire qu'au n° 3486; édition de Mao Khoen, de Koei-'an (XVIe siècle). Préface pour la réédition par Oang Tsong, de Lin-hai.

21 livres. — Comparer Cat. imp., liv. 117, f. 16.

Grand in-8. Belle édition sur papier blanc. 1 vol., demi-reliure.
Nouveau fonds 1246.

3555. — I.
宋治平監本揚子法言
Song tchi phing kien pen yang tseu fa yen.

Le Fa yen de Yang-tseu, d'après l'édition du Koe tseu kien (années 1064-1067).

Même texte qu'au n° 3487; commentaire de Li Koei, surnom Hong-fan, des Tsin orientaux. Préface par Tshin 'En-fou, de Kiang-tou (1819). Gravé au pavillon Chi-yen (1818).

13 livres.

— II.
楊子法言音義
Yang tseu fa yen yin yi.

Lexique du Fa yen de Yang-tseu.

Préparé et revu par divers auteurs, 'Eou-yang Sieou (1007-1072), Tseng Kong-liang (XIe s.), etc.

In-4. Belle édition sur papier blanc, titre noir sur blanc. 1 vol, demi-rel., au chiffre de la République française.
Nouveau fonds 235.

Deuxième Section : RECUEILS COLLECTIFS.

3556.   朱文公楚辭集注
Tchou oen kong tchhou seu tsi tchou.

Poésies de Tchhou avec commentaires, édition de Tchou Hi.

Collection de poésies antiques dues à divers auteurs (voir n°s 3558 et 3561). Liste de 84 commentateurs ; discussion générale. Vies de Khiu Yuen, autre postnom Phing (332-295 a. C.), auteur des pièces les plus connues : l'une de ces vies est de Seu-ma Tshien, l'autre de Chen Ya-tchi (époque des Thang). Texte, avec notes intercalées et notes imprimées en rouge dans la marge supérieure.

8 livres. — Cat. imp., liv. 148, f. 7.

Grand in-8. Papier blanc, titre noir sur rouge. 1 vol., demi-rel., au chiffre de Napoléon III.

Nouveau fonds 1483.

3557. 楚 辭

Tchhou seu.

Poésies de Tchhou.

Édition revu par Min Tshi-ki, surnom Yu-oou, originaire de Ooutchheng (1620).

2 livres (2ᵉ livre seul).

Grand in-8. Belle édition sur papier blanc, avec ponctuation en rouge et notes imprimées en rouge et bleu dans la marge supérieure. 1 vol., demi-rel., au chiffre de Louis-Philippe.

Nouveau fonds 37.

3558. 楚辭評林

Tchhou seu phing lin.

Poésies de Tchhou commentées.

Édition commentée d'après celle de Tchou Hi ; discussions de divers auteurs. Introduction par Chen Yun-siang, surnom Tshien-jen, de Lou-tchheng (1637). Gravé au pavillon Pa-yong, à Oou.

Livre 1, li sao, par Khiu Yuen.
Livre 2, kieou ko, par le même.
Livre 3, thien oen, par le même.
Livre 4, kieou tchang, par le même.
Livre 5, yuen yeou, pou kiu, yu fou, par le même.
Livre 6, kieou pien, par Song Yu (IVᵉ s. a. C.), neveu du précédent.
Livre 7, tchao hoen, par Song Yu : ta tchao, par King Tchhai (IVᵉ s. a. C.).
Livre 8, si chi, tiao khiu yuen fou, fou fou, par Kia Yi, originaire de Lo-yang (IIᵉ s. a. C.) ; yuen chi ming, par Yen Ki ; tchao yin chi, par Lieou 'An, prince de Hoai-nan († 122 a. C.).

Cat. imp., liv. 148, f. 15. — Comparer aussi Cat. imp., liv. 148, f. 3 (Tchhou seu tchang kiu, 17 livres) et f. 7 (Tchhou seu tsi tchou, 8 livres).

Grand in-8. Titre noir sur papier blanc. 1 vol., reliure, au chiffre de Louis-Philippe.

Fourmont 281.

3559. *Tchhou seu phing lin.*

Double.

Petit in-8. 1 vol., demi-rel., au chiffre de Louis-Philippe.

Fourmont 282.

3560. 楚辭燈

Tchhou seu teng.

Poésies de Tchhou commentées.

Édition donnée par Lin Yun-ming, surnom Si-tchong, de Heou-koan, docteur en 1658. Préface de l'auteur (1697). Vie de Khiu Yuen par Seu-ma Tshien; notice sur l'histoire de Tchhou à cette époque. Texte annoté des poésies de Khiu Yuen, du tchao hoen et du ta tchao (n° 3558, livre 7).

4 livres. — Cat. imp., liv. 148, f· 16.

Grand in-8. Titre noir sur jaune. 1 vol., demi-rel., au chiffre de Louis-Philippe.
Fourmont 284.

3561. 七十二家評註楚辭

Tshi chi eul kia pking tchou tchhou seu.

Poésies de Tchhou annotées par soixante-douze commentateurs.

Préface par Lou Chi-yong, sans date. Liste des commentateurs. Vie de Khiu Yuen par Seu-ma Tshien, notices diverses. Texte avec notes par Lou Chi-yong, de Tsoei-li; pour quelques livres, notes accessoires par Tcheou Kong-tchhen. Réédition de la salle Yeou-oen (1705).

Livre 1, li sao.
Livre 2, kieou tchang.
Livre 3, yuen yeou.
Livre 4, thien oen.
Livre 5, kieou ko.

Livre 6, pou kiu.
Livre 7, yu fou.
Livre 8, kieou pien.
Livre 9, tchao hoen.
Livre 10, ta tchao.
Livre 11, fan li sao, par Seu-ma Siang-jou, surnom Tchang-khing, de Tchheng-tou († 117 a. C.).
Livre 12, si chi.
Livre 13, tiao khiu yuen fou.
Livre 14, tchao yin chi.
Livre 15, tshi khien, par Tong-fang So, surnom Man-tshien, originaire de Phing-yuen, né en 160 a. C.
Livre 16, yuen chi ming.
Livre 17, kieou hoai, par Oang Pao.
Livre 18, kieou than, par Lieou Hiang, surnom Tseu-tcheng (80-9).
Livre 19, kieou seu, par Oang Yi, surnom Chou-chi, de Yi-tchheng (IIe s. p. C.).

Grand in-8. Titre noir sur papier blanc. 1 vol., demi-rel., au chiffre de Louis-Philippe.
Fourmont 283.

3562. 微文堂彙選秦漢別解

Oei oen thang hoei siuen tshin han pie kiai.

Choix de textes annotés (Tshin et Han) de la salle Oei-oen.

Annotations par Hoang Tchou, surnom Tchong-lin, de Hiu-khiu.

Livre 2 et début du livre 3.

Grand in-8. Portant à la garde la note

manuscrite : *ex bibliotheca S. Genovefae parisiensis* 1674. 1 vol., reliure du XVIIᵉ siècle.
Nouveau fonds 2151.

3563-3567. 六臣註文選

Lou tchhen tchou oen siuen.

Choix de textes anciens avec annotations des Six Ministres.

Ce recueil célèbre est dû à Siao Thong, prince héritier Tchao-ming, de la dynastie des Liang (501-531) ; commenté par Li Chan (658), puis par les Six Minis-tres Liu Yen-tsou, Liu Yen-tsi, Lieou Liang, Tchang Sien, Liu Hiang, Li Tcheou-han (publié en 718). Préface de Siao Thong ; dédi-cace de Li Chan. Vie de Siao Thong. Édition revue par Tshoei Khong-hin, Tang Hing, Tchou Song-hing et Tsong Phan, avec deux préfaces, l'une (1574) par Oang Tao-koen de Sin-tou, l'autre sans signature (1578).

40 livres. — Comparer Cat. imp., liv. 186, f. 4 (en 60 livres).

Grand in-8. Papier blanc, couvertures en papier jaune. 5 vol., reliure, au chiffre de Charles X.
Fourmont 95.

3568-3569. 文選纂註評林

Oen siuen tsoan tchou phing lin.

Le Oen siuen, avec divers commentaires.

Préface de Siao Thong annotée ; dédicaces par Li Chan et par Liu Yen-tsou. Réédition annotée par Tchang Fong-yi, surnom Po-khi, de Tchhang-tcheou, avec préface de celui-ci (1580) et préface par Yen Oen-hoei, de Nan-tchhang (1601). Gravé en 1601.

12 livres. — Cat. imp., liv. 191, f. 1.

Grand in-8. 2 vol., demi-rel., au chiffre de Napoléon III.
Nouveau fonds 1778, 1779.

3570-3571. 梁昭明文選六臣全註

Liang tchao ming oen siuen lou tchhen tshiuen tchou.

Le Oen siuen, avec commen-taires des Six Ministres.

Préface du prince héritier Tchao-ming ; dédicace de Li Chan (658). Gravé au pavillon Ki-kou.

60 livres. — Comparer Cat. imp., liv. 186, ff. 1 et 4.

Grand in-8. Titre noir sur blanc. 2 vol. demi-rel., au chiffre de Napoléon III.
Nouveau fonds 1780, 1781.

3572. 文選音義

Oen siuen yin yi.

Sens et prononciation des caractères du Oen siuen.

Vocabulaire et annotations par Yu Siao-kho, surnom Tchong-lin, de Oou, avec préface de l'auteur (1758); préface par l'éditeur Chen Koei-yu, de Tchhang-tcheou (1758). Planches conservées à la salle Tsing-cheng.

8 livres. — Cat. imp., liv. 191, f. 4.

Grand in-8. Bonne impression, titre noir sur jaune. 1 vol., demi-rel., au chiffre de Napoléon III.
Nouveau fonds 1500.

3573-3576. 重訂昭明文選集評

Tchhong ting tchao ming oen siuen tsi phing.

Le Oen siuen, avec commentaires, nouvelle édition.

Publié par Yu Koang-hoa, surnom Sing-kiai, à Canton, avec préface de l'éditeur (1778) et diverses préfaces et postfaces de 1772, 1778, 1780. Gravé de nouveau en 1816; planches conservées à la salle Pao-king.

1 livre préliminaire (préface et dédicaces primitives, notices historiques), 15 livres et 1 livre supplémentaire.

Petit in-8. Titre noir sur jaune. 4 vol., demi-rel., au chiffre de Louis-Philippe.
Nouveau fonds 445.

3577-3580. 唐詩貫珠箋釋

Thang chi koan tchou tsien chi.

Poésies de l'époque des Thang, annotées.

Préfaces par Thao Yi (1715) et par Hou Yi-mei, surnom Sie-thing, de Oou (1715). Table générale; table détaillée avec noms d'auteurs en tête de chaque livre.

60 livres.

Grand in-8. Titre noir sur blanc. 4 vol., demi-rel., au chiffre de Napoléon III.
Nouveau fonds 1422 à 1425.

3581. 古唐詩合解箋注

Kou thang chi ho kiai tsien tchou.

Poésies antiques et poésies de l'époque des Thang, annotées.

— I.

唐詩
Thang chi.

Poésies de l'époque des Thang.

Édition faite d'après le manuscrit de Oang Yuen-thing. Notes par Oang Yao-khiu, surnom Yi-yun, de Oou. Préface par le même (1732). Planches gardées à la salle Hoai-tẹ. Les pièces sont rangées d'après leur forme.

12 livres.

— II.

古詩

Kou chi.

Poésies antiques.

Depuis le chant de Choẹn jusqu'aux pièces de la dynastie des Soei. Mêmes éditeurs et même lieu d'impression. Les pièces sont rangées d'après leur forme et d'après leur époque.

4 livres.

Grand in-8. Titre noir sur blanc. 1 vol., reliure, au chiffre de Charles X.

Nouveau fonds 347.

3582-3583. 山滿樓箋註唐詩七言律

Chan man leou tsien tchou thang chi tshi yen liu.

Poésies des Thang (heptasyllabes réguliers), annotées.

Édition faite d'après l'exemplaire du pavillon Chan-man (1784). Choix par Tchao Tchhen-yuen, surnom Eul-'an, de Yong-kiang. Préface par le même. Poésies rangées par ordre d'auteurs; en annexe, poésies des Cinq Dynasties.

6 livres et appendice.

Grand in-8. Titre noir sur jaune. 2 vol., demi-rel., au chiffre de Louis-Philippe.

Nouveau fonds 567.

3584-3585. 唐詩合選詳解

Thang chi ho siuen siang kiai.

Choix de poésies de l'époque des Thang, avec notes.

Préparé et annoté par Lieou Oen-oei, nom littéraire Pao-kiun, de Chan-yin; avec préface par Tshi Chao-nan, de Thien-thai (1787). Pièces rangées d'après leur forme. Planches conservées à la salle Oei-king. Édition de 1831.

12 livres.

In-18. Titre noir sur jaune. 2 vol., demi-rel., au chiffre de Louis-Philippe.

Nouveau fonds 513.

3586-3587. 詞學叢書

Seu hio tshong chou.

Recueils de seu et ouvrages prosodiques.

Collection préparée par Tshin 'En-fou, surnom Toẹn-fou, de Kiang-tou; préface par Kou Tshien-li, de Yuen-hoo.

— I (3586).

樂府雅詞

Yo fou ya seu.

Choix de seu (poésies).

Poésies de l'époque des Song rassemblées et annotées par Tseng Tshao, surnom Toan-po, nom littéraire Tchi-yeou-tseu, de Oen-ling. Préface du même (1146). Postface par Tchou Yi-tsoẹn, surnom Tchou-tchha (1629-1709). Post-face par l'éditeur, Tshin Siao-hoai-hai (1816). Titre noir sur blanc.

3 livres. — Cat. imp., liv. 199, f. 22.

— II (3586).

樂府雅詞拾遺

Yo fou ya seu chi yi.

Supplément au Yo fou ya seu. Par le même.

2 livres. — Cat. imp., liv. 199, f. 22.

— III (3586-3587).

陽春白雪

Yang tchhoẹn po siue.

Choix de seu.

Poésies de l'époque des Song, sans notes; réunies par Tchao Oen-li, surnom Li-tchi, de Lin-pou (époque des Song). Titre en noir sur blanc.

8 livres.

— IV (3587).

陽春白雪外集

Yang tchhoẹn po siue oai tsi.

Choix de seu, second recueil.

Suite du précédent, par le même auteur. Postface de l'éditeur (1829).

1 livre.

— V (3587).

元草堂詩餘

Yuen tshao thang chi yu.

Choix de seu (époques des Thang et des Song).

Recueil formé dans le dernier tiers du XIIIe siècle par les lettrés du collège Fong-lin de Liu-ling. Texte avec peu de notes; indications biographiques sur les auteurs des poésies. Postfaces de Fan Sie-chan (1724 et 1730) et de Tshin 'En-fou (1811). Titre noir sur blanc.

3 livres.

— VI (3587).

日湖漁唱 補遺 續補遺

Ji hou yu tchhang — Pou yi — Siu pou yi.

Choix de seu et de poésies diverses avec deux suppléments.

Recueil formé par Tchhen Yun-phing, surnom Kiun-heng, nom littéraire Si-lou, de Kiu-tchang (Song du sud). Postface de l'éditeur (1829). Texte sans notes. Titre noir sur blanc.

3 livres.

— VII (3587).

詞源

Seu yuen.

Théorie des seu.

Règles de la composition littéraire et musicale de ces poésies avec figures. Par Tchang Yen, surnom Chou-hia, de Yu-thien (époque des Song). Édition faite d'après un exemplaire du pavillon Khi-chan (époque des Yuen). Diverses postfaces dont deux de l'éditeur (1810 et 1828). Titre noir sur blanc.

2 livres.

— VIII (3587).

詞林韻釋

Seu lin yun chi.

Dictionnaire par rimes.

Table des rimes; dictionnaire avec sens indiqués très brièvement. Reproduction d'un volume gravé au pavillon Lou-fei en 1132. Postface de l'éditeur (1810). Titre noir sur blanc.

Petit in-8. Papier blanc; titre général noir sur rouge. 2 vol., demi-rel., au chiffre de Louis-Philippe.
Nouveau fonds 588.

3588. 古文苑

Kou oen yuen.

Choix de textes anciens.

Ce recueil fut retrouvé dans une bonzerie par Soen Chou, surnom Kiu-yuen (période 1174-1189) et réimprimé avec une postface par Han Yuen-ki, de Ying-tchhoan (1179); il daterait des Thang. Pièces en prose et en vers rangées suivant leur forme, depuis les Tcheou jusqu'aux Tshi méridionaux. Préface par l'éditeur Kou Koang-khi, de Yuen-hoo (1809). Gravé à Kiang-ning.

9 livres. — Cat. imp., liv. 186, f. 28 (en 21 livres).

Grand in-8. Papier blanc, titre noir sur rose. 1 vol., demi-rel., au chiffre de Louis-Philippe.
Nouveau fonds 349.

3589. — I.

回文類聚

Hoei oen lei tsiu.

Recueil de pièces palindromes.

Réunies par Sang Chi-tchhang, surnom Tse-khing, de Hoai-hai (époque des Song); préface et postface du compilateur. Notice par Tchou Siang-hien. Portrait de Sou Hoei, femme de Teou Thao (IVe s. p. C.), à qui l'on attribue l'invention de ce genre de pièces.

4 livres. — Cat. imp., liv. 187, f. 13 (4 + 1 livres).

— II.

織錦回文圖

Tchi kin hoei oen thou.

Autre recueil de pièces palindromes illustrées et coloriées.

Pièces en caractères de styles divers, recueillies par Tchou Siang-hien, surnom Yu-chan sien-chi. Préface du compilateur ; postface par Hou Khiong.

— III.

Hoei oen lei tsiu.

Autre recueil de pièces palindromes.

Pièces composées depuis les Thang jusqu'aux Tshing, recueillies par Tchou Siang-hien, du Kiang-nan ; explications et modèles.

10 livres.

Grand in-8. 1 vol., demi-rel., au chiffre de Louis-Philippe.
Nouveau fonds 393.

3590-3591. 御製詩

Yu tchi chi.

Poésies impériales.

Par les Empereurs Chi-tsou, et autres de la dynastie actuelle ; fragments importants du 5ᵉ recueil et du recueil supplémentaire.

In-4. Belle impression sur papier blanc. 2 vol., cartonnage.
Nouveau fonds 4918, 4919.

3592. 增定古文析義

Tseng ting kou oen si yi.

Choix de textes anciens, édition augmentée.

Textes depuis l'époque du Tso-tchoan jusqu'à la dynastie des Ming (comprise) ; rassemblés et commentés par Lin Yun-ming, surnom Si-tchong, de Tsin-'an. Préface par ce dernier (1682) ; préface non datée pour la réédition par Fa Jo-tchen, de Pę-hai ; postface par Ting Hien, surnom Hiu-'an.

14 livres.

Grand in-8. Titre noir et rouge sur blanc. 1 vol., reliure, au chiffre de Charles X.
Nouveau fonds 200.

3593. *Tseng ting kou oen si yi.*

Même ouvrage.

Gravé de nouveau à Kin-ling à la salle Hoai-yin (1744).

Petit in-8. Titre noir sur blanc. 1 vol., reliure, au chiffre de Charles X.
Nouveau fonds 199.

3594-3601. 御選古文淵鑑

Yu siuen kou oen yuen kien.

Recueil de textes anciens préparé par ordre impérial.

Préface impériale (1685) suivie des sceaux impériaux imprimés en rouge ; le recueil a été préparé et annoté par Siu Khien-hio et autres fonctionnaires. Les textes sont rangés par époques.

(3594), période antérieure aux Tshin, livres 1 à 8.

(3594), dynastie des Tshin, livre 9.

(3594-3596), dynastie des Han, livres 10 à 20.

(3596), période des Trois Royaumes, livres 21 et 22.

(3596), dynastie des Tsin, livres 23 et 24.

(3596), dynastie des Song, livre 25.

(3596), dynasties des Tshi, Liang, Tchhen, livre 26.

(3596), dynastie des Oei septentrionaux, livre 27.

(3596), dynasties des Tshi septentrionaux, Tcheou septentrionaux, Soei, livre 28.

(3597-3598), dynastie des Thang, livres 29 à 40.

(3598), période des Cinq Dynasties, livre 41.

(3598-3601), dynastie des Song, livres 42 à 64.

Cat. imp., liv. 190, f. 1.

Grand in-8. Papier blanc, impression superbe : dans la marge supérieure annotations en diverses couleurs; couvertures originales en soie bleue. 8 vol., reliure, au chiffre de Louis-Philippe.

Fourmont 45.

3602-3607. *Yu siuen kou oen yuen kien.*

Double.

In-4. Impression moins nette. 6 vol., reliure au chiffre de Charles X.

Nouveau fonds 309.

3608-3609. 聖德堂詳訂 古文評註全集

Cheng te thang siang ting kou oen phing tchou tshiuen tsi.

Recueil de textes anciens commentés, de la salle Cheng-te.

Préparé par Lieou Yu-'an, de Khiu-yang, annoté par Koo Kong, surnom Chang-heou, de Si-chan, et par Hoang Yue, surnom Tsi-fei, de Chang-yuen. Préface de Koo Kong (1703). Les textes, depuis les Tcheou jusqu'à la dynastie régnante, sont rangés par époques. Édition de la salle Fou-oen (1832).

10 livres.

Petit in-8. Titre noir sur jaune. 2 vol., demi-rel., au chiffre de Louis-Philippe.

Nouveau fonds 554.

3610. 古文啓蒙初編

Kou oen khi mong tchhou pien.

Recueil de textes anciens pour les enfants.

Depuis l'époque des Tcheou jusqu'à la dynastie actuelle. Textes annotés dans le bas des pages; dans le haut, commentaire développé. Préface (1707) par le compilateur Hing Choen, surnom Tchen-ying, de Chi-hou. Gravé au pavillon Ying-hiu.

6 livres.

Petit in-8. Titre noir sur blanc. 1 vol., demi-reliure.

Nouveau fonds 888.

3611-3616. 憑山閣增輯
留青新集

Phing chan ko tseng tsi lieou tshing sin tsi.

Recueil augmenté de morceaux en prose et en vers, du pavillon Phing-chan.

Pièces de circonstance de divers auteurs choisies par Tchhen Mei, surnom Kien-heou, nom littéraire Tong-feou, de Si-ling. Avertissement de Tchhen Mei (1707); préface par Chen Sin-yeou, nom littéraire Yin-po (1708). Gravé à la salle Oen-yu.

3o livres.

In-12. Titre noir sur jaune. 6 vol., demi-rel., au chiffre de Louis-Philippe. *Nouveau fonds* 678.

3617-3642. 隨園三十種
Soei yuen san chi tchong.

Recueil littéraire de Soei-yuen.

Pièces diverses rassemblées par Soei-yuen; œuvres du même; œuvres de personnes de sa famille. Soei-yuen, nom et postnom Yuen Mei, surnom Tseu-tshai, nom littéraire Kien-tchai, originaire de Tshien-thang (1715-1797). Gravé chez Soei-yuen à Kiang-ning.

Imprimé sur papier blanc; titre général noir sur rose.

— I (3617-3620).

小倉山房文集。續

Siao tshang chan fang oen tsi — Siu.

Recueil de pièces modernes en prose, avec suite.

Dues à divers auteurs; rassemblées par Yuen Mei, classées suivant leur forme. Préface par Hang Chi-tsiun, licencié en 1724; notice par Tsiang Chi-tshiuen (1725-1784); postface (1753); avertissement.

24 + 11 livres.

Titre noir sur blanc.

— II (3621-3624).

小倉山房詩集。附續
集

Siao tshang chan fang chi tsi — Fou siu tsi.

Recueil de poésies modernes, avec suite.

Dues à divers auteurs et rassemblées par Yuen Mei. Préface; notice par Tchao Yi, nom littéraire 'Eou-pę (1727-1814).

37 + 2 livres.

Titre noir sur blanc.

— III (3625).

小倉山房外集

Siao tshang chan fang oai tsi.

Recueil de pièces modernes en prose.

Réunies par Yuen Mei. Préface par Tsiang Chi-tshiuen (1769).

8 livres (la table en indique 7).

Titre noir sur blanc.

— IV (3625).

袁大史稿
Yuen thai chi kao.

Brouillons de Yuen Mei.

Dissertations sur des thèmes du Loen yu et du Meng tseu. Publiées par Tshin Ta-chi, surnom Kien-tshiuen, de Kiang-ning. Préface par Hoang Chi-khai, de Hieou-ning (1786).

1 livre.

Titre noir sur blanc.

— V (3626-3627).

隨園尺牘
Soei yuen tchhi tou.

Correspondance de Yuen Mei.

Préface par Hong Si-yu, de Tchen-tcheou.

10 livres.

Titre noir sur blanc.

— VI (3627).

附讀外餘言
Fou tou oai yu yen.

Mélanges de Yuen Mei.

Dissertations littéraires, prosodiques, historiques, etc.

1 livre.

Titre noir sur blanc.

— VII (3627-3629).

隨園詩話
Soei yuen chi hoa.

Essais de critique poétique.

Par Yuen Mei.

16 livres.

Titre noir sur blanc.

— VIII (3629-3630).

隨園詩話補遺
Soei yuen chi hoa pou yi.

Essais de critique poétique, supplément.

Par le même.

10 livres.

Titre noir sur blanc.

— IX (3630-3632).

隨園隨筆
Soei yuen soei pi.

Notes et mélanges critiques de Yuen Mei.

Classés méthodiquement, avec préface de l'auteur.

28 livres.

Titre noir sur blanc.

— X (3632-3634).

新齊諧

Sin tshi hiai.

Nouveau recueil plaisant.

Renfermant des anecdotes, traditions, contes, récits merveilleux. Par Yuen Mei.

24 livres.

Titre noir sur blanc.

— XI (3635).

續新齊諧

Siu sin tshi hiai.

Nouveau recueil plaisant, suite.

Par le même.

10 livres.

Titre noir sur blanc.

— XII (3636-3637).

紅豆村人詩稿

Hong teou tshoen jen chi kao.

Poésies de Hong-teou-tshoen jen.

Composées par Yuen Chou, surnom Hiang-thing, frère de Yuen Mei, entre 1749 et 1794. Préface de Yuen Mei; deux préfaces de 1752; préface par Lou Kien, surnom Mei-kiun (1758).

14 livres (en tête de cet ouvrage sont reliés les livres 4 à 6 du n° 3642, art. XXXII).

Titre noir sur blanc.

— XIII (3637).

袁家三妹合稿

Yuen kia san mei ho kao; sous-titre :

盈書閣遺橐

Ying chou ko yi kao.

Compositions de la troisième sœur de Yuen Mei.

Préface par Yuen Mei (1772); postface par Oang Meng-yi, surnom Kiai-thing.

1 livre.

Titre noir sur blanc.

— XIV (3637).

素文女于遺稿

Sou oen niu tseu yi kao.

Poésies de Sou-oen.

Par Ki, surnom Sou-oen, sœur de Yuen Mei. Préface par ce dernier. Notice sur l'auteur.

1 livre.

— XV (3637).

繡餘吟稿

Sieou yu yin kao.

Poésies de Sieou-yu.

Par Yuen Thang, nom littéraire Tshieou-khing.

1 livre.

— XVI (3637).

樓居小草

Leou kiu siao tshao.

Poésies de Leou-kiu.

Par Yuen Tchou; avec notice par Yen Tchhang-ming, de Po-men.

1 livre.

— XVII (3637).

南園詩選

Nan yuen chi siuen.

Choix de poésies de Nan-yuen.

Par Ho Chi-yong, nom littéraire Nan-yuen, de Kin-ling; avec préfaces de Yuen Mei (1787, 1778).

2 livres.

Titre noir sur blanc.

— XVIII (3638).

湄君詩集

Mei kiun chi tsi, sous-titre :

粲花軒詩藁

Tshan hoa hien chi kao.

Poésies de Mei-kiun.

Par Lou Kien, nom littéraire Mei-kiun, fils d'une sœur de Yuen Mei. Biographie par ce dernier (1765).

2 livres.

Titre noir sur blanc.

— XIX (3638).

筱雲詩集

Siao yun chi tsi.

Poésies de Siao-yun.

Par Lou Ying-sou, surnom Koen-phou, nom littéraire Siao-yun, de Tshien-thang, fils de Lou Kien. Préface (1807) par Oang Chi-thai, nom littéraire Tseu-chan. Vie de l'auteur (1807) par Yuen Thong.

2 livres.

Titre noir sur blanc.

— XX (3638).

棒月樓詞

Fong yue leou seu.

Poésies de Fong-yue-leou.

Par Yuen Thong, nom littéraire Lan-tshoen, de Tshien-thang.

2 livres.

Titre noir sur blanc.

— XXI (3638).

飲水詞鈔

Yin choei seu tchhao.

Choix de poésies de Yin-choei.

Œuvres de Na-lan Sing-te, nom littéraire Yong-jo, de Tchhang-po. Publiées par Yuen Thong.

2 livres.

Titre noir sur blanc.

— XXII (3638).

箏 船 詞

Tcheng tchhoan seu.

Poésies de Tcheng-tchhoan.

Par Lieou Seu-oan, nom littéraire Fou-tchhou, de Yang-hou.

1 livre.

Titre noir sur blanc.

— XXIII (3638).

緑秋草堂詞

Lou tshieou tshao thang seu.

Poésies de Lou-tshieou-tshao-thang.

Par Kou Han, nom littéraire Kien-thang, de Liang-khi.

1 livre.

Titre noir sur blanc.

— XXIV (3638).

玉山堂詞

Yu chan thang seu.

Poésies de Yu-chan-thang.

Par Oang Tou, nom littéraire Po-ye, de Chang-yuen.

1 livre.

Titre noir sur blanc.

— XXV (3638).

崇睦山房詞

Tchhong mou chan fang seu.

Poésies de Tchhong-mou-han-fang.

Par Oang Tshiuen-tẹ, surnom Siao-tchou, de Kiang-tou.

1 livre.

Titre noir sur blanc.

— XXVI (3639).

過雲精舍詞

Koo yun tsing chẹ seu.

Poésies de Koo-yun-tsing-chẹ.

Par Yang Khoei-cheng, nom littéraire Po-khoei, de Kin-koei.

2 livres.

Titre noir sur blanc.

— XXVII (3639).

碧梧山舘詞

Pi oou chan koan seu.

Poésies de Pi-oou-chan-koan.

Par Oang Chi-thai, nom littéraire Tseu-chan, de Lou-ho. Préface par Oou Tseu, de Tshiuen-tsiao (1809).

2 livres.

Titre noir sur blanc.

— XXVIII (3639).

隨園食單

Soei yuen chi tan.

Traité de gastronomie de Soei-yuen.

Par Yuen Mei, avec préface.

Titre noir sur blanc.

— XXIX (3639).

碧腴齋詩存

Pi yu tchai chi tshoęn.

Poésies de Pi-yu-tchai.

Par Hou Tę-lin, nom littéraire Chou-tchhao, de Koei-lin, gendre d'une sœur de Yuen Mei. Préface par ce dernier.

8 livres.

Titre noir sur blanc.

— XXX (3640-3641).

隨園續同人集

Soei yuen siu thong jen tsi.

Recueil de pièces de circonstance de Soei-yuen.

Pièces en vers et en prose d'auteurs modernes rangées suivant leur objet; publiées par Yuen Mei avec préface et liste des auteurs.

14 sections, la dernière formant 4 livres.

Titre noir sur blanc.

— XXXI (3642).

隨園女弟子詩選

Soei yuen niu ti tseu chi siuen.

Choix de poésies des dames élèves et correspondantes de Soei-yuen.

Poésies rangées par ordre d'auteurs, avec indications sur celles-ci. Préface par Oang Kou, nom littéraire Sin-nong, de Sin-'an (1796).

6 livres.

Titre noir sur blanc.

— XXXII (3642).

隨園太史八十壽言

Soei yuen thai chi pa chi cheou yen.

Pièces présentées à Yuen Mei pour son 80ᵉ anniversaire.

Avec préface de son élève Koo Siang.

6 livres (les livres 4, 5 et 6 sont reliés en tête du n° 3636, voir plus haut, art. XII).

Titre noir sur blanc.

In-12. Papier blanc. 26 vol., demi-rel., au chiffre de Louis-Philippe.

Nouveau fonds 913.

———

3643-3646. 欽定國朝詩別裁集

Khin ting koę tchhao chi pie tshai tsi.

Recueil, préparé par ordre impérial, de poésies d'auteurs de la dynastie régnante.

Préface par l'Empereur (1761), imprimée en rouge. Notes par Chen Tę-tshien. Les poésies sont rangées par ordre d'auteurs; notice sur chacun de ceux-ci.

32 livres.

In-24. Papier blanc, titre noir sur

jaune. 4 vol., demi-rel., au chiffre de Louis-Philippe.

Nouveau fonds 702.

3647-3649. 昭代詞選

Tchao tai seu siuen.

Choix de poésies modernes.

Préparé et annoté par Tsiang Tchhong-koang, surnom Tseu-siuen, nom littéraire Sin-tchai, de Oou; avec préface du compilateur (1767). Poésies de l'époque Choen-tchi (1644-1661) à l'époque Khien-long (1736-1795). Gravé à Kin-ling, à la salle King-tchhou (1767).

38 livres.

Grand in-8. Titre noir sur blanc. 3 vol., demi-rel., au chiffre de Louis-Philippe.

Nouveau fonds 489.

3650-3655. 文章游戲

Oen tchang yeou hi.

Recueils de compositions en prose.

Pièces récentes classées d'après leur forme; rassemblées et publiées par Miao Ken, nom littéraire Lien-chan, de Oou-lin (ou Jen-hoo, ou Tshien-thang).

— I (3650-3651).

初編

Tchhou pien.

Premier recueil.

Préface du compilateur; préface par Tshao Seu-tong, nom littéraire Sien-neou (1803); postface par Tshoei Kiun. Imprimé par les soins de Hou Yeou-tshoen, de Hou-kheou, à la maison Yi-han; gravé de nouveau en 1824.

8 livres.

Titre noir sur jaune.

— II (3651-3652).

二編

Eul pien.

Second recueil.

Préface écrite à Canton par Mao Oei-hiuen (1816). Imprimé à la maison 'Eou-hoa par les soins de Thang Siao-mei, de Tshien-thang (1816).

8 livres.

Titre sur papier teinté.

— III (3652-3654).

三編

San pien.

Troisième recueil.

Préface de Miao Ken (1818); préface par Tchao Kou-nong Cheng-yi. Imprimé à la maison 'Eou-hoa, par les soins de Tchao Tchhao-'o, de Phan-yu (1818).

8 livres.

Titre sur papier teinté.

— IV (3654-3655).

四編

Seu pien.

Quatrième recueil.

Préface de Li Chi-fang, nom littéraire Joẹn-'an (1821). Imprimé à la maison 'Eou-hoa par les soins de Tchhen Oen-chi, de Haining (1821).

8 livres.

Titre sur papier teinté.
In-12. 6 vol., demi-rel., au chiffre de Louis-Philippe.
Nouveau fonds 539.

3656. — I.

吳門畫舫錄

Oou mẹn hoa fang lou.

Recueil de morceaux littéraires.

Ces pièces sont dues à différents membres d'une société de poètes excursionnistes, Si-khi-chan-jen (1803 et 1804). Préfaces de Chen Thing-chao, surnom King-khing (1805), Oou Si-khi (1806), etc.; gravé en 1814, à la maison Hou-khieou.

2 livres.

Titre noir sur blanc.

— II.

吳門畫舫續錄

Oou mẹn hoa fang siu lou.

Recueil de morceaux littéraires, suite.

Rassemblés par un pseudonyme, Ko-tchong-cheng, avec une suite par le même; préfaces de 1812 par Song Siang-fong, et de 1813 par Tchao Han. Gravé au pavillon Lai-tshing.

3 + 3 livres.

Titre noir sur blanc.
Grand in-8. 1 vol., demi-rel., au chiffre de Louis-Philippe.
Nouveau fonds 909.

3657-3670. 粵東文海

Yue tong oen hai.

Compositions d'auteurs cantonais.

Depuis l'époque des Han jusqu'à la dynastie régnante; liste des auteurs. Les pièces en prose et prose rhythmée sont rangées par nature. Table générale, tables par livres; texte sans annotations. Préface (1808) par l'auteur du recueil, Oen Jou-neng, surnom Khien-chan, de Choẹn-tẹ; préface par Li Oei, de Long-khi (1813). Gravé à Canton, à la salle Oen-yu.

66 livres.

Grand in-8. Titre noir sur jaune. 14 vol., demi-rel., au chiffre de Louis-Philippe.
Nouveau fonds 43.

3671-3681. 粵東詩海

Yue tong chi hai.

Poésies d'auteurs cantonais.

Poésies signées et poésies anonymes depuis l'époque des Thang; biographies des auteurs. Ce recueil est dû à Oen Jou-neng; préfaces par le même (1810) et par Li Oei (1813). Gravé à Canton à la salle Oen-yu.

100 + 6 livres.

Grand in-8. Titre sur papier jaune. 11 vol., demi-rel., au chiffre de Louis-Philippe.

Nouveau fonds 44.

3682-3683. 增補律賦新機全註初集。二集。續集

Tseng pou liu fou sin ki tshiuen tchou tchhou tsi — Eul tsi — Siu tsi.

Compositions régulières et autres, trois recueils augmentés.

Pièces de la dynastie actuelle recueillies par Soen Li, surnom Chao-tchhou, de Tchen-yang; commentées par ses élèves. Préface du compilateur (1815); diverses préfaces de 1806.

2 + 4 + 1 livres.

In-12. 2 vol., demi-rel., au chiffre de Napoléon III.

Nouveau fonds 1329, 1330.

3684-3685. 文苑滑稽

Oen yuen kou ki.

Recueil de pièces littéraires plaisantes.

Pièces anciennes et modernes classées par nature, recueillies et annotées par Tchao Kou-nong, surnom Cheng-yi, de Pan-yu. Préface écrite par l'annotateur à Canton, dans la salle Pao-ying-yin (1816). Publié la même année.

8 livres.

In-12. Titre noir sur jaune. 2 vol., demi-rel., au chiffre de Louis-Philippe.

Nouveau fonds 530.

3686-3688. — I (3686-3688).

國朝嶺海詩鈔

Koe tchhao ling hai chi tchhao.

Poésies modernes de la province de Canton.

Recueillies et annotées par Ling Yang-tsao, surnom Yo-tcheou, de Phan-yu; préface du compilateur (1820). Gravé au pavillon Hia-'eou (1826).

24 livres.

Titre sur papier jaune.

— II (3688).

海雅堂集

Hai ya thang tsi; en sous-titre:

藥洲花農詩略

Yo tcheou hoa nong chi lio.

Collection de la salle de Hai-ya.

Poésies de Ling Yang-tsao annotées par ses élèves (1828), préface de Tcheou Yi (1828).

6 livres.

Titre sur papier jaune.
Grand in-8. 3 vol., demi-rel., au chiffre de Louis-Philippe.
Nouveau fonds 697.

3689. 慧海小草詩

Hoei hai siao tshao chi.

Poésies de Hoei-hai.

Composées par des bonzes de Hai-tchhoang, centre d'éditions bouddhiques, situé à Canton. Préfaces de 1827 et 1828, par Sie Lan-cheng, Koan Chi-'ang, Oou Ying-khoei; postfaces de 1828. Gravé en 1828.

Grand in-8. Titre sur papier jaune. 1 vol., demi-rel., au chiffre de Louis-Philippe.
Nouveau fonds 641.

3690. 尋樂編。寫情集

Sin yo pien — Sie tshing tsi.

Recueil de morceaux de divers auteurs.

Rassemblés par Tshien Chang-hao, surnom Tchen-tchi. Gravé à la salle Cheng-tẹ.

4 livres.
Petit in-8. Titre sur papier jaune. 1

vol., demi-rel., au chiffre de Louis-Philippe.
Nouveau fonds 383.

3691. 新刻京臺公餘勝覽國色天香

Sin kho king thai kong yu cheng lan koẹ sẹ thien hiang.

Recueil de morceaux en prose et en vers.

Décrets, lettres, poésies de circonstance, réunis par Oou So-king, surnom Yang-choẹn-tseu (XVIIᵉ ou XVIIIᵉ s.), gravés de nouveau par les soins de Tcheou Oen-hoei, à la salle Hoei-hien.

10 livres.

In-12. Titre sur papier jaune. 1 vol., demi-rel., au chiffre de Louis-Philippe.
Nouveau fonds 843.

3692. 叩鉢齋纂行厨集

Kheou po tchai tsoan hing tchhou tsi.

Recueil de morceaux divers du pavillon Kheou-po.

Formé par Li Tchi-thong et Oang Kien-fong.

Livre 6 (incomplet).

Petit in-8. 1 vol., cartonnage (prov. de la bibl. Sainte-Geneviève).
Nouveau fonds 3142.

Troisième section : RECUEILS INDIVIDUELS

3693. 陶靖節集

Thao tsing tsie tsi.

Œuvres de Thao Tsing-tsie.

Auteur : Thao Tshien, surnom Yuen-liang, autre postnom Yuen-ming, de Sin-yang (376-427). Vies de l'auteur par Siao Thong, prince héritier Tchao-ming ; par Chen Toan-mong. Tableau biographique par Oou Jen-kie. Préface par le prince Tchao-ming ; préface par Chen Toan-mong (1780). — Œuvres en vers et en prose. En annexe, poésies sur les rimes de Thao par Sou Tong-pho, postnom Chi (1036-1101). Planches conservées au pavillon Oou-yun (1836).

3 livres. — Comparer Cat. imp., liv. 148, f. 32 (Thao yuen ming tsi, 8 livres).

In-12. Titre noir sur rose. 1 vol., demi-rel., au chiffre de Louis-Philippe.
Nouveau fonds 779.

3694. 寒山子詩集

Han chan tseu chi tsi.

Œuvres poétiques de Han-chan-tseu.

L'auteur était un bonze qui vivait pendant la période 627-649, dans le district de Koang-hing dans les montagnes et qui résida aussi à la bonzerie de Koe-tshing. Préface attribuée à Liu Khieou-yin, qui était alors préfet de Thai-tcheou. Préface par Oang Tsong-mou (1579). Gravé la même année.

1 livre. — Comparer Cat. imp., liv. 149, f. 2 (2 + 1 livres).

Grand in-8. 1 vol., demi-rel., au chiffre de la République Française.
Nouveau fonds 4166.

3695. — I.

國清翼菴和尚寒山詩

Ko . tshing yi'an hoo chang han chan chi.

Même ouvrage.

Édition différente.

2 livres (incomplet à la fin).

— II.

百愚禪師蔓堂集

Po yu chan chi oan thang tsi.

Œuvres du bonze Po-yu.

Choisies par Fang Kong-khien, de Thong-tchheng, avec préface du même écrite à Koang-ling (1664). Gravé aux frais du fidèle Oei Siao-tchoang, nom religieux Tchi-khin.

4 livres.

— III.

佛遺教經註

Fo yi kiao king tchou.

Sūtra des derniers enseignements du Bouddha, avec comtaire.

Décrets des empereurs Thaitsong des Thang (règne 626-649) et Tchen-tsong des Song (règne 997-1022) relatifs à des éditions de ce sūtra. Préface (1586) par l'auteur du commentaire, le bonze Yongsiang Kou-ling Liao-thong. Gravé par ordre de l'impératrice douairière, avec une note du bonze Thong-teng (1636).

Comparer Bunyiu Nanjio, 122, 1209, 1597.

— IV.

佛說四十二章經註

Fo choe seu chi eul tchang king tchou.

Sūtra des quarante-deux sections avec commentaire.

Traduction de Kāçyapa Mātaṅga et Tchou Fa-lan (Dharmarakṣa). Commentaires de Liaothong. Gravé par ordre de l'impératrice douairière comme ci-dessus.

Bunyiu Nanjio, 678.

Grand in-8. 1 vol., demi-rel., au chiffre de la République Française.

Nouveau fonds 3907.

3696. *Han chan tseu chi tsi.*

Œuvres poétiques de Han-chan-tseu.

Même ouvrage qu'au n° 3694, avec la seule préface de Liu Khieouyin. Gravé à la bonzerie de Haitchhoang à Canton.

Petit in-8. Papier blanc. 1 vol., demi-reliure.

Nouveau fonds 85.

3697. # 重刊分類補註 李詩全集

Tchhong khan fen lei pou tchou li chi tshiuen tsi.

Œuvres complètes de Li Po, classées par nature et accompagnées d'un commentaire, nouvelle édition.

Auteur : Li Po, surnom Thai-po, de Tchheng-ki (701-762). Préfaces par Li Yang-ping (762), par Song Min-khieou, Yo Chi, Tseng Kong. Commentaires par Yang Tshi-hien, surnom Tseu-kien, de Tchhœnling (époque des Song) et par Siao Chi-yun, surnom Soei-kho, de Thong-kong (époque des Yuen). Réimpression de l'époque Khanghi.

25 + 5 livres (poésies et prose). — Cat. imp., liv. 149, f. 16 (Fen lei pou tchou li po tsi).

Grand in-8. 1 vol., reliure au chiffre de Charles X.

Nouveau fonds 319.

3698-3700. 李太白文集輯註

Li thai po oen tsi tsi tchou.

Œuvres de Li Thai-po commentées.

Commentaires par Oang Khi, surnoms Tcho-yai et Tsai-'an, de Tshien-thang. Préfaces par Tshi Chao-nan, de Thien-thai (1759); par Hang Chi-tsiun (1759); par le commentateur (1758). Postface du même (1759). Gravé à la salle Tsiu-kin.

(3698-3699), poésies, livres 1 à 25.
(3700), compositions en prose, livres 26 à 29.
(3700), supplément, livre 30.
(3700), annexes (préfaces, notices, tableau biographique, etc.).

Cat. imp., liv. 149, f. 18 (Li thai po chi tsi tchou).

Grand in-8. Titre noir sur rouge. 3 vol., demi-rel., au chiffre de Louis-Philippe.
Nouveau fonds 378.

3701. 重刊千家註杜詩文全集

Tchhong khan tshien kia tchou tou chi oen tshiuen tsi.

Œuvres complètes de Tou Fou, avec divers commentaires; nouvelle édition.

Auteur : Tou Fou, surnom **Tseu-mei**, de Siang-yang (712-770).

Tableau biographique. Extrait de l'histoire des Thang. Préfaces par Oang Chou, surnom Yuen-chou (1039); par Oang 'An-chi (1052); par Hou Tsong-yu (1090); par Tshai Mong-pi (1204); par Hoang Fang, surnom Tchong-chi (1581).

20 + 2 livres (poésies et prose). — Cat. imp., liv. 149, f. 22 (Tsi tshien kia tchou tou chi, 20 livres).

Grand in-8. 1 vol., reliure au chiffre de Charles X.
Fourmont 152.

3702-3705. 杜少陵全集詳註

Tou chao ling tshiuen tsi siang tchou.

Œuvres complètes de Tou Fou avec commentaires.

Tableaux généalogique et biographique d'après l'ancienne histoire des Thang. Édition préparée par Khieou Tchao-'ao, nom littéraire Song-si, surnom Tshang-tchou, de Yin. Dédicace par Khieou Tchao-'ao. Publié à la salle Yun-cheng.

(3702-3705), poésies, livres 1 à 23.
(3705), compositions en prose, livres 24 et 25.
(3705), annexes, livres 26 à 31 (formant 2 sections).

Cat. imp., liv. 149, f. 24 (Tou chi siang tchou. Fou pien, 25 + 2 livres).

Grand in-8. 4 vol., demi-rel., au chiffre de Louis-Philippe.
Nouveau fonds 379.

3706. 樂句

Yo kiu.

Poésies de Tou Fou (hepta-syllabes réguliers).

Texte annoté par Yu Po-cheng. Préfaces non datées par Han Hia, de Nan-yang, et Yang Chi-khi, de Liu-ling. Vie de Tou Fou.

4 livres.

Grand in-8. Impression soignée. 1 vol., cartonnage.

Nouveau fonds 2397.

3707-3708. 韓文考異

Han oen khao yi.

Œuvres en vers et en prose de Han Yu, annotées et discutées; deux recueils.

Auteur : Han Yu, surnom Thoei-tchi, nom littéraire Tchhang-li, de Nan-yang (768-824). Le commentaire est de Tchou Hi; préface de Tchou Hi (1197), avertissement et notices diverses du même auteur. Biographie de Han Yu, par Song Khi, nom posthume King-oen (998-1061), placée entre les deux recueils. Édition donnée par Tchou Oou-pi, de Kao-'an, Ma Meng-feou et Tchou Tchhong-mou, avec préface de Tchou Oou-pi (1605). Le Catalogue impérial attribue le 1er recueil et le supplément à Oang Pota, surnom Yeou-hio, nom litté-raire Lieou-keng, de Fou-tcheou, docteur en 1214.

40 livres (1er recueil) + 1 livre (supplément) + 10 livres (second recueil). — Cat. imp., liv. 150, f. 11 (Yuen pen han oen khao yi, 10 livres); f. 13 (Pie pen han oen khao yi ; oai tsi ; yi oen, 40 + 10 + 1 livres).

Grand in-8. Titre noir sur jaune. 2 vol., demi-rel., au chiffre de Louis-Philippe.

Nouveau fonds 439.

3709. 李義山詩集箋註

Li yi chan chi tsi tsien tchou.

Œuvres poétiques commentées de Li Chang-yin.

Auteur : Li Chang-yin, surnom Yi-chan, de Ho-nei, né vers 795, mort après 860. Préface du commentateur Tchou Ho-ling, surnom Tchang-soen (1659). Notice par le même. Collection de jugements critiques de divers auteurs. Vie de l'auteur. Réédition du pavillon San-to (1793).

3 livres. — Cat. imp., liv. 151, f. 11 (Li yi chan chi tchou. Fou lou).

Petit in-8. 1 vol., demi-rel., au chiffre de Louis-Philippe.

Nouveau fonds 816.

3710. 司空圖詩品詩一百首

Seu khong thou chi phin chi yi po cheou.

Poésies de Seu-khong Thou.

Recueil publié par Yuen Yuen au Siao-sien tchhao, à Yang-tcheou (1823). Préface de Yuen Yuen.

— I.

詩 品

Chi phin.

Poésies.

Auteur : Seu-khong Thou, surnom Piao-cheng, de Ho-nei, fonctionnaire sous le règne de Hi-tsong (873-888). D'après l'exemplaire de Yuen Yuen.

Comparer Cat. imp., liv. 151, f. 29.

— II.

詩品詩課鈔

Chi phin chi khoo tchhao.

Examen critique.

Par Tchong Pao, de Siao-chan.

In-18. Titre noir sur jaune. 1 vol., demi-reliure.
Nouveau fonds 774.

3711-3714. 廬陵歐陽文忠公全集

Liu ling 'eou yang oen tchong kong tshiuen tsi.

Œuvres de 'Eou-yang Sieou.

Auteur : 'Eou-yang Sieou, surnom Yong-chou, noms littéraires Tsoei-oong et Lou-yi, nom posthume Oen-tchong, de Liu-ling (1007-1072). Table biographique et portrait de l'auteur. Préfaces par l'auteur pour diverses parties de ses œuvres (1043 et 1061). Préface par Tshien Phou, de Yun-kien (1462). La présente édition est due à Tseng Hong, de Ki-choei ; introduction par l'éditeur (1672) et préfaces de la même date. Gravé à la salle Yen-oen.

105 livres.

Grand in-8. Titre noir sur blanc. 4 vol., demi-rel., au chiffre de Louis-Philippe.
Fourmont 96.

3715-3720. *Liu ling 'eou yang oen tchong kong tshiuen tsi.*

Œuvres de 'Eou-yang Sieou.

Édition publiée par Heng, descendant de l'auteur à la 27e génération. Notices extraites du Catalogue impérial, biographies, tableau biographique, portrait de l'auteur. Préface (1091) par Sou Chi ; préface (1196) par Tcheou Pi-ta, surnom Hong-tao, nom littéraire Tseu-tchhong, de Liu-ling (1126-1204) ; préface pour la présente édition par Oou Tseu, de Tshiuen-tsiao (1819). Postfaces par 'Eou-yang Khi (1820) et 'Eou-yang Heng (1819).

Comparer Cat. imp., liv. 153, f. 35 (Oen tchong tsi. Fou lou, 153 + 5 livres); f. 37 (**'Eou yang oen soei**, 20 livres).

— I (3715-3716).

居 士 集

Kiu chi tsi.

Œuvres d'un lettré.

Premier recueil d'œuvres de 'Eou-yang Sieou, réunies par lui-même dans sa vieillesse. A ce recueil appartiennent le tableau biographique et la préface de Sou Chi cités plus haut.

50 livres. — Cat. imp., liv. 174, f. 26; comparer liv. 153, f. 35 (section Oen tsi).

— II (3716-3717).

外 集

Oai tsi.

Second recueil.

25 livres. — Comparer Cat. imp., liv. 153, f. 35 (section Pie tsi, en 20 livres).

A la fin de ce recueil en annexe, se trouve :

洛 陽 牡 丹 記

Lo yang meou tan ki.

Notice sur les pivoines arborescentes.

1 livre. — Cat. imp., liv. 115, f. 42.

— III (3717).

易 童 子 問

Yi thong tseu oen.

Questions sur le Yi king pour les enfants.

3 livres.

— IV (3717).

外 制 集

Oai tchi tsi.

Recueil de décrets.

Rédigés par 'Eou-yang Sieou. Préface de l'auteur (1043).

3 livres. — Comparer Cat. imp., liv. 153, f. 35 (section Nei oai tchi tsi).

— V (3717-3718).

內 制 集

Nei tchi tsi.

Recueil de décrets.

Avec préface de l'auteur (1061).

8 livres. — Comparer Cat. imp., liv. 153, f. 35 (section Nei oai tchi tsi).

— VI (3718).

表 奏 書 啓 四 六 集

Piao tseou chou khi seu lou tsi.

Recueil d'adresses, rapports, lettres, etc.

Composés de 1028 à 1071.

7 livres.

— VII (3718-3719).

奏 議

Tseou yi.

Rapports.

Rédigés de 1042 à 1070.

18 livres. — Comparer Cat. imp., liv. 153, f. 35 (section Tseou yi).

— VIII (3719).

雜著述

Tsa tchou chou.

Compositions diverses.

Pièces officielles, essais de critique, etc., avec plusieurs tables et plusieurs préfaces.

19 livres.

— IX (3719-3720).

集古錄

Tsi kou lou.

Collection d'autographes, inscriptions, etc.

Rassemblés et annotés par 'Eou-yang Sieou; ouvrage préparé depuis 1060 ou environ et achevé par son fils Fei.

10 livres. — Cat. imp., liv. 86, f. 1.

— X (3720).

書簡

Chou kien.

Correspondance privée.

10 livres.

— XI (3720).

附錄

Fou lou.

Annexes.

Vie de 'Eou-yang Sieou; examen

de cette vie par Tchou Hi. Prières, épitaphes par divers auteurs, Oang 'An-chi, Sou Chi, etc.

5 livres. — Cat. imp., liv. 153, f. 35.

In-4. Belle impression, titre sur jaune; dans le vol. 3720, interversions à la reliure. 6 vol., cartonnage.
Nouveau fonds 4481 à 4486.

3721. 鐔津文集

Sin tsin oen tsi.

Œuvres de Sin-tsin.

Auteur : Li Tchong-ling, originaire de Sin-tsin; bonze sous les noms de Khi-song, de Ming-kiao; connu à partir de 1041, mort en 1072. Vie de l'auteur écrite en 1075 par Tchhen Choen-yu. Traités religieux et philosophiques, œuvres de controverse, rapports à l'empereur Jen-tsong, lettres, préfaces, poésies. Gravé à la bonzerie Leng-yen de Kia-hing (1607).

1 + 19 livres et annexes. — Cat. imp., liv. 152, f. 37 (Sin tsin tsi, 22 livres); Bunyiu Nanjio 1645.

Grand in-8. 1 vol., demi-rel., au chiffre de la République Française.
Nouveau fonds 4213.

3722-3723. 王施合註蘇東坡詩全集

Oang chi ho tchou sou tong pho chi tshiuen tsi.

Œuvres de Sou Chi, avec commentaires de Oang et de Chi.

Auteur : Sou Chi, surnom Tseu-tchan, nom littéraire Tong-pho, originaire de Mei-chan (1036-1101). Les deux commentateurs sont Oang Chi-pheng, surnom Koei-ling, originaire de Lo-tshing, docteur en 1157, et Chi Yuen-tchi, surnom Tę-tchhou, de Oou-hing (époque des Song). Vie de Sou Chi par Oang Tsong-tsi, de Oou-yang. Édition donnée par Tchou Tshong-yen, surnom Tshoei-thing, de Sin-'an, avec préface de l'éditeur (1698) et postface par Li Tchhou, de Tchhang-tcheou (1698). Gravé de nouveau en 1782.

32 livres. — Comparer Cat. imp., liv. 154, f. 3 (Tong pho chi tsi, 32 livres); f. 4 (Chi tchou sou chi, 42 livres et annexes).

Grand in-8. Titre noir sur jaune. 2 vol., demi-rel., au chiffre de Louis-Philippe.
Nouveau fonds 480.

3724-3725. 石門文字禪
Chi męn oen tseu chąn.

Œuvres de Chi-męn.

Auteur : Tę-hong (ou Hoei-hong), surnom Kio-fan, bonze à la bonzerie Chi-męn, de Yun-khi (période Ta-koan 1107-1110). Ses œuvres, poésies de mètres divers et com-

positions en prose, ont été réunies par son disciple Kio-tsheu. Préface par le bonze Ta-koan (1597); édition gravée à la bonzerie Hing-cheng-oan-cheou, de la montagne King (1597).

30 livres. — Cat. imp., liv. 154, f. 25.

Grand in-8. 2 vol., demi-rel., au chiffre de la République Française.
Nouveau fonds 4232, 4233.

3726-3731. — I (3726-3731).

晦菴先生朱文公文集
Hoei 'an sien cheng tchou oen kong oen tsi.

Œuvres de Tchou-tseu.

Auteur : Tchou Hi, surnoms Yuen-hoei et Tchong-hoei, noms littéraires Hoei-'an, Tseu-yang-thang, Yun-kou lao-jen, etc., né à Yeou-khi, originaire de Sin-'an, nom posthume Oen (1130-1200). Préface par Hoang Yong (1265); préface par Hoang Tchong-tchao, de Phou-thien (1483); préface par Phan Hoang, de Oou-yuen (1532). La présente édition est due à Tsang Mei-si, surnom Khoei-thing, de Tchę-si, et à Tshai Fang-ping, surnom Si-koan, de Phing-kiang; préface par Tsang Mei-si (1688).

(3726), table en 2 livres.
(3726), poésies, livres 1 à 10.
(3726-3727), rapports, pièces officielles, livres 11 à 23.

(3727-3729), correspondance, livres 24 à 64.

(3729-3730), œuvres diverses, livres 65 à 74.

(3730-3731), préfaces, postfaces, pièces de circonstance, livres 75 à 98.

(3731), lettres officielles, livres 99 et 100.

Cat. imp., liv. 159, f. 9 (Hoei 'an tsi).

— II (3731).

晦菴先生朱文公別集

Hoei 'an sien cheng tchou oen kong pie tsi.

Œuvres de Tchou-tseu, recueil séparé.

Correspondance, livres 1 à 3.
Poésies, préfaces, pièces de circonstance, livre 4.
Pièces diverses, livre 5.
Lettres officielles, livres 6 et 7.

Cat. imp., liv. 159, f. 9.

— III (3731).

晦菴先生朱文公續集

Hoei 'an sien cheng tchou oen kong siu tsi.

Œuvres de Tchou-tseu, suite.

Lettres privées, 5 livres.

Cat. imp., liv. 159, f. 9.

Grand in-8. 6 vol., reliure, au chiffre de Louis-Philippe.
Fourmont 290.

3732-3737. 淵鑒齋御纂 朱子全書

Yuen kien tchai yu tsoan tchou tseu tshiuen chou.

Œuvres de Tchou-tseu publiées par ordre de l'Empereur.

Préface impériale (1713) suivie des sceaux de l'Empereur. Dédicace de Li Koang-ti et autres (1714). Liste de la commission chargée de la publication, Hiong Seu-li, Li Koang-ti, etc. Avertissement ; table des matières.

(3732), éléments de psychologie et de morale, livres 1 à 6.

(3732-3734), les Quatre Livres, livres 7 à 25.

(3734-3735), les King, livres 26 à 41.

(3736), sur la philosophie (sing li), livres 42 à 51.

(3736), sur l'histoire de la doctrine, livres 52 à 57.

(3737), sur les sages, livres 58 à 60.

(3737), considérations historiques, livres 61 et 62.

(3737), sur le gouvernement, livres 63 et 64.

(3737), pièces diverses en vers et en prose, livres 65 et 66.

Cat. imp., liv. 94, f. 10.

Grand in-8. 6 vol., demi-rel., au chiffre de Louis-Philippe.
Fourmont 290 A.

3738. *Yuen kien tchai yu tsoan tchou tseu tshiuen chou.*

Double.

Livres 45 à 48.

Petit in-8. Exemplaire interfolié avec note manuscrite de G. Pauthier. 1 vol., demi-reliure.

Nouveau fonds 3548.

3739-3746. *Yuen kien tchai yu tsoan tchou tseu tshiuen chou.*

Même ouvrage.

Imitation de l'édition précédente; planches plus petites, impression moins nette.

Grand in-8. 8 vol., demi-reliure.
Nouveau fonds 3540 à 3547.

———

3747-3749. 陸象山先生全集

Lou siang chan sien cheng tshiuen tsi.

Œuvres de Lou Kieou-yuen.

Auteur : Lou Kieou-yuen, surnom Tseu-tsing, nom littéraire Siang-chan, de Kin-khi (1139-1192). Préface par son élève Yang Kien, de Seu-ming (1205); préface par Oou Tchheng, de Hien-khieou (1314); préface par Oang Cheou-jen, surnom Yang-ming (1521). Préfaces de la présente édition, dont une par Tcheou Yu-ling. Postface par Pao Khoei (1256). Portrait de l'auteur. Dans les annexes, on trouve une notice signée Liao Chou (1559). — La biographie de l'auteur est due à Li Fou, surnom Kiu-lai, nom littéraire Mou-thang, de Lin-tchhoan (1674-1751). — Réédition de la bibliothèque Hoai-thang à Kin-khi (1823).

(3747-3748), correspondance, livres 1 à 17.
(3748), rapports, pièces diverses en prose, livres 18 à 24.
(3748), poésies, livre 25.
(3748-3749), compositions en prose, livres 26 à 32.
(3749), entretiens, biographie, annexes, livres 33 à 36.

Cat. imp., liv. 160, f. 6 (Siang chan tsi. — Oai tsi. — Yu lou); liv. 60, f. 35 (Lou siang chan nien phou, 2 livres).

Grand in-8. Titre noir sur jaune. 3 vol. demi-reliure.
Nouveau fonds 587.

3750. 廣梅花百詠詩

Koang mei hoa po yong chi.

Cent poésies pour célébrer les fleurs de prunier.

Par une femme, Tchang Yuen-'an, nom littéraire Yin-koan niu-chi; postface non signée attribuant à ces poésies la date de 1335. Gravé à la salle Yong-hien.

Petit in-8. Titre noir sur papier jaune; volume relié en désordre. 1 vol., demi-rel., au chiffre de Napoléon III.
Nouveau fonds 1315.

———

3751. 古庭祖師語錄集略

Kou thing tscu chi yu lou tsi lio.

Abrégé des entretiens du bonze Kou-thing.

Entretiens, préfaces et autres écrits, poésies, traités religieux. Ce volume, qui semble incomplet, est le premier d'un recueil intitulé Tshao khi yi ti ; il débute par plusieurs préfaces ; les plus récentes, datées de 1629 et 1633, se rapportent à la présente édition. Préface de Tchang Hoei (1457).

4 livres.

Grand in-8. 1 vol., demi-rel., au chiffre de la République française.
Nouveau fonds 4045.

3752. — I. 大魏禪師竹室集

Ta oei chạn chi tchou chi tsi.

Œuvres du bonze Ta-oei.

Compositions en prose et en vers recueillies par Tcheou Li, de la montagne Miao-fong ; publiées avec l'aide de Thao Kong, de Tiennan. Préface par Li Chen, surnom Tsin-khing (1496). C'est le 6ᵉ volume du recueil Tshao khi yi ti.

— II. 朗目和尚浮山法句

Lang mou hoo chang feou chan fa kiu.

Pièces diverses, se rapportant au bonze Lang-mou.

Ces inscriptions, entretiens religieux, préfaces, proviennent de la montagne Feou-tou ; ils forment le 7ᵉ volume du recueil Tshao khi yi ti.

— III. 徹庸和尚谷響集

Tchhẹ yong hoo chang kou hiang tsi.

Œuvres du bonze Tchhẹ-yong.

Rassemblées par Hong Jou-soei ; préface par Thao Kong (1636). Vie abrégée de l'auteur par Thao Thing, surnom Ko-hien, de Thien-thai. Huitième volume du recueil Tshao khi yi ti.

Grand in-8. 1 vol., demi-rel., au chiffre de la République française.
Nouveau fonds 4278.

3753-3756. 王陽明先生全集

Oang yang ming sien cheng tshiuen tsi.

Œuvres de Oang Yang-ming.

Auteur : Oang Cheou-jen, surnom Po-'an, nom littéraire Yang-ming, de Lang-ye, nom posthume Oen-tchheng (1472-1528). Préface par l'éditeur Yu Lin, nom littéraire Song-'an, de Yao-kiang (1673) ;

autres préfaces, dont une par Oou King-tsong, de Yao-kiang (1680). Postface de Yu Tchhang-min. Portrait et biographie de l'auteur. Œuvres en vers et en prose; biographie; recueils de traits caractéristiques et de propos de Oang Yang-ming. Gravé chez le sieur Hoang, à la salle Toen-heou, à Yu-yao.

20 + 2 livres. — Cat. imp., liv. 176, f. 10 (Yang ming tshiuen tsi); comparer aussi liv. 176, f. 9 recto et verso; liv. 171, f. 33.

Grand in-8. Titre noir sur rouge. 4 vol., demi-rel., au chiffre de Louis-Philippe.
Nouveau fonds 561.

3757-3760. 王陽明先生文集

Oang yang ming sien cheng oen tsi.

Œuvres de Oang Yang-ming.

Préface sans nom d'auteur, datée de 1660 ou 1720; peut être cette édition est-elle celle de Oang Yi-lo, descendant de l'auteur à la 5ᵉ génération. Œuvres en poésie et prose; biographie; recueil de traits caractéristiques.

16 livres. — Cat. imp., liv. 176, f. 9 (Oang yang ming tsi).

Grand in-8. Titre noir sur blanc. 4 vol., demi-rel., au chiffre de Louis-Philippe.
Fourmont 306.

3761. 紫栢尊者別集

Tseu po tsoen tche pie tsi.

Œuvres du vénérable Tseu-po, second recueil.

Auteur : le bonze Ta-koan, autre nom Tchen-kho (périodes Kia-tsing 1522-1566 et Oan-li 1573-1619). Préface par l'éditeur Tshien Khien-yi, de Yu-chan (1660); postface de Ho Khoan (1669). Pièces diverses, lettres, poésies, entretiens de Tseu-po. Annexes par Lou Fou, de Yong-tong.

Grand in-8. 1 vol., demi-rel., au chiffre de la République française.
Nouveau fonds 4163.

3762. 密藏禪師遺稿

Mi tshang chan chi yi kao.

Œuvres du bonze Mi-tshang.

Ce bonze, élève du précédent, vécut dans les années Oan-li (1573-1619). Œuvres, principalement lettres et rapports, publiés par ses élèves Oang Khi, surnom Tchi-'an, de Thiao-chang, et Khi Ying. Préfaces par Tshien Khien-yi (1660), par Oang Khi (1658), etc. Notice historique de Khi Ying (1658).

Grand in-8. 1 vol., demi-rel., au chiffre de la République française.
Nouveau fonds 4286.

3763. 雲樓大師遺稿

Yun leou ta chi yi kao.

Œuvres du bonze Yun-leou.

L'auteur, Tchou-hong, vivait dans les années Oan-li. Œuvres diverses, lettres, pièces officielles, formant un texte principal et un supplément. Avertissement par le bonze Te-tshing, de Han-chan (1617). Réédition de la bonzerie de Hai-tchhoang, avec préface nouvelle par Sin-tan Phan-than (1768).

Grand in-8. Papier blanc. 1 vol., demi-rel., au chiffre de Louis-Philippe.
Nouveau fonds 97.

3764-3767. 憨山老人夢遊集

Han chan lao jen mong yeou tsi.

Œuvres du vieillard de Han-chan.

L'auteur a vécu de 1546 à 1622. Portrait et éloge de l'auteur avec notice par le bonze Ta-koan, surnom Kho-tao-jen. Préface de la première édition par Tao-cheng. Notice et postface (1657) pour la présente édition par Kin-chi. Préface (1660) par Tshien Khien-yi, surnom Mou-tchai, rappelant une édition partielle en 5 livres qui a été gravée à Kia-hing (1621). La présente édition, d'après l'exemplaire dû à Fou-chan et à Thong-

kiong, a été gravée à la bonzerie de Hai-tchhoang. Les œuvres comprennent lettres, rapports, notices, éloges, traités et discours religieux, gâtha, etc. ; en outre, vie de l'auteur par lui-même (2 livres) et annexes.

40 livres (manque le livre 33). — Comparer nos 990, 991.

Grand in-8. 4 vol., demi-rel., au chiffre de la République française.
Nouveau fonds 4199 à 4202.

3768. 靈瑞禪師岙花集

Ling choei chan chi yen hoa tsi.

Œuvres du bonze Ling-choei.

Compositions en vers et en prose, entretiens rassemblés par ses élèves Tchen-tchheng, Tchen-hong, Tchen-tshing, etc. Préfaces par Tchang Yeou-yu, surnom Ta-yuen (1661) et par le bonze Hing-tsi (1670).

5 livres.

Grand in-8. 1 vol., demi-rel., au chiffre de Louis-Philippe.
Nouveau fonds 4270.

3769. 天然和尚梅花詩

Thien jan hoo chang mei hoa chi.

Poésies sur les fleurs de prunier par le bonze Thien-jan.

Rassemblées par son élève Koukien. Édition de la bonzerie de Hai-tchhoang.

Grand in-8. Papier blanc. 1 vol., demi-reliure.

Nouveau fonds 88.

3770. 徐氏庖言

Siu chi phao yen.

Œuvres de Siu Koang-khi.

Auteur : surnom Tseu-sien, de Chang-hai, nom posthume Oen-ting (1562-1634). Rapports au Trône, lettres officielles, correspondance privée. A la fin note manuscrite signée Chen Khi (1621).

5 livres.

Grand in-8. 1 vol., cartonnage (prov. de la Société de Jésus).

Nouveau fonds 2376.

3771-3773. 御製文集

Yu tchi oen tsi.

Œuvres de l'empereur Cheng-tsou.

Auteur : l'empereur Cheng-tsou Jen, postnom Hiuen-ye (1655-1723). Liste des dignitaires chargés de l'impression, Tchang Yu-chou, Tchang Ying, etc. (1711). Compositions rangées par ordre de nature, édits, décrets, etc., descriptions poétiques, odes (jusqu'à l'an 1684). Table générale en 5 livres; table en tête de chaque livre.

40 livres. — Cat. imp., liv. 173, f. 1 (Cheng tsou jen hoang ti yu tchi oen tsi).

Grand in-8. Belle impression sur papier blanc; titre noir sur papier jaune et or; couvertures en soie jaune. 3 vol., demi-rel., au chiffre de Napoléon III.

Nouveau fonds 1870 à 1872.

3774-3777. 御製文第二集

Yu tchi oen ti eul tsi.

Œuvres de l'empereur Cheng-tsou, second recueil.

De 1684 à 1697. Publié en 1711 par la même commission. Table générale en 6 livres.

50 livres. — Cat. imp., liv. 173, f. 1.

Grand in-8. Édition semblable à la précédente. 4 vol., demi-rel., au chiffre de Napoléon III.

Nouveau fonds 1873 à 1876.

3778-3781. 御製文第三集

Yu tchi oen ti san tsi.

Œuvres de l'empereur Cheng-tsou, troisième recueil.

De 1697 à 1711. Publié par les soins de Tchang Yu-chou, Tchhen Thing-king, etc.; à la fin de l'ouvrage, dédicace de présentation par Tsiang Lien (1714). Table générale en 6 livres.

5o livres. — Cat. imp., liv. 173, f. 1.

Grand in-8. Édition semblable aux précédentes. 4 vol., demi-rel., au chiffre de Napoléon III.
Nouveau fonds 1877 à 1880.

―――――

3782. 盧堂詩集

Hiu thang chi tsi.

Poésies de Hiu-thang.

Par le bonze Kou-tsang, autre nom Yuen-lai, de Kang, qui s'intitule lui-même barbare Lie-lao. Préface de l'auteur (1719).

1o livres.

Petit in-8. Papier blanc. 1 vol., demi-rel., au chiffre de Louis-Philippe.
Nouveau fonds 58.

―――――

3783-3788. 御製詩集。 樂善堂全集

Yu tchi chi tsi — Lo chạn thang tshiuen tsi.

Œuvres de l'empereur Kao-tsong.

Auteur : l'empereur Kao-tsong Choẹn, postnom Hong-li, nom littéraire Lo-chạn-thang (1710-1799). Préface par Yun-lou, prince de Tchoang (1732); préface par Yun-hi (1733) et autres préfaces. Première préface de l'auteur (1730); préface de l'auteur après son avè-

nement (1737). Postface de 1736 par 'O-eul-thai, et autres postfaces. Œuvres en prose et en vers composées avant l'avènement.

1 livre (préfaces) + 4 livres (table) + 4o livres (texte) + 1 livre (postfaces). — Comparer Cat. imp., liv. 173, f. 5 à f. 8.

In-32. Impression soignée sur papier blanc; couvertures en papier jaune. 6 vol., demi-reliure.
Nouveau fonds 1993 à 1998.

―――――

3789-3791. *Yu tchi chi tsi — Lo chạn thang tshiuen tsi.*

Double.

Préfaces, table et livres 1 à 18.

In-32. Couvertures en soie bleue. 3 vol., demi-reliure.
Nouveau fonds 1999 à 2001.

―――――

3792-3795. 沈歸愚詩文全集

Chen koei yu chi oen tshiuen tsi.

Recueil de Chen Koei-yu.

L'auteur, qui fut en relations littéraires avec l'empereur à partir de 1749, est Chen Tẹ-tshien, surnom Khio-chi, nom littéraire Koei-yu, de Tchhang-tcheou (1673-1770). Notice initiale par Fou Yu-lou, surnom Yu-seu (1753). Gravé à la salle Kiao-tchong.

— I (3792).

矢音集

Chi yin tsi.

Recueil de Chi-yin.

Poésies de Chen Tẹ-tshien; publiées par les soins de ses élèves Yu Oou-yi, de Tshien-thang, et Tai Tchao-oei, de Kia-chạn.

4 livres.

— II (3792).

歸田集

Koei thien tsi.

Recueil de pièces en vers et en prose.

Dues à divers auteurs et offertes à Chen Tẹ-tshien pour son retour dans son district natal. Préface de Chen Tẹ-tshien (1767).

2 livres.

— III (3792).

說詩晬語

Choẹ chi tsoei yu.

Réflexions sur des poésies.

Par Chen Tẹ-tshien, avec préface de l'auteur.

2 livres.

— IV (3792).

年譜

Nien phou.

Résumé autobiographique.

Par le même; poursuivi jusqu'en 1769. Préface par Kou Yi-lou (1764).

— V (3792).

八十壽序詩。九十壽序詩

Pa chi cheou siu chi — Kieou chi cheou siu chi.

Pièces adressées à Chen Tẹ-tshien pour ses 80ᶜ et 90ᵉ anniversaires.

2 livres.

— VI (3792).

黄山遊草

Hoang chan yeou tshao.

Promenade au Hoang-chan.

Poésies de Chen Tẹ-tshien.

— VII (3792).

台山遊草

Thai chan yeou tshao.

Promenade au Thai-chan.

Poésies du même.

— VIII (3792).

南巡詩

Nan siun chi.

Poésies au sujet du voyage de l'empereur.

Par le même, avec préface dédicatoire.

— IX (3792).

浙江通省志圖說

Tche kiang thong cheng tchi thou choe.

Légendes pour les cartes du Tche-kiang.

Ces cartes furent présentées à l'empereur lors de son voyage; légendes et préface par Chen, publiées par les soins de Tcheou Tchoen, surnom Khin-lai, de Tchhang-tcheou.

— X (3792-3793).

歸愚詩鈔

Koei yu chi tchhao.

Choix de poésies de Chen Te-tshien.

Publiées par les soins de Yu Oou-yi et de Tai Tchao-oei; préface sans signature (1751).

20 livres.

— XI (3793-3794).

歸愚詩鈔餘集

Koei yu chi tchhao yu tsi.

Choix de poésies de Chen Te-tshien, second recueil.

Préface par Liang Koe-tchi, de Koai-ki (1766).

10 livres.

— XII (3794).

歸愚詩餘

Koei yu chi yu.

Autres poésies de Chen Te-tshien.

Publiées par Kou Yi-lou, surnom Hoan-thang, de Tchhang-tcheou.

1 livre.

— XIII (3794-3795).

歸愚文鈔

Koei yu oen tchhao.

Choix de compositions en prose de Chen Te-tshien.

Préface par Fang Mou-jou, surnom Oei-choen (1758).

20 livres.

— XIV (3795).

歸愚文鈔餘集

Koei yu oen tchhao yu tsi.

Choix de compositions en prose de Chen Te-tshien, second recueil.

Préface par Kou Yi-lou (1759).

8 livres.

Grand in-8. Titre noir sur rose; le vol. 3794 renferme de nombreuses interversions provenant de la reliure. 4 vol., demi-rel., au chiffre de Louis-Philippe. *Nouveau fonds* 449.

3796. 今雨堂詩墨

Kin yu thang chi me.

Poésies de Kin Chen.

Auteur : surnom Yu-chou, nom littéraire Kin-yu-thang, autre nom Hai-tchou, de Jen-hoo. Préface de l'auteur (1758). Œuvres publiées par les soins des fils de celui-ci, San-oou et San-tsiun (1758).

2 livres.

Grand in-8. Papier blanc, titre noir sur blanc. 1 vol., demi-reliure.
Nouveau fonds 65.

3797. *Kin yu thang chi me.*

Même ouvrage.

Édition semblable, revue par Kong Choen-tchai, gravée à la salle Soei-tsing (1800).

Petit in-8. Titre noir sur jaune. 1 vol., demi-reliure.
Nouveau fonds 874.

**3798-3816. 潛研堂文集
叢書**

Tshien yen thang oen tsi tshong chou.

Collection des œuvres de Tshien Ta-hin.

Auteur : surnom Hiao-tcheng, noms littéraires Sin-mei, Tchou-thing, de Kia-ting (1727-1804). Publié par le gendre de l'auteur,

Khiu Tchong-yong, qui a mis une notice à la fin de la collection (1805).

— I (3798-3801).

潛研堂文集

Tshien yen thang oen tsi.

Œuvres en prose de Tshien Ta-hin.

Portrait de l'auteur. Préface par Toan Yu-tshai, de Kin-than (1806).

Dissertations, rapports officiels, livres 1 à 3.

Critique et examen des classiques, livres 4 à 15.

Traités et notes historiques, livre 16.

Compositions de circonstance, préfaces, biographies, etc., livres 17 à 50. — Comparer n° 3133, art. LV.

Titre noir sur blanc.

— II (3801-3802).

潛研堂詩集

Tshien yen thang chi tsi.

Poésies de Tshien Ta-hin.

Préface de l'auteur, avec note de 1770. Revues par Hoang Tchong.

10 livres.

Titre noir sur papier teinté.

— III (3802-3803).

潛研堂詩續集

Tshien yen thang chi siu tsi.

Poésies de Tshien Ta-hin, second recueil.

Préface du frère de l'auteur, Ta-tchao (1806). Revues par Hoang Tchong.

10 livres.

— IV (3803-3805).

十駕齋養新錄

Chi kia tchai yang sin lou.

Notes archéologiques, littéraires, etc.

Préface de l'auteur (1799); préface par Yuen Yuen, de Yang-tcheou (1804).

20 livres. — Comparer n° 3133, art. LIV.

— V (3805).

十駕齋養新餘錄

Chi kia tchai yang sin yu lou.

Autres notes archéologiques, littéraires, etc.

Postface par Tshien Tong-chou, fils de l'auteur (1806).

3 livres.

— VI (3805-3811).

廿二史攷異

Nien eul chi khao yi.

Examen critique des vingt-deux histoires dynastiques.

Depuis les Mémoires historiques

jusqu'à l'Histoire des Yuen. Préface de l'auteur (1780); liste des personnes qui ont collaboré à la révision de l'ouvrage. Liste complète des œuvres de Tshien Ta-Hin, imprimées ou encore manuscrites.

100 livres.

Titre noir sur papier teinté.

— VII (3811-3812).

攷史拾遺．三史拾遺

Khao chi chi yi — San chi chi yi.

Supplément à l'Examen critique (les Trois Histoires).

Relatif aux Mémoires historiques et aux deux Livres des Han. Notice par Li Keng-yun (1807). Gravé à Kia-hing en 1807.

5 livres.

Titre noir sur papier teinté.

— VIII (3812).

攷史拾遺．諸史拾遺

Khao chi chi yi — Tchou chi chi yi.

Supplément à l'Examen critique (les Histoires).

Relatif aux Histoires des Oei (Oei tchi), des Song (Song chou), des Cinq Dynasties, des Song (Song chi), des Liao, des Yuen.

5 livres.

— IX (3812-3813).

三統術衍

San thong chou yen.

Développement du procédé des trois principes.

Relatif aux calculs du calendrier et remontant à Lieou Hin (Ier s. a. C. et Ier s. p. C.). Préface de l'auteur (1755); préface par Yuen Yuen (1801). Postface par Li Joei (1801).

— X (3813).

通鑑注辯正

Thong kien tchou pien tcheng.

Discussion du commentaire du Thong kien.

Préface par Koo Tcheou, de Yuen-hoo (1792).

2 livres.

— XI (3813).

洪文惠公年譜

Hong oen hoei kong nien phou.

Tableau biographique de Hong Oen-hoei-kong.

Hong Tsao, surnom Oen-po; plus tard postnom Koo, surnom King-po, de Phoo-yang (1117-1184); fils de Hao, nom posthume Tchong-siuen.

— XII (3813).

洪文敏公年譜

Hong oen min kong nien phou.

Tableau biographique de Hong Oen-min-kong.

Hong Mai, surnom King-lou (1123-1202), frère cadet de Hong Tsao.

— XIII (3813).

陸放翁先生年譜

Lou fang oong sien cheng nien phou.

Tableau biographique de Lou Fang-oong.

Né en 1125, mort en 1210.

— XIV (3813).

深寧先生年譜

Chen ning sien cheng nien phou.

Tableau biographique de Oang Chen-ning.

Oang Ying-lin, surnom Po-heou, de Siang-fou (1223-1295), fils de Hoei.

— XV (3813).

弇州山人年譜

Yen tcheou chan jen nien phou.

Tableau biographique de Oang Chi-tcheng. .

Oang Chi-tcheng, surnom Yuen-mei, noms littéraires Fong-tcheou, Yen-tcheou, de Thai-tshang (1526-1590); fils de Yu. — Postface de Li Keng-yun (1807).

— XVI (3814).

元史氏族表

Yuen chi chi tsou piao.

Table des familles mongoles de la dynastie des Yuen.

Avec indications biographiques. Postface par Hoang Tchong (1806).

3 livres.

— XVII (3814).

元史藝文志

Yuen chi yi oen tchi.

Traité de la littérature sous les Yuen.

Pour suppléer au traité de la littérature qui n'existe pas dans l'Histoire des Yuen. Publié par les soins de deux élèves de l'auteur, Kou Choen-kong, de Oou, et Hoang Phei-lie, de Oou.

4 livres.

— XVIII (3815).

潛研堂金石文跋尾

Tshien yen thang kin chi oen po oei.

Examen critique des inscriptions.

De l'antiquité aux Yuen. Les inscriptions ne sont pas reproduites. Préface par Oang Ming-cheng, nom littéraire Si-tchoang (1787).

6 livres.

— XIX (3815).

潛研堂金石文跋尾續

Tshien yen thang kin chi oen po oei siu.

Examen critique des inscriptions, suite.

De l'antiquité aux Yuen.

7 livres.

— XX (3815-3816).

潛研堂金石文跋尾續。利

Tshien yen thang kin chi oen po oei siu — Li.

Examen critique des inscriptions, troisième série.

De l'antiquité aux Yuen.

6 livres (le livre 5 est déplacé et mis dans la série suivante).

— XXI (3816).

潛研堂金石文跋尾續。貞

Tshien yen thang kin chi oen po oei siu — Tcheng.

Examen critique des inscriptions, dernière série.

Des Han aux Yuen.

6 livres (le livre 5 déplacé est dans la série précédente).

— XXII (3816).

潛研堂金石文字目錄

Tshien yen thang kin chi oen tseu mou lou.

Catalogue raisonné des inscriptions.

De l'antiquité aux Yuen; indiquant la localité où elles se trouvent, les reproductions gravées, etc.

Grand in-8. Bonne impression; interversions de reliure dans les vol. 3812 et 3816. 19 vol., demi-rel., au chiffre de Louis-Philippe.

Nouveau fonds 810.

3817-3824. 甌北全集

'Eou pẹ tshiuen tsi.

Œuvres complètes de Tchao Yi.

— I (3817).

Vie de l'auteur, surnom Yun-song, nom littéraire 'Eou-pẹ, de de Yang-hou (1727-1814).

— II (3817).

Inscription funéraire par Soẹn Sing-yen.

— III (3817).

皇朝武功紀盛

Hoang tchhao oou kong ki cheng.

Guerres de la dynastie régnante.

4 livres (n° 710).

— IV (3817-3818).

廿二史劄記。補遺

Nien eul chi tcha ki — Pou yi.

Notices diverses sur les 22 histoires dynastiques, avec supplément.

36 + 1 livres.

— V (3819-3820).

陔餘叢考

Kai yu tshong khao.

Notices critiques.

43 livres (n°ˢ 3863-3864).

— VI (3821).

簷曝雜記

Yen pou tsa ki.

Notes et anecdotes historiques.

6 + 1 livres.

— VII (3821-3822).

甌北詩鈔

'Eou pẹ chi tchhao.

Choix de poésies de 'Eou-pẹ. 20 livres.

— VIII (3822).

甌北詩話

'Eou pẹ chi hoa.

Notices critiques sur des poésies.

12 livres.

— IX (3822-3824).

甌北集

'Eou pẹ tsi.

Œuvres diverses de 'Eou-pẹ.

53 livres.

Grand in-8. Titre sur papier rouge. 8 vol., demi-rel., au chiffre de Louis-Philippe.

Nouveau fonds 462.

3825. — I.

嶺 南 集

Ling nan tsi.

Recueil de pièces composées dans le sud.

Morceaux en vers et en prose par Tchheng Han-tchang, surnom Yue-tchhoan, de King-tong. Préfaces par Lieou Ta-chen, de Ning-tcheou (1814), et par Tchou Hoan, surnom Hai-kou, de Koei-lin (1821).

7 livres.

— II.

中 州 集

Tchong tcheou tsi.

Recueil composé dans la Chine centrale.

Pièces officielles et autres par le même.

— III.

山 左 集

Chan tso tsi.

Recueil du Chan-tong.

Pièces officielles et autres par le même.

Grand in-8. 1 vol., demi-rel., au chiffre de Louis-Philippe.

Nouveau fonds 815.

3826-3832. — I (3826-3827).

荻芬書屋詩稾

Ti fẹn chou oou chi kao.

Poésies de la bibliothèque Ti-fẹn.

Par Tong Siun, surnom Yun-khing, de Kan-tshiuen. Publié par son fils Lien.

4 livres.

Titre noir sur rose.

— II (3828-3829).

荻芬書屋文稾

Ti fẹn chou oou oen kao.

Compositions en prose de la bibliothèque Ti-fẹn.

Par le même.

Titre noir sur papier teinté.

— III (3830).

荻芬書屋制藝

Ti fẹn chou oou tchi yi.

Dissertations sur des sujets classiques et autres.

Par le même.

Titre noir sur jaune.

— IV (3831).

荻芬書屋試帖

Ti fẹn chou oou chi thie.

Copies des examens (1849 et 1851).

Rassemblées, ponctuées et annotées par Tong Choẹn, surnom Yun-khing. Préface du compilateur (1858).

2 livres.

Titre noir sur jaune.

— V (3832).

荻芬書屋賦槀

Ti fẹn chou oou fou kao.

Pièces en prose rhythmée de la bibliothèque Ti-fẹn.

Par le même; préface de l'auteur (1859). Publié par les soins

de Tchao Hi-hoo, de Kiang-tou.

Titre noir sur jaune.

Grand in-8. Papier blanc. 7 vol. chinois dans 1 enveloppe toile bleue.

Nouveau fonds 4378.

3833. 黎雲山舘近體詩

Li yun chan koan kin thi chi.

Poésies modernes de Li Yun-chan.

Sans lieu ni date, reproduction en blanc sur noir de l'autographe de l'auteur.

2ᵉ et 3ᵉ recueils seulement.

Grand in-8, en forme de paravent, entre deux planchettes. 1 vol. dans 1 étui, demi-rel., au chiffre de Napoléon III.

Nouveau fonds 1323.

Quatrième section : ŒUVRES DIVERSES

3834. 呂氏春秋

Liu chi tchhoẹn tshieou.

Collection de notices historiques de Liu Pou-oei.

Édition de 1789 revue par Pi Yuen (1729-1797), qui y a mis une préface; préface et commentaire de Kao Yeou, de l'époque des Han.

Liu Pou-oei, ministre de Tshin, mort en 235 a. C., a fait rassembler ces documents de tous genres par un grand nombre de lettrés; d'après quelques personnes, cet ouvrage serait perdu et celui qui reste sous ce nom, serait dû à Kao Yeou. En annexe, renseignements bibliographiques et littéraires sur l'ouvrage.

26 livres. — Cat. imp., liv. 117, f. 13.

Grand in-8; titre sur papier blanc, portant la date de 1788. 1 vol., demi-rel., au chiffre de Napoléon III.
Nouveau fonds 1328.

3835. 博物志
Po oou tchi.

Notices sur les sciences.

Géographie, mœurs, histoire, merveilleux, etc. : ouvrage attribué à Tchang Hoa (232-300), vraisemblablement perdu et refait; préface par Oang Chi-han, de Sin-'an (1668). Gravé à la salle Kiu-jen.

10 livres. — Cat. imp., liv. 142, f. 39.

In-8. Titres bleu et rouge sur blanc, avec sceaux rouges. 1 vol., demi-rel., au chiffre de Louis-Philippe.
Nouveau fonds 613.

3836. 續博物志
Siu po oou tchi.

Suite aux Notices sur les sciences.

Attribué à Li Chi (époque des Tsin); date en réalité du règne de Thai-tsou des Song. Préface de Oang Chi-han (1668). Gravé à la salle Kiu-jen.

10 livres. — Cat. imp., liv. 142, f. 47.

In-8. Titre rouge sur blanc. 1 vol., demi-rel., au chiffre de Louis-Philippe.
Nouveau fonds 614.

3837-3839. 容齋隨筆五集
Yong tchai soei pi oou tsi.

Cinq recueils de notes de Yong-tchai.

Notes et dissertations sur des sujets littéraires et autres. Par Hong Mai, nom littéraire King-lou, avec préfaces de l'auteur (1187, 1196, 1197). Préfaces de Ho Yi (1212) et de Li Han (1498). Notice de Ma Yuen-thiao (1630). Notice par Soen Ying (1700); préface de Sie San-pin, pour la présente édition, gravée à la maison Sao-ye (1794).

16 + 16 + 16 + 16 + 10 livres. — Cat. imp., liv. 118, f. 23.

Grand in-8. Titre sur papier rouge. 3 vol., demi-rel., au chiffre de Louis-Philippe.
Nouveau fonds 804.

3840-3842. 困學紀聞集證合註
Khoen hio ki oen tsi tcheng ho tchou.

Études critiques de philosophie, histoire, littérature, etc.

Par Oang Ying-lin (1223-1296),

avec une préface de Meou Ying-long (1322), une de Yuen Kio (1325), une de Tshiuen Tsou-oang (1742), etc. Édition commentée de 1819, gravée par le sieur Hou, au pavillon Chan-cheou.

20 livres. — Cat. imp., liv. 118, f. 43.

Grand in-8. 3 vol., demi-rel., au chiffre de la République Française.
Nouveau fonds 2283 à 2285.

3843-3848. — I (3843-3847).

慈溪黃氏日抄分類

Tsheu khi hoang chi ji tchhao fen lei.

Notes quotidiennes de Hoang Tchen, rangées méthodiquement.

Notes prises sur des lectures variées, formant une sorte de cours de littérature; par Hoang Tchen, surnom Tong-fa, de Tsheu-khi, fonctionnaire sous le règne de Tou-tsong (1264-1274). Préface de la première édition par Chen Khoei (1337); une autre édition a été gravée par les soins de Kong, entre 1506 et 1521; préface de la présente édition par Chen Khi-yuen (1767); postface par Oang Pei-'o (1767).

97 livres. — Cat. imp., liv. 92, f. 47.

— II (3847-3848).

慈溪黃氏日抄分類古今紀要

Tsheu khi hoang chi ji tchhao fen lei kou kin ki yao.

Extraits historiques de Hoang Tchen, d'après ses notes quotidiennes.

Depuis l'antiquité jusqu'à Chen-tsong (1067-1085). Par le même. Préface par Oang Pei-'o (1767).

19 livres. — Cat. imp., liv. 50, f. 23.

Grand in-8. Titre sur papier blanc. 6 vol., demi-rel., au chiffre de Louis-Philippe.
Nouveau fonds 560.

3849. 雙魚集尺牘彙編

Choang yu tsi tchhi tou hoei pien.

Choix de lettres privées de Yen Ki-tsou.

Auteur : surnom Cheng-khi, de Hia-tchang, au Fou-kien. Les lettres sont rangées par sujet, ponctuées et annotées par Tseng Chao-hi, surnom Siuen-tchong. Préface par Siu Pou, nom littéraire 'Ao-fong tchou-jen (1633).

28 sections.

Petit in-8. 1 vol., cartonnage du XVIIIe siècle, titre : *Chronologia sinica.*
Fourmont 54.

3850-3853. 日知錄
Ji tchi lou.

Notes quotidiennes.

Sur des sujets littéraires et historiques; par Kou Yen-oou, avec préface de son élève Phan Lei; gravé en 1821.

32 livres. — Cat. imp., liv. 119, f. 16; comparer n° 3104, art. V.

In-12. Titre noir sur papier jaune; incomplet de la fin du liv. 31 et du liv. 32. 4 vol., demi-rel., au chiffre de Napoléon III.

Nouveau fonds 1275 à 1278.

3854. 本事詩
Pẹn chi chi.

Notes critiques sur un choix de poésies des Ming.

Ouvrage de Oang Yuen-thing, postnom Chi-tcheng (1634-1711) et de Siu Hong-thing, postnom Khieou, surnom Fong-kiang yu-fou; augmenté et publié par Li Khiu-mẹn et Li Ho-kao, de Koang-ling. Préface par Siu Khieou, de Oou-kiang (1672); préface non datée par Yeou Thong, surnom Hoei-'an, de Tchhang-tcheou (1618-1704).

12 livres.

Grand in-8. Titre noir sur jaune. 1 vol., demi-rel., au chiffre de Louis-Philippe.

Nouveau fonds 371.

3855-3856. 虞初新志
Yu tchhou sin tchi.

Nouvelle collection de Yu Tchhou.

Recueil de pièces diverses relatives à des faits extraordinaires, avec noms d'auteur; imité de celui qui est attribué à Yu Tchhou (IIe s. a. C.); formé par Tchang Tchhao, surnom Sin-tchai, avec préface de l'auteur (1683); réédition avec postface de Tchang Yi, descendant de l'auteur. Gravé à la salle Yi-tshing.

20 livres.

In-18. Titre sur papier jaune. 2 vol., demi-rel., au chiffre de Napoléon III.

Nouveau fonds 1512, 1513.

3857. 虞初續志
Yu tchhou siu tchi.

Suite à la collection de Yu Tchhou.

Pièces diverses avec noms d'auteur, recueillies par Tcheng Tchou-jo, avec préface de celui-ci (1802) et postface de Hou Fong (1803). Gravé à la salle Yang-hoa.

10 livres.

In-24. 1 vol., demi-rel., au chiffre de Napoléon III.

Nouveau fonds 1514.

3858. 讀書樂趣初集

Tou chou lo tshiu tchhou tsi.

Mélanges moraux, premier recueil.

Préface de l'auteur, Oou Han-fęn, surnom Tchi-hien, de Tseu-choei, licencié en 1687; autre préface par Yu Tchhang-tchheng (1745). Gravé à la salle Pao-chou.

Cat. imp., liv. 133, f. 12 (en 8 livres).

In-12. Titre sur papier jaune. 1 vol., demi-rel., au chiffre de Louis-Philippe.
Nouveau fonds 750.

3859. 池北偶談

Tchhi pę 'eou than.

Mélanges historiques, littéraires, etc.

Par Oang Chi-tcheng, surnom Yi-chang, noms littéraires Yuen-thing et Yu-yang chan-jen (1634-1711). Préface de l'auteur (1691), transcrite en 1701 par Tchhen Chi-hi. Publié à la salle San-hoai.

26 livres. — Cat. imp., liv. 122, f. 32.

Grand in-8. Titre sur papier rouge. 1 vol., demi-rel., au chiffre de Louis-Philippe.
Nouveau fonds 820.

3860. 香祖筆記

Hiang tsou pi ki.

Collection de mémoires et de notices.

Année 1702 et suivantes. Par le même auteur, longtemps fonctionnaire à la cour; préface de Song Lo (1705).

12 livres. — Cat. imp., liv. 122, f. 33.

Grand in-8. Titre noir sur papier jaune. 1 vol., demi-rel., au chiffre de Louis-Philippe.
Nouveau fonds 813.

3861-3862. 增訂繡虎軒尺牘全集

Tseng ting sieou hou hien tchhi tou tshiuen tsi.

Recueils épistolaires de Sieou-hou-hien.

Formés et publiés par Tchang Tsong-tao, surnom Si-yuen, de Meou-yuen. Préface par le compilateur (1762). Gravé à la salle Lieou-keng (1796).

— I (3861-3862).

繡虎初集。二集。三集。續集

Sieou hou tchhou tsi — Eul tsi — San tsi — Siu tsi.

Lettres de Tshao Ying-'an, quatre recueils.

Auteur : nom littéraire Sieou-hou-hien. Lettres revues par

Tchang Tsong-tao et Oang Hiao-tchong, surnom Ming-yi, de Meou-yuen.

2 + 2 + 2 + 2 livres.

— II (3862).

倦圃集

Khiuen phou tsi.

Lettres de Tshao Khiuen-phou.

Publiées par Tchang et Oang. 2 livres.

— III (3862).

秋錦集

Tshieou kin tsi.

Lettres de Li Tshieou-kin. Publiées par les mêmes.

1 livre.

— IV (3862).

名人尺牘

Ming jen tchhi tou.

Lettres de personnages célèbres.

Publiées par les mêmes. 2 livres.

In-12. Titre noir sur jaune. 2 vol., demi-rel., au chiffre de Louis-Philippe. *Nouveau fonds* 518.

3863-3864. 陔餘叢考

Kai yu tshong khao.

Notices critiques.

Sur des questions littéraires, historiques, administratives, etc. Par Tchao Yi; introduction de l'auteur (1790), préface de Oou Si-khi (1791). Gravé à la salle Tchan-yi (1790).

43 livres (voir n°s 3819, 3820).

Grand in-8. Titre noir sur blanc. 2 vol., demi-rel., au chiffre de Napoléon III. *Nouveau fonds* 1283, 1284.

3865. 續灤陽銷夏錄

Siu loan yang siao hia lou.

Souvenirs et anecdotes de Loan-yang, suite.

Ouvrage signé du pseudonyme Koan-yi tao-jen. Préface (1798) de l'auteur Ki Yun, surnom Hiao-lan, de Hien (1724-1805). Gravé en 1830.

6 livres.

In-12. Titre sur papier jaune. 1 vol., demi-rel., au chiffre de Louis-Philippe. *Nouveau fonds* 736.

———

3866. 重訂蘇黃尺牘

Tchhong ting sou hoang tchhi tou.

Lettres de Sou à divers.

Publiées par Hoang Chi, surnom Tsing-yu, de Oou, avec introduction non datée de l'éditeur. Gravé de nouveau à la salle Tsiu-kin (1800).

2 livres.

In-12. Titre noir sur jaune. 1 vol., demi-rel., au chiffre de Louis-Philippe. *Nouveau fonds* 838.

3867. 香石詩話
Hiang chi chi hoa.

Critique de poésies par Hiang-chi.

Auteur : Hoang Phei-fang, surnom Hiang-chi, de Hiang-chan. Préface de l'auteur (1809) ; postface par Phang Meou-yong, de Phan-yu (1810). Édition donnée par Oong Than-khi, gravée au pavillon Ling-hai (1810, 1811).

4 livres.

Petit in-8. Bonne impression, titre noir sur jaune et or. 1 vol., demi-rel., au chiffre de Louis-Philippe.

Nouveau fonds 869.

3868. 更豈有此理
Keng khi yeou tsheu li.

Notes et réflexions sur des lectures.

Publié en 1809 à la salle Oei-king.

4 livres.

In-12. Titre noir sur jaune. 1 vol., demi-rel., au chiffre de Louis-Philippe. *Nouveau fonds* 708.

3869-3870. 亦復如是
Yi feou jou chi.

Notes et mémoires.

Par un pseudonyme, Tshing-tchheng-tseu, avec préface de l'auteur (1811) ; préface signée d'un autre pseudonyme, Khien-fou oai-chi (1811). Gravé en 1813 à la salle Li-pẹn.

8 livres.

In-12. Titre sur papier rouge. 2 vol., demi-rel., au chiffre de Louis-Philippe. *Nouveau fonds* 507.

3871-3876. 鴻雪因緣圖記
Hong siue yin yuen thou ki.

Souvenirs personnels illustrés par l'auteur.

Par Lin-khing, surnom Kien-thing. Trois recueils de notes et de dessins relatifs à sa propre vie, publiés respectivement en 1838, 1841 et 1849 ; avec une postface par Tchhong-chi et Tchhong-heou, fils de l'auteur (1849). Préfaces par Phan Chi-'en (1849), Yuen Yuen (1839) et autres. Réédition lithographiée à Changhai, aux bureaux du journal Chen-pao, avec postface de l'éditeur (1879).

In-12. Titre sur papier blanc. 6 vol. chinois renfermés entre deux planchettes. *Nouveau fonds* 4375.

3877. 歷朝名媛尺牘
Li tchhao ming yuen tchhi tou.

Lettres d'héroïnes célèbres des diverses dynasties.

Attribuées à des héroïnes légen-
daires ou autres. Préface de
Tchhen Chao. Publié à la maison
Choei-king, à Tshing-phou.

In-18. Imprimé sur papier blanc, en
noir avec encadrements rouges ; titre noir
sur jaune. 1 vol., demi-rel., au chiffre
de Louis-Philippe.
Nouveau fonds 839.

3878. 梅磵詩話
Mei kien chi hoa.

Critique de poésies de Mei-
kien.

Par Oei Kiu-'an, de Oou-hing.
Extrait de la collection Tou hoa
tchai tshong chou, 5ᵉ recueil.

3 livres.

In-12. Papier blanc, titre noir sur
blanc. 1 vol., demi-rel., au chiffre de
Napoléon III.
Nouveau fonds 1340.

Cinquième section : TRAITÉS DIDACTIQUES ET MODÈLES

3879. 蒙學識字法
Mong hio chi tseu fa.

Méthode pour enseigner les
caractères aux enfants.

Préface de l'auteur Tchang
Heng, surnom Kou-yu-tseu, de
Meou-yuen (1662). Quatre textes
de lecture, consistant en explications sur les Quatre Livres, avec
des caractères faciles mis auprès
des caractères difficiles pour en
indiquer la prononciation.

Grand in-8. Titre noir sur papier
teinté, bonne impression. 1 vol., cartonnage du XVIIIᵉ siècle, avec le titre :
Tractatus de characteribus.
Fourmont 22.

3880. 詞學全書
Seu hio tshiuen chou.

Études des poésies dites *seu.*

Recueil formé en 1679 par Tchha
Ki-tchhao, surnom Soei-'an, de Haining. Préface par Tchha Phei-ki,
surnom Oang-oang, de Tong-hai
(1746). Table générale du recueil.
Gravé à la salle Tchi-hoo.

14 livres. — Cat. imp., liv. 200,
f. 28.

— I.

古今詞論
Kou kin seu loen.

Traité des seu antiques et modernes.

Par Oang Yeou-hoa, surnoms
Tsing-tchai et Yi-'an, de Tshien-
thang.

1 livre. — Cat. imp., liv. 200, f. 23.

— II.

填詞圖譜

Thien seu thou phou.

Recueil de seu avec tableaux prosodiques explicatifs.

Par Lai Yi-pin, surnom Soen-'an, de Si-ling (dynastie régnante); publié par Tchha Ki-tchhao, Oang Yeou-hoa et Tchha Tsheng-yong, surnom Tchhoen-kou.

6 livres. — Cat. imp., liv. 200, f. 26.

— III.

填詞圖譜續集

Thien seu thou phou siu tsi.

Recueil de seu avec tableaux, suite.

Composé et publié par les mêmes.

3 livres. — Cat. imp., liv. 200, f. 26 (en 2 livres).

— IV.

詞韻

Seu yun.

Dictionnaire de rimes pour les seu.

Par Tchong Heng, surnom Tao-kieou, nom littéraire Siue-thing, de Tshien-thang (dynastie régnante). Table et dissertation à la fin. Complété et publié par Oang Yeou-hoa et par son fils Seu-lieou, surnom Thien-chou.

2 livres. — Cat. imp., liv. 200, f. 26.

— V.

填詞名解

Thien seu ming kiai.

Explication de termes relatifs aux seu.

Par Mao Sien-chou, autre post-nom Khoei, surnoms Tchhi-hoang et Tchi-hoang, de Tshien-thang (XVIIᵉ siècle).

4 livres. — Cat. imp., liv. 200, f. 24.

Grand in-8. Titre noir sur jaune. 1 vol., demi-rel., au chiffre de Louis-Philippe. *Nouveau fonds* 485.

———

3881. ## 詞鏡平仄圖譜

Seu king phing tse thou phou.

Règles et exemples des seu.

Par Lai Soen-'an et Tchha Soei-'an. Réédition, avec préfaces de 1783, donnée par Lieou Tchi-thing; gravé à la salle Oen-yu (1810).

In-12. Papier blanc, cadres et ponctuation en rouge, caractères noirs. 1 vol., demi-reliure. *Nouveau fonds* 765.

3882-3883. ## 詞律

Seu liu.

Recueil d'anciens seu avec étude prosodique.

Texte, commentaires et notes. Par Oan Chou, surnom Hong-yeou, de Yang-yi, d'après un premier travail dû à Oou Lieou-tshoen, de

Yue. Préface de Oan Chou (1687) et deux autres préfaces (1687). Gravé à la salle Pao-tseu.

20 livres.

Petit in-8. Titre noir sur jaune. 2 vol., demi-rel., au chiffre de Louis-Philippe. *Nouveau fonds* 564.

___

3884. 甲戌科十八房國幹

Kia siu khoo chi pa fang koe kan.

Dissertations de l'examen de 1694 (?)

Dissertations sur des thèmes des Quatre Livres avec noms des auteurs, recueillies et ponctuées par Liu Oou-yin, surnom Tcheng-tchi, de Yu-yue.

Grand in-8 (incomplet). A la garde, note du XVIIIᵉ siècle et note rectificative de Stanislas Julien. 1 vol., reliure. *Nouveau fonds* 2142.

3885. 明文小題解

Ming oen siao thi kiai.

Dissertations de l'époque des Ming, annotées.

Dissertations sur des thèmes des Quatre Livres, avec noms des auteurs ; ponctuées et annotées par Tchang Tcheng, surnom Cheng-yeou, nom littéraire Toen-fong-tchai, de Koan-tchheng. Préface du compilateur (1731). Gravé à la salle Thong-'an.

4 livres.

Petit in-8. Titre noir sur jaune. 1 vol., demi-rel., au chiffre de Louis-Philippe. *Nouveau fonds* 895.

3886.

Recueil de dissertations de l'époque des Ming.

Grand in-8 (incomplet). 1 vol., cartonnage. *Nouveau fonds* 2357.

___

3887. 初學玉玲瓏

Tchhou hio yu ling long.

Traité de composition.

Sur les divisions d'une pièce de oen-tchang, avec exemples (thèmes des Quatre Livres). Par Siu Siuen King-hien, de Thang ; préface de l'auteur (1750). Réédition de la salle Tchi-yi (1835).

4 livres.

Petit in-8. Titre noir sur jaune. 1 vol., demi-rel., au chiffre de Louis-Philippe. *Nouveau fonds* 380.

___

3888. 詳註文範初編

Siang tchou oen fan tchhou pien.

Dissertations annotées (thèmes des Quatre Livres), premier recueil.

Recueillies et éditées par Oou Siao-yuen, surnom Yu-long, de Thong-tchheng, avec préface de l'éditeur (1757). Gravé à la salle Yong'-an (1800).

4 livres.

Petit in-8. Titre noir sur jaune. 1 vol., demi-rel., au chiffre de Louis-Philippe. *Nouveau fonds* 877.

3889. 初學小題秘訣

Tchhou hio siao thi pi kiue.

Dissertations annotées sur des thèmes des Quatre Livres.

Par le même, avec préface (1763). Gravé à la salle Han-hiang.

4 livres.

Petit in-8. Titre noir sur jaune. 1 vol., demi-rel., au chiffre de Louis-Philippe. *Nouveau fonds* 385.

———

3890. 檀默齋試策箋註

Than mẹ tchai chi tshẹ tsien tchou.

Modèles de dissertations critiques, avec notes.

Explications et dissertations sur divers points des classiques, des historiens, etc. pour la préparation des examens. Par Than Tsoei, surnom Mẹ-tchai, de Oang-kiang, qui enseignait vers 1762; ponctuation et notes par Tcheou Fẹn-pei, surnom Jou-hoo, de Thong-tchheng, et par Tseng Li-hing, surnom Jen-kin, de Kou-chi.

Préfaces de 1777 par Oou Kio et Tcheou Fẹn-pei. Gravé en 1788.

4 livres.

In-12. Titre noir sur jaune. 1 vol., demi-rel., au chiffre de Louis-Philippe. *Nouveau fonds* 848.

3891. *Than mẹ tchai chi tshẹ tsien tchou.*

Double.

In-18. Titre noir sur jaune. 1 vol., demi-rel., au chiffre de Napoléon III. *Nouveau fonds* 1554.

———

3892-3893. 古學千金譜

Kou hio tshien kin phou.

Traité de prosodie.

Avec tableaux explicatifs et exemples tirés des auteurs. Par Oang Chi-tcheng, surnom Yuen-thing (1634-1711) : augmenté et expliqué par Tchou Sie, surnom Ting-hoo, de Ki-yang. Publié par Yang Thing-tseu, surnom Chi-oen. Préface par ce dernier (1772); préface de Kin Chen (1768); préface par Oang Yeou-koang Yong-pin, de Sin-'an (1790). Gravé au pavillon Tchi-nou à Min.

29 livres.

Grand in-8. Titre noir sur rose. 2 vol., demi-rel., au chiffre de Louis-Philippe. *Nouveau fonds* 468.

3894. 詳註引蒙易曉錄

Siang tchou yin mong yi hiao lou.

Modèles de dissertations.

Pièces de oen-tchang de divers auteurs sur des thèmes tirés des Quatre Livres, avec notes explicatives dans la marge supérieure. Collection préparée par Ho Tcheng-song, surnom Siang-tcheou, de Hoai-ning (autrefois Oan); préface du compilateur (1769) : notes par son fils Tchhao-yeou, surnom Sin-thien.

4 livres.

Petit in-8. Titre noir sur jaune. 1 vol., demi-rel., au chiffre de Napoléon III. *Nouveau fonds* 1256.

3895-3897. 雲林別墅 新輯酬世錦囊

Yun lin pie chou sin tsi tchheou chi kin nang.

Le trésor de la vie mondaine.

Quatre recueils réunis par Tseou King-yang, surnom Khẹ-siang, de Pi-fong. Préface du compilateur (1771). Gravé à la salle Lien-mẹ.

Titre général noir sur jaune.

— I (3895).

書啓合編

Chou khi ho pien.

Recueil épistolaire.

Préparé par Sie Mei-lin, surnom Yen-yong, de Tshing-khi, et par Tseou Kho-thing, surnom Chẹ-yuen, de Oou-ko ; publié par Tseou King-yang, fils de ce dernier, avec préface (1771). Le bas de chaque page donne des lettres de divers auteurs, classées par objet ; le haut renferme un recueil méthodique de phrases élégantes du style épistolaire, avec explications.

8 livres.

Titre spécial noir sur jaune.

— II (3896).

家禮集成

Kia li tsi tchheng.

Recueil relatif aux rites domestiques.

Avec figures. En bas des pages, rituel commenté, en haut modèles de lettres de faire-part, formules diverses. Par les mêmes auteurs et éditeur. Préface de Tseou Khẹ-siang.

7 livres + appendices.

Titre spécial sur papier blanc.

— III (3897).

應酬寶要

Ying tchheou pao yao.

Recueil de formules pour les relations.

Avec figures pour indiquer les places, la disposition des mets, etc. En haut des pages, liste méthodique de termes avec les termes correspondants en style épistolaire. Par les mêmes ; préface de Tseou Kho-thing.

2 livres.

Titre spécial sur papier blanc.

— IV (3897).

類聯新編

Lei lien sin pien.

Recueil de sentences, devises, pseudonymes, etc.

Rangé par ordre méthodique en deux parties disposées sur le bas et sur le haut des pages. Par les mêmes, avec préface de Tseou Khẹ-siang.

2 livres.

Titre noir sur papier teinté.
In-12. 3 vol., cartonnage.
Nouveau fonds 4521 à 4523.

3898-3900. 雲林別墅
新輯酬世錦囊全集
Yun lin pie chou sin tsi tchheou chi kin nang tshiuen tsi.

Même ouvrage.

Voir nᵒˢ 3895-3897 ; édition imitée, planches plus petites.

Titre général noir sur jaune.

— I (3898-3899).

Chou khi ho pien.

Voir nᵒ 3895, art. I.

Titre spécial noir sur jaune.

— II (3899-3900).

Kia li tsi tchheng.

Voir nᵒ 3896, art. II.

Titre spécial noir sur papier teinté.

— III (3900).

Ying tchheou pao yao.

Voir nᵒ 3897, art. III.

Titre spécial noir sur papier teinté.

— IV (3900).

探輯新聯圖章佳句

Tshai tsi sin lien thou tchang kia kiu.

Même ouvrage qu'au nᵒ 3897, art. IV, édition augmentée.

2 livres.

Titre spécial noir sur papier teinté.

In-12. 3 vol., demi-rel., au chiffre de Louis-Philippe.
Nouveau fonds 519.

———

3901-3902. 註釋時文
備法
Tchou chi chi oen pei fa.

Modèles annotées de dissertations.

Classés d'après les principes de
composition appliqués. Par Chi
Mong-khi, de Yang-hou; notes par
Chen Pei-lan, de Oou-tsin. Préface de l'auteur (1781). Gravé au
pavillon Hoan-pi (1821).

6 livres.

Petit in-8. Titre noir sur jaune. 2 vol.,
demi-rel., au chiffre de Louis-Philippe.
Nouveau fonds 885.

3903-3905. — I (3903-3904).

註釋八名堂墊鈔初集
*Tchou chi pa ming thang chou
tchhao tchhou tsi.*

Dissertations annotées sur des
thèmes des Quatre Livres, premier recueil.

Réunies par Oou Meou-tcheng,
surnom Lan-kai, de Hai-yen ; expliquées par Li Ping-khoẹn, surnom Oen-chan, de Yong-tchheng.
Préface par Oou Meou-tcheng
(1784) ; préface par Li Ping-khoẹn
(1793). Liste des collaborateurs.
Gravé à la salle Seu-king (1832).

5 livres.

Titre noir sur jaune.

— II (3904-3905).

註釋八名堂墊鈔二集
*Tchou chi pa ming thang chou
tchhao eul tsi.*

Dissertations annotées sur
des thèmes des Quatre Livres,
second recueil.

Réunies par les mêmes auteurs ;
préface par Oang Jou-yang (1784).
Edition de 1799.

6 livres.

Titre noir sur papier teinté.
Petit in-8. 3 vol., demi-rel., au chiffre
de Louis-Philippe.
Nouveau fonds 558.

3906. 增訂新刻項太
史藏稿
*Tseng ting sin kho hiang thai
chi tshang kao.*

Dissertations sur des thèmes
des Quatre Livres.

Par Hiang Yu, surnom Choei-
sin ; nouvelle édition augmentée
publiée par Hiang Ying-hong, surnom Jo-yi, petit-fils du précédent.
Préfaces non datées de Oang Yuen
et de Tcheng Yuen-hiun. Réédition
gravée en 1787 à la salle Toẹn-
hoa.

Petit in-8. Titre noir sur jaune. 1 vol.,
demi-rel., au chiffre de Louis-Philippe.
Nouveau fonds 870.

3907. — I.

尺牘聰祭合刻
Tchhi tou lien tsi ho kho.

Modèles de lettres, de sentences, de prières.

En haut des pages, éloges funéraires, prières ; en bas, sentences parallèles. Par Yao King-khing, surnom. Yun-lai, avec préfaces de l'auteur (1787). Édition de la salle Tsi-kou.

4 livres (incomplet de la fin du 2ᵉ livre et des livres 3 et 4).

— II.

新刻簡要達衷集時俗通用書柬

Sin kho kien yao ta tchong tsi chi sou thong yong chou kien.

Modèles de lettres usuelles.

Rangés par ordre d'objet et accompagnés d'un recueil d'expressions propres au style épistolaire. Par Lou Kieou-jou, de Yun-kien, avec préface de l'auteur (1738). Gravé à Min-tchang.

3 livres (le 1ᵉʳ livre est relié à la fin).

Petit in-8. Titre noir sur jaune. 1 vol., demi-rel., au chiffre de Louis-Philippe.
Nouveau fonds 484.

3908. 酬世寶要全書

Tchheou chi pao yao tshiuen chou.

Recueil épistolaire.

Par Yao Chi-mien Yi-seu, de Tsin-choei ; publié par Oang Yeou-heng, de Tchhang-tcheou. Préface de l'auteur (1794). Gravé au pavillon Tsoei-king.

En haut des pages, formules, vocabulaire du style épistolaire, itinéraires et distances ; en bas modèles de lettres annotés et classés, rangés suivant l'objet (livres 1 à 3). — Formules diverses en haut des pages ; en bas sentences, modèles de contrats (livres 4 à 6). — Prières, félicitations pour anniversaires de naissances, etc. (livre 7).

In-12. Titre noir sur jaune. 1 vol., demi-reliure.
Nouveau fonds 229.

3909-3915. — I (3909-3912).

國朝元墨正宗

Koę tchhao yuen mę tcheng tsong.

Compositions choisies des candidats reçus premiers aux examens de doctorat et de licence.

Compositions annotées, classées par règnes, avec noms des auteurs ; recueillies par Hou Sien-lang, surnom Hai-nan, de King ; avec préface et avertissement du compilateur. Gravé au pavillon San-to.

8 + 2 livres (de 1645 à 1795).
Titre noir sur jaune.

— II (3912-3915).

國朝元墨正宗二編

Koę tchhao yuen mę tcheng tsong eul pien.

Compositions choisies des candidats reçus premiers, second recueil.

Publiées par le même ; préface du même (1799) ; au pavillon San-to.

5 livres (de 1796 à 1820).

Titre noir sur jaune.

— III (3915).

國朝元墨正宗三編

Koę tchhao yuen mę tcheng tsong san pien.

Compositions choisies des candidats reçus premiers, troisième recueil.

Publiées par Chen Tshieou-hoei postnom Nai-song, de Fei-chang ; préface du compilateur (1822).

2 livres (de 1821 à 1846).

Titre noir sur jaune.
Petit in-8. 7 vol., demi-reliure.
Nouveau fonds 549.

3916-3918. 霏屑軒尺牘類選

Fei sie hien tchhi tou lei siuen.

Modèles de lettres de Fei-sie-hien.

Classés par objet, lettres de félicitations, de remerciements, pour s'enquérir de la santé, réponses, etc. Recueil formé par Soęn Hoęn Tchou-thing, de Tshien-

thang, et par Tchhen Chi-hi Keng-yang, nom littéraire Lien-thang, de Chan-yin ; revu par Tchou Yin-koan Ping-yuen, de Tshien-thang. Préface de Tchhen Chi-hi (1796). Gravé à la salle Po-oen.

16 livres.

In-12. Titre noir sur vermillon. 3 vol., demi-rel., au chiffre de Louis-Philippe. *Nouveau fonds* 538.

3919. 聲律啓蒙撮要

Cheng liu khi mong tshoo yao.

Exercices pratiques de prosodie et de versification.

Avec annotations sur les allusions littéraires. Par Tchhę Oan-yu, de Chao-ling ; complété par Hia Ta-koan, surnom Tsheu-lin, de Siang-than ; annoté par Oang Tchi-kan, surnom Tchong-soei, de Siang-than. Préface par Li Tchheng-loęn, surnom Nan-hou, de Tsin-męn (1801) pour une réimpression. Gravé à la salle Tchen-hien (1831).

2 livres.

In-18. Titre noir sur rose. 1 vol., demi-reliure.
Nouveau fonds 709.

3920. 詳註分類友琴尺牘

Siang tchou fen lei yeou khin tchhi tou.

Recueil épistolaire annoté.

Par Si-tsę chan-jen, de Yu-yue, avec préface de l'auteur (1804). Lettres à des mandarins, lettres de mandarins entre eux, classées par objet ; en tête de l'ouvrage, on trouve :

時令摘錦

Chi ling tchę kin.

Formules pour les diverses saisons.

1 + 4 livres.

In-12. Titre noir sur jaune. 1 vol., demi-rel., au chiffre de Louis-Philippe. *Nouveau fonds 785.*

3921. 依樣葫蘆

Yi yang hou lou.

Recueil épistolaire méthodique.

Par Hiang-hou, d'après Oei-lei chan-jen ; avec préface de Hiang-hou (1804). Publié en 1813.

4 livres.

In-12. Titre noir sur jaune. 1 vol., demi-rel., au chiffre de Louis-Philippe. *Nouveau fonds 781.*

3922-3923. 紅藕山莊尺牘

Hong 'eou chan tchoang tchhi tou.

Recueil d'adresses et de suppliques.

Pour présenter à des fonctionnaires en diverses circonstances ; en tête, recueil de sentences parallèles. Publié par Ye-yin san-jen (1812).

1 + 12 livres.

In-12. Titre noir sur jaune. 2 vol., demi-rel., au chiffre de Louis-Philippe. *Nouveau fonds 712 et 713.*

3924. 秀才秘籥

Sieou tshai pi yo.

Conseils pour les candidats au baccalauréat.

Par Tchong Tchen-li, surnom Tchi-'an, de Phou-thao ; avertissement par Tshai Koang-hoa, surnom Ling-'an, de Nan-tchheng. Publié en 1820.

Petit in-8. Titre noir sur papier teinté. 1 vol., demi-rel., au chiffre de Napoléon III.
Nouveau fonds 1372.

3925. 虛字註釋

Hiu tseu tchou chi.

Explication des caractères vides.

D'après le volume de Tchang Ming-tę, de Kiang ; par Khoo-hiu-tchai ; avec notice de ce dernier (1820).

Petit in-8. Manuscrit soigné. 1 vol., demi-reliure.
Nouveau fonds 3564.

3926. — I.

江湖輯要

Kiang hou tsi yao.

Recueil épistolaire.

Accompagné de conseils, de formules diverses. Par Yu Hio-phou, de Oou, et Oen Khi-chi, de Oou-khi. Préface par Hoa-kiang tchou-jen (1824). Cet ouvrage est imprimé sur le haut des pages. Gravé à la salle Yi-king (1825).

4 livres.

— II.

分韻撮要字彙

Fẹn yun tshoo yao tseu hoei.

Lexique par ordre de finales.

Comprenant table des 33 syllabes qui servent à classer, table des caractères rentrant sous chaque syllabe et mis dans l'ordre des tons, lexique sans prononciation, avec sens indiqués très brièvement. Par Oen Yi-fong Khi-chan, de Oou-khi, et son neveu Oen Ki-cheng Toan-chi. Cet ouvrage est imprimé dans le bas des pages.

In-12. Titre noir sur jaune. 1 vol., demi-rel., au chiffre de Louis-Philippe.
Nouveau fonds 721.

_____

3927. 賦則新選

Fou tsẹ sin siuen.

Choix de pièces en prose

rhythmée pour servir de modèles.

Recueil annoté de fou composés en Annam. Par Nguyễn Hoài-vĩnh, surnom Thúc-trinh ; revu par Phạm Đình-ái, surnom Nhuận-phủ, de Hải-dương. Préface du compilateur (1834).

10 livres.

Grand in-8. Titre noir sur papier teinté. 1 vol., demi-reliure.
Nouveau fonds 4324.

_____

3928. 廣東全場闈墨

Koang tong tshiuen tchhang oëi mẹ.

Dissertations de candidats reçus à l'examen du Koang-tong.

Publiées par Tchao Ho, à la salle Tsiu-khoei (1835).

Petit in-8. 1 vol. demi-reliure.
Nouveau fonds 1001.

_____

3929. 殿試策。欽定第一甲第一二三名

Tien chi tshẹ. — Khin ting ti yi kia ti yi eul san ming.

Examen palatin : deux compositions des trois premiers candidats reçus, impression officielle.

Année 1877.

In-4. Papier blanc à encadrements

rouges représentant des dragons ; couvertures en papier jaune. 1 vol., demirel., au chiffre de la République Française.

Nouveau fonds 4334.

3930. 增訂詩法入門

Tseng ting chi fa jou men.

Manuel augmenté de versification.

Par Yeou Tseu-lou, postnom Yi, de Min-than ; publié par Than Yeou-hia. Préface de l'auteur. Gravé au pavillon Oou-yun.

1 livre préliminaire + livres 1 et 2 (règles et tableaux explicatifs) + livres 3 et 4 (poésies choisies ponctuées et annotées).

In-12. Titre noir sur jaune. 1 vol., demi-rel., au chiffre de Louis-Philippe.

Nouveau fonds 759.

3931. 書法入門二集

Chou fa jou men eul tsi.

Recueil de modèles de lettres.

Lettres de divers auteurs rangées par ordre d'objets ; recueillies par Yeou Yi. Édition de Yu Ming, surnom Jou-tcheng.

Livres 4 (incomplet) à 7 (incomplet).

In-24. 1 vol. chinois.
Nouveau fonds 4947.

3932. 顧大宗師文稿。蘭修舘初編二編

Kou ta tsong chi oen kao — Lan sieou koan tchhou pien eul pien.

Recueils de compositions d'examen, deux recueils.

Dissertations, pièces en prose rhythmée, recueillies par l'examinateur provincial du Koang-tong.

Petit in-8. Titre noir sur jaune. 1 vol., demi-rel., au chiffre de Louis-Philippe.
Nouveau fonds 281.

3933. 博古齋註釋書類函

Po kou tchai tchou chi chou lei han.

Modèles de lettres classés par objet, annotés.

In-24. 1 vol. chinois incomplet.
Nouveau fonds 4952.

3934. 寫帖款式

Sie thie khoan chi.

Modèles épistolaires.

En bas des pages, les modèles et formules ; en haut recueil d'expressions.

Petit in-8. 1 vol. chinois incomplet.
Nouveau fonds 4966.

3935. 新訂吉凶疑難
帖式

Sin ting ki hiong yi nan thie chi.

Nouveau recueil sur les difficultés du langage et de la vie.

Revu par Lou Jou-fan, de Tchong-kiang. Modèles de lettres, de faire-part, de suscriptions, noms de parenté et formules correspondantes ; le 2e livre (rites usuels, règles domestiques, etc.), a pour sous-titre :

括禮帖式
Koo li thie chi.

Règles rituelles.

2 livres.

Petit in-8. Titre noir sur vermillon. 1 vol., demi-rel., au chiffre de Napoléon III.
Nouveau fonds 1254.

3936. 新鋟陳眉公先
生啟札鴻章

Sin tshin tchhen mei kong sien cheng khi tcha hong tchang.

Nouveau recueil épistolaire par Tchhen Mei-kong.

Auteur Tchhen Ki-jou, surnom Mei-kong, de Yun-kien. En bas des pages, modèles de lettres, formules rituelles, règles, le tout

rangé méthodiquement ; en haut, vocabulaire de termes épistolaires, par ordre méthodique.

2 livres.

Petit in-8. Exemplaire mangé et déchiré. 1 vol. chinois.
Nouveau fonds 4962.

3937-3938.

Modèles de lettres, rangés par objet.

2 livres.

Petit in-8. Manuscrit; annotations au vermillon dans la marge supérieure; dans le 2e vol., ces annotations ont été rognées à la reliure.
1 vol., demi-reliure.
Nouveau fonds 1940.
1 vol., cartonnage.
Nouveau fonds 2734.

3939. 新鐫詩聯合選
春聯譜二集

Sin tsiuen chi lien ho siuen tchhoen lien phou eul tsi.

Nouveau recueil de sentences parallèles.

Par Tcheng Han, surnom Tchotchi, de Phou-yang.

Fin de la table du 1er livre et table du 2e livre.

Petit in-8. 1 fragment de volume chinois.
Nouveau fonds 4940.

CHAPITRE VII : ŒUVRES D'IMAGINATION

—

Première Section : ROMANS

3940-3943. 李卓吾先生批評三國志演義

Li tcho oou sien cheng phi phing san koẹ tchi yen yi.

Le San koẹ tchi (Histoire des Trois Royaumes), édition de Li Tcho-oou.

Auteur : Lo Koan-tchong, de Tong-yuen (XIIᵉ siècle); l'éditeur, Li Tcho-oou est mort en 1610. Préface par Miao Tsoẹn-sou, de Kiang-chang; préface par Tai Yi, surnom Nan-tchi, de Chan-yin (1687).

120 chapitres (hoei) — Cordier, Bibl. sinica, 804 — Bazin, Siècle des Youên, p. 107 — H. A. Giles, History of Chinese literature, p. 277.

Grand in-8. 4 vol., demi-reliure (provenant de la bibl. de l'Arsenal).
Nouveau fonds 1602 à 1605.

3944-3947. 第一才子書
Ti yi tshai tseu chou.

Le premier auteur de génie (San koẹ tchi).

Édition développée, par Kin Jen-choei, nom littéraire Cheng-than, surnom Jo-tshai, de Sou-tcheou (1627?-1662?); avec préface du même (1644), avertissement, notice sur la lecture de l'ouvrage, etc. Ponctué par Mao Tsong-kang, surnom Siu-chi, nom littéraire Cheng-chan, de Meou-yuen. Gravé au jardin Kiai-tseu.

1 livre préliminaire + 60 livres (120 hoei).

Grand in-8. Titre noir sur blanc; portraits des héros avec légendes en vers. 4 vol., demi-reliure.

Nouveau fonds 593.

3948. 四大奇書第一種。第一才子書
Seu ta khi chou ti yi tchong — Ti yi tshai tseu chou.

Le premier des Quatre Livres Merveilleux : le premier roman de génie.

Édition semblable, gravure analogue, impression moins soignée.

Hoei 21 à 26.

Petit in-8. 1 vol. cartonnage.
Nouveau fonds 3666.

3949-3968. 繡像第一才子書

Sieou siang ti yi tshai tseu chou.

Même ouvrage, édition semblable (nᵒˢ 3944-3947), gravure commune de la salle Fou-oen (1814); illustrations.

In-12. Titre noir sur jaune. 20 vol. chinois.
Nouveau fonds 3508 à 3511.

3969-3974. 繡像漢宋奇書

Sieou siang han song khi chou.

Les Livres Merveilleux relatifs aux Han et aux Song.

Édition illustrée de la salle Yunhiang; préface, avertissement; portraits des héros avec légendes. Table pour chacun des deux ouvrages. La table et le texte de chaque ouvrage sont disposés sur la moitié inférieure et sur la moitié supérieure des pages. En bas :

— I.

古本三國志

Kou pẹn san koẹ tchi.

Le San koẹ tchi.

Même édition qu'aux nᵒˢ 3944-3947.

60 livres (120 hoei) : la table indique une division en 20 livres.

En haut :

— II.

忠義水滸傳

Tchong yi choei hou tchoan.

Le Choei hou tchoan (Histoire des rivages), histoire de fidélité et de justice.

Attribué à tort à Lo Koantchong; ouvrage de Chi Nai-'an (XIIIᵉ siècle), l'un des Quatre Livres Merveilleux. Gravé à la salle Hing-hien, de Kin-ling.

20 livres (115 hoei). — Cordier, Bibl. sinica, 807, 1859, 2187. — Bazin, Siècle des Youên, p. 108. — H. A. Giles, History of Chinese litterature, p. 280.

In-18. Titre noir sur jaune. 6 vol., demi-rel., au chiffre de Louis-Philippe.
Nouveau fonds 676.

3975-3981. *Sieou siang han song khi chou.*

— I.

Kou pẹn san koẹ tchi.

— II.

Tchong yi choei hou tchoan.

Double.

In-18. 7 vol., demi-rel., au chiffre de Napoléon III.
Nouveau fonds 1258 à 1264.

3982-3984. 第一才子書。三國志演義

Ti yi tshai tseu chou — San koẹ tchi yen yi.

Le San koẹ tchi.

Édition donnée par Li Yu, surnom Li-oong, de Hou-chang (XVIIIᵉ siècle), avec préface du même. Liste des principaux personnages; bonnes gravures représentant les principales scènes.

120 hoei.

Grand in-8. Titre noir et rouge sur blanc. 3 vol., demi-rel., au chiffre de Louis-Philippe (provenant des Missions Étrangères).
Fourmont 88.

3985. *Ti yi tshai tseu chou — San koẹ tchi yen yi.*

Double.

Hoei 1 à 7 et 15 à 19.

Grand in-8. 1 vol., cartonnage.
Nouveau fonds 2379.

———

3986. 玉茗堂批點殘唐五代史演義傳

Yu ming thang phi tien tshan thang oou tai chi yen yi tchoan.

Histoire des derniers Thang et des Cinq Dynasties, édition ponctuée de la salle Yu-ming.

Par Lo Koan-tchong. Revu par Thang Hien-tsou, surnom Jo-chi, nom littéraire Yu-ming-thang, autre surnom Yi-jeng, de Lin-tchhoan, né en 1550. Préface par Tcheou Tchi-piao, surnom Kiun-kien, de Tchhang-tcheou (1782). Édition de la salle Hoei-oen (1783).

6 livres (60 hoei).

In-18. Titre noir sur jaune. 1 vol., demi-rel., au chiffre de Louis-Philippe.
Nouveau fonds 849.

3987-3990. 四雪草堂重訂通俗隋唐演義

Seu siue tshao thang tchhong ting thong sou soei thang yen yi.

Histoire des Soei et des Thang, nouvelle édition de la salle Seu-siue.

Attribuée à Lo Koan-tchong (?); publiée par un pseudonyme Mou-chi nong-fou, de Tchhang-tcheou, d'après le manuscrit d'un autre pseudonyme Tshi-tong ye-jen, surnom Kien-siao-ko. Revu par Oou Ho-tshiao. Préface de Lin Han. Réédition de 1811.

20 livres (100 hoei).

In-18. Titre noir sur jaune. 4 vol., demi-rel., au chiffre de Louis-Philippe.
Nouveau fonds 537.

———

3991. 文杏堂評點水滸傳

Oen hing thang phing tien choei hou tchoan.

Le Choei hou tchoan, édition de la salle Oen-hing.

Cf. n⁰ˢ 3969-3974, art. II. D'après l'édition de Li Tcho-oou, avec préface du vieillard de Oou-hou. Illustrations soignées représentant des scènes du roman ; table des matières indiquant 30 livres (100 hoei).

Livres 1 à 5 et début du livre 6.

Petit in-8. Titre noir sur papier blanc. 1 vol., cartonnage.

Nouveau fonds 2898.

3992-3994. 鍾伯敬先生批評水滸忠義傳

Tchong po king sien cheng phi phing choei hou tchong yi tchoan.

Le Choei hou tchoan, histoire de fidélité et de justice, édition de Tchong Po-king.

L'éditeur, postnom Sing, était originaire de King-ling, au pays de Tchhou ; il vivait en 1621. Note sur les divers personnages ; illustrations avec légendes. Gravé à la salle Seu-jou.

100 livres (100 hoei).

Petit in-8. Titre noir sur blanc. 3 vol., demi-reliure (prov. de la bibl. de l'Arsenal).

Nouveau fonds 1624 à 1626.

3995-3998. 第五才子書。施耐菴水滸傳

Ti oou tshai tseu chou — Chi nai'an choei hou tchoan.

Le cinquième auteur de génie : le Choei hou tchoan, de Chi Nai-'an.

Édition développée de Kin Jen-choei, gravée à la salle Ye-yao, d'après l'exemplaire de la salle Koan-hoa, de Kin-tchhang ; belle édition.

(3995) préfaces, la dernière datée de 1641, livre 1.

(3995) extraits historiques, livre 2.

(3995) conseils pour la lecture de l'ouvrage, livre 3.

(3995) préface de Chi Naï-'an, sans date, livre 4.

(3995) autre préface, livre 5.

(3995-3998) texte en 70 hoei, livres 6 à 75.

Grand in-8. Titre noir sur blanc. 4 vol., demi-rel., au chiffre de Louis-Philippe (provenant des Missions Étrangères).

Fourmont 305.

3999-4002. *Ti oou tshai tseu chou. — Chi nai'an choei hou tchoan.*

Double.

Grand in-8. Titre noir sur blanc

différent du précédent. 4 vol., demi-reliure.
Nouveau fonds 325.

4003-4007. 第五才子書。水滸傳

Ti oou tshai tseu chou. — Choei hou tchoan.

Le Choei hou tchoan, cin-
quième roman de génie.

Édition du jardin Kiai-tseu,
avec préface par Kiu-khiu oai-chi
(1734). Portraits des personnages
avec légendes au verso; conforme
d'ailleurs à l'édition des nᵒˢ 3995-
3998.

In-18. Titre noir sur jaune. 5 vol.,
demi-rel., au chiffre de Louis-Philippe.
Nouveau fonds 703.

4008. 新刻京本全像插增田虎王慶忠義水滸全傳

*Sin kho king pẹn tshiuen siang
tchha tseng thien hou oang
khing tchong yi choei hou
tshiuen tchoan.*

Le Choei hou tchoan, etc.,
édition complétée et illustrée,
nouvellement gravée à la capitale.

Vieille édition avec illustrations
en haut des pages.

Livre 20 et début du livre 21
(hoei 99 à 102).

Grand in-8. 1 vol., cartonnage.
Nouveau fonds 2899.

4009-4010. 水滸傳

Choei hou tchoan.

Le Choei hou tchoan.

Manuscrit en chinois (xvιιᵉ s.),
avec prononciation de quelques
caractères mise en lettres latines
à la plume; deux fragments.

Petit in-8. 1 vol., cartonnage.
Nouveau fonds 2146.
Petit in-8. 1 vol., couverture en cuir.
Nouveau fonds 2145.

4011. 新增第五才子書。水滸全傳

*Sin tseng ti oou tshai tseu chou
— Choei hou tshiuen tchoan.*

Autre titre :

征四寇傳

Tcheng seu kheou tchoan.

Le Choei hou tchoan, édition
nouvelle.

Suite du roman, avec préface
par Jou-lien (1736); gravé à la
salle Tchen-hien.

Livres 1 à 10 (hoei 67 à 115).

In-12. Papier blanc; titre noir sur
jaune. 1 vol., demi-rel., au chiffre de
Louis-Philippe.
Nouveau fonds 738.

4012. 合刻天花藏才子書

Ho kho thien hoa tsang tshai tseu chou.

Les romans de génie, édition collective du Thien-hoa-tsang.

Préface portant les dates de 1658 et de 1686. Table des romans ; le texte, comme la table, est disposé sur les moitiés supérieures et inférieures des pages. En haut :

— I.

三才子．玉嬌梨

San tshai tseu — Yu kiao li.

Le troisième romancier de génie : Yu kiao li (les Deux Cousines).

Ouvrage du xvᵉ siècle, par Yi-tshieou san-jen.

4 livres (20 hoei). — Cordier, Bibl. sinica, 806. — H. A. Giles, History of Chinese literature, p. 309.

En bas :

— II.

四才子．平山冷燕

Seu tshai tseu — Phing chan leng yen.

Le quatrième romancier de génie : Phing chan leng yen (les Deux Jeunes Filles lettrées).

Ouvrage de la dynastie des Ming.

4 livres (20 hoei). — Cordier, Bibl.

sinica, 807, 1859. — H. A. Giles, History of Chinese literature, p. 323.

Petit in-8. Titre noir et rouge sur papier blanc. 1 vol., demi-reliure (provenant de la bibl. de l'Arsenal).
Nouveau fonds 1674.

4013. — *Ho kho thien hoa tsang tshai tseu chou.*

— I.

San tshai tseu — Yu kiao li.

— II.

Seu tshai tseu — Phing chan leng yen.

Double.

Petit in-8. 1 vol., demi-reliure.
Nouveau fonds 189.

4014. 新鐫批評綉像玉嬌梨小傳

Sin tsiuen phi phing sieou siang yu kiao li siao tchoan.

Le Yu kiao li, nouvelle édition illustrée.

Préface par le maître de la salle Sou-tcheng. Gravé à la salle Yong-oan, à Kin-tchhang.

20 hoei (pas d'illustrations).

Petit in-8. Bonne édition d'apparence ancienne ; titre noir et rouge sur papier blanc. 1 vol., reliure au chiffre de Charles X.
Fourmont 29.

4015. *Sin tsiuen phi phing sieou siang yu kiao li siao tchoan.*

Double.

1er et 2e hoei.

Petit in-8. Titre noir sur jaune. 1 vol., cartonnage du xviiie siècle avec le titre : *Historia fabulosa.*

Fourmont 3o.

4016. 玉嬌梨

Yu kiao li.

Le Yu kiao li.

2e et 3e hoei.

In-32. 1 cahier.

Nouveau fonds 4954.

4017-4018. 繡像忠烈全傳

Sieou siang tchong lie tshiuen tchoan.

Histoire illustrée de la fidélité héroïque.

Histoire de Koo Tseu-yi (697-781), avec portraits des héros. Préface par Hi-pitchou-jen (1506).

6o hoei.

In-18. Papier blanc, titre noir sur jaune. 2 vol., demi-rel., au chiffre de Louis-Philippe.

Nouveau fonds 52o.

4019-4021. 第一奇書。金瓶梅

Ti yi khi chou — Kin phing mei.

Le premier des Livres Merveilleux : Kin phing mei.

Attribué à Oang Chi-tcheng (1526-1593). Édition publiée par Tchang Tchou-pho, de Phengtchheng. Préface par Sie Yi, de Tshin (1695); introduction, conseils pour la lecture, etc. Illustrations en tête de chaque chapitre. Intrigues et mœurs du début du xiie siècle.

100 hoei. — Cordier, Bibl. sinica, 1868; H. A. Giles, History of Chinese literature, p. 3o9.

Grand in-8. Titre noir sur blanc. 3 vol., demi-reliure.

Nouveau fonds 1o63.

4022-4023. 續金瓶梅

Siu kin phing mei.

Suite au Kin phing mei.

Par Tseu-yang tao-jen. Préface par Thien-yin, de Yen-hia-tong (vers 1620?). Le volume comprend :

— I.

太上感應篇陰陽無字解。功過格

Thai chang kan ying phien yin yang oou tseu kiai — Kong koo ko.

Règles des mérites et des fautes, corrélatives au Livre des Récompenses et des Peines.

Tableau des nombres qui expriment le mérite et le démérite pour chaque acte, avec préface par Ting Yao-yuen, de Lou.

— II.

Siu kin phing mei.

Gravures avec légendes ; liste des auteurs consultés. Table. Recueil d'exemples de la rétribution des actes.

12 livres (64 hoei).

In-12. 2 vol., demi-rel., au chiffre de Louis-Philippe.
Nouveau fonds 661.

4024-4026. 新刊全像三寶(sic)太監西洋記通俗演義

Sin khan tshiuen siang san pao thai kien si yang ki thong sou yen yi.

Histoire du voyage en Occident de l'eunuque San-pao, nouvelle édition illustrée.

Par Lo Meou-thang (*alias* teng), surnom Eul-nan-li jen, avec préface de l'auteur (1597). Récit des expéditions maritimes de Tcheng Hoo, surnom San-pao thai-kien († 1431). Portraits au début de chaque livre. Gravé au pavillon Pou-yue.

20 livres (100 hoei).

Grand in-8. Titre noir sur jaune, im-

pression défectueuse. 3 vol., demi-rel., au chiffre de Louis-Philippe.
Nouveau fonds 811.

4027. 新刊全像海剛峯先生居官公案

Sin khan tshiuen siang hai kang fong sien cheng kiu koan kong 'an.

Histoire du lettré Hai-kang-fong et de ses charges officielles, nouvelle édition illustrée.

Autre titre :

海瑞案傳

Hai choei 'an tchoan.

Histoire de Hai-choei.

Par Li Tchhoen-fang, surnom Hi-tchai, de Tsin. Préface par l'auteur (1606). L'intrigue est placée à l'époque des empereurs Sou et Mou, des Ming.

6 livres (71 hoei).

In-12. Titre noir sur jaune. 1 vol., demi-rel., au chiffre de Napoléon III.
Nouveau fonds 1238.

4028-4029. 海瑞大紅袍傳

Hai choei ta hong phao tchoan.

Autre titre :

原本海公大紅袍傳

Yuen pẹn hai kong ta hong phao tchoan.

Histoire de la robe rouge de Hai-choei.

Par le même auteur. Gravé à la salle Fou-oen (1813).

10 livres (60 hoei).

In-18. Titre noir sur jaune. 2 vol., demi-rel., au chiffre de Louis-Philippe. *Nouveau fonds* 664.

4030. 新鐫全像武穆精忠傳

Sin tsiuen tshiuen siang oou mou tsing tchong tchoan.

Histoire de Yo Fei, nouvelle édition illustrée.

Par Li Tchhoen-fang, avec préface de l'auteur. Édition de Li Tcho-oou. Histoire de Yo Fei, de 1126 à 1155. Portraits des principaux personnages.

8 livres.

In-18. Titre noir sur jaune, édition grossière. 1 vol., demi-rel., au chiffre de Louis-Philippe. *Nouveau fonds* 740.

4031-4035. 李卓吾先生批評西遊記

Li tcho oou sien cheng phi phing si yeou ki.

Voyage merveilleux en Occident (Si yeou ki), publié par Li Tcho-oou.

Récit inspiré des voyages de Hiuen-tsang et de divers autres bonzes. Réédition faite à Kin-ling,

à la salle Ta-ye, d'après celle de Li Tcho-oou ; l'ouvrage original daterait de l'époque mongole. Illustrations.

100 hoei (manquent les hoei 1 et 2). — Cordier, Bibl. sinica, 1870. — H. A. Giles, History of Chinese literature, p. 281.

Grand in-8. Titre noir sur blanc. 5 vol., demi-reliure (provenant de la bibl. de l'Arsenal). *Nouveau fonds* 1661 à 1665.

4036-4039. 金聖歎加評西遊眞詮

Kin cheng than kia phing si yeou tchen tshiuen.

Le Si yeou ki, édition de Kin Cheng-than.

Annotée par Oou-yi-tseu, nom et postnom Tchhen Chi-pin, surnom Yun-cheng, avec préface d'un pseudonyme, Si-thang lao-jen (1696) ; postface de Oou-yi-tseu. Gravé à la salle Lien-me. Illustrations.

20 livres (100 hoei).

In-12. Titre noir sur jaune. 4 vol., demi-reliure. *Nouveau fonds* 110.

4040-4043. 增評西遊證道大奇書

Tseng phing si yeou tcheng tao ta khi chou.

Le Livre Merveilleux du Si yeou ki, édition augmentée.

Édition de Kin Cheng-than, différant fort peu de la précédente ; réimprimée par les soins de Oang Siang-hiu et Tshai Tcheou-han ; préface par un pseudonyme, Ye-yun tchou-jen (1750). Illustrations.

20 livres (100 hoei).

Grand in-8. Incomplet du livre 20, qui est remplacé par le livre correspondant d'un exemplaire de l'édition précédente. 4 vol., demi-rel., au chiffre de Napoléon III.
Nouveau fonds 1364 à 1367.

4044. 新刻全像批評西遊記

Sin kho tshiuen siang phi phing si yeou ki.

Le Si yeou ki, nouvelle édition illustrée.

Livre 18 seulement (hoei 86 à 91).

Grand in-8. 1 vol., cartonnage.
Nouveau fonds 2381.

4045-4047. 新鐫批評後西遊記

Sin tsiuen phi phing heou si yeou ki.

Autre titre :

繡像西遊後傳

Sieou siang si yeou heou tchoan.

Suite au Si yeou ki.

Annotée par Kin Cheng-than ; préface non signée, non datée.

Illustrations. Planches conservées à la salle Eul-yeou.

40 hoei.

In-18. Titre sur papier jaune. 3 vol., demi-rel., au chiffre de Napoléon III.
Nouveau fonds 1239 à 1241.

4048. 雲合奇蹤

Yun ho khi tsong.

Traces merveilleuses d'une rencontre.

Par Siu Oei, surnom Oen-tchang, de Ki-chan ; revu par Yu-ming-thang. Préface par Siu Jou-han, surnom Po-ying, de Oou (1616). Édition postérieure à 1644. Intrigue de l'époque mongole.

20 livres (80 chapitres, tsę).

Petit in-8. 1 vol., demi-reliure (provenant de la bibl. de l'Arsenal).
Nouveau fonds 1655.

4049-4050. 南北宋志傳

Nan pę song tchi tchoan.

Histoire des Song méridionaux et septentrionaux.

— I (4049).

新鐫玉茗堂批評按鑑參補南宋志傳

Sin tsiuen yu ming thang phi phing 'an kien tshan pou nan song tchi tchoan.

Histoire des Song méridionaux, complétée d'après le Thong kien, revue par Yu-ming-thang, nouvelle édition.

Ce titre est peu exact, puisqu'il est question de la fondation de la dynastie. Préface pour l'Histoire des Song méridionaux, par Tchi-li ki-jen. Illustrations. Gravé à la salle Oen-kin, à Péking.

10 livres (50 hoei).

Il semble manquer quelques feuillets.

— II (4050).

北宋志傳

Pę song tchi tchoan.

Histoire des Song septentrionaux.

Relative également aux débuts de la dynastie. Préface par le maître de la salle Yu-ming (1618). Édition publiée par Yen-chi-chan-tshiao et par Tchi-li ki-jen. Illustrations.

10 livres (50 hoei).

Grand in-8. Titre noir sur rose. 2 vol.. demi-rel., au chiffre de Louis-Philippe, *Nouveau fonds* 607.

———

4051. ## 新註二度梅奇說全集

Sin tchou eul tou mei khi choę tshiuen tsi.

Histoire merveilleuse des pru-

niers refleuris, nouvelle édition.

Roman du xvıᵉ ou du xvııᵉ siècle, par Chao-yue kiu-chi et par le maître de la salle Si-yin. Édition de Yu-ming-thang, gravée à la salle Lao-hoei-hien. Portraits des principaux personnages.

6 livres (44 hoei). — Cordier, Bibl. sinica, 818, 1869; H. A. Giles, History of Chinese literature, p. 324.

In-18. Titre noir sur jaune. 1 vol., demi-rel., au chiffre de Louis-Philippe. *Nouveau fonds* 120.

4052. ## 新刻二度梅全本

Sin kho eul tou mei tshiuen pęn.

Nouveau recueil de chansons populaires sur le Eul tou mei.

Par Khien-hiang kiu-chi, du pavillon Pao-fang. Gravé à la salle Kin-oen.

4 livres (1ᵉʳ livre seul).

Petit in-8. Titre noir sur rouge. 1 vol., cartonnage. *Nouveau fonds* 3421.

———

4053. ## 夏商合傳

Hia chang ho tchoan.

Histoire des Hia et des Chang.

Par Tchong Sing, surnom Po-king, de King-ling (vivait en 1621). Publié par Fong Mong-long, surnom Yeou-long. Préface de 1695.

Édition de la salle Ki-kou (1814), illustrée.

6 + 4 hoei.

In-12. Titre noir sur jaune. 1 vol., demi-rel.; au chiffre de Louis-Philippe.
Nouveau fonds 730.

4054-4057. 新刻鍾伯敬先生批評封神演義

Sin kho tchong po king sien cheng phi phing fong chen yen yi.

Lutte de Tcheou-oang et de Oou-oang, édition de Tchong Po-king, nouvellement gravée.

Préface primitive de Tcheou Tchi-piao. Préface de 1695 par Tchhou Jen-hoo. Édition de la salle Seu-siue, planches gardées au pavillon Tshing-lai. Nombreuses illustrations d'exécution soignée.

20 livres (100 hoei).

Grand in-8. Titre noir sur blanc. 4 vol., demi-reliure (provenant de la bibl. de l'Arsenal).
Nouveau fonds 1640 à 1643.

4058-4061. 繡像封神演義全傳

Sieou siang fong chen yen yi tshiuen tchoan.

Lutte de Tcheou-oang et de Oou-oang, édition illustrée.

Avec la préface de 1695; gravé en 1813 au pavillon Oan-kiuen.

In-18. Titre noir sur jaune. 4 vol., demi-rel., au chiffre de Louis-Philippe.
Nouveau fonds 500.

4062-4064. 繡像東西漢全傳

Sieou siang tong si han tshiuen tchoan.

Histoire des Han orientaux et occidentaux, édition illustrée.

Publié par Tchong Po-king. Préface par Yuen Hong-tao, de Kong-'an. Gravé au pavillon Oou-yun. Portraits des principaux personnages.

— I (4062-4063).
西漢演義評
Si han yen yi phing.
Les Han occidentaux.
8 livres.

— II (4064).
東漢演義評
Tong han yen yi phing.
Les Han orientaux.
10 livres.

In-18. Titre noir sur jaune. 3 vol., demi-rel., au chiffre de Louis-Philippe.
Nouveau fonds 716.

4065-4067. *Sieou siang tong si han tshiuen tchoan.*

Même ouvrage, édition analogue, de la salle Hoei-hien.

— I (4065-4066).

Si han yen yi phing.

Voir nᵒˢ 4062-4063.

— II (4067).

新刻劍嘯閣批評東漢演義傳

Sin kho kien siao ko phi phing tong han yen yi tchoan.

Les Han orientaux.

Édition de Kien-siao-ko.

10 livres.

In-18. Titre noir sur jaune. 3 vol., demi-rel., au chiffre de Louis-Philippe. *Nouveau fonds* 123 et 125.

4068-4069. 映旭齋批點北宋三遂平妖全傳

Yang hiu tchai phi tien pẹ song san soei phing yao tshiuen tchoan.

Histoire des pronostics détournés (époque des Song), édition de Yang-hiu-tchai.

Ouvrage achevé en 1620, avec préface de Tchang Oou-kieou; édité et augmenté par Fong Yeou-long, postnom Mong-long, (vivait en 1626); gravé au jardin Yu-chou, illustré.

10 livres (40 hoei).

In-12. Titre noir sur jaune. 2 vol., demi-rel., au chiffre de Louis-Philippe. *Nouveau fonds* 524.

4070. 古今列女傳演義

Kou kin lie niu tchoan yen yi.

Vies développées des héroïnes antiques et modernes.

Par Yeou-long-tseu, de Tong-hai; préface non datée, par l'auteur. Édition du pavillon Tchhang-tchhoẹn, gravée à Oou, au pavillon San-to.

6 livres.

Petit in-8. Titre noir sur jaune. 1 vol., demi-rel., au chiffre de Louis-Philippe. *Nouveau fonds* 867.

4071. 石點頭
Chi tien theou.

Les rochers inclinent leur tête.

Roman par Thien-jạn tchhi-seou, avec préface par Long Tseu-yeou, de Oou; publié par le maître de la salle Mẹ-han. Gravé à la salle Thong-jen.

14 livres.

Grand in-8. Titre noir sur jaune. 1 vol., demi-rel., au chiffre de Louis-Philippe. *Nouveau fonds* 812.

4072. 繡像韓湘子全傳

Sieou siang han siang tseu tshiuen tchoan.

Histoire illustrée de Han Siang-tseu.

Han Siang, surnom Tshing-fou (ixᵉ s.). Roman par Tchi-heng chan-jen, de Tshien-thang. Préface de 1623 par Yen-hia oai-chi. Gravé au pavillon Pou-yue (1820).

3o hoei.

In-18. Titre noir sur jaune. 1 vol., demi-rel., au chiffre de Louis-Philippe. *Nouveau fonds* 767.

4073. 新鐫批評出像通俗演義禪眞後史

Sin tsiuen phi phing tchhou siang thong sou yen yi chạn tchen heou chi.

Histoire postérieure de la méditation et de la vérité, avec notes; nouvelle édition.

Par Tshing-khi tao-jen, préface du maître du pavillon Tshoei-yu (1629). Édition illustrée de la salle Thong-jen. L'intrigue, mêlée de fantastique, se passe sous les Soei et les Thang.

53 hoei.

In-12. Titre noir sur jaune. 1 vol., demi-rel., au chiffre de Louis-Philippe. *Nouveau fonds* 855.

4074. 批評出像通俗演義禪眞逸史

Phi phing tchhou siang thong sou yen yi chạn tchen yi chi.

Autre histoire de la méditation et de la vérité, annotée et illustrée.

Par Tshing-khi tao-jen; plusieurs préfaces, dont l'une signée par Fou Yi, grand astrologue de la cour des Thang, non datée. Roman de l'époque des Liang et des Oei. Avertissement par Li-sien, maître du pavillon Hoa. Planches gardées au pavillon Hoa.

4o hoei.

Grand in-8. Titre noir sur blanc. 1 vol., demi-reliure. *Nouveau fonds* 326.

4075-4076. 新鐫出像批評通俗奇俠禪眞逸史

Sin tsiuen tchhou siang phi phing thong sou khi hie chạn tchen yi chi.

Même ouvrage que ci-dessus; gravé à la salle Ming-sin.

In-12. Titre noir sur vert; illustrations. 2 vol., demi-rel., au chiffre de Louis-Philippe. *Nouveau fonds* 516.

4077-4079. 新編掃魅敦倫東遊記

Sin pien sao mei tọen lọen tong yeou ki.

Récit du voyage en Orient, du

respect des relations et de la défaite des démons.

Récit fantastique dont la scène est en partie dans l'Inde méridionale. Par Tshing-khi tao-jen, de Yong-yang, et Kieou-kieou lao-jen, de Hoa-chan. Préface par le maître de la salle Chi-yu (1789?). Conseils pour lire l'ouvrage. Planches au Yun-lin-tsang.

20 livres (100 hoei).

Grand in-8. Titre noir sur jaune 3 vol., demi-rel., au chiffre de Louis. Philippe.

Nouveau fonds 550.

4080. 新鐫批評平山冷燕

Sin tsiuen phi phing phing chan leng yen.

Le Phing chan leng yen, nouvelle édition.

Voir n° 4012, art. II. Préface non signée (1696). Édition du Thien-hoa-tsang.

20 hoei.

Petit in-8. Titre sur blanc. 1 vol., demi-reliure (provenant de la bibl. de l'Arsenal).

Nouveau fonds 1675.

4081-4082. 天花藏批評平山冷燕

Thien hoa tsang phi phing phing chan leng yen.

Le Phing chan leng yen, édition du Thien-hoa-tsang.

Reproduction de l'édition précédente. La préface est la même, elle n'est pas datée, mais signée du maître du Thien-hoa-tsang.

20 hoei.

Petit-in-8. Titre noir et rouge sur blanc. 2 vol., demi-reliure (provenant de la bibl. de l'Arsenal).

Nouveau fonds 1656, 1657.

4083. 新鐫批評平山冷燕

Sin tsiuen phi phing phing chan leng yen.

Le Phing chan leng yen.

Cette édition ancienne, d'exécution soignée, diffère du n° 4080; faite à la salle Yong-oan, de Kin-tchhang.

20 hoei.

Petit in-8. Titre noir et rouge sur blanc; note de Stanislas Julien sur la couverture. 1 vol., reliure toile.

Fourmont 31.

4084. *Sin tsiuen phi phing phing chan leng yen.*

Double.

Petit in-8. 1 vol., demi-rel., au chiffre de Louis-Philippe.

Nouveau fonds 187.

4085. *Sin tsiuen phi phing phing chan leng yen.*

Double.

Petit in-8. 1 vol., demi-reliure (provenant de la bibl. de l'Arsenal).
Nouveau fonds 1658.

4086. 平山冷燕

Phing chan leng yen.

Le Phing chan leng yen.

Édition analogue à la précédente, mais plus petite.

Hoei 4 à 20.

Petit in-8. 1 vol., cartonnage.
Nouveau fonds 3417.

4087-4092. 天雨花

Thien yu hoa.

Les fleurs qui tombent du ciel en pluie.

Préface par Thao Tcheng-hoai, de Liang-khi (1651), qui est peut-être l'auteur du roman. Édition de Kin-tchhang (1820).

30 hoei.

In-18. Titre noir sur rose. 6 vol., demi-rel., au chiffre de Louis-Philippe.
Nouveau fonds 672.

4093. 新刻濟顛大師醉菩提全傳

Sin kho tsi tien ta chi tsoei phou thi tshiuen tchoan.

Histoire du bonze Tsi-tien et de la connaissance par l'ivresse, nouvelle édition.

Par le licencié du Thien-hoa-tsang. Réédition de la salle Ta-oen (1830).

4 livres (20 hoei).

In-18. Titre noir sur jaune. 1 vol., demi-rel., au chiffre de Louis-Philippe.
Nouveau fonds 749.

4094. 新鐫批評秘本玉支磯小傳

Sin tsiuen phi phing pi pen yu tchi ki siao tchoan.

Histoire du rocher aux veines de jade.

Par Yin-choei chan-jen et par l'homme du Thien-hoa-tsang. Édition du pavillon Tsoei-hoa.

20 hoei.

Petit in-8. Titre noir sur jaune. 1 vol., demi-rel., au chiffre de Louis-Philippe.
Nouveau fonds 825.

4095. 新鐫批評繡像賽紅絲小說

Sin tsiuen phi phing sieou siang sai hong seu siao choe.

Histoire de l'offrande du fil rouge, édition illustrée.

Préface du maître du Thien-hoa-tsang. Ancienne impression.

16 hoei.

Petit in-8. Titre noir sur blanc. 1 vol., demi-reliure (provenant de la bibl. de l'Arsenal).
Nouveau fonds 1676.

4096. 幻中眞

Hoan tchong tchen.

La vérité dans la fraude.

Par Yen-hia san-jen; annoté par Tshiuen-chi tchou-jen. Préface par le maître du Thien-hoa-tsang. Ancienne impression.

12 hoei.

Petit in-8. Titre noir sur blanc. 1 vol., demi-reliure (provenant de la bibl. de l'Arsenal).
Nouveau fonds 1680.

4097. — I.

新鐫海烈婦百煉眞傳

Sin tsiuen hai lie fou po lien tchen tchoan.

Histoire véridique des cent épreuves de la femme vertueuse Tchhen, nouvelle édition.

Par Lang-mẹ-sien tchou-jen, de San-oou. Préface par Yi-'o-liu tchou-jen.

12 hoei.

— II.

輐塘村陳烈婦

Oan thang tshoẹn tchhen lie fou.

Chants funèbres pour la femme vertueuse Tchhen, de Thang-tshoẹn.

Par Fong Hiu, Lieou Oen-ying, etc.

— III.

金太傅塘村烈婦陳氏墓誌銘

Kin thai fou thang tshoẹn lie fou tchhen chi mou tchi ming.

Inscription funéraire pour la femme vertueuse Tchhen, de Thang-tshoẹn, par le Grand Précepteur Kin.

Datée de 1665; suivie d'autres pièces de 1667.

— IV.

輐塘村烈婦詩

Oan thang tshoẹn lie fou chi.

Odes funèbres pour la femme vertueuse de Thang-tshoẹn.

Pièces de divers auteurs, réunies et publiées par Tchhen Lou-khoẹn, avec introduction.

Petit in-8. Titre noir et rouge sur blanc. 1 vol., demi-reliure (provenant de la bibl. de l'Arsenal).
Nouveau fonds 1679.

4098. 蝴蝶媒

Hou tie mei.

Le papillon entremetteur.

Par Nan-yo tao-jen, annoté par Tshing-khi tsoei-kho; publié par le maître du pavillon Pou-yue. Gravé au pavillon Ting-han. Intrigue de la fin du vi^e siècle.

4 livres (16 hoei).

Petit in-8. Titre noir sur jaune. 1 vol., demi-rel., au chiffre de Louis-Philippe. *Nouveau fonds* 896.

4099.   五鳳吟

Oou fong yin.

Élégie des cinq phénix.

Intrigue du xvie siècle. Par Pei-pi tao-jen; publié par Sou-tchhao tao-jen et par le maître du pavillon Pou-yue.

4 livres (20 hoei).

In-18. Titre noir sur jaune. 1 vol., demi-rel., au chiffre de Louis-Philippe. *Nouveau fonds* 836.

4100.   繡像兩交婚

Sieou siang liang kiao hoẹn.

Double mariage, édition illustrée.

Par le maître du pavillon Pou-yue; préface de Mẹ-tchoang lao-jen. Édition sans illustrations, gravée à la salle Tchen-song.

4 livres (18 hoei).

In-12. Titre noir sur jaune. 1 vol., demi-rel., au chiffre de Louis-Philippe. *Nouveau fonds* 725.

────────

4101.   義俠好逑傳

Yi hie hao khieou tchoan.

Hao khieou tchoan (l'Heureuse union, la Femme accomplie).

Par Ming-kiao tchong-jen, édition donnée par Yeou-fang oai-kho. Préface par Oei-fong lao-jen, de Siuen-hoa-li.

18 hoei. — Cordier, Bibl. sinica, 805.

Petit in-8. Titre noir sur blanc. 1 vol., reliure au chiffre de Charles X. *Fourmont* 28.

4102.   *Yi hie hao khieou tchoan.*

Double.

Petit in-8. 1 vol., demi-reliure. *Nouveau fonds* 188.

4103.   *Yi hie hao khieou tchoan.*

Même ouvrage, feuille de titre différente.

Petit in-8. Mauvaise impression. 1 vol., demi-reliure (provenant de la bibl. de l'Arsenal). *Nouveau fonds* 1660.

4104.   *Yi hie hao khieou tchoan.*

Double.

Petit in-8. 1 vol., demi-reliure (provenant de la bibl. de l'Arsenal). *Nouveau fonds* 1659.

4105.   好逑傳

Hao khieou tchoan.

Le Hao khieou tchoan.

Édition analogue à la précédente, de la salle Sing-tsiu.

Hoei 1 à 9.

Petit in-8. Titre sur papier teinté. 1 vol. cartonnage.
Nouveau fonds 1049.

4106. *Hao khieou tchoan.*

Même ouvrage, édition semblable.

Hoei 14, 11, 12, 13.

Petit in-8. 1 vol., reliure XVIIIᵉ siècle.
Nouveau fonds 4906.

4107-4109. 女仙外史

Niu sien oai chi.

Histoire des immortelles.

Par Liu Hiong, surnoms Oentchao et Yi-thien seou, de Ili; avec préface de l'auteur. Postface par Ye Fou, surnom Nan-thien (1711).

Édition du pavillon Tiao-hoang.

100 hoei.

Petit in-8. Titre noir sur jaune. 3 vol. demi-reliure.
Nouveau fonds 262.

4110. 靜爭齋第八才子書。花箋記

Tsing tchheng tchai ti pa tshai tseu chou — Hoa tsien ki.

Le huitième roman de génie, le Hoa tsien ki (le Papier à fleurs), édition du pavillon Tsing-tchheng.

Édition de Tshing-tseu; préface par Tchou Koang-tsheng Chi-chen (1713). Texte et notes.

6 livres. — Cordier, Bibl. sinica, 808, 2187.

Petit in-8. Titre noir sur jaune. 1 vol., demi-reliure.
Nouveau fonds 36.

4111. *Tsing tchheng tchai ti pa tshai tseu chou — Hoa tsien ki.*

Même ouvrage; édition de la salle Fou-oen. Illustrations avec légendes.

In-18. Titre noir sur jaune. 1 vol., demi-rel., au chiffre de Louis-Philippe.
Nouveau fonds 127.

4112. 新刻正原本第八才子花箋

Sin kho tcheng yuen pẹn ti pa tshai tseu — Hoa tsien.

Le Hoa tsien ki nouvellement grayé.

Recueil de chansons publiées par Tchong Yang-siue. Édition faite à la salle Han-king, à la capitale provinciale (Canton) en 1840. Deux illustrations.

4 livres.

Petit in-8. Titre noir sur jaune en tête du volume; titre noir sur papier teinté en tête du 3ᵉ livre. 1 vol., cartonnage.
Nouveau fonds 2374.

4113. 第九才子書。
平 (*alias* 斬) 鬼傳

*Ti kieou tshai tseu chou — Phing
(tchan) koei tchoan.*

Autre titre :

說唐平鬼全傳

*Choę thang phing koei tshiuen
tchoan.*

Le neuvième roman de génie :
Phing koei tchoan (les Démons
soumis).

Par Yang-tchi Tshiao-yun chan-
jen. Préface primitive par Hoang
Yue Tsi-fei, de Chang-yuen (1720).
Édition de la salle Tsiu-kin.

9 hoei.

In-18. Titre noir sur jaune. 1 vol.
demi-rel., au chiffre de Louis-Philippe
Nouveau fonds 1099.

4114-4116. 儒林外史
全傳

Jou lin oai chi tshiuen tchoan.

Histoire des lettrés.

Préface par Hien-tchai lao-jen
(1736) ; édition de la salle 'O-hien
(1803). L'intrigue du roman est
placée dans les années Oan-li.

56 **hoei.**

In-18. Titre noir sur jaune. 3 vol.,
demi-rel., au chiffre de Louis-Philippe.
Nouveau fonds 670.

4117. 增異說唐秘本
後傳

*Tsəng yi choę thang pi pęn heou
tchoan.*

Histoire des Thang au VIIᵉ siècle.

Préface par Jou-lien (1736).
Portraits des héros. Édition de la
salle Tsiu-cheng.

15 hoei.

In-18. Titre noir sur jaune. 1 vol.,
demi-rel., au chiffre de la République
française.
Nouveau fonds 119.

4118. 說唐薛家府傳

Choę thang sie kia fou tchoan.

Histoire de Sie Jen-koei.

Ce général a vécu de 614 à 683.
Auteur : Jou-lien, de Kou-sou.

6 livres (42 hoei).

In-18. 1 vol., demi-rel., au chiffre de
Louis-Philippe.
Nouveau fonds 124.

4119-4120. 新刻異說
反唐演傳

*Sin kho yi choę fan thang yen
tchoan.*

Histoire du rétablissement des
Thang (VIIᵉ, VIIIᵉ siècles).

Par Jou-lien, avec préface de
l'auteur (1743). Portraits avec lé-

gendes. Édition de la salle Tchen-hien (1795).

10 livres (100 hoei).

In-18. Titre noir sur jaune. 2 vol., demi-rel., au chiffre de Louis-Philippe. *Nouveau fonds* 535.

4121-4123. 新刻增異說唐秘本全傳

Sin kho tseng yi choẹ thang pi pẹn tshiuen tchoan.

Histoire des Thang jusqu'en 627.

Préface par Yuen-hou yu-seou. Édition de la salle Tchen-hien.

14 livres (68 hoei).

In-18. Titre noir sur jaune. 3 vol., demi-rel., au chiffre de Napoléon III. *Nouveau fonds* 1210 à 1212.

4124-4126. *Sin kho tseng yi choẹ thang pi pẹn tshiuen tchoan.*

Édition semblable, mais plus petite.

In-18. Titre noir sur jaune. 3 vol., demi-rel., au chiffre de Louis-Philippe. *Nouveau fonds* 121.

4127-4128. 繡像合錦迴文傳

Sieou siang ho kin hoei oen tchoan.

Histoire du brocart brodé, avec illustrations.

Histoire de Sou Hoei (cf. n° 3589, art. I), par Li Yu Li-oong. de Hou-chang (avant 1750) ; revue et publiée par Thie-hoa-chan jen au pavillon Pao-yen (1826). Portraits des personnages principaux.

16 livres, suivis de :

璿璣圖

Siuen ki thou.

Figure de la sphère céleste.

Pièce de Sou Hoei, avec indications pour la lecture. Préface pour cette pièce attribuée à l'impératrice Oou (692).

In-12. Titre noir sur rose. 2 vol. demi-rel., au chiffre de Louis-Philippe. *Nouveau fonds* 746.

4129-4133. 繡像東周列國全志

Sieou siang tong tcheou lie koẹ tshiuen tchi.

Histoire illustrée des Tcheou orientaux.

De Siuen-oang à Chi-hoang-ti. Publié par Tshai Yuen-fang, de Mo-ling, avec préface du même (1752). Carte avec légende, portraits des personnages, conseils pour la lecture. Réédition de la salle Pai-king (1758).

23 livres (108 hoei). — Cordier, Bibl. sinica, 818, 1870.

In-18. Titre noir sur jaune. 5 vol., demi-rel., au chiffre de Louis-Philippe. *Nouveau fonds* 505.

4134-4156. *Sieou siang tong tcheou lie koę tshiuen tchi.*

Même ouvrage, édition semblable de la salle Fou-oen (1791).

In-18. Manque le livre 20. 23 volumes chinois.
Nouveau fonds 3503 à 3507.

4157. 新鐫孫龐演義
Sin tsiuen soęn phang yen yi.

Autre titre :

前七國孫龐演義
Tshien tshi koę soęn phang yen yi.

Histoire des Royaumes combattants, nouvelle édition.

Par Ting Kong-sie Mei-chi, avec préface de l'auteur (1775). Gravé à la salle Oen-kin (1788).

4 livres (20 hoei).

Grand in-8. Titre noir sur jaune. 1 vol., demi-rel., au chiffre de Louis-Philippe.
Nouveau fonds 908.

4158. 繡像呼家後代全傳
Sieou siang hou kia heou tai tshiuen tchoan.

Histoire de l'appel des héritiers, illustrée.

Roman relatif à l'époque de Jen-tsong des Song. Par Pan-hien kiu-chi et Pan-tchhi tao-jen. Préface de Tseu-lin lao-jen (1779). Publié à la salle Chou-ye, à Kin-tchhang.

12 livres (40 hoei).

Petit in-8. Titre noir sur jaune 1 vol., demi-rel., au chiffre de Louis-Philippe.
Nouveau fonds 871.

4159-4161. 繡像春秋列國
Sieou siang tchhoęn tshieou lie koę.

Autre titre :

新增西周演義
Sin tseng si tcheou yen yi.

Histoire illustrée des Tcheou occidentaux.

Du début à la fin de la dynastie. Par Tshai Yuen-fang; préface par Tchhen Ki-jou, de Yun-kien (1784). Portraits des personnages avec légendes. Édition de la salle Hoei-oen (1796).

16 livres.

In-18. Titre noir sur jaune. 3 vol., demi-rel., au chiffre de Louis-Philippe.
Nouveau fonds 506.

4162. 繡像草木春秋

Sieou siang tshao mou tchhoȩn tshieou.

Le Tchhoȩn tshieou des végétaux, illustré.

Roman fantastique par Yun-kien-tseu, de Seu-khi, et Lo-chan-jen. Préface par Yun-kien-tseu. Gravé à la salle Tsi-sieou.

5 livres (32 hoei).

In-12. Titre noir sur jaune. 1 vol., demi-rel., au chiffre de Louis-Philippe. *Nouveau fonds* 682.

4163-4164. 綉像東西晉演義

Sieou siang tong si tsin yen yi.

Histoire illustrée des Tsin orientaux et occidentaux.

Publiée par Tchhen Tchhi-oo-tchai, de Mo-ling, à la salle Fou-oen. Résumé historique.

— I.

東晉演義

Tong tsin yen yi.

Histoire des Tsin orientaux.

Seconde partie du roman.

8 livres (manque le livre 1er).

— II.

西晉演義

Si tsin yen yi.

Histoire des Tsin occidentaux.

4 livres.

In-18. Titre noir sur jaune 2 vol., demi-rel., au chiffre de Louis-Philippe. *Nouveau fonds* 502.

4165-4169. 新增批評繡像紅樓夢

Sin tseng phi phing sieou siang hong leou mong.

Le Hong leou mong (Songes de la Chambre rouge; a Vision of Wealth and Power), illustré.

Attribué à Tshao Siue-khin (XVIIIe s.?). Préfaces dont une par Kao-'o, de Thie-ling. Illustrations représentant des scènes du roman. Texte avec notes en petits caractères. Réédition gravée au pavillon Tong-koan (1811), planches gardées à la salle Oen-yu.

120 hoei. — *Cordier, Bibl. sinica,* 816, 1868; H. A. Giles, History of Chinese literature, p. 355.

In-12. Titre noir sur jaune. 5 vol., demi-rel., au chiffre de Louis-Philippe. *Nouveau fonds* 669.

4170-4174. 紅樓復夢

Hong leou feou mong.

Nouveaux songes de la Chambre rouge.

Par Tshiao-nan-yang, de Siaohoo-chan, au pavillon Hong-hiang, alias Chao-hai. Préface par ce dernier (1799); autre préface par Tchhen Chi-oen, surnoms Yue-oen et Oou-ling niu-chi (1799). Portraits avec légendes. Édition de 1805.

100 hoei.

In-12. Titre noir sur jaune. 5 vol., demi-rel., au chiffre de Louis-Philippe.
Nouveau fonds 497.

4175-4176. 續紅樓夢新編

Siu hong leou mong sin pien.

Suite au Hong leou mong.

Par Hai-phou tchou-jen; préface par le même (1805). Édition de la salle Chang-yeou.

40 hoei.

In-18. Titre noir sur jaune. 2 vol., demi-rel., au chiffre de Louis-Philippe.
Nouveau fonds 515.

4177-4178. 綺樓重夢

Autre titre :

蜃樓情夢

Khi leou tchhong mong, alias *Chen leou tshing mong.*

Songes de mirage.

Préface (1805). Édition de la salle Oen-yu (1816).

48 hoei.

In-18. Papier blanc, titre noir sur

jaune. 2 vol., demi-rel., au chiffre de Louis-Philippe.
Nouveau fonds 671.

4179. 繡像紅樓夢散套譜

Sieou siang hong leou mong san thao phou.

Collection d'airs pour le Hong leou mong, avec illustrations.

Seize chants, texte et notation musicale; une gravure pour chaque morceau. Par King-chi chan-min. Préface par Tchou-tsoei ji-thing-thao kiu-chi (1815?). Édition du pavillon Tchan-po.

Grand in-8. Papier blanc, titre noir sur vert. 1 vol., demi-rel., au chiffre de Louis-Philippe.
Nouveau fonds 363.

4180. 綉像嶺南逸史

Sieou siang ling nan yi chi.

Histoire du Ling-nan, illustrée.

Roman dont l'intrigue se passe dans le sud de la Chine, à l'époque Oan-li. Par Hoa-khi yi-chi; publié par Tchang Si-yuen, à la salle Ho-tẹ (1812) avec préface du même (1794).

28 hoei.

In-18. Titre noir sur jaune. 1 vol., demi-rel., au chiffre de Louis-Philippe.
Nouveau fonds 711.

4181. 繡戈袍全傳

Sieou koo phao tshiuen tchoan.

Histoire de la robe du pays de Koo.

A l'époque Kia-tsing. Auteur : Soei-yuen tchou-jen (n°ˢ 3617-3642). Édition de la salle Fou-oen.

8 livres (42 hoei).

In-18. Titre noir sur jaune. 1 vol., demi-rel., au chiffre de Louis-Philippe.
Nouveau fonds 835.

4182-4183. 新鐫全像 通俗演義隋煬帝艷史

Sin tsiuen tshiuen siang thong sou yen yi soei yang ti yen chi.

Histoire de Yang-ti, des Soei, illustrée, nouvelle édition.

Par Tshi-tong ye-jen (antérieur à 1800 ?) ; publié par Pou-king sien-cheng. Préface de Siao-tchhi-tseu. Notes biographiques sur les personnages, portraits.

40 hoei.

In-12. Papier blanc, titre noir sur jaune. 2 vol., demi-rel., au chiffre de Louis-Philippe.
Nouveau fonds 531.

4184-4186. 蟫史

Yin chi.

Histoire des poissons d'argent.

Roman fantastique, d'après l'ori-ginal de la maison de la montagne Lei-lo. Préface par Tou-ling nan-tseu ; préface par Siao-thing tao-jen (1800?) Illustrations.

20 livres.

In-12. Titre noir sur rouge. 3 vol., demi-rel., au chiffre de Louis-Philippe.
Nouveau fonds 727.

4187-4189. 增訂精忠 演義。說岳全傳

Tseng ting tsing tchong yen yi. — Choẹ yo tshiuen tchoan.

Histoire de Yo Fei, édition augmentée.

Par Tshien-tshai sien-cheng, de Jen-hoo. Préface par Kin Fong, de Yong-fou (1804). Édition de la salle Fou-oen, titre daté de 1801.

9 sections (80 hoei). — Cf. n° 4030.

In-18. Titre noir sur jaune. 3 vol., demi-rel., au chiffre de Louis-Philippe.
Nouveau fonds 674.

4190-4191. 新史奇觀 演義全傳

Sin chi khi koan yen yi tshiuen tchoan.

Merveilles de l'histoire moderne.

Sur Li Tseu-tchheng (1606-1645) et la chute des Ming. Par Fong-hao-tseu, avec préface de Tchong-kiang kiu-chi. Gravé au Tsi-kou-kiu (1803).

22 hoei.

In-18. Titre noir sur jaune, mauvaise impression. 2 vol., demi-rel., au chiffre de Louis-Philippe.

Nouveau fonds 528.

4192. 蜃樓志

Chen leou tchi.

Histoire de mirage.

Par Yu-ling lao-jen et Yu-yu-chan lao-jen. Préface de Lo-feou kiu·chi. Gravé en 1804.

24 hoei.

In-18. Titre noir sur jaune. 1 vol., demi-rel., au chiffre de Louis-Philippe.

Nouveau fonds 851.

4193. 常言道

Tchhang yen tao.

Toujours parler de la voie (?).

Par Lo-po tao-jen; avec préface de Yeou-chi tchhi-jen (1804). Édition de 1814.

16 hoei.

In-12. Impression commune, titre noir sur jaune. 1 vol., demi-rel., au chiffre de Louis-Philippe.

Nouveau fonds 717.

4194-4195. 繡像粉粧樓全傳

Sieou siang fen tchoang leou tshiuen tchoan.

Histoire illustrée du pavillon Fẹn-tchoang.

Suite à l'histoire des Thang. Préface par Tchou-khi chan-jen (1805). Portraits des personnages. Édition de la salle Lao-hoei-hien (1806).

80 hoei.

In-12. Titre noir sur jaune. 2 vol., demi-rel., au chiffre de Louis-Philippe.

Nouveau fonds 509.

4196. 繡像白圭全傳

Sieou siang po koei tshiuen tchoan.

Histoire illustrée de la tablette blanche.

Par Tshoei Siang-tchhoan, de Po-ling; le titre porte l'indication : édition du 10ᵉ romancier de génie par Ki Hiao-lan. Ce dernier, post-nom Yun, originaire de Hien, a vécu de 1724 à 1805. Préface de Tshing-tchhoan kiu-chi. Portraits des personnages. Édition de la salle Yong-'an.

Livre préliminaire + 4 sections (16 hoei).

In-18. Titre noir sur jaune. 1 vol., demi-rel., au chiffre de Louis-Philippe.

Nouveau fonds 1100.

4197. 一棒雪。警世新書

Yi fong siue. — King chi sin chou.

Une poignée de neige, roman moral.

Intrigue se passant sous Yong-tcheng. Préface par le lettré Min-tchai (1809).

40 hoei.

In-18. Titre noir sur jaune. 1 vol., demi-rel., au chiffre de Louis-Philippe.
Nouveau fonds 126.

4198-4201. 繡像希夷夢

Sieou siang hi yi mong.

Rêve subtil, roman illustré.

Par Feou-yeou, avec préface du même. Édition de 1809.

40 livres.

In-18. Papier blanc, titre noir sur jaune. 4 vol., demi-rel., au chiffre de Louis-Philippe.
Nouveau fonds 534.

4202-4203. 繡像雙鳳奇緣昭君傳

Sieou siang choang fong khi yuen tchao kiun tchoan.

Le destin merveilleux des deux phénix : histoire de Tchao-kiun; illustrée.

Intrigue de l'époque des Han. Préface par Siue-tshiao tchou-jen (1809). Portraits des personnages. Édition de la salle Tchao-king (1816).

8 livres (80 hoei).

In-18. Titre noir sur jaune. 2 vol., demi-rel., au chiffre de Louis-Philippe.
Nouveau fonds 514.

———

4204. — I.

新刊八仙出處東遊記

Sin khan pa sien tchhou tchhou tong yeou ki.

Voyage des huit immortels en Orient.

Par Oou Yuen-thai, de Lan-kiang. Préface par Ming-hien tchou-jen (1811). Portraits des immortels. Gravé à la salle Fou-oen.

2 livres (45 hoei).

Titre noir sur jaune.

— II.

西遊唐三藏出身傳

Si yeou thang san tsang tchhou chen tchoan.

Voyage en Occident du bonze San-tsang (Hiuen-tsang).

Par Yang Tchi-hoo, de Tshi-yun, et Tchao Yen-tchen, de Thien-choei. Portraits des personnages. Édition du pavillon Tsiu-kou, à Long-kiang, gravée à la salle Fou-oen.

4 livres (41 hoei). — Comparer n°s 4031-4044.

Titre noir sur jaune.

— III.

南遊華光志傳

Nan yeou hoa koang tchi tchoan.

Voyage au midi de Hoa Koang.

Roman bouddhiste, par Yu Siang-teou, surnoms Yang-tchi et San-thai-koan chan-jen. Portraits des personnages. Édition de la salle Fou-oen.

4 livres.

Titre noir sur jaune.

— IV.

北遊記玄帝出身傳

Pẹ yeou ki hiuen ti tchhou chen tchoan.

Autre titre :

新刊北方眞武祖師玄天上帝出身全傳

Sin khan pẹ fang tchen oou tsou chi hiuen thien chang ti tchhou chen tshiuen tchoan.

Voyage vers le nord de Hiuen-thien chang-ti.

Par Yu Siang-teou. Portraits des personnages. Édition de la salle Fou-oen.

4 livres (24 hoei).

Titre noir sur jaune.

In-18. 1 vol., demi-rel., au chiffre de Louis-Philippe.

Nouveau fonds 854.

4205-4207. ## 繡像後續大宋楊家將文武曲星包公狄青演義

Sieou siang heou siu ta song yang kia tsiang oen oou khiu sing pao kong ti tshing yen yi.

Histoire illustrée de Yang et de Pao, époque des Song; suite.

D'après l'original de Choei-yun-tchai, de Oou-si. Préface par Li Yu-thang, de Ho-yi. Édition de la salle Tchhang-khing, à Yang-tchheng (1814). Portraits des héros.

14 livres (68 hoei).

In-18. Titre noir sur jaune; le titre change légèrement à chaque livre. 3 vol., demi-rel., au chiffre de Louis-Philippe.

Nouveau fonds 122.

4208. ## 新刻聽月樓

Sin kho thing yue leou.

Le pavillon Thing-yue, nouvelle édition.

Préface de 1812. Édition de la salle Tchong-chou (1815).

20 hoei.

In-18. Titre noir sur jaune. 1 vol., demi-rel., au chiffre de Louis-Philippe,

Nouveau fonds 834.

4209-4210. ## 新鐫繡像後宋慈雲太子逃難走國全傳

Sin tsiuen sieou siang heou song

tsheu yun thai tseu thao nan tseou koe tshiuen tchoan.

Histoire illustrée de la fuite du prince héritier Tsheu-yun, des Song postérieurs; nouvelle édition.

Préface non datée. Édition de la salle Fou-oen (1815).

8 livres (35 hoei).

In-18. Titre noir sur jaune. 2 vol., demi-rel., au chiffre de Louis-Philippe. *Nouveau fonds* 517.

4211-4214. 說宋飛龍全傳

Choe song fei long tshiuen tchoan.

Histoire de l'avènement des Song.

Préface (1815) par Oou Siuen; autre préface (1815) par Hang Chi-tsiun, surnoms Ta-tsong et Tong-fou, pseudonyme Tshin-thing lao-min, licencié en 1724. Planches conservées à la salle Tchao-king. Gravé en 1815. Portraits des héros.

16 livres (60 hoei).

In-18. Titre noir sur jaune. 4 vol., demi-rel., au chiffre de Louis-Philippe. *Nouveau fonds* 714.

4215. 綉像飛跎全傳

Sieou siang fei tho tshiuen tchoan.

Histoire illustrée d'une chute.

Préface par Yi-siao-oong (1817). Édition du pavillon Yi-siao (1817). Portraits des personnages, avec légendes.

4 livres (32 hoei).

In-12. Titre noir sur rose. 1 vol., demi-rel., au chiffre de Louis-Philippe. *Nouveau fonds* 723.

4216. 駐春園小史

Tchou tchhoen yuen siao chi.

Histoire du jardin Tchou-tchhoen.

Par Oou-hang ye-kho; publiée par Choei-jo san-jen. Édition de la salle Fou-oen (1817).

6 livres (24 hoei).

In-18. Titre noir sur jaune. 1 vol., demi-rel., au chiffre de Louis-Philippe. *Nouveau fonds* 856.

4217-4218. 繡像梁武帝西來演義

Sieou siang liang oou ti si lai yen yi.

Histoire illustrée du voyage vers l'ouest de Oou-ti des Liang.

Préface sans nom d'auteur ni date. Portraits des personnages. Édition du pavillon Pao-tshing (1819).

40 hoei.

In-18. Papier blanc, titre noir sur

jaune. 2 vol., demi-rel., au chiffre de Louis-Philippe.

Nouveau fonds 527.

4219-4221. *Sieou siang liang oou ti si lai yen yi.*

Double.

In-18. 3 vol., demi-rel., au chiffre de Louis-Philippe.

Nouveau fonds 704.

———————

4222. 新刊繡像清風 閘全傳

Sin khan sieou siang tshing fong tcha tshiuen tchoan.

Nouvelle histoire illustrée de l'écluse de Tshing-fong.

Préface par Mei-khi tchou-jen (1819). Portraits des personnages, époque de Jen-tsong des Song. Édition du pavillon Hoa-hien (1821).

4 livres (32 hoei).

In-12. Papier blanc, titre noir sur jaune. 1 vol. demi-rel., au chiffre de Louis-Philippe.

Nouveau fonds 745.

4223-4224. 繡像爭春 園傳

Sieou siang tcheng tchhoẹn yuen tchoan.

Histoire illustrée du jardin Tcheng-tchhoẹn.

Préface par Ki-cheng (1819).

Portraits des personnages. Édition de la salle Ta-king (1825).

48 hoei.

In-18. Titre noir sur jaune. 2 vol., demi-rel., au chiffre de Louis-Philippe.

Nouveau fonds 508.

4225. 情夢柝

Tshing mong tho.

Les planchettes du veilleur de nuit.

Par 'An-yang tsieou-min, de Hoei-choei; publié à la salle Lou-king (1822) par Koan-kiu san-jen, de Si-chan.

7 livres (20 hoei).

In-12. Titre noir sur jaune. 1 vol., demi-rel., au chiffre de Louis-Philippe.

Nouveau fonds 726.

———————

4226. 續英烈傳

Siu ying lie tchoan.

Autre titre :

繡像 永樂定鼎全誌

Sieou siang yong lo ting ting tshiuen tchi.

Histoire illustrée de l'avène-ment de Yong-lo.

Par Khong-kou lao-jen. Préface sans date. Édition de la salle Lou-yi (1825).

5 livres (34 hoei).

Petit in-8. Titre noir sur jaune. 1 vol.,

demi-rel., au chiffre de Louis-Philippe.
Nouveau fonds 2ı8.

4227. 新鋟後續繡像 五虎平南狄青後傳

Sin tshin heou siu sieou siang oou hou phing nan ti tshing heou tchoan.

Nouvelle histoire de la pacifi-cation du sud-ouest, dernière partie.

Portraits des personnages, épo-que de Oou San-koei († 1678). Édition de la salle Fou-oen (1827).

6 livres (42 hoei).

In-ı8. Titre noir sur jaune. ı vol., demi-rel., au chiffre de Louis-Philippe. *Nouveau fonds* 728.

4228-4231. 鏡花緣
King hoa yuen.

L'alliance mystérieuse du mi-roir et de la fleur.

Roman féerique par Sie Ye Mei-mou, de Ling-chan, avec préface de l'auteur (1830). Préfaces par Hiu Khiao-lin, surnom Chi-hoa, de Mei-tcheou ; par Hong Ti-yuen Tsing-ho, de Oou-lin, etc. (1829). Portraits des héros, illustrations. Introduction. Édition du jardin Kiai-tseu (1832).

20 livres (100 hoei).

In-8. Gravure soignée, titre noir sur

jaune. 4 vol., demi-rel., au chiffre de Louis-Philippe.
Nouveau fonds 54ı.

4232. 英雲夢傳
Ying yun mong tchoan.

Histoire d'un songe de bon augure.

A l'époque de Tẹ-tsong des Thang. Par Song-yun, maître du pavillon Kieou-yong, de Tchen-tsẹ. Publié par Tho-cheng-tchai, autre surnom Sao-hoa-theou ; avec préface de ce dernier (1843?).

8 livres.

In-ı2. Titre noir sur jaune. ı vol., demi-rel., au chiffre de Louis-Philippe, *Nouveau fonds* 742.

4233. 新鐫繡像小說。 吳江雪

Sin tsiuen sieou siang siao choẹ. — Oou kiang siue.

La neige du fleuve de Oou.

Par Pei-heng-tseu, de Oou-mẹn. Préface de l'auteur (1845?); pu-blié à la salle Sou-hiang ; gravé à la maison de la montagne Tchhi-lou, de Tong-oou.

24 hoei.

Petit in-8. Titre noir sur blanc ; manque une partie du premier feuillet. ı vol., demi-reliure (provenant de la bibl. de l'Arsenal).
Nouveau fonds 1677.

4234. 玉樓春

Yu leou tchhoęn.

Le printemps au pavillon de jade.

Roman de l'époque de Tai-tsong des Thang, par Po-yun tao-jen, de Long-khieou; ponctué par Oou-yuen kiu-chi, de Ying-choei. Édition de la salle Oan-tshoei.

4 livres (24 hoei).

In-18. Titre noir sur jaune, 1 vol., demi-rel., au chiffre de Louis-Philippe.
Nouveau fonds 840.

4235. 醒風流奇傳

Sing fong lieou khi tchoan.

Histoire merveilleuse de la réforme des usages.

A l'époque Khing-yuen (1195-1200). Par Ho-chi tao-jen. Illustrations avec légendes.

20 hoei.

Petit in-8. 1 vol., demi-rel., au chiffre de Louis-Philippe.
Nouveau fonds 873.

4236. 新鐫古本批評 三世報°隔簾花影

Sin tsiuen kou pęn phi phing san chi pao. — Ko lien hoa ying.

Rétribution pendant trois générations : l'ombre des fleurs à travers la jalousie; nouvelle édition.

A la fin des Song. Préface non datée.

48 hoei.

Grand in-8. Titre noir sur jaune, 1 vol., demi-rel., au chiffre de Louis-Philippe.
Nouveau fonds 470.

4237. 歸蓮夢

Koei lien mong.

Songe de Koei-lien.

A la fin des Ming. Par Sou-'an tchou-jen. Préface non datée ni signée.

12 hoei.

Petit in-8. Titre noir sur blanc. 1 vol., demi-reliure (provenant de la bibl. de l'Arsenal).
Nouveau fonds 1678.

4238. 新刻異說綠牡丹

Sin kho yi choę lou meou tan.

La pivoine verte, histoire extraordinaire; nouvelle édition.

Préface sans date ni nom d'auteur. Portraits avec légendes.

64 hoei.

In-18. 1 vol., demi-rel., au chiffre de Louis-Philippe.
Nouveau fonds 715.

4239-4241. 檮杌閒評

Thao oou kien phing.

Autre titre :

檮機閒評

Tchheou ki kien phing.

Critiques du Thao-oou (ou Critiques du métier à tisser en bois dur).

Roman avec introduction; portraits avec légendes.

5o hoei.

In-18. Titre noir sur jaune. 3 vol., demi-rel., au chiffre de Louis-Philippe. *Nouveau fonds* 679.

4242. 新刻才美巧相逢。宛如約

Sin kho tshai mei khiao siang fong. — Yuen jou yo.

Rencontre du talent, de la beauté et de l'industrie : contrat de Yuen-jou; nouvelle édition.

Roman par Si-hoa tchou-jen. Gravé au Tsoei-yue chan-kiu.

4 livres (16 hoei).

Petit in-8. Titre noir sur jaune. 1 vol.. demi-rel., au chiffre de Louis-Philippe, *Nouveau fonds* 384.

4243. 新鐫評點畫圖緣小傳

Sin tsiuen phing tien hoa thou yuen siao tchoan.

Histoire du livre mystérieux, nouvelle édition.

16 hoei. — Cordier, Bibl. sinica, 817.

Petit in-8. Titre noir sur papier teinté, bonne édition. 1 vol., demi-reliure. *Nouveau fonds* 184.

4244-4245. 繡像鋏花仙史

Sieou siang thie hoa sien chi.

Histoire illustrée de l'immortel à la fleur de fer.

Par Yun-fong chan-jen, ponctué par le lettré Yi-siao. Préface par San-kiang Keou-seou. Édition de la salle Heng-khien.

26 hoei.

In-12. Titre noir sur blanc, 2 vol., demi-rel., au chiffre de Louis-Philippe. *Nouveau fonds* 663.

Deuxième Section : RECUEILS DE NOUVELLES

4246-4248. 醒世恒言

Sing chi heng yen.

Contes pour éveiller le siècle.

Recueil annoté par Kho-yi kiu-chi, de Long-si, avec préface du même (1627); revu par Me-lang tchou-jen.

40 livres (manquent les livres 3, 7, 8, 12, 13, 14, 15, 23, 36). — Cordier, Bibl. sinica, 817.

Petit in-8. 3 vol., demi-reliure (provenant de la bibl. de l'Arsenal).
Nouveau fonds 1667 à 1669.

4249. 覺世名言

Kio chi ming yen.

Contes pour éveiller le siècle.

Voir le n° suivant, exemplaire plus ancien.

Livres 9 à 12.

Grand in-8. Interversions de reliure. 1 vol., cartonnage du XVIII° siècle, intitulé *Tractatus de arithmetica.*
Fourmont 356 B.

4250. 覺世恒言

Kio chi heng yen.

Même recueil comprenant douze contes. Signé du pseudonyme Kio-chi pai-koan, revu par Choei-hiang tsi-tsieou; préface par Tchong-li Siun-choei (1658).

12 livres.

In-18. Titre noir sur jaune. 1 vol., demi-rel., au chiffre de Louis-Philippe.
Nouveau fonds 733.

4251. 覺世雅言

Kio chi ya yen.

Contes pour éveiller le siècle.

Huit contes avec préface signée du maître du pavillon Lou-thien.

8 livres (manquent les livres 6 à 8).

Grand in-8. 1 vol., cartonnage du XVIII° siècle, intitulé *Tractatus de sæculo.*
Fourmont 356 A.

4252-4254. 拍案驚奇

Pho 'an king khi.

Contes merveilleux et émouvants.

Recueil de 36 contes, d'après l'exemplaire de Kou-sou. Préface de Tsi-khong-koan tchou-jen. Édition de la salle Thong-jen.

18 livres.

In-18. Mauvaise impression, titre noir sur jaune. 3 vol., demi-rel., au chiffre de Louis-Philippe.
Nouveau fonds 501.

4255-4257. 拍案驚奇二集

Pho 'an king khi eul tsi.

Contes merveilleux et émouvants, second recueil.

Trente-quatre contes, recueillis par Tsi-khong-koan tchou-jen, avec introduction du même (1632). Illustrations.

34 livres.

Petit in-8. Titre noir et rouge sur blanc; coupures aux ciseaux dans le texte. 3 vol., demi-reliure (provenant de la bibl. de l'Arsenal).
Nouveau fonds 1627 à 1629.

4258. 拍案驚奇

Pho 'an king khi.

Même ouvrage qu'aux nᵒˢ 4252-4254.

Livres 19 et 20 (correspondant au livre 10 de l'autre édition).

In-32. 1 vol., cartonnage.
Nouveau fonds 2377.

———

4259-4262. 今古奇觀

Kin kou khi koan.

Merveilles de l'antiquité et des temps modernes.

Recueil de 40 contes imprimé par les soins de Pao-oong lao-jen et de Mẹ-han-tchai; gravé à Oou, au pavillon Pao-han (époque des Ming). Préface par Siao-hoa tchou-jen, de Kou-sou. Notes en haut des pages; illustrations soignées, une par nouvelle.

40 livres. — Cordier, Bibl. sinica, 1859 à 1861.

— I, livre 1 (4259).

三孝廉讓產立高名

San hiao lien jang tchhan li kao ming.

Les trois licenciés charitables qui acquièrent de la célébrité.

Cordier, Bibl. sinica, 809, 1861, 2187.

— II, livre 2 (4259).

兩縣令競義婚孤女

Liang hien ling king yi hoẹn kou niu.

L'orpheline.

Cordier, Bibl. sinica, 809, 1861.

— III, livre 3 (4259).

滕大尹鬼斷家私

Theng ta yin koei toan kia seu.

Le portrait de famille.

Cordier, Bibl. sinica, 809, 816, 824, 1861.

— IV, livre 4 (4259).

裴晉公義還原配

Phei tsin kong yi hoan yuen phei.

Comment le mandarin Tan-pi perdit et retrouva sa fiancée.

Cordier, Bibl. sinica, 809, 1861.

— V, livre 5 (4259).

杜十娘怒沈百寶箱

Tou chi niang nou tchhen po pao siang.

Tou Chi-niang, de colère, jette dans l'eau la cassette de bijoux.

Cordier, Bibl. sinica, 809, 1861.

— VI, livre 6 (4259).

李謫仙醉草嚇蠻書

Li tchẹ sien tsoei tshao hẹ man chou.

Le poète Li Thai-po.

Cordier, Bibl. sinica, 809, 814, 1862.

— VII, livre 7 (4259).

賣油郎獨占花魁

Mai yeou lang tou tchan hoa khoei.

Le vendeur d'huile qui seul possède la reine de beauté.

Cordier, Bibl. sinica, 812, 818, 1866, 2188.

— VIII, livre 8 (4259).

灌園叟 (alias 叟) 晚逢仙女

Koan yuen seou (alias *li*) *oan fong sien niu.*

Les pivoines.

Cordier, Bibl. sinica, 810, 814, 1862.

— IX, livre 9 (4259).

轉運漢巧遇洞庭紅

Tchoan yun han khiao yu tong thing hong.

Le couli des transports, adroitement, reçoit la beauté du Tongthing.

Cordier, Bibl. sinica, 810, 1862.

— X, livre 10 (4260).

看財奴刁買冤家主

Khan tshai nou tiao mai yuen kia tchou.

Richesse mal acquise (Comment le ciel donne et reprend les richesses).

Cordier, Bibl. sinica, 810, 1860, 1862.

— XI, livre 11 (4260).

吳保安棄家贖友

Oou pao 'an khi kia chou yeou.

Véritable amitié.

Cordier, Bibl. sinica, 810, 1860, 1862, 2187.

— XII, livre 12 (4260).

羊角哀舍命全交

Yang kio 'ai che ming tshiuen kiao.

Yang Kio-'ai fait le sacrifice de sa vie par dévouement pour un ami.

Cordier, Bibl. sinica, 810, 1862.

— XIII, livre 13 (4260).

沈小霞相會出師表

Chen siao hia siang hoei tchhou chi piao.

Chen Siao-hia rencontre et présente le modèle des maîtres.

Cordier, Bibl. sinica, 810, 1862.

— XIV, livre 14 (4260).

宋金郎團圓破氈笠

Song kin lang thoan yuen pho tchan li.

Les tendres époux.

Cordier, Bibl. sinica, 810, 1859, 1862.

— XV, livre 15 (4260).

盧太學詩酒傲公侯

Lou thai hio chi tsieou 'ao kong heou.

Lou thai-hio, poète et ivre, brave les princes.

Cordier, Bibl. sinica, 810, 1863.

— XVI, livre 16 (4260).

李汧公窮邸遇俠客

Li khien kong khiong ti yu hie kho.

Li Khien-kong, dans sa résidence misérable, traite un hôte magnanime.

Cordier, Bibl. sinica, 810, 1863.

— XVII, livre 17 (4260).

蘇小妹三難新郎

Sou siao mei san nan sin lang.

La jeune Sou trois fois maltraite un nouveau marié.

Cordier, Bibl. sinica, 810, 1863.

— XVIII, livre 18 (4260).

劉元普雙生貴子

Lieou yuen phou choang cheng koei tseu.

Lieou Yuen-phou obtient deux beaux enfants.

Cordier, Bibl. sinica, 810, 1863.

— XIX, livre 19 (4260).

俞伯牙摔琴謝知音

Yu po ya choai khin sie tchi yin.

Le luth brisé.

Cordier, Bibl. sinica, 810, 1860, 1863.

— XX, livre 20 (4261).

莊子休鼓盆成大道

Tchoang tseu hieou kou phẹn tchheng ta tao.

La matrone du pays de Song.

Cordier, Bibl. sinica, 811, 1859, 1863.

— XXI, livre 21 (4261).

老門生三世報恩

Lao mẹn cheng san chi pao 'en.

Le vieil élève montre sa reconnaissance à la troisième génération.

Cordier, Bibl. sinica, 811, 1864.

— XXII, livre 22 (4261).

鈍秀才一朝交泰

Toẹn sieou tshai yi tchao kiao thai.

Le bachelier obtus tout d'un

coup exerce son influence for-
matrice.

Cordier, Bibl. sinica, 811, 1864.

— XXIII, livre 23 (**4261**).

蔣興哥重會珍珠衫

*Tsiang hing ko tchhong hoei
tchen tchou chan.*

Le négociant ruiné (La tunique
de perles).

Cordier, Bibl. sinica, 812, 1860,
1866.

— XXIV, livre 24 (**4261**).

陳御史巧勘金釵鈿

*Tchhen yu chi khiao khan kin
tchhai thien.*

Une cause célèbre.

Cordier, Bibl. sinica, 811, 1860,
1864.

— XXV, livre 25 (**4261**).

徐老僕義憤成家

Siu lao pou yi fen tchheng kia.

Un serviteur méritant.

Cordier, Bibl. sinica, 811, 1860,
1864.

— XXVI, livre 26 (**4261**).

蔡小姐忍辱報讐

*Tshai siao tsie jen jou pao
tchheou.*

L'héroïsme de la piété filiale.

Cordier, Bibl. sinica, 811, 1859,
1864.

— XXVII, livre 27 (**4261**).

錢秀才錯占鳳凰儔

*Tshien sieou tshai tsho tchan
fong hoang tchheou.*

Mariage forcé.

Cordier, Bibl. sinica, 811, 1860,
1865.

— XXVIII, livre 28 (**4261**).

喬太守亂點鴛鴦譜

*Khiao thai cheou loan tien yuen
yang phou.*

Le préfet Khiao pointe à tort
le registre des unions.

Cordier, Bibl. sinica, 811, 1865.

— XXIX, livre 29 (**4261**).

懷私怨很僕告主

Hoai seu yuen hen pou kao tchou.

Le crime puni.

Cordier, Bibl. sinica, 811, 1859,
1865.

— XXX, livre 30 (**4262**).

念親恩孝女藏兒

*Nien tshin 'en hiao niu tshang
eul.*

La calomnie démasquée.

Cordier, Bibl. sinica, 812, 1859, 1865.

— XXXI, livre 31 (4262).

呂大郎還金完骨肉

Liu ta lang hoan kin oan kou jou.

Les trois frères.

Cordier, Bibl. sinica, 812, 1859, 1865.

— XXXII, livre 32 (4262).

金玉奴棒打薄情郎

Kin yu nou pang ta po tshing lang.

Femme et mari ingrats.

Cordier, Bibl. sinica, 812, 1860, 1865, 2187.

— XXXIII, livre 33 (4262).

唐解元玩世出奇

Thang kiai yuen oan chi tchhou khi.

Le mariage du licencié Thang (Thang le kiai-yuen).

Cordier, Bibl. sinica, 812, 1860, 1865, 2187.

— XXXIV, livre 34 (4262).

女秀才移花接木

Niu sieou tshai yi hoa tsie mou.

La bachelière du pays de Tchou.

Cordier, Bibl. sinica, 812, 1865.

— XXXV, livre 35 (4262).

王嬌鸞百年長恨

Oang khiao loan po nien tchhang hen.

Le ressentiment perpétuel de Oang Khiao-loan.

Cordier, Bibl. sinica, 812, 1865.

— XXXVI, livre 36 (4262).

十三郎五歲朝天

Chi san lang oou soei tchhao thien.

Chi-san-lang pendant cinq ans se tourne vers le ciel.

Cordier, Bibl. sinica, 812, 1866.

— XXXVII, livre 37 (4262).

崔俊臣巧合芙蓉屏

Tshoei tsiun tchhen khiao ho fou yong phing.

Paravent révélateur.

Cordier, Bibl. sinica, 812, 1860, 1866, 2188.

— XXXVIII, livre 38 (4262).

趙縣君喬送黃柑子

Tchao hien kiun khiao song hoang kan tseu.

Chantage.

Cordier, Bibl. sinica, 812, 1860, 1866.

Manquent les feuillets 2 à 7.

— XXXIX, livre 39 (4262).

誇妙術丹容提金

Khoa miao chou tan yong thi kin.

Les alchimistes.

Cordier, Bibl. sinica, 811, 1860, 1864.

— XL, livre 40 (4262).

逞多財 (*alias* 錢多) 白丁橫帶

Tchheng to tshai (tshien to) po ting heng tai.

Cupidité et dérèglement.

Cordier, Bibl. sinica, 810, 1862.

Petit in-8. Titre noir et rouge sur blanc, bonne édition. 4 vol., demi-reliure (provenant de la bibl. de l'Arsenal).
Nouveau fonds 1670 à 1673.

4263-4264. 繡像今古奇觀

Sieou siang kin kou khi koan.

Merveilles de l'antiquité et des temps modernes, édition illustrée.

Même ouvrage; édition commune de la salle Fou-oen.

(4263), livres 1 à 18.
(4264), livres 19 à 40.

In-12. Titre noir sur papier jaune semé d'or. 2 vol., demi-rel., au chiffre de Louis-Philippe.
Nouveau fonds 498.

4265-4266. 新鐫快心編全傳

Sin tsiuen khoai sin pien tshiuen tchoan.

Nouveau recueil pour égayer.

Recueil, en trois sections, de contes pour éveiller le siècle. Par Thien-hoa tshai-tseu (vers 1658), revu par Seu-khiao kiu-chi. Publication de la bibliothèque Khoo-hoa.

10 + 10 + 12 hoei.

Grand in-8. Titre noir sur jaune et deux titres noir sur blanc. 2 vol., demi-rel., au chiffre de Louis-Philippe.
Nouveau fonds 410.

4267-4270. 批點聊齋志異

Phi tien liao tchai tchi yi.

Histoires extraordinaires du pavillon Liao.

Par Phou Song-ling, surnom Lieou-sien, nom littéraire Lieou-tshiuen (né en 1622), de Tseu-tchhoan. Préface de l'auteur (1679); préface par Yu Tsi, de Jen-hoo (1765); préface par Ho Song-khi, de Nan-hai (1816). Vie de l'auteur, introduction, etc. Texte d'après l'exemplaire du pavillon Tchi-pou-tsou, revu par Oang Chi-tcheng Yi-chang, de Sin-tchheng. Édition de la salle Yi-king.

16 livres. — Cordier, Bibl. sinica, 817, 818, 1867. — H. A. Giles, History of Chinese literature, p. 338.

In-12. Titre noir sur jaune. 4 vol., demi-rel., au chiffre de Louis-Philippe. *Nouveau fonds* 536.

4271-4273. 續聊齋志異

Siu liao tchai tchi yi.

Suite au Liao tchai tchi yi.

Préface par Ki Kin-lin, de Yue. Gravé à la salle Tseu-yi (1802).

20 livres.

In-12. Titre noir sur jaune. 3 vol., demi-rel., au chiffre de Louis-Philippe. *Nouveau fonds* 493.

4274. 諧鐸

Hiai to.

Les cloches à l'unisson.

Contes par Chen Khi-fong, surnom Thong-oei, de Oou-men. Préfaces par Oang Tchhang, par Hoang Koei-fang; préface par Pankie (1791). Édition de 1792.

12 livres.

In-12. Titre noir sur jaune. 1 vol., demi-rel., au chiffre de Louis-Philippe. *Nouveau fonds* 845.

4275. 廣新聞

Koang sin oen.

Recueil de nouvelles.

Par le lettré Oou-men; préface de 1792 par Nien-hoa chi-tche. Édition de la salle Tseu-oen.

8 livres.

In-12. Papier blanc, titre noir sur blanc. 1 vol., demi-rel., au chiffre de Louis-Philippe. *Nouveau fonds* 847.

4276. 娛目醒心編

Yu mou sing sin pien.

Recueil pour réjouir les yeux et éveiller l'esprit.

Contes par Yu-chan tshao-thing lao-jen; annoté par Tseu-yi-hien tchou-jen; préface par ce dernier (1792).

16 livres.

In-18. Manque le premier feuillet de la préface. 1 vol., demi-rel., au chiffre de Louis-Philippe. *Nouveau fonds* 768.

4277. 耳食錄

Eul chi lou.

Pâture pour l'oreille.

Contes par Lien-chang, de Foutcheou. Préface par Oou Songliang, surnom Lan-siue (1792). Édition du pavillon Mong-hoa (1792).

12 livres.

In-12. Titre noir sur rouge. 1 vol., demi-rel., au chiffre de Louis-Philippe. *Nouveau fonds* 757.

4278. 藹樓逸志

'Ai leou yi tchi.

Contes de 'Ai-leou.

Par 'Eou Sou, surnom Joei-tchen, de Tong-koan. Préface de l'auteur (1794). Publié à la salle Hoei-oen (1823).

6 livres.

In-18. Titre noir sur vert. 1 vol., demi-rel., au chiffre de Louis-Philippe.
Nouveau fonds 782.

4279. 藹樓賸覽

'Ai leou cheng lan.

Contes de 'Ai-leou, suite.

Par 'Eou Sou, nom littéraire 'Ai-leou. Préface de l'auteur (1797). Édition de la salle King-ye (1800).

4 livres.

In-12. Titre noir sur jaune. 1 vol., demi-rel., au chiffre de Louis-Philippe.
Nouveau fonds 734.

————

4280. 剪燈閒話

Tsien teng hien hoa.

Paroles de loisir, la lampe éméchée.

Contes par Soei-yuen tchou-jen (voir n⁰ˢ 3617-3642). Préface par 'Eou-thing, de Kia-te (1812). Publiée en 1813.

4 livres.

In-18. Titre noir sur jaune. 1 vol., demi-rel., au chiffre de Louis-Philippe.
Nouveau fonds 852.

4281. *Tsien teng hien hoa.*

Double.

In-18. 1 vol., demi-rel., au chiffre de Louis-Philippe.
Nouveau fonds 751.

————

4282. 豆棚閒話

Teou pheng hien hoa.

Contes d'automne.

Ouvrage gravé en 1798 à la salle Pao-ning, d'après le texte du lettré 'Ai-na, sous la direction de Po-lan tao-jen.

12 livres (12 contes).

Petit in-8. Titre noir sur jaune. 1 vol., demi-rel., au chiffre de Louis-Philippe.
Nouveau fonds 381.

————

4283. 新編雷峯塔奇傳

Sin pien lei fong tha khi tchoan.

Histoires merveilleuses de la pagode de Lei-fong, nouveau recueil.

En sous-titre :

新本白蛇精記

Sin pen po che tsing ki.

Blanche et Bleue ou les Deux

Couleuvres-Fées, nouvelle édition.

Publié par Yu-hoa-thang tchou-jen, d'après l'original de Kou-sou.

5 livres. — Cordier, Bibl. sinica, 815, 817, 2188.

In-12. Titre noir sur jaune. 1 vol., demi-rel., au chiffre de Louis-Philippe. *Nouveau fonds* 710.

4284. *Sin pien lei fong tha khi tchoan.*

Même ouvrage, édition différente, faite à la salle Yu-hoa.

In-12. Titre noir sur jaune. 1 vol., demi-rel., au chiffre de Napoléon III. *Nouveau fonds* 1337.

4285. 新評繡像龍圖神斷公案

Sin phing sieou siang long thou chen toan kong 'an.

Long thou kong 'an, nouveau recueil de contes.

Préface par Thao Lang-yuen Nai-pin. Gravé en 1816 à la salle Yi-king; illustré.

10 livres. — Cordier, Bibl. sinica, 814, 815.

In-12. Titre noir sur jaune. 1 vol., demi-rel., au chiffre de Louis-Philippe. *Nouveau fonds* 680.

4286. 順德馮附馬在

安南征勝寶樂番賊故事

Choẹn tẹ fong fou ma tsai 'an nan tcheng cheng pao lo fan tsẹ kou chi.

Histoire de Fong, de Choẹn-tẹ, gendre du roi d'Annam, qui vainquit les barbares à Pao-lo.

Fong Jou-lan, vers 1840; conte chinois.

1 feuille simple, de 0^m,25 sur 0^m,20. *Nouveau fonds* 4921.

4287. 貪歡報

Than hoan pao.

Nouvelles de convoitise et de plaisir.

Recueil par Yu-yin tchou-jen, du Si-hou. Préface du même. Édition illustrée de la salle Lien-king.

8 livres (24 hoei).

In-18. Titre noir sur jaune. 1 vol., demi-rel., au chiffre de Louis-Philippe. *Nouveau fonds* 204.

4288. *Than hoan pao.*

Même ouvrage; édition analogue, un peu plus grande, de la salle King-ye.

In-18. Titre noir sur jaune. 1 vol., demi-rel., au chiffre de Louis-Philippe. *Nouveau fonds* 743.

4289-4290. 新鐫繡像醉醒奇觀 (atias 石小說)

Sin tsiuen sieou siang tsoei sing khi koan (alias *chi siao choe*).

Nouveaux contes illustrés d'ivresse et de réveil.

Par Kou-khoang, de Tong-lou. Gravé au pavillon Han-hai.

15 hoei.

In-12. Titre noir sur vert. 2 vol., demi-rel., au chiffre de Louis-Philippe.
Nouveau fonds 675.

4291. 陳多壽生死夫妻

Tchhen to cheou cheng seu fou tshi.

Histoire de Tchhen To-cheou. Nouvelle incomplète.

Petit in-8. Manuscrit sur papier européen du XVIIIe siècle. 1 cahier.
Nouveau fonds 5006.

Troisième Section : OEUVRES DIVERSES

4292. 笑裏笑

Siao li siao.

Le rire.

Recueil d'anecdotes et de bons mots rangés par catégories, recueillis par Nien-hoa siao-chi; publié par Choei-hiang tsi-tsieou. Préface de ce dernier (vers 1658). Table générale; tables spéciales pour tous les livres.

10 livres. — Cordier, Bibl. sinica, 815, 816.

Petit in-8. Titre noir sur papier teinté. 1 vol., demi-reliure (prov. de la bibl. de l'Arsenal).
Nouveau fonds 1681.

4293. 增補遣愁集

Tseng pou khien tchheou tsi.

Recueil augmenté d'anecdotes pour égayer.

Par Tchang Koei-cheng, surnom Tsin-heou, de Oou-men. Préface par Yu Pen Cheng-cheng, éditeur. Gravé à la salle Tchen-song (après 1665).

12 livres.

Petit in-8. Titre sur papier blanc. 1 vol., demi-rel., au chiffre de Louis-Philippe.
Nouveau fonds 814.

4294-4301. — I (4294).

四雪草堂堅瓠集

Seu siue tshao thang kien hou tsi.

La calebasse dure, de la salle Seu-siue.

Recueil d'anecdotes, traditions, contes par Tchhou Jen-hoo Hio-kia, autre surnom Chi-nong, de

Tchhang-tcheou (vivait vers 1695).

4 livres.

Titre noir sur jaune.

— II (4294).

四雪草堂堅瓠二集

Seu siue tshao thang kien hou eul tsi.

La calebasse dure, second recueil.

Par le même auteur. Préface par Pheng Yong, surnom Tchheng-oong (1691).

4 livres.

Titre noir sur blanc.

— III (4295).

四雪草堂堅瓠三集

Seu siue tshao thang kien hou san tsi.

La calebasse dure, troisième recueil.

Par le même. Préface par Tshang, surnom Song-yin lao-jen (1692).

4 livres.

Titre noir sur blanc.

— IV (4295-4296).

四雪草堂堅瓠四集

Seu siue tshao thang kien hou seu tsi.

La calebasse dure, quatrième recueil.

Par Tchhou Jen-hoo, avec introduction de l'auteur (1690). Préface par Siu Ko, surnom Tong-hai yi-lao.

4 livres.

Titre noir sur blanc.

— V (4296).

四雪草堂堅瓠五集

Seu siue tshao thang kien hou oou tsi.

La calebasse dure, cinquième recueil.

Du même auteur. Préface par Yang Oou-kieou, surnom Yi-thing.

4 livres.

Titre noir sur blanc.

— VI (4296-4297).

四雪草堂堅瓠六集

Seu siue tshao thang kien hou lou tsi.

La calebasse dure, sixième recueil.

Même auteur. Préface par Si Kou Tcheng-koan.

4 livres.

Titre noir sur blanc.

— VII (4297).

四雪草堂堅瓠七集

Seu siue tshao thang kien hou tshi tsi.

La calebasse dure, septième recueil.

Même auteur. Préface par Siu Tchhen.

4 livres.

Titre noir sur blanc.

— VIII (4297-4298).

四雪草堂堅瓠八集

Seu siue tshao thang kien hou pa tsi.

La calebasse dure, huitième recueil.

Du même auteur. Préface incomplète du feuillet final.

4 livres.

Titre noir sur blanc.

— IX (4298).

四雪草堂堅瓠九集

Seu siue tshao thang kien hou kieou tsi.

La calebasse dure, neuvième recueil.

Par le même auteur. Préface par Mao Tsong-kang, surnom Tseu-'an, nom littéraire Siu-chi.

4 livres.

Titre noir sur blanc.

— X (4298-4299).

四雪草堂堅瓠十集

Seu siue tshao thang kien hou chi tsi.

La calebasse dure, dixième recueil.

Même auteur. Préface par Yeou Thong, nom littéraire Si-thang kieou-kieou lao-jen (1618-1704).

4 livres.

Titre noir sur blanc.

— XI (4299).

四雪草堂堅瓠廣集

Seu siue tshao thang kien hou koang tsi.

La calebasse dure, première suite.

Par le même. Préface par Tchou Siun.

6 livres.

Titre noir sur blanc.

— XII (4300).

四雪草堂堅瓠補集

Seu siue tshao thang kien hou pou tsi.

La calebasse dure, deuxième suite.

Même auteur. Préface par Hong Cheng Fang-seu, de Tshien-thang.

6 livres.

Titre noir sur blanc.

— XIII (4300).

四雪草堂堅瓠續集

Seu siue tshao thang kien hou siu tsi.

La calebasse dure, troisième suite.

Par le même auteur. Sans préface.

4 livres.

Titre noir sur blanc.

— XIV (4301).

四雪草堂堅瓠餘集

Seu siue tshao thang kien hou yu tsi.

La calebasse dure, quatrième suite.

Même auteur. Préface par Tchang Tchhao, de Sin-'an (1703).

4 livres.

Titre noir sur blanc.

— XV (4301).

四雪草堂堅瓠秘集

Seu siue tshao thang kien hou pi tsi.

La calebasse dure, cinquième suite.

Par le même auteur. Préface par Yeou Thong, nom littéraire Ho-leou lao-jen (1700).

6 livres.

Titre noir sur blanc.

In-24. 8 vol., demi-rel., au chiffre de Louis-Philippe.

Nouveau fonds 700.

————

4302.   ## 增訂解人頤廣集

Tseng ting kiai jen yi koang tsi.

Recueil pour faire rire.

Chansons anecdotes, etc., réunies par Tshien Tẹ-tshang, surnom Phei-seu, avec préface de l'auteur (1761). Réédition par Hou Tan-'an, de Yun-khi, et Tshien Chen-tchai, de Oou-men. Gravé à la salle Pao-king (1816).

8 livres.

In-18. Titre noir sur jaune. 1 vol., demi-rel., au chiffre de Louis-Philippe.

Nouveau fonds 844.

4303.   ## 新鐫時尚雅謎燈迷兒

Sin tsiuen chi chang ya mi teng mi eul.

Nouveau recueil d'énigmes.

Par Tchhen Mei-kong, de Yun-kien (vers 1784). Gravé au pavillon Tshing-li, de Liao-si.

2 livres.

Petit in-8. 1 vol. cartonnage (prov. des Missions Étrangères).

Fourmont 32.

4304.   ## 質直談耳

Tchi tchi than eul.

Recueil de causeries.

Par Tshien Tchao-'ao Toẹn-fou,

de Kia-ting. Préface par Tchou-thing kiu-chi (1785). Réédition de la salle Hio-yu (1824).

8 livres.

In-12. Titre noir sur rouge. 1 vol., demi-rel., au chiffre de Louis-Philippe.

Nouveau fonds 739.

4305-4306. 夜譚隨錄
Ye than soei lou.

Causeries nocturnes au courant du pinceau.

Recueil d'anecdotes, contes, etc., par Tsi-yuen tchou-jen, avec préface de Tsi-phou tchou-jen (1791). Gravé à la salle Thong-'an.

12 livres.

In-12. Titre noir sur jaune. 2 vol., demi-rel., au chiffre de Louis-Philippe.

Nouveau fonds 660.

4307-4308. 秋坪新語
Tshieou phing sin yu.

Nouvelles causeries dans la plaine en automne.

Collection de traditions, faits miraculeux, anecdotes pour démontrer les influences réciproques des êtres. Par Thien-han feou-tchha san-jen, avec préface de l'auteur (1792). Gravé en 1797.

12 livres.

In-12. Titre noir sur jaune. 2 vol., demi-rel, au chiffre de Louis-Philippe.

Nouveau fonds 525.

4309. 槐西雜志
Hoai si tsa tchi.

Notices diverses écrites à l'ouest des acacias-féviers.

Par Ki, de Ho-kien (probablement Ki Yun). Préface par Koan-yi tao-jen (surnom de l'auteur). Édition de 1792.

4 livres.

In-12. Papier blanc, titre noir sur jaune. 1 vol., demi-rel., au chiffre de Louis-Philippe.

Nouveau fonds 752.

4310. 姑聽妄之
Kou oang thing tchi.

Écoutez follement.

Recueil d'anecdotes par Koan-yi tao-jen, avec préface de l'auteur (1793). Édition du pavillon Tsoo-yin (1809).

4 livres.

In-12. Titre noir sur jaune. 1 vol., demi-rel., au chiffre de Louis-Philippe.

Nouveau fonds 763.

4311. 桂山錄異
Koei chan lou yi.

Nouvelles merveilleuses du Koei-chan.

Contes, traditions, recueillis par le lettré Chi-khiao; introduction par Meou-yin, surnom Pi-oou tchou-jen, de Oou-hia (1793). Revu en 1779 par Hoo Khin-liang, de Yin-lou. Réédition de la salle Hio-yu (1824).

8 livres.

In-18. Titre noir sur jaune. 1 vol., demi-rel., au chiffre de Louis-Philippe.

Nouveau fonds 770.

4312. 無稽讕語
Oou ki lan yu.

Médisances.

Recueil plaisant par Lan-kao kiu-chi. Préface par l'auteur (1794); introduction par Tsę-yuen (1795).

5 livres.

In-12. Titre noir sur rose. 1 vol., demi-rel., au chiffre de Louis-Philippe.

Nouveau fonds 787.

4313. 寄閒齋雜志
Ki hien tchai tsa tchi.

Recueil d'anecdotes de Ki-hien-tchai.

Par Tchou Song, surnom Li-kiang, avec préface de l'auteur (1797). Publié par Tchheng Yeou-hi, surnom Kien-thang.

8 livres et supplément.

In-12. Papier blanc. 1 vol., demi-rel., au chiffre de Louis-Philippe.

Nouveau fonds 784.

4314-4315. 子不語。新齊諧
Tseu pou yu — Sin tshi hiai.

Ce qui n'est pas dans les œuvres des Sages : nouveau recueil plaisant.

Par Soei-yuen; préface non signée non datée; gravé en 1815 à la salle Ying-tẹ.

24 livres. — Cf. n°ˢ 3632-3634.

In-12. Titre noir sur jaune. 2 vol., demi-rel., au chiffre de Louis-Philippe.

Nouveau fonds 542.

4316. 作如是觀
Tso jou chi koan.

Recueil de traditions, contes, anecdotes, etc.

Par Fou-tchai Yu Chi-yen, de Sin-tchheng. Préface de l'auteur (1805); préface par Tchou Yen-king (1805). Gravé à la salle Koei-lin (1805).

4 livres.

In-18. Titre noir sur jaune. 1 vol., demi-rel., au chiffre de Louis-Philippe.

Nouveau fonds 853.

4317. 昔柳摭談
Si lieou tchi than.

Conversations sous des saules d'autrefois.

Recueil d'anecdotes par Fong,

surnom Tseu-tsoo-leou, de Phing-hou. Préface par 'Eou-thing, de Kia-tę (1809). Édition de 1815.

8 livres.

In-12. Titre noir sur jaune. 1 vol., demi-rel., au chiffre de Louis-Philippe.

Nouveau fonds 788.

4318-4319. 咫聞錄
Tchi oen lou.

Huit pouces de choses enten-dues.

Recueil par le lettré Yong-no, avec préface de l'auteur (1817); préface par Ye-yin-jen (1817); réédition de 1828 faite à la salle Chang-kou, d'après l'exemplaire de Tchoang, de Hong-'eou-chan.

In-12. Titre noir sur rouge. 2 vol., demi-rel., au chiffre de Louis-Philippe.

Nouveau fonds 503.

4320. 增訂一夕話新集
Tseng ting yi si hoa sin tsi.

Autre titre :

一夕話開心集
Yi si hoa khai sin tsi.

Recueil pour se délasser.

Anecdotes, bons mots, vers bur-lesques. Par Tou-tou-fou et Tchhi-tchhi-tseu. Préface par Tou-tou-fou (1838). Titre portant la date de

1822. Planches gardées à la salle Hoei-oen.

6 livres.

Petit in-8. Titre noir sur jaune. 1 vol., demi-rel., au chiffre de Louis-Philippe.

Nouveau fonds 824.

4321-4322. 六德堂重梓燕居筆記。藻學情林
Lou tę thang tchhong tseu yen kiu pi ki — Tsao hio tshing lin.

Notes prises à Yen, réédition de la salle Lou-tę.

Recueil d'anecdotes, contes, poésies, etc., mis dans l'ordre des sentiments qui y sont exprimés. Auteur : Min-than long-tchong tao-jen; préface de l'auteur datée de ping-oou (1846?).

In-18. Titre noir sur jaune. 2 vol., demi-rel., au chiffre de Louis-Philippe.

Nouveau fonds 521.

4323. 客窗閒話
Kho tchhoang hien hoa.

Conversations de loisir à la fenêtre avec un hôte.

Par Oou Tchhi-tchhang Hiang-han, de Yen-koan. Préface de l'auteur (1875); préface de la même date par Tchhang-po-chan jen. Édition de la salle Tseu-pęn (1875).

8 livres.

In-18. Papier blanc, titre noir sur blanc. 1 vol., cartonnage.

Nouveau fonds 5089.

4324. 新刻正西番寶蝶全本

Sin kho tcheng si fan pao tie tshiuen pen.

Le précieux papillon des Si-fan. Nouveau recueil de chansons populaires.

Gravé à la salle Fou-oen.

2 livres.

Petit in-8. Titre noir sur rouge, 1 vol., cartonnage.

Nouveau fonds 2380.

4325.

Collection de 45 chansons populaires, quelques-unes tirées de pièces de théâtre ; formée de 45 cahiers publiés à la salle Fou-koei.

In-18. Couvertures jaunes, titres noir sur rouge. 1 vol., cartonnage.

Nouveau fonds 2704.

4326.

Collection analogue à la précédente, formée de 38 cahiers débutant chacun par une illustration.

Petit in-8. 1 vol., cartonnage.

Nouveau fonds 2705.

4327. 新出祭奠潘郎

Sin tchhou tsi tien phan lang.

Sacrifice au sieur Phan.

Chanson en langue vulgaire.

In-18. 1 vol., cartonnage.

Nouveau fonds 3407.

4328. 蘇生回店

Sou cheng hoei tien.

Chanson sur le retour de Sou cheng.

Petit in-8. 1 cahier.

Nouveau fonds 4963.

Quatrième Section : THÉATRE

4329. 新鐫繡像西廂琵琶合刻

Siu tsiuen sieou siang si siang phi pha ho kho.

Histoire du pavillon occidental et Histoire du luth, nouvelle édition collective illustrée.

— I.

園林午夢

Yuen lin oou mong.

Songe de midi dans le bosquet.

Courte scène parlée et chantée, sans nom d'auteur.

— II.

圍棋馬局

Oei khi ma kiu.

L'échiquier.

Courte scène parlée et chantée, par le sieur Oang, de Oan-tsin, époque des Yuen.

— III.

西廂摘句骰譜

Si siang tchę kiu theou phou.

Tableaux explicatifs des parties de dés du Si siang ki.

— IV.

錢塘夢

Tshien thang mong.

Songe de Tshien-thang.

Récit en prose et vers sans nom d'auteur.

— V.

會眞記

Hoei tchen ki.

Histoire du portrait.

Récit par Thang Yuen-tchen Oei-tchi.

— VI.

李卓吾先生 (*alias* 卓老) 批點西廂記眞本

Li tcho oou sien cheng (alias tcho | *lao) phi tien si siang ki tchen pęn.*

Le Si siang ki (Histoire du pavillon occidental), ponctué par Li Tcho-oou.

Auteur : Oang Chi-fou, de Tatou, des Yuen. Édition de Li Tcho-oou (+ 1610), publiée avec une préface par Tsoei-hiang tchou-jen (1640). Pièce chantée et parlée, nombreuses illustrations. Gravé à la salle 'An-ya.

2 livres (20 scènes, tchhou).—Bazin, Siècle des Youên, pp. 211, 501. — Cordier, Bibl. sinica, 807. — Giles, History of Chinese literature, p. 273.

Titre sur papier blanc.

— VII.

新校琵琶記始末

Sin kiao phi pha ki chi mo.

Le Phi pha ki (Histoire du luth), édition revue.

Drame chanté et parlé par Kao Tong-kia, postnom Tsę-tchheng (fin du xive s.). Illustrations.

3 livres (42 tchhou). — Bazin, le Pi-pa-ki. — Cordier, Bibl. sinica, 808· — Giles, History of Chinese literature, p. 325. — Voir n°s 4376-4379.

Titre noir sur rose.

Grand in-8. Édition soignée. 1 vol., reliure au chiffre de Charles X.

Fourmont 35.

4330. 增註第六才子書。釋解續增西廂記

Tseng tchou ti lou tshai tseu chou — Chi kiai siu tseng si siang ki.

Le sixième auteur de génie : le Si siang ki expliqué et augmenté.

Édition ponctuée par Kin Cheng-than, annotée par Teng Jou-ning pour le son et le sens des caractères. Gravée à la salle Oen-khi.

— I, livres 1 et 2.

Préface pour la présente édition par Oang Phou-hiun, surnom Koang-yuen, de Thien-tou (1669); cette préface est presque semblable à celle de 1640 (n° 4329, art. VI). — Deux préfaces sous forme de dialogue par Kin Cheng-than. — Avertissement. — Table. — Liste d'éditeurs de cette pièce. — Principes pour la lecture de la pièce par Kin Cheng-than, par Mao Si-ho. — Illustrations.

— II, livre 3.

Hoei tchen ki.

Histoire du portrait.

Comme au n° 4329, art. V. — Postfaces par Thao Kieou-tchheng, des Yuen, par Tchou Yun-ming, des Ming, etc.

— III, livres 4 à 8.

Texte du Si siang ki au bas des pages ; notes en haut des pages.

16 + 4 scènes (tchę).

— IV, livre 8.

會眞詩

Hoei tchen chi.

Odes du portrait.

Par Yuen-tchen (voir n° 4329, art. V).

— V, annexe, en haut des pages.

摘句骰譜

Tchę kiu theou phou.

Tableaux explicatifs des parties de dés.

Cf. n° 4329, art. III.

— VI, annexe, en bas des pages.

圍棋闖局

Oei khi tchhen kiu.

L'échiquier.

Cf. n° 4329, art. II.

— VII, annexe, en bas des pages.

Yuen lin oou mong.

Songe de midi dans le bosquet.

Cf. n° 4329, art. I.

In-12. Titre noir sur jaune. 1 vol., demi-rel., au chiffre de Louis-Philippe.

Nouveau fonds 776.

43

4331-4338. 元人雜劇
百種

Yuen jen tsa ki po tchong.

Cent pièces de théâtre de la dynastie des Yuen.

Autre titre :

元曲選

Yuen khiu siuen.

Choix des pièces de la dynastie des Yuen.

Revu et publié par Tsang Tsin-chou, de Ou-hing (dynastie des Ming); paraît gravé après 1644; édition de la salle Tiao-tchhong. Préface non signée de 1615. — Table des pièces. — Illustrations : bonnes gravures représentant des scènes des diverses pièces (112 feuillets). — Ces pièces sont imprimées en gros texte pour les passages chantés et texte fin pour les passages parlés; indications scéniques; son et sens des caractères difficiles à la fin de chaque division de la pièce.

20 sections (5 pièces par section), — Bazin, Théâtre chinois. — Bazin, Siècle des Youên, pp. 198 et suivantes. —Cordier, Bibl. sinica, 820 à 825, 1872.

— 1 (4331).

破幽夢孤鴈漢宮秋

Pho yeou mong kou yen han kong tshieou.

Han kong tshieou (les Chagrins dans le Palais de Han).

Par Ma Tchi-yuen.

Prologue (sie-tseu) + 4 actes (tche). — Bazin, Siècle des Youên, pp. 213 et 459. — Cordier, Bibl. sinica, 820, 821.

— II (4331).

李太白匹配金錢記

Li thai po phi phei kin tshien ki.

Kin tshien ki (le Gage d'amour).

Par Khiao Meng-fou.

4 actes (tche). — Bazin, Siècle des Youên, pp. 213 et 443. — Cordier, Bibl. sinica, 821.

— III (4331).

包待制陳州糶米

Pao tai tchi tchhen tcheou thiao mi.

Tchhen tcheou thiao mi (le Grenier de Tchhen-tcheou).

Pièce d'un anonyme.

Prologue + 4 actes (tche). —Bazin, Siècle des Youên, p. 230.

— IV (4331).

玉清菴錯送鴛鴦被

Yu tshing 'an tsho song yuen yang pei.

Yuen yang pei (la Couverture du lit nuptial).

Pièce d'un anonyme.

Prologue + 4 actes (tchẹ). — Bazin, Siècle des Youèn, p. 230.

— V (4331).

隨何賺風魔蒯通

Soei ho tchan fong mo khoai thong.

Tchan Khoai Thong (le Trompeur trompé).

Pièce d'un anonyme.

4 actes (tchẹ). — Bazin, Siècle des Youèn, p. 237.

— VI (4331).

溫太眞玉鏡臺

Oen thai tchen yu king thai.

Yu king thai (le Miroir de jade).

Par Koan Han-khing, de Ta-tou.

4 actes (tchẹ). — Bazin, Siècle des Youèn, pp. 240 et 445.

— VII (4331).

楊氏殺狗勸夫

Yang chi cha keou khiuen fou.

Cha keou khiuen fou (le Chien de Yang-chi).

Par un anonyme.

Prologue + 4 actes (tchẹ). — Bazin, Siècle des Youèn, p. 241.

— VIII (4331).

相國寺公孫合汗衫

Siang koẹ seu kong soẹn ho han chan.

Ho han chan (la Tunique confrontée).

Par Tchang Koẹ-pin, actrice.

4 actes (tchẹ). — Bazin, Théâtre chinois. — Bazin, Siècle des Youèn, pp. 241 et 476. — Cordier, Bibl. sinica, 820, 821.

— IX (4331).

錢大尹智寵謝天香

Tshien ta yin tchi tchhong sie thien hiang.

Sie Thien-hiang (la Courtisane savante).

Par Koan Han-khing.

Prologue + 4 actes (tchẹ). — Bazin, Siècle des Youèn, p. 242.

— X (4332).

爭報恩三虎下山

Tcheng pao'en san hou hia chan.

Tcheng pao 'en (la Délivrance de Tshien-kiao).

D'un anonyme.

Prologue + 4 actes (tchẹ). — Bazin, Siècle des Youèn, p. 242.

— XI (4332).

張天師斷風花雪月

Tchang thien chi toan fong hoa siue yue.

Tchang thien-chi (Tchang l'a-nachorète).

Par Oou Tchhang-ling.

2 actes (tchẹ) + 1 intermède (sie-tseu) + 1 acte (tchẹ). — Bazin, Siècle des Youên, pp. 243 et 463.

— XII (4332).

趙盼兒風月救風塵

Tchao hi eul fong yue kieou fong tchhen.

Kieou fong tchhen (la Courtisane sauvée).

Par Koan Han-khing.

4 actes (tchẹ). — Bazin, Siècle des Youên, p. 245.

— XIII (4332).

東堂老勸破家子弟

Tong thang lao khiuen pho kia tseu ti.

Tong-thang lao (l'Enfant prodigue).

Par Tshin Kien-fou.

Prologue + 4 actes (tchẹ). — Bazin, Siècle des Youên, pp. 246 et 500.

— XIV (4332).

同樂院燕青博魚

Thong lo yuen yen tshing po yu.

Yen Tshing po yu (Yen Tshing vendant du poisson).

Par Li Oen-oei.

Prologue + 4 actes (tchẹ). — Bazin, Siècle des Youên, pp. 247 et 456.

— XV (4332).

臨江驛瀟湘秋夜雨

Lin kiang yi siao siang tshieou ye yu.

Siao siang yu (le Naufrage de Tchang Thien-khio).

Par Yang Hien-tchi.

Prologue + 4 actes (tchẹ). — Bazin, Siècle des Youên, pp. 247 et 508.

— XVI (4332).

李亞仙花酒曲江池

Li ya sien hoa tsieou khiu kiang tchhi.

Khiu kiang tchhi (le Fleuve au cours sinueux).

Par Chi Kiun-pao.

Prologue + 4 actes (tchẹ). — Bazin, Siècle des Youên, pp. 248 et 431.

— XVII (4332).

楚昭公疎者下船

Tchhou tchao kong sou tchẹ hia tchhoan.

Tchhou Tchao kong (Tchao-kong, prince de Tchhou).

Par Tcheng Thing-yu.

4 actes (tchẹ). — Bazin, Siècle des Youên, pp. 248 et 490.

— XVIII (4332).

龐居士誤放來生債

Phang kiu chi oou fang lai cheng tchai.

Lai cheng tchai (la Dette payable dans la vie à venir).

Par un anonyme.

Prologue + 4 actes (tchẹ). — Bazin, Siècle des Youên, p. 249.

— XIX (4332).

薛仁貴榮歸故里

Sie jen koei yong koei kou li.

Sie Jen-koei.

Par Tchang Koẹ-pin.

Prologue + 4 actes (tchẹ). — Bazin, Siècle des Youên, p. 261.

— XX (4332).

裴少俊墻頭馬上

Phei chao tsiun tshiang theou ma chang.

Tshiang theou ma chang (le Mariage secret).

Par Po Jen-fou.

4 actes (tchẹ). — Bazin, Siècle des Youên, pp. 269 et 470.

— XXI (4332).

唐明皇秋夜梧桐雨

Thang ming hoang tshieou ye oou thong yu.

Oou thong yu (la Chute des feuilles du oou-thong).

Par le même.

Prologue + 4 actes (tchẹ). — Bazin, Siècle des Youên, p. 269.

— XXII (4332).

散家財天賜老生兒

San kia tshai thien seu lao cheng eul.

Lao cheng eul (le Vieillard qui obtient un fils).

Par Oou Han-tchhen.

Prologue + 4 actes (tchẹ). — Bazin, Siècle des Youên, pp. 270 et 508. — Cordier, Bibl. sinica, 821, 822.

— XXIII (4333).

硃砂擔滴水浮漚記

Tchou cha tan ti choei feou 'eou ki.

Tchou cha tan (les Caisses de cinabre).

Par un anonyme.

Prologue + 4 actes (tchẹ). — Bazin, Siècle des Youên, p. 270.

— XXIV (4333).

便宜行事虎頭牌

Pien yi hing chi hou theou phai.

Hou theou phai (l'Enseigne à tête de tigre).

Par Li Tchi-fou.

4 actes (tchẹ). — Bazin, Siècle des Youên, pp. 271 et 455.

— XXV (4333).

包龍圖智賺合同文字

Pao long thou tchi tchan ho thong oen tseu.

Ho thong oen tseu (les Originaux confrontés).

Par un anonyme.

Prologue + 4 actes (tchę). — Bazin,
Siècle des Youên, p. 272.

— XXVI (4333).

凍蘇秦衣錦還鄉

Tong sou tshin yi kin hoan hiang.

Tong Sou Tshin (Sou Tshin
transi de froid).

Par un anonyme.

Prologue + 4 actes (tchę). — Bazin,
Siècle des Youên, p. 272.

— XXVII (4333).

翠紅鄉兒女兩團圓

*Tshoei hong hiang eul niu liang
thoan yuen.*

Eul niu thoan yuen (la Réunion
du fils et de la fille).

Par Yang Oen-khoei.

Prologue + 4 actes (tchę). — Bazin,
Siècle des Youên, pp. 274 et 510.

— XXVIII (4333).

李素蘭風月玉壺春

*Li sou lan fong yue yu hou
tchhoęn.*

Yu Hou tchhoęn (les Amours
de Yu Hou).

Par Oou Han-tchhen.

1 acte (tchę) + intermède (sie-tseu)

+ 3 actes (tchę). — Bazin, Siècle des
Youên, p. 276.

— XXIX (4333).

呂洞賓度鐵拐李岳

Liu tong pin tou thie koai li yo.

Thie-koai Li (la Transmigra-
tion de Yo Cheou).

Par Yo Po-tchhoan.

2 actes (tchę) + intermède (sie-tseu)
+ 2 actes (tchę). — Bazin, Siècle des
Youên, pp. 276 et 513.

— XXX (4333).

小尉遲將鬪將認父歸朝

*Siao yu tchhi tsiang teou tsiang
ien fou koei tchhao.*

Siao Yu-tchhi (le petit Yu-
tchhi).

Par un anonyme.

4 actes (tchę). — Bazin, Siècle des
Youên, p. 298.

— XXXI (4333).

陶學士醉寫風光好

*Thao hio chi tsoei sie fong koang
hao.*

Fong koang hao (l'Académicien amoureux).

Par Tai Chạn-fou.

4 actes (tchę). — Bazin, Siècle des
Youên, pp. 299 et 474.

— XXXII (4333).

魯大夫秋胡戲妻

Lou ta fou tshieou hou hi tshi.

Tshieou-hou hi tshi (le Mari qui fait la cour à sa femme).

Par Chi Kiun-pao.

4 actes (tchẹ). — Bazin, Siècle des Youên, p. 3o1.

— XXXIII (4333).

神奴兒大鬧開封府

Chen nou eul ta nao khai fong fou.

Chen-nou-eul (l'Ombre de Chen-nou-eul).

Par un anonyme.

1 acte (tchẹ) + intermède (sie-tseu) + 3 actes (tchẹ). — Bazin, Siècle des Youên, p. 3o9.

— XXXIV (4334).

半夜雷轟薦福碑

Pan ye lei hong tsien fou pei.

Tsien-fou pei (l'Inscription de la pagode Tsien-fou).

Par Ma Tchi-yuen.

1 acte (tchẹ) + intermède (sie-tseu) + 3 actes (tchẹ). — Bazin, Siècle des Youên, p. 3io.

— XXXV (4334).

謝金吾詐拆清風府

Sie kin oou tcha tchhẹ tshing fong fou.

Sie Kin-oou (le Pavillon démoli).

Par un anonyme.

Prologue (sie-tseu) + 4 actes (tchẹ). — Bazin, Siècle des Youên, p. 3io.

— XXXVI (4334).

呂洞賓三醉岳陽樓

Liu tong pin san tsoei yo yang leou.

Yo-yang leou (le Pavillon de Yo-yang).

Par Ma Tchi-yuen.

2 actes (tchẹ) + intermède (sie-tseu) + 2 actes (tchẹ). — Bazin, Siècle des Youên, p. 3ii.

— XXXVII (4334).

包待制三勘蝴蝶夢

Pao tai tchi san khan hou tie mong.

Hou tie mong (le Songe de Pao kong).

Par Koan Han-khing.

Prologue (sie-tseu) + 4 actes (tchẹ). — Bazin, Siècle des Youên, p. 3i2.

— XXXVIII (4334).

說鱄諸伍員吹簫

Choẹ phou tchou oou yuen tchhoei siao.

Oou Yuen tchhoei siao (Oou Yuen jouant de la flûte).

Par Li Cheou-khing.

3 actes (tchẹ) + intermède (sie-tseu) + 1 acte (tchẹ). — Bazin, Siècle des Youên, p. 312 et 451.

— XXXIX (4334).

河南府張鼎勘頭巾

Ho nan fou tchang ting khan theou kin.

Khan theou kin (le Bonnet de Lieou Ping-yuen).

Par Soẹn Tchong-tchang.

1 acte (tchẹ) + intermède (sie-tseu) + 3 actes (tchẹ). — Bazin, Siècle des Youên, pp. 313 et 474.

— XL (4334).

黑旋風雙獻功

Hẹ siuen fong choang hien kong.

Hẹ siuen fong (le Tourbillon noir).

Par Kao Oen-sieou.

1 acte (tchẹ) + intermède (sie-tseu) + 3 actes (tchẹ). — Bazin, Siècle des Youên, pp. 314 et 442.

— XLI (4334).

迷青瑣倩女離魂

Mi tshing soo tshien niu li hoẹn.

Tshien niu li hoẹn (le Mal d'amour).

Par Tcheng Tẹ-hoei.

Prologue (sie-tseu) + 4 actes (tchẹ).

— Bazin, Siècle des Youên, pp. 315 et 490.

— XLII (4334).

西華山陳搏高臥

Si hoa chan tchhen thoan kao oo.

Tchhen Thoan kao oo (le Sommeil de Tchhen Thoan).

Par Ma Tchi-yuen.

4 actes (tchẹ). — Bazin, Siècle des Youên, p. 320.

— XLIII (4334).

龐涓夜走馬陵道

Phang kiuen ye tseou ma ling tao.

Ma-ling tao (la Route de Ma-ling).

Par un anonyme.

Prologue (sie-tseu) + 1 acte (tchẹ) + intermède (sie-tseu) + 3 actes (tchẹ). — Bazin, Siècle des Youên, p. 321.

— XLIV (4334).

救孝子賢母不認屍

Kieou hiao tseu hien mou pou jen chi.

Kieou hiao tseu (l'Innocence reconnue).

Par Oang Tchong-oen.

1 acte (tchẹ) + intermède (sie-tseu) + 3 actes (tchẹ). — Bazin, pp. 322 et 506.

— XLV (4334).

邯鄲道省悟黃粱夢

Han tan tao sing oou hoang liang mong.

Hoang liang mong (le Songe de Liu Tong-pin).

Par Ma Tchi-yuen.

1 acte (tchẹ) + intermède (sie-tseu) + 3 actes (tchẹ). — Bazin, Siècle des Youên, p. 322.

— XLVI (4334).

杜牧之詩酒揚州夢

Tou mou tchi chi tsieou yang tcheou mong.

Yang-tcheou mong (le Songe de Tou Mou-tchi).

Par Khiao Meng-fou.

Prologue (sie-tseu) + 4 actes (tchẹ). — Bazin, Siècle des Youên, p. 335.

— XLVII (4334).

醉思鄉王粲登樓

Tsoei seu hiang oang tshan teng leou.

Oang Tshan teng leou (l'Élévation de Oang Tshan).

Par Tcheng Tẹ-hoei.

Prologue (sie-tseu) + 4 actes (tchẹ). — Bazin, Siècle des Youên, p. 335.

— XLVIII (4335).

昊天塔孟良盜骨

Hao thien tha meng liang tao kou.

Hao thien tha (la Pagode du ciel serein).

Par un anonyme.

4 actes (tchẹ). — Bazin, Siècle des Youên, p. 336.

— XLIX (4335).

包待制智斬魯齋郎

Pao tai tchi tchi tchan lou tchai lang.

Lou tchai-lang (le Ravisseur).

Par Koan Han-khing.

Prologue (sie-tseu) + 4 actes (tchẹ). — Bazin, Siècle des Youên, p. 349.

— L (4335).

朱大守風雪漁樵記

Tchou thai cheou fong siue yu tshiao ki.

Yu tshiao ki (Histoire d'un pêcheur et d'un bûcheron).

Par un anonyme.

2 actes (tchẹ) + intermède (sie-tseu) + 2 actes (tchẹ). — Bazin, Siècle des Youên, p. 350.

— LI (4335).

江州司馬青衫泪 (alias 淚)

Kiang tcheou seu ma tshing chan lei.

Tshing chan lei (les Amours de Po Lo-thien).

Par Ma Tchi-Yuen.

1 acte (tchẹ) + intermède (sie-tseu) + 3 actes (tchẹ). — Bazin, Siècle des Youên, p. 352.

— LII (4335).

四丞相高會麗春堂

Seu tchheng siang kao hoei li tchhoẹn thang.

Li-tchhoẹn thang (le Festin du Ministre d'état).

Par Oang Chi-fou.

4 actes (tchẹ). — Bazin, Siècle des Youên, pp. 354 et 501.

— LIII (4335).

孟德耀舉案齊眉

Meng tẹ yao kiu 'an tshi mei.

Kiu 'an tshi mei (Histoire de Meng Koang).

Par un anonyme.

4 actes (tchẹ). — Bazin, Siècle des Youên, p. 355.

— LIV (4335).

包龍圖 (alias 待制) 智

勘後庭花

Pao long thou (alias tai tchi) tchi khan heou thing hoa.

Heou thing hoa (la Fleur de l'arrière-pavillon).

Par Tcheng Thing-yu.

4 actes (tchẹ). — Bazin, Siècle des Youên, p. 355.

— LV (4335).

死生交范張雞黍

Seu cheng kiao fan tchang ki chou.

Fan tchang ki chou (le Sacrifice de Fan et de Tchang).

Par Kong Ta-yong.

Prologue (sie-tseu) + 4 actes (tchẹ). — Bazin, Siècle des Youên, pp. 357 et 445.

— LVI (4335).

玉簫女兩世姻緣

Yu siao niu liang chi yin yuen.

Liang chi yin yuen (les Secondes noces de Oei Kao).

Par Khiao Meng-fou.

4 actes (tchẹ). — Bazin, Siècle des Youên, p. 358.

— LVII (4335).

宜秋山趙禮讓肥

Yi tshieou chan tchao li jang fei.

Tchao Li jang fei (le Dévouement de Tchao Li).

Par Tshin Kien-fou.

4 actes (tchẹ). — Bazin, Siècle des Youèn, p. 360.

— LVIII (4335).

鄭孔目風雪酷寒亭

Tcheng khong mou fong siue khou han thing.

Khou han thing (le Pavillon).

Par Yang Hien-tchi.

Prologue (sie-tseu) + 4 actes (tchẹ). — Bazin, Siècle des Youèn, p. 364.

— LIX (4335).

桃花女破法嫁周公

Thao hoa niu pho fa kia tcheou kong.

Thao-hoa-niu (Fleur de pêcher).

Par un anonyme.

Prologue (sie-tseu) + 4 actes (tchẹ). — Bazin, Siècle des Youèn, p. 365.

— LX (4335).

陳季卿悞上竹葉舟

Tchhen ki khing oou chang tchou ye tcheou.

Tchou ye tcheou (la Nacelle métamorphosée).

Par Fan Tseu-'an.

Prologue (sie-tseu) + 4 actes (tchẹ).
— Bazin, Siècle des Youèn, pp. 366 et 432.

Manque le feuillet 13.

— LXI (4336).

布袋和尚忍字記

Pou tai hoo chang jen tseu ki.

Jen tseu ki (Histoire du caractère jen).

Par Tcheng Thing-yu.

Prologue (sie-tseu) + 4 actes (tchẹ).
— Bazin, Siècle des Youèn, p. 367.

— LXII (4336).

謝金蓮詩酒紅梨花

Sie kin lien chi tsieou hong li hoa.

Hong li hoa (la Fleur de poirier rouge).

Par Tchang Cheou-khing.

4 actes (tchẹ). — Bazin, Siècle des Youèn, p. 376.

— LXIII (4336).

鐵拐李度金童玉女

Thie koai li tou kin thong yu niu.

Titre courant :

金安壽

Kin 'an cheou.

Kin 'An-cheou (la Déesse qui pense au monde).

Par Kia Tchong-ming.

4 actes (tchẹ). — Bazin, Siècle des Youên, pp. 379 et 443.

— LXIV (4336).

包待制智賺 (alias 勘) 灰闌記

Pao tai tchi tchi tchan (alias khan) hoei lan ki.

Hoei lan ki (Histoire du cercle de craie).

Par Li Hing-tao.

Prologue (sie-tseu) + 4 actes (tchẹ). — Bazin, Siècle des Youên, pp. 380 et 455. — Cordier, Bibl. sinica, 822.

— LXV (4336).

崔府君斷冤家債主

Tshoei fou kiun toan yuen kia tchai tchou.

Yuen kia tchai tchou (le Créancier ennemi).

Par un anonyme.

Prologue (sie-tseu) + 4 actes (tchẹ). — Bazin, Siècle des Youên, p. 380.

— LXVI (4336).

㑚梅香騙翰林風月

Tsieou mei hiang phien han lin fong yue.

Tsieou (tchao) mei hiang (la Soubrette accomplie).

Par Tcheng Tẹ-hoei.

Prologue (sie-tseu) + 4 actes (tchẹ). — Bazin, Théâtre chinois. — Bazin, Siècle des Youên, p. 383. — Cordier, Bibl. sinica, 820, 823.

— LXVII (4336).

尉遲恭單鞭奪槊

Oei tchhi kong tan pien too so.

Tan pien too so (le Combat de Oei-tchhi King-tẹ).

Par Chang Tchong-hien.

Prologue (sie-tseu) + 4 actes (tchẹ). — Bazin, Siècle des Youên, pp. 383 et 430.

— LXVIII (4336).

呂洞賓三度城南柳

Liu tong pin san tou tchheng nan lieou.

Tchheng nan lieou (les Métamorphoses).

Par Kou Tseu-king.

Prologue (sie-tseu) + 4 actes (tchẹ). — Bazin, Siècle des Youên, pp. 384 et 445.

— LXIX (4336).

須賈大夫誶范叔

Siu kou ta fou hia fan chou.

Autre titre :

張祿丞相報魏齊

Tchang lou tchheng siang pao oei tshi.

Hia Fan Chou (Fan Chou trompé).

Par un anonyme.

Prologue (sie-tseu) + 4 actes (tchę). — Bazin, Siècle des Youên, p. 384.

— LXX (4336).

李雲英風送梧桐葉

Li yun ying fong song oou thong ye.

Oou thong ye (la Feuille du oou-thong).

Par un anonyme.

Prologue (sie-tseu) + 4 actes (tchę). — Bazin, Siècle des Youên, p. 385.

— LXXI (4336).

花間四友東坡夢

Hoa kien seu yeou tong pho mong.

Tong-pho mong (le Songe de Tong-pho).

Par Oou Tchhang-ling.

4 actes (tchę). — Bazin, Siècle des Youên, p. 385.

— LXXII (4336).

杜蘂娘智賞金線池

Tou joei niang tchi chang kin sien tchhi.

Kin sien tchhi (le Mariage forcé).

Par Koan Han-khing.

Prologue (sie-tseu) + 4 actes (tchę). — Bazin, Siècle des Youên, p. 386.

— LXXIII (4336).

王月英元夜留鞋記

Oang yue ying yuen ye lieou hiai ki.

Lieou hiai ki (Histoire de la pantoufle laissée en gage).

Par Tseng Choei-khing.

Prologue (sie-tseu) + 4 actes (tchę). — Bazin, Siècle des Youên, pp. 388 et 501 (Tseng Toan-khing).

— LXXIV (4337).

漢高皇濯足氣英布

Han kao hoang tcho tsou khi ying pou.

Khi Ying Pou (les Fureurs de Ying Pou).

Par un anonyme.

4 actes (tchę). — Bazin, Siècle des Youên, p. 391.

— LXXV (4337).

兩軍師隔江鬪智

Liang kiun chi kę kiang teou tchi.

Autre titre :

劉玄德巧合艮緣

Lieou hiuen tę khiao ho liang yuen.

Kẹ kiang teou tchi (le Mariage de Lieou Hiuen-tẹ).

Par un anonyme.

3 actes (tchẹ) + intermède (sie-tseu) + 1 acte (tchẹ). — Bazin, Siècle des Youên, p. 392.

— LXXVI (4337).

馬丹陽度脫劉行首

Ma tan yang tou thoo lieou hang cheou.

Lieou hang cheou (la Courtisane Lieou).

Par Yang King-hien.

4 actes (tchẹ). — Bazin, Siècle des Youên, pp. 393 et 509.

— LXXVII (4337).

月明和尙度柳翠

Yue ming hoo chang tou lieou tshoei.

Tou Lieou Tshoei (la Conversion de Lieou Tshoei).

Par un anonyme.

Prologue (sie-tseu) + 4 actes (tchẹ). — Bazin, Siècle des Youên, p. 394.

— LXXVIII (4337).

劉晨阮肇悞入桃源

Lieou chen yuen tchao oou jou thao yuen.

Oou jou thao yuen (la Grotte des pêchers).

Par Oang Tseu-yi.

2 actes (tchẹ) + intermède (sie-tseu) + 2 actes (tchẹ). — Bazin, Siècle des Youên, pp. 394 et 507.

— LXXIX (4337).

張孔目 (*alias* 平叔) 智勘魔合羅

Tchang khong mou (alias phing chou) tchi khan mo ho lo.

Mo ho lo (le Magot).

Par Meng Han-khing.

Prologue (sie-tseu) + 4 actes (tchẹ). — Bazin, Siècle des Youên, pp. 399 et 461.

— LXXX (4337).

玎玎璫璫盆兒鬼

Ting ting tang tang phen eul koei.

Phẹn eul koei (le Plat qui parle).

Par un anonyme.

Prologue (sie-tseu) + 4 actes (tchẹ). — Bazin, Siècle des Youên, p. 399.

— LXXXI (4337).

荊楚臣重對玉梳記

King tchhou tchhen tchhong toei yu chou ki.

Toei yu chou (Histoire du peigne de jade).

Par Kia Tchong-ming.

1 acte (tchẹ) + intermède (sie-tseu) + 3 actes (tchẹ). — Bazin, Siècle des Youên, p. 401.

— LXXXII (4337).

逞風流王煥百花亭

Tchheng fong lieou oang hoan po hoa thing.

Po hoa thing (le Portique des cent fleurs).

Par un anonyme.

1 acte (tchẹ) + intermède (sie-tseu) + 3 actes (tchẹ). — Bazin, Siècle des Youên, p. 401.

— LXXXIII (4337).

秦脩然竹塢聽琴

Tshin sieou jan tchou oou thing khin.

Tchou oou thing khin (le Mariage d'une religieuse).

Par Chi Tseu-tchang.

Prologue (sie-tseu) + 4 actes (tchẹ). — Bazin, Siècle des Youên, pp. 402 et 431.

— LXXXIV (4337).

金水橋陳琳抱粧盒

Kin choei khiao tchhen lin pao tchoang ho.

Pao tchoang ho (la Boîte mystérieuse).

Par un anonyme.

Prologue (sie-tseu) + 2 actes (tchẹ) + intermède (sie-tseu) + 2 actes (tchẹ). — Bazin, Siècle des Youên, p. 402.

— LXXXV (4337).

趙氏孤兒大報讐

Tchao chi kou eul ta pao tchheou.

Tchao chi kou eul (l'Orphelin de la famille de Tchao).

Par Ki Kiun-siang.

Prologue (sie-tseu) + 5 actes (tchẹ). — Bazin, Siècle des Youên, pp. 420 et 442. — Cordier, Bibl. sinica, 823, 824, 825, 1872.

— LXXXVI (4337).

感天動地竇娥冤

Kan thien tong ti teou 'o yuen.

Teou 'O yuen (le Ressentiment de Teou 'O).

Par Koan Han-khing.

Prologue (sie-tseu) + 4 actes (tchẹ). — Bazin, Théâtre chinois. — Bazin, Siècle des Youên, p. 420. — Cordier, Bibl. sinica, 820, 825.

Incomplet à la fin.

— LXXXVII (4338).

梁山泊李逵負荆

Liang chan po li khoei fou king.

Li Khoei fou king (le Jugement de Song-kiang).

Par Khang Tsin-tchi.

4 actes (tchẹ). — Bazin, Siècle des Youên, pp. 421 et 442.

— LXXXVIII (4338).

蕭淑蘭情寄菩薩蠻

Siao chou lan tshing ki phou sa man.

Siao Chou-lan (les Amours de Siao Chou-lan).

Par Kia Tchong-ming.

4 actes (tchẹ). — Bazin, Siècle des Youên, p. 421.

— LXXXIX (4338).

錦雲堂暗定連環計

Kin yun thang 'an ting lien hoan ki.

Lien hoan ki (la Mort de Tong Tcho).

Par un anonyme.

4 actes (tchẹ). — Bazin, Siècle des Youên, p. 422. — Cordier, Bibl. sinica, 816, 825.

— XC (4338).

羅李郎大鬧相國寺

Lo li lang ta nao siang koẹ seu.

Lo Li-lang (les Aventures de Lo Li-lang).

Par Tchang Koẹ-pin.

Prologue (sie-tseu) + 1 acte (tchẹ) + intermède (sie-tseu) + 3 actes

(tchẹ). — Bazin, Siècle des Youên, p. 423.

— XCI (4338).

看錢奴買冤家債主

Khan tshien nou mai yuen kia tchai tchou.

Khan tshien nou (l'Avare).

Par un anonyme.

Prologue (sie-tseu) + 4 actes (tchẹ). — Bazin, Siècle des Youên, p. 423. — Cordier, Bibl. sinica, 825.

— XCII (4338).

都孔目風雨還牢末

Tou khong mou fong yu hoan lao mo.

Hoan lao mo (le Dévouement de Li Khoei).

Par Li Tchi-yuen.

Prologue (sie-tseu) + 4 actes (tchẹ). — Bazin, Siècle des Youên, pp. 424 et 456.

— XCIII (4338).

洞庭湖柳毅傳書

Tong thing hou lieou yi tchhoan chou.

Lieou yi tchhoan chou (le Roi des Dragons).

Par Chang Tchong-hien.

Prologue (sie-tseu) + 4 actes (tchẹ). — Bazin, Siècle des Youên, p. 424.

— XCIV (4338).

風雨像生貨郎旦

Fong yu siang cheng hoo lang tan.

Hoo lang lan (la Chanteuse).

Par un anonyme.

4 actes (tchę). — Bazin, Théâtre chinois. — Bazin, Siècle des Youên, p. 425. — Cordier, Bibl. sinica, 820, 825.

— XCV (4338).

望江亭中秋切鱠

Oang kiang thing tchong tshieou tshie koei.

Oang-kiang-thing (le Pavillon de plaisance).

Par Koan Han-khing.

4 actes (tchę). — Bazin, Siècle des Youên, p. 425.

— XCVI (4338).

馬丹陽三度任風子

Ma tan yang san tou jen fong tseu.

Jen fong-tseu (Jen le fanatique).

Par Ma Tchi-yuen.

4 actes (tchę). — Bazin, Siècle des Youên, p. 425.

— XCVII (4338).

薩真人夜斷碧桃花

Sa tchen jen ye toan pi thao hoa.

Pi thao hoa (la Fée).

Par un anonyme.

Prologue (sie-tseu) + 4 actes (tchę).
— Bazin, Siècle des Youên, p. 428.

— XCVIII (4338).

沙門島張生煮海

Cha męn tao tchang cheng tchou hai.

Tchang cheng tchou hai (la Nymphe amoureuse).

Par Li Hao-kou.

4 actes (tchę). — Bazin, Siècle des Youên, pp. 428 et 452.

— XCIX (4338).

包待制智賺生金閣

Pao tai tchi tchi tchan cheng kin ko.

Cheng kin ko (le Petit pavillon d'or).

Par Oou Han-tchhen.

Prologue (sie-tseu) + 4 actes (tchę).
— Bazin, Siècle des Youên, p. 429.

— C (4338).

馮玉蘭夜月泣江舟

Fong yu lan ye yue khi kiang tcheou.

Fong Yu-lan (les Malheurs de Fong Yu-lan).

Par un anonyme.

4 actes (tchę). — Bazin, Siècle des Youên, p. 429.

Grand in-8. Titre noir sur papier teinté ; notes au crayon et à l'encre en marge et dans le texte. 8 vol., demi-reliure.

Fourmont 34.

4339-4344. 元曲選

Yuen khiu siuen.

Choix de pièces de la dynastie des Yuen.

Recueil analogue au précédent, d'impression semblable, sans titre, préface, table ni illustrations.

Cf. Bazin, Siècle des Youên, p. 198 et suivantes.

— I (4339).

天台陶九成論曲

Thien thai thao kieou tchheng loẹn khiu.

Dissertation sur le théâtre par Thao Kieou-tchheng, de Thien-thai.

Cette dissertation intéressante a été utilisée par Bazin, dans son Théâtre chinois, ou Choix de pièces de théâtre composées sous les empereurs mongols, précédées d'une introduction... Paris 1838.

— II (4339).

燕南芝菴論曲

Yen nan tchi 'an loẹn khiu.

Dissertation sur le théâtre par Tchi-'an, de Yen-nan.

— III (4339).

高安周挺齋論曲

Kao 'an tcheou thing tchai loẹn khiu.

Dissertation sur le théâtre par Tcheou Thing-tchai, de Kao-'an.

— IV (4339).

吳興趙子昂論曲

Oou hing tchao tseu 'ang loẹn khiu.

Dissertation sur le théâtre par Tchao Tseu-'ang, de Oou-hing.

— V (4339).

丹丘先生論曲

Tan khieou sien cheng loẹn khiu.

Dissertation sur le théâtre par le lettré Tan-khieou.

— VI (4339).

涵虛子論曲

Han hiu tseu loẹn khiu.

Dissertation sur le théâtre par Han-hiu-tseu.

— VII (4339).

元曲論

Yuen khiu loẹn.

Dissertation sur la poésie dramatique des Yuen.

Suivie d'une liste des auteurs, d'une liste des pièces de chacun, etc.

— VIII (4339).

沙門島張生煑海

Cha men tao tchang cheng tchou hai.

Tchang cheng tchou hai.

Cf. nº 4338, art. XCVIII.

— IX (4339).

李太白匹配金錢記

Li thai po phi phei kin tshien ki.

Kin tshien ki.

Cf. nº 4331, art. II.

— X (4339).

馮玉蘭夜月泣江舟

Fong yu lan ye yue khi kiang tcheou.

Fong Yu-lan.

Cf. nº 4338, art. C.

— XI (4339).

唐明皇秋夜梧桐雨

Thang ming hoang tshieou ye oou thong yu.

Oou thong yu.

Cf. nº 4332, art. XXI.

— XII (4339).

感天動地竇娥冤

Kan thien tong ti teou 'o yuen.

Teou 'O yuen.

Cf. nº 4337, art. LXXXVI.

— XIII (4339).

薛仁貴榮歸故里

Sie jen koei yong koei kou li.

Sie Jen-koei.

Cf. nº 4332, art. XIX.

— XIV (4339).

梁山泊李逵負荊

Liang chan po li khoei fou king.

Li Khoei fou king.

Cf. nº 4338, art. LXXXVII.

— XV (4339).

風雨像生貨郎旦

Fong yu siang cheng hoo lang tan.

Hoo lang tan.

Cf. nº 4338, art. XCIV.

— XVI (4339).

兩軍師隔江鬭智

Liang kiun chi ke kiang teou tchi.

Ke kiang teou tchi.

Cf. nº 4337, art. LXXV.

— XVII (4339).

薩眞人夜斷碧桃花

Sa tchen jen ye toan pi thao hoa.

Pi thao hoa.

Cf. nº 4338, art. XCVII.

— XVIII (4339).

月明和尚度柳翠

Yue ming hoo chang tou lieou tshoei.

Tou Lieou Tshoei.

Cf. n° 4337, art. LXXVII.

— XIX (4340).

邯鄲道省悟黃粱夢

Han tan tao sing oou hoang liang mong.

Hoang liang mong.

Cf. n° 4334, art. XLV.

— XX (4340).

昊天塔孟良盜骨

Hao thien tha meng liang tao kou.

Hao thien tha.

Cf. n° 4335, art. XLVIII.

— XXI (4340).

杜牧之詩酒揚州夢

Tou mou tchi chi tsieou yang tcheou mong.

Yang-tcheou mong.

Cf. n° 4334, art. XLVI.

— XXII (4340).

鄭孔目風雪酷寒亭

Tcheng khong mou fong siue khou han thing.

Khou han thing.

Cf. n° 4335, art. LVIII.

— XXIII (4340).

杜蘂娘智賞金線池

Tou joei niang tchi chang kin sien tchhi.

Kin sien tchhi.

Cf. n° 4336, art. LXXII.

— XXIV (4340).

崔府君斷冤家債主

Tshoei fou kiun toan yuen kia tchai tchou.

Yuen kia tchai tchou.

Cf. n° 4336, art. LXV.

— XXV (4340).

尉遲恭單鞭奪槊

Oei tchhi kong tan pien too so.

Tan pien too so.

Cf. n° 4336, art. LXVII.

— XXVI (4340).

死生交范張雞黍

Seu cheng kiao fan tchang ki chou.

Fan tchang ki chou.

Cf. n° 4335, art. LV.

— XXVII (4340).

漢高皇濯足氣英布

Han kao hoang tcho tsou khi ying pou.

Khi Ying Pou.

Cf. n° 4337, art. LXXIV.

— XXVIII (4340).

宜秋山趙禮讓肥

Yi tshieou chan tchao li jang fei.

Tchao Li jang fei.

Cf. n° 4335, art. LVII.

— XXIX (4340).

河南府張鼎勘頭巾

Ho nan fou tchang ting khan theou kin.

Khan theou kin.

Cf. n° 4334, art. XXXIX.

— XXX (4340).

黑旋風雙獻功

Hẹ siuen fong choang hien kong.

Hẹ siuen fong.

Cf. n° 4334, art. XL.

— XXXI (4340).

王月英元夜留鞋記

Oang yue ying yuen ye lieou hiai ki.

Lieou hiai ki.

Cf. n° 4336, art. LXXIII.

— XXXII (4340).

玉簫女兩世姻緣

Yu siao niu liang chi yin yuen.

Liang chi yin yuen.

Cf. n° 4335, art. LVI.

— XXXIII (4340).

迷青瑣倩女離魂

Mi tshing soo tshien niu li hoẹn.

Tshien niu li hoẹn.

Cf. n° 4334, art. XLI.

— XXXIV (4341).

東堂老勸破家子弟

Tong thang lao khiuen pho kia tseu ti.

Tong-thang lao.

Cf. n° 4332, art. XIII.

— XXXV (4341).

洞庭湖柳毅傳書

Tong thing hou lieou yi tchhoan chou.

Lieou Yi tchhoan chou.

Cf. n° 4338, art. XCIII.

— XXXVI (4341).

臨江驛瀟湘秋夜雨

Lin kiang yi siao siang tshieou ye yu.

Siao siang yu.

Cf. n° 4332, art. XV.

— XXXVII (4341).

呂洞賓三度城南柳

Liu tong pin san tou tchheng nan lieou.

Tchheng nan lieou.

Cf. n° 4336, art. LXVIII.

— XXXVIII (4341).

看錢奴買冤家債主

Khan tshien nou mai yuen kia tchai tchou.

Khan tshien nou.

Cf. n° 4338, art. XCI.

— XXXIX (4341).

錦雲堂暗定連環計

Kin yun thang'an ting lien hoan ki.

Lien hoan ki.

Cf. n° 4338, art. LXXXIX.

— XL (4341).

羅李郎大鬧相國寺

Lo li lang ta nao siang koẹ seu.

Lo Li-lang.

Cf. n° 4338, art. XC.

— XLI (4341).

荆楚臣重對玉梳記

King tchhou tchhen tchhong toei yu chou ki.

Toei yu chou.

Cf. n° 4337, art. LXXXI.

— XLII (4341).

蕭淑蘭情寄菩薩蠻

Siao chou lan tshing ki phou sa man.

Siao Chou-lan.

Cf. n° 4338, art. LXXXVIII.

-- XLIII (4341).

金水橋陳琳抱粧盒

Kin choei khiao tchhen lin pao tchoang ho.

Pao tchoang ho.

Cf. n° 4337, art. LXXXIV.

— XLIV (4341).

花間四友東坡夢

Hoa kien seu yeou tong pho mong.

Tong-pho mong.

Cf. n° 4336, art. LXXI.

— XLV (4342).

布袋和尚忍字記

Pou tai hoo chang jen tseu ki.

Jen tseu ki.

Cf. n° 4336, art. LXI.

— XLVI (4342).

桃花女破法嫁周公

Thao hoa niu pho fa kia tcheou kong.

Thao-hoa-niu.

Cf. n° 4335, art. LIX.

— XLVII (4342).

玎玎璫璫盆兒鬼

Ting ting tang tang phẹn eul koei.

Phẹn eul koei.

Cf. n° 4337, art. LXXX.

— XLVIII (4342).

劉晨阮肇悮入桃源

Lieou chen yuen tchao oou jou thao yuen.

Oou jou thao yuen.

Cf. n° 4337, art. LXXVIII.

— XLIX (4342).

錢大尹智寵謝天香

Tshien ta yin tchi tchhong sie thien hiang.

Sie Thien-hiang.

Cf. n° 4331, art. IX.

— L (4342).

謝金蓮詩酒紅梨花

Sie kin lien chi tsieou hong li hoa.

Hong li hoa.

Cf. n° 4336, art. LXII.

— LI (4342).

楊氏殺狗勸夫

Yang chi cha keou khiuen fou.

Cha keou khiuen fou.

Cf. n° 4331, art. VII.

— LII (4342).

呂洞賓度鐵拐李岳

Liu tong pin tou thie koai li yo.

Thie-koai Li.

Cf. n° 4333, art. XXIX.

— LIII (4342).

包待制智勘灰闌記

Pao tai tchi tchi khan hoei lan ki.

Hoei lan ki.

Cf. n° 4336, art. LXIV.

— LIV (4342).

魯大夫秋胡戲妻

Lou ta fou tshieou hou hi tshi

Tshieou-hou hi tshi.

Cf. n° 4333, art. XXXII.

— LV (4343).

西華山陳摶高臥

Si hoa chan tchhen thoan kao oo.

Tchhen Thoan kao oo.

Cf. n° 4334, art. XLII.

— LVI (4343).

醉思鄉王粲登樓

Tsoei seu hiang oang tshan teng leou.

Oang Tshan teng leou.

Cf. n° 4334, art. XLVII.

— LVII (4343).

救孝子賢母不認屍

Kieou hiao tseu hien mou pou jen chi.

Kieou hiao tseu.

Cf. n° 4334, art. XLIV.

— LVIII (4343).

朱太守風雪漁樵記

Tchou thai cheou fong siue yu tshiao ki.

Yu tshiao ki.

Cf. n° 4335, art. L.

— LIX (4343).

神奴兒大鬧開封府

Chen nou eul ta nao khai fong fou.

Chen-nou-eul.

Cf. n° 4333, art. XXXIII.

— LX (4343).

爭報恩三虎下山

Tcheng pao'en san hou hia chan.

Tcheng pao 'en.

Cf. n° 4332, art. X.

— LXI (4343).

半夜雷轟薦福碑

Pan ye lei hong tsien fou pei.

Tsien-fou pei.

Cf. n° 4334, art. XXXIV.

— LXII (4343).

趙盼兒風月救風塵

Tchao hi eul fong yue kieou fong tchhen.

Kieou fong tchhen.

Cf. n° 4332, art. XII.

— LXIII (4343).

玉清菴錯送鴛鴦被

Yu tshing 'an tsho song yuen yang pei.

Yuen yang pei.

Cf. n° 4331, art. IV.

— LXIV (4343).

謝金吾詐拆清風府

Sie kin oou tcha tchhe tshing fong fou.

Sie Kin-oou.

Cf. n° 4334, art. XXXV.

— LXV (4343).

温太眞玉鏡臺

Oen thai tchen yu king thai.

Yu king thai.

Cf. n° 4331, art. VI.

— LXVI (4344).

包待制陳州糶米

Pao tai tchi tchhen tcheou thiao mi.

Tchhen-tcheou thiao mi.

Cf. n° 4331, art. III.

— LXVII (4344).

孟德耀舉案齊眉

Meng te yao kiu 'an tshi mei.

Kiu 'an tshi mei.

Cf. nº 4335, art. LIII.

-- LXVIII (4344).

龐居士誤放來生債

Phang kiu chi oou fang lai cheng tchai.

Lai cheng tchai.

Cf. nº 4332, art. XVIII.

— LXIX (4344).

包龍圖智勘後庭花

Pao long thou tchi khan heou thing hoa.

Heou thing hoa.

Cf. nº 4335, art. LIV.

— LXX (4344).

李亞仙花酒曲江池

Li ya sien hoa tsieou khiu kiang tchhi.

Khiu kiang tchhi.

Cf. nº 4332, art. XVI.

— LXXI (4344).

包龍圖智賺合同文字

Pao long thou tchi tchan ho thong oen tseu.

Ho thong oen tseu.

Cf. nº 4333, art. XXV.

— LXXII (4344).

四丞相高會麗春堂

Seu tchheng siang kao hoei li tchhoen thang.

Li-tchhoen-thang.

Cf. nº 4335, art. LII.

— LXXIII (4344).

硃砂擔滴水浮漚記

Tchou cha tan ti choei feou 'eou ki.

Tchou cha tan.

Cf. nº 4333, art. XXIII.

— LXXIV (4344).

包待制智斬魯齋郎

Pao tai tchi tchi tchan lou tchai lang.

Lou tchai-lang.

Cf. nº 4335, art. XLIX.

— LXXV (4344).

江州司馬青衫泪

Kiang tcheou seu ma 'tshing chan lei.

Tshing chan lei.

Cf. nº 4335, art. LI. — Manque le dernier feuillet.

Grand in-8. 6 vol., demi-rel. (prov. de la bibl. de l'Arsenal).

Nouveau fonds 1618 à 1623.

4345-4358. 六十種曲。
繡刻演劇十本

Lou chi tchong khiu : sieou kho
yen khi chi pẹn.

Soixante pièces de théâtre illustrées.

Pièces des dynasties des Yuen et des Ming publiées au pavillon Ki-kou (vers 1640?), avec une préface par Yue-chi tao-jen. Texte en caractères de deux sortes pour les passages chantés et pour les passages parlés ; les pièces sont divisées en livres ; en tête de chaque livre, table détaillée des scènes (tchhou), chaque scène portant un titre spécial. — Table générale ; l'ordre réel des pièces n'est pas conforme à la table. — Pas d'illustrations ; la gravure, assez bonne pour quelques pièces, est très inégale : on peut distinguer au moins trois types divers.

12 sections (5 pièces par section).

— I (4345).

雙珠記

Choang tchou ki (n° 1 de la table).

Histoire des deux perles.

2 livres (46 scènes, tchhou). — Manque un demi-feuillet à la fin du 1er livre ; 2e livre incomplet.

— II (4345).

焚香記

Fẹn hiang ki (n° 5 de la table).

Histoire de l'encens.

2 livres (40 scènes, tchhou).

— III (4345).

尋親記

Sin tshin ki (n° 2 de la table)

Histoire de la recherche des parents.

2 livres (34 scènes, tchhou).

— IV (4345).

金雀記

Kin tsio ki (n° 4 de la table).

Histoire du moineau d'or.

2 livres (30 scènes, tchhou).

— V (4346).

荆釵記

King tchhai ki (n° 6 de la table).

Histoire de l'épingle d'épine.

2 livres (48 scènes, tchhou).

— VI (4346).

霞箋記

Hia tsien ki (n° 7 de la table).

Histoire de la lettre rouge.

2 livres (30 scènes, tchhou).

— VII (4346).

浣紗記

Hoan cha ki (n° 9 de la table).

Histoire de la gaze lavée.

2 livres (45 scènes, tchhou).

— VIII (4347).

西廂記

Si siang ki.

A la table, n° 11 :

南西廂

Nan si siang.

Le Si siang ki méridional.

Différent du n° 4329, art. VI.

2 livres (34 scènes, tchhou).

— IX (4347).

明珠記

Ming tchou ki (n° 13 de la table).

Histoire de la perle brillante.

2 livres (43 scènes, tchhou).

— X (4347).

紅拂記

Hong fou ki (n° 15 de la table).

Histoire du fléau rouge.

2 livres (34 scènes, tchhou).

— XI (4347).

幽閨記

Yeou koei ki (n° 12 de la table).

Histoire du gynécée solitaire.

2 livres (31 scènes, tchhou).

— XII (4347).

玉簪記

Yu tsan ki (n° 14 de la table).

Histoire de l'épingle de jade.

2 livres (33 scènes, tchhou).

— XIII (4348).

西廂記

Si siang ki.

A la table, n° 20 :

北西廂

Pẹ si siang.

Le Si siang ki septentrional.

Même ouvrage qu'au n° 4329, art. VI.

2 livres (20 scènes, tchhou).

Table du 2° livre en tête du 1er, et réciproquement; gravure très usée.

— XIV (4349).

牡丹亭還魂記

Meou tan thing hoan hoẹn ki.

A la table, n° 38 :

牡丹亭

Meou tan thing.

Le pavillon des pivoines.

2 livres (22 + 23 scènes, tchhou).
— Cf. n° 4380.

Disposition typographique différente des autres pièces; en tête du 1er livre, on lit : revu et imprimé au jardin Chi. Table des matières reliée entre le premier et le second livre.

— XV (4349).

邯鄲記

Han tan ki.

A la table, n° 18 :

邯鄲夢

Han tan mong.

Le songe de Han-tan.

2 livres (3o scènes, tchhou). — Comparer n° 4334, art. XLV ; n° 4383, art. IV ; n° 44o5, art. XII.

— XVI (4349).

紫釵記

Tseu tchhai ki (n° 17 de la table).

Histoire de l'épingle pourpre.

2 livres (53 scènes, tchhou). — Cf. n° 4382, art. II.

— XVII (4349).

南柯記

Nan ko ki.

A la table, n° 19 :

南柯夢

Nan ko mong.

Le songe de Nan-ko.

2 livres (44 scènes, tchhou). — Cf. n°s 4382-4383, art. III. — Comparer n° 44o4, art. XI.

— XVIII (4350).

還魂記

Hoan hoen ki (n° 16 de la table).

Histoire du retour de l'âme.

2 livres (29 + 2o scènes, tchhou).

— XIX (4351).

春蕪記

Tchhoen oou ki (n° 21 de la table).

Histoire des herbes printanières.

2 livres (29 scènes, tchhou).

— XX (4351).

綵毫記

Tshai hao ki (n° 25 de la table).

Histoire des pinceaux de couleurs variées.

2 livres (42 scènes, tchhou).

— XXI (4351).

琴心記

Khin sin ki (n° 22 de la table).

Histoire d'un cœur pur.

2 livres (44 scènes, tchhou).

— XXII (4351).

懷香記

Hoai hiang ki (n° 24 de la table).

Histoire du parfum porté dans le sein.

2 livres (4o scènes, tchhou).

— XXIII (4352).

運甓記

Yun phi ki (nº 26 de la table).

Histoire des briques transportées.

2 livres (40 scènes, tchhou).

— XXIV (4352).

玉合記

Yu ho ki (nº 28 de la table).

Histoire de la réunion des morceaux de jade.

2 livres (40 scènes, tchhou).

— XXV (4352).

鸞鎞記

Loan pi ki (nº 27 de la table).

Histoire du peigne orné de phénix.

2 livres (27 scènes, tchhou).

— XXVI (4352).

金蓮記

Kin lien ki (nº 29 de la table).

Histoire des lotus d'or (ou de Kin-lien).

2 livres (36 scènes, tchhou). — Cf. nº 4336, art. LXII.

— XXVII (4353).

三元記

San yuen ki (nº 31 de la table).

Histoire des trois yuen.

2 livres (36 scènes, tchhou).

— XXVIII (4353).

鳴鳳記

Ming fong ki (nº 33 de la table).

Histoire du chant du phénix.

2 livres (41 scènes, tchhou).

— XXIX (4353).

投梭記

Theou soo ki (nº 32 de la table).

Histoire de la navette jetée.

2 livres (30 scènes, tchhou).

Table incomplète de tout le bas des pages.

— XXX (4353).

飛丸記

Fei hoan ki (nº 34 de la table).

Histoire de la boule volante.

2 livres (33 scènes, tchhou).

— XXXI (4354).

青衫記

Tshing chan ki (nº 40 de la table).

Histoire de la tunique verte.

2 livres (30 scènes, tchhou). — Cf. nº 4335, art. LI.

— XXXII (4354).

西樓記

Si leou ki (nº 37 de la table).

Histoire du pavillon d'occident.

2 livres (4o scènes, tchhou).

Table incomplète; manque un demi-feuillet à la fin de la pièce.

— XXXIII (4354).

繡襦 (à la table 儒) 記

Sieou jou ki (n° 39 de la table).

Histoire de la tunique brodée.

2 livres (41 scènes, tchhou).

— XXXIV (4355).

錦箋記

Kin tsien ki (n° 41 de la table).

Histoire de la lettre ornée.

2 livres (4o scènes, tchhou).

— XXXV (4355).

紫蕭 (à la table 肖) 記

Tseu siao ki (n° 43 de la table).

Histoire de la flûte pourpre.

2 livres (34 scènes, tchhou).

— XXXVI (4355).

玉玦記

Yu kiue ki (n° 45 de la table).

Histoire de la pendeloque en jade.

2 livres (36 scènes, tchhou).

— XXXVII (4355).

蕉帕記

Tsiao pha ki (n° 42 de la table).

Histoire du voile en fibres de bananier.

2 livres (36 scènes, tchhou).

— XXXVIII (4355).

水滸記

Choei hou ki (n° 44 de la table).

Histoire des rivages.

2 livres (32 scènes, tchhou). — Cf. n°ˢ 3969-3974, art. II; n°ˢ 3991 à 4o1o.

— XXXIX (4356).

灌園記

Koan yuen ki (n° 46 de la table).

Histoire du jardin arrosé.

2 livres (3o scènes, tchhou).

— XL (4356).

種玉記

Tchong yu ki (n° 47 de la table).

Histoire du jade semé.

2 livres (3o scènes, tchhou).

— XLI (4357).

千金記

Tshien kin ki (n° 51 de la table).

Histoire de la jeune fille (ou des 1000 livres d'or).

2 livres (3o scènes, tchhou).

— XLII (4357).

玉環記

Yu hoan ki (n° 53 de la table).

Histoire de l'anneau de jade.

2 livres (34 scènes, tchhou).

— XLIII (4357).

贈書記

Tseng chou ki (n° 55 de la table).

Histoire du livre légué.

2 livres (32 scènes, tchhou).

— XLIV (4358).

曇花記

Than hoa ki (n° 56 de la table).

Histoire des fleurs des nuages.

2 livres (55 scènes, tchhou).

— XLV (4358).

香囊記

Hiang nang ki (n° 58 de la table).

Histoire du sac de parfums.

2 livres (42 scènes, tchhou).

— XLVI (4358).

節俠記

Tsie hie ki (n° 60 de la table).

Histoire du courage fidèle.

2 livres (31 scènes, tchhou).

— XLVII (4358).

四賢記

Seu hien ki (n° 59 de la table).

Histoire des quatre sages.

2 livres (38 scènes, tchhou).

Petit in-8. Deux titres imprimés en noir sur blanc. 14 vol., cartonnage (prov. de la collection Billequin).

Nouveau fonds 5090 à 5103.

4359-4375.   ## 六十種曲。

繡刻演劇十本

Lou chi tchong khiu : sieou kho yen khi chi pen.

Soixante pièces de théâtre illustrées.

Même ouvrage que le précédent, publié au pavillon Ki-kou, avec la même préface. Édition plus récente, de gravure analogue dans certains passages et différente dans d'autres; impression médiocre. Pas d'illustrations ni de table générale.

— I (4359).

雙珠記

Choang tchou ki.

Cf. n° 4345, art. I.

— II (4359).

尋親記

Sin tshin ki.

Cf. n° 4345, art. III.

— III (4359).

東郭記

Tong koo ki.

Histoire du rempart oriental.

2 livres (44 scènes, tchhou).

— IV (4360).

金雀記

Kin tsio ki.

Cf. nº 4345, art. IV.

— V (4360).

焚香記

Fen hiang ki.

Cf. nº 4345, art. II.

— VI (4360).

荆釵記

King tchhai ki.

Cf. nº 4346, art. V.

— VII (4360-4361).

霞箋記

Hia tsien ki.

Cf. nº 4346, art. VI.

— VIII (4361).

精忠記

Tsing tchong ki.

Histoire de la pure fidélité.

2 livres (35 scènes, tchhou). — Comparer, nº 4o3o.

— IX (4361).

浣紗記

Hoan cha ki.

Cf. nº 4346, art. VII.

— X (4361).

琵琶記

Phi pha ki.

Même ouvrage qu'au nº 4329, art. VII.

2 livres (42 scènes, tchhou).

— XI (4362).

西廂記

Si siang ki.

Cf. nº 4347, art. VIII.

— XII (4362).

幽閨記

Yeou koei ki.

Cf. nº 4347, art. XI.

— XIII (4362).

明珠記

Ming tchou ki.

Cf. nº 4347, art. IX.

— XIV (4363).

玉簪記

Yu tsan ki.

Cf. nº 4347, art. XII.

— XV (4363).

紅拂記

Hong fou ki.

Cf. nº 4347, art. X. — A la table spéciale de la pièce, la scène 34 est marquée deux fois.

— XVI (4363).

西廂記

Si siang ki.

Cf. nº 4348, art. XIII (nº 20 de la

table de l'ouvrage précédent). Deux feuillets de plus à la fin; la table du 2ᵉ livre est celle du n° 4362, art. XI.

— XVII (4363).

還魂記
Hoan hoen ki.

Cf. n° 4350, art. XVIII (n° 16 de la table de l'ouvrage précédent). — Table pour le 1ᵉʳ livre; pas de table pour le 2ᵉ livre. Le 1ᵉʳ livre est le 1ᵉʳ livre du n° 4349, art. XIV; le 2ᵉ livre est le 2ᵉ livre du n° 4350, art. XVIII. Manquent plusieurs feuillets au 2ᵉ livre.

— XVIII (4364).

紫釵記
Tseu tchhai ki.

Cf. n° 4349, art. XVI (n° 17 de la table de l'ouvrage précédent).

— XIX (4364).

邯鄲記
Han tan ki.

Cf. n° 4349, art. XV (n° 18 de la table de l'ouvrage précédent).

— XX (4364).

南柯記
Nan ko ki.

Cf. n° 4349, art. XVII (n° 19 de la table de l'ouvrage précédent).

— XXI (4365).

春蕪記
Tchhoen oou ki.

Cf. n° 4351, art. XIX. — Table du 1ᵉʳ livre incomplète, reliée après le premier feuillet du texte.

— XXII (4365).

琴心記
Khin sin ki.

Cf. n° 4351, art. XXI.

— XXIII (4365).

玉鏡臺記
Yu king thai ki.

Autre titre :

玉鏡記
Yu king ki.

Histoire du miroir de jade.

2 livres (40 scènes, tchhou). - Cf. n° 4331, art. VI.

— XXIV (4365).

懷香記
Hoai hiang ki.

Cf. n° 4351, art. XXII.

— XXV (4366).

綵毫記
Tshai hao ki.

Cf. n° 4351, art. XX. — Manque la table du 1ᵉʳ livre.

— XXVI (4366).

運甓記
Yun phi ki.

Cf. n° 4352, art. XXIII.

— XXVII (4366).

鸞鎞記

Loan pi ki.

Cf. nº 4352, art. XXV.

— XXVIII (4366-4367).

玉合記

Yu ho ki.

Cf. nº 4352, art. XXIV. — La table du 2ᵉ livre est incomplète.

— XXIX (4367).

金蓮記

Kin lien ki.

Cf. nº 4352, art. XXVI. — Table du 1ᵉʳ livre seulement; le texte du 1ᵉʳ livre, avec le 2ᵉ livre, est relié en tête du nº 4375 (art. LVII *bis*).

— XXX (4367).

三元記

San yuen ki.

Cf. nº 4353, art. XXVII (nº 31 de la table de l'ouvrage précédent).

— XXXI (4367).

投梭記

Theou soo ki.

Cf. nº 4353, art. XXIX (nº 32 de la table de l'ouvrage précédent).

— XXXII (4367-4368).

鳴鳳記

Ming fong ki.

Cf. nº 4353, art. XXVIII (nº 33 de la table de l'ouvrage précédent).

— XXXIII (4368).

飛丸記

Fei hoan ki.

Cf. nº 4353, art. XXX (nº 34 de la table de l'ouvrage précédent).

— XXXIV (4368).

紅梨記

Hong li ki.

Histoire du poirier rouge (nº 35 de la table de l'ouvrage précédent).

2 livres (20 scènes, tchhou). — Cf. nº 4336, art. LXII.

— XXXV (4368).

八義記

Pa yi ki.

Histoire des huit éminents (nº 36 de la table de l'ouvrage précédent).

2 livres (41 scènes, tchhou).

— XXXVI (4369).

西樓記

Si leou ki.

Cf. nº 4354, art. XXXII (nº 37 de la table de l'ouvrage précédent).

— XXXVII (4369).

繡襦記

Sieou jou ki.

Cf. n° 4354, art. XXXIII (n° 39 de la table de l'ouvrage précédent).

— XXXVIII (4369).

青衫記

Tshing chan ki.

Cf. n° 4354, art. XXXI (n° 40 de la table de l'ouvrage précédent).

— XXXIX (4369).

錦箋記

Kin tsien ki.

Cf. n° 4355, art. XXXIV (n° 41 de la table de l'ouvrage précédent).

— XL (4370).

蕉帕記

Tsiao pha ki.

Cf. n° 4355, art. XXXVII (n° 42 de la table de l'ouvrage précédent).

— XLI (4370).

紫簫記

Tseu siao ki.

Cf. n° 4355, art. XXXV (n° 43 de la table de l'ouvrage précédent).

XLII (4370).

水滸記

Choei hou ki.

Cf. n° 4355, art. XXXVIII (n° 44 de la table de l'ouvrage précédent).

— XLIII (4370-4371).

玉玦記

Yu kiue ki.

Cf. n° 4355, art. XXXVI (n° 45 de la table de l'ouvrage précédent).

— XLIV (4371).

牡丹亭還魂記

Meou tan thing hoan hoen ki.

Cf. n° 4349, art. XIV (n° 38 de la table de l'ouvrage précédent). Seules les tables (1er livre sans nombre de scènes, 2e livre, 24 scènes, tchhou) correspondent au titre. Le texte des deux livres est celui du n° 4350, art. XVIII.

— XLV (4371).

種玉記

Tchong yu ki.

Cf. n° 4356, art. XL (n° 47 de la table de l'ouvrage précédent). -- Manque le 1er feuillet du 2e livre.

— XLVI (4371).

雙烈記

Choang lie ki.

Histoire du double héroïsme (n° 48 de la table de l'ouvrage précédent).

2 livres (44 scènes, tchhou).

— XLVII (4372).

獅吼記

Chi heou ki.

Histoire du rugissement du

lion (n° 49 de la table de l'ouvrage précédent).

2 livres (30 scènes, tchhou).

— XLVIII (4372).

義俠記
Yi hie ki.

Histoire du courage loyal (n° 50 de la table de l'ouvrage précédent).

2 livres (36 scènes, tchhou). — Les feuillets de la table du 2ᵉ livre sont intervertis.

— XLIX (4372).

千金記
Tshien kin ki.

Cf. n° 4357, art. XLI (n° 51 de la table de l'ouvrage précédent). — Table incomplète.

— L (4372-4373).

殺狗記
Cha keou ki.

Histoire du chien tué (n° 52 de la table de l'ouvrage précédent).

Publié par les soins de Long Tseu-yeou.

2 livres (36 scènes, tchhou). — Cf. n° 4331, art. VII.

— LI (4373).

玉環記
Yu hoan ki.

Cf. n° 4357, art. XLII (n° 53 de la table de l'ouvrage précédent).

— LII (4373).

白兔記
Po thou ki.

Histoire du lièvre blanc (n° 57 de la table de l'ouvrage précédent).

2 livres (13 + 19 scènes, tchhou).

— LIII (4373).

香囊記
Hiang nang ki.

Cf. n° 4358, art. XLV (n° 58 de la table de l'ouvrage précédent).

— LIV (4374).

四賢記
Seu hien ki.

Cf. n° 4358, art. XLVII (n° 59 de la table de l'ouvrage précédent).

— LV (4374).

節俠記
Tsie hie ki.

Cf. n° 4358, art. XLVI (n° 60 de la table de l'ouvrage précédent).

— LVI (4374).

龍膏記
Long kao ki.

Histoire de la graisse de dragon (n° 54 de la table de l'ouvrage précédent).

2 livres (3o scènes, tchhou).

— LVII (4374).

贈書記
Tseng chou ki.

Cf. nᵒ 4357, art. XLIII (nᵒ 55 de la table de l'ouvrage précédent).

— LVII *bis* (4375).

金蓮記
Kin lien ki.

Cf. nᵒ 4367, art. XXIX : texte des deux livres.

— LVIII (4375).

曇花記
Than hoa ki.

Cf. nᵒ 4358, art. XLIV (nᵒ 56 de la table de l'ouvrage précédent).

— LIX (4375).

四喜記
Seu hi ki.

Histoire de la quadruple joie (nᵒ 30 de la table de l'ouvrage précédent).

2 livres (42 scènes, tchhou). — Manque la table du 1ᵉʳ livre.

— LX (4375).

灌園記
Koan yuen ki.

Cf. nᵒ 4356, art. XXXIX (nᵒ 46 de la table de l'ouvrage précédent).

Grand in-8. Premier titre noir sur rouge, deuxième titre noir sur blanc. 17 vol., demi-rel., au chiffre de Louis-Philippe.

Nouveau fonds 327.

————

4376-4377. 成裕堂繪像第七才子書
Tchheng yu thang hoei siang ti tshi tshai tseu chou.

Le septième auteur de génie, édition illustrée de la salle Tchheng-yu.

Édition gravée dans les salles Oen-koang et Thong-oen; comprenant préface de l'auteur, dissertation générale, illustrations représentant des scènes, texte. Préface par Feou-yun kho-tseu, de Fong-khi (1666); préface pour la réédition par Tchheng Chi-jen Keng-ye (1735). Cette édition est due à Mao Cheng-chan.

6 livres. — Cf. nᵒ 4329, art. VII.

In-32. Papier blanc, titre noir sur rose. 2 vol., demi-reliure.

Nouveau fonds 109.

4378-4379. 繪風亭評第七才子書。琵琶記
Hoei fong thing phing ti tshi tshai tseu chou. — Phi pha ki.

Le septième auteur de génie publié au pavillon Hoei-fong : le Phi pha ki.

Même ouvrage, édition de Mao Cheng-chan, gravée au pavillon San-to. Préface de l'auteur, dissertation générale, illustrations, texte; annexes diverses. Pour chaque scène, explication et sens des caractères difficiles. Préface par le nouvel éditeur Tchhen Fang-phing, de Chang-yuen (1723).

6 livres.

Petit in-8. Impression défectueuse; titre noir sur jaune. 2 vol., demi-rel.. au chiffre de Napoléon III.

Nouveau fonds 1248 et 1249.

4380. 繡像牡丹亭還魂

Sieou siang meou tan thing hoan hoẹn.

Le pavillon des pivoines, édition illustrée.

Même pièce qu'au nº 4349, art. XIV; division différente. Auteur : Thang Hien-tsou, surnoms Yi-jeng et Jo-chi, noms littéraires Yu-ming et Tshing-yuen tao-jen, de Lin-tchhoan, né en 1550. Introduction; illustrations représentant des scènes de la pièce. Édition du jardin Kiai-tseu, d'après l'original de l'auteur.

8 livres (55 scènes).

In-24. Papier blanc, titre noir sur jaune. 1 vol., demi-rel., au chiffre de Napoléon III.

Nouveau fonds 1321 A.

4381-4383. 玉茗堂四種

Yu ming thang seu tchong.

Quatre pièces de Yu-ming-thang.

— I (4381).

牡丹亭還魂記

Meou tan thing hoan hoẹn ki.

Le pavillon des pivoines.

Même pièce que ci-dessus, avec introduction.

4 livres (55 scènes).

— II (4382).

紫釵記

Tseu tchhai ki.

Histoire de l'épingle pourpre.

Même pièce qu'au nº 4349, art. XVI. Par Thang Hien-tsou, avec introduction non datée, par l'auteur.

4 livres (53 scènes).

— III (4382-4383).

南柯記傳奇

Nan ko ki tchoan khi.

Le songe de Nan-ko.

Même pièce qu'au nº 4349, art. XVII, autre division. Par le même, avec préface non datée de l'auteur.

4 livres (35 scènes).

— IV (4383).

邯鄲夢傳奇

Han tan mong tchoan khi.

Le songe de Han-tan.

Même pièce qu'au n° 4349, art. XV. Par le même, avec introduction de l'auteur, sans date.

4 livres (30 scènes).

In-32. Papier blanc; titre général noir sur rouge; titres spéciaux noir sur blanc. 3 vol., demi-rel., au chiffre de Louis-Philippe.

Nouveau fonds 701.

4384.

— I.

韓朋十義大全記

Han pheng chi yi ta tshiuen ki.

Histoire de Han Pheng.

Pièce imprimée en gros texte (partie chantée) et petit texte (partie parlée); illustrée; bonne édition d'apparence ancienne.

27 scènes (tchhou). — Incomplet de quelques feuillets au début.

— II.

1 feuillet plié, gravure très grossière et coloriée, représentant Hiuen-oou et son serpent.

— III.

2 feuillets incomplets d'un ouvrage dont on ne voit pas le titre; il y est question de morale.

Petit in-8. 1 vol., reliure parchemin (prov. de la collection **Anquetil**).
Nouveau fonds 2395.

4385. 長生殿傳奇

Tchhang cheng tien tchoan khi.

Histoire de la salle Tchhang-cheng.

Préface (1679) par Hong Cheng, surnom Fang-seu, de Tshien-thang. Portrait avec légende. Édition de la salle Tchao-tẹ.

— I.

長恨歌

Tchhang hen ko.

La haine perpétuelle, poésie.

Petit morceau attribué à Po Kiu-yi (772-846), avec annexe par Tchhen Hong.

— II.

Tchhang cheng tien tchoan khi.

Texte de la pièce.

4 livres (50 scènes, tchẹ).

In-24. Titre noir sur jaune. 1 vol., demi-rel., au chiffre de Louis-Philippe,
Nouveau fonds 859.

4386-4387. 重訂綴白裘新集合編

Tchhong ting tchoei po khieou sin tsi ho pien.

Nouveaux recueils de la tunique de fourrure blanche, réédition.

Gravure du pavillon Kong-chang (1823). Préface par Tchheng Taheng, de Yong-kia (1770). Recueils de fragments dramatiques : les plus récents semblent être des fragments du Tchhang cheng tien (voir plus bas, art. XXIX et L ; cf. n° 4385). Gros texte (vers) et texte plus fin (prose). Portraits.

Titre noir sur jaune.

初 集
Tchhou tsi.

Premier recueil.

— I, livre 1 (4386).

牧 羊 記
Mou yang ki.

Histoire du berger.

4 scènes.

— II, livre 1 (4386).

金 鎖 記
Kin soo ki.

Histoire du cadenas d'or.

3 scènes.

— III, livre 1 (4386).

三 國 志
San koe tchi.

Histoire des Trois Royaumes.

1 scène. — Cf. n⁰ˢ 3940 à 3985.

— IV, livre 2 (4386).

邯 鄲 夢
Han tan mong.

1 scène. — Cf. n° 4334, art. XLV.

— V, livre 2 (4386).

占 花 魁
Tchan hoa khoei.

1 scène. — Cf. n° 4259, art. VII.

— VI, livre 2 (4386).

牡 丹 亭
Meou tan thing.

3 scènes. — Cf. n° 4380.

— VII, livre 2 (4386).

白 羅 衫
Po lo chan.

La tunique de gaze blanche.

1 scène.

— VIII, livre 2 (4386).

永 團 圓
Yong thoan yuen.

L'union perpétuelle.

5 scènes.

— IX, livre 3 (4386).

琵琶記
Phi pha ki.

2 scènes. — Cf. n° 4329, art. VII.

— X, livre 3 (4386).

西川圖
Si tchhoan thou.

Le dessin de Si-tchhoan.

1 scène.

— XI, livre 3 (4386).

一文錢
Yi oen tshien.

Une sapèque.

1 scène.

— XII, livre 3 (4386).

爛柯山
Lan ko chan.

La montagne de Lan-ko.

2 scènes.

— XIII, livre 3 (4386).

翠屏山
Tshoei phing chan.

La montagne de Tshoei-phing.

1 scène.

— XIV, livre 3 (4386).

焚香記
Fęn hiang ki.

1 scène. — Cf. n° 4345, art. II.

— XV, livre 3 (4386).

一捧雪
Yi fong siue.

Une poignée de neige.

4 scènes. — Cf. n° 4197.

— XVI, livre 4 (4386).

荊釵記
King tchhai ki.

1 scène. — Cf. n° 4346, art. V.

— XVII, livre 4 (4386).

摘錦
Tchę kin.

Choisir le brocart.

2 scènes.

— XVIII, livre 4 (4386).

紅梨記
Hong li ki.

1 scène. — Cf. n° 4336, art. LXII.

— XIX, livre 4 (4386).

尋親記
Sin tshin ki.

2 scènes. — Cf. n° 4345, art. III.

— XX, livre 4 (4386).

後尋親
Heou sin tshin.

Suite au Sin tshin ki.

1 scène.

— XXI, livre 4 (4386).

金印記
Kin yin ki.

Histoire du sceau d'or.

1 scène.

二集
Eul tsi.

Second recueil.

Préface par Li Chen, de Song-ling (1764); édition de 1823.

Titre noir sur blanc.

— XXII, livre 1 (4386).

Phi pha ki.

2 scènes. — Voir plus haut, art. IX.

— XXIII, livre 1 (4386).

精忠記
Tsing tchong ki.

1 scène. — Cf. n° 4361, art. VIII.

— XXIV, livre 1 (4386).

玉簪記
Yu tsan ki.

2 scènes. — Cf. n° 4347, art. XII.

— XXV, livre 1 (4386).

望江亭
Oang kiang thing.

1 scène. — Cf. n° 4338, art. XCV.

— XXVI, livre 1 (4386).

雙珠記
Choang tchou ki.

6 scènes. — Cf. n° 4345, art. I.

— XXVII, livre 2 (4386).

金貂記
Kin tiao ki.

Histoire de la martre d'or.

1 scène.

— XXVIII, livre 2 (4386).

鐵冠圖
Thie koan thou.

Dessin du casque de fer.

2 scènes.

— XXIX, livre 2 (4386).

長生殿
Tchhang cheng tien.

2 scènes. — Cf. n° 4385.

— XXX, livre 2 (4386).

雜齣
Tsa tchhou.

Scène mêlée.

Titre à la table :

Tchę kin.

1 scène. — Voir plus haut, art. XVII.

— XXXI, livre 2 (4386).

Hong li ki.

2 scènes. — Voir plus haut, art. XVIII.

— XXXII, livre 2 (4386).

兒孫福
Eul soẹn fou.

Le bonheur des descendants.

2 scènes.

— XXXIII, livre 3 (4387).

Nota. — Tout ce livre et le suivant appartiennent à un autre recueil et ne concordent pas avec la table.

梆子腔
Pang tseu khiang.

Scène à accompagnement de planchettes.

1 scène.

— XXXIV, livre 3 (4387).

何文秀
Ho oen sieou.

Ho Oen-sieou.

3 scènes.

— XXXV, livre 3 (4387).

Pang tseu khiang.

2 scènes. — Voir plus haut, art. XXXIII.

— XXXVI, livre 3 (4387).

蜈蚣嶺
Oou kong ling.

Les montagnes de Oou-kong.

2 scènes.

— XXXVII, livre 3 (4387).

高腔
Kao khiang.

Scène à accompagnement élevé.

1 scène.

— XXXVIII, livre 3 (4387).

亂彈腔
Loan than khiang.

Scène à accompagnement de tambour.

1 scène.

— XXXIX, livre 4 (4387).

Pang tseu khiang.

6 scènes. — Voir plus haut, art. XXXIII.

— XL, livre 4 (4387).

淤泥河
Yu ni ho.

Le fleuve vaseux.

7 scènes.

十二集
Chi eul tsi.

Douzième recueil.

Préface par Khoei-phou kiu-chi (1744); édition de 1823.

Titre noir sur blanc.

— XLI, livre 1 (4387).

Phi pha ki.

4 scènes. — Voir plus haut, art. IX.

— XLII, livre 1 (4387).

連 還 記
Lien hoan ki.

Histoire du retour.

2 scènes.

— XLIII, livre 1 (4387).

Meou tan thing.

3 scènes. — Voir plus haut, art. VI.

— XLIV, livre 2 (4387).

Lan ko chan.

2 scènes. — Voir plus haut, art. XII.

— XLV, livre 2 (4387).

四 節 記
Seu tsie ki.

Histoire de la quadruple tempérance.

1 scène.

— XLVI, livre 2 (4387).

鮫 綃 記
Kiao chao ki.

Histoire de la corde des requins.

1 scène (2 scènes à la table).

— XLVII, livre 2 (4387).

水 泊 記
Choei po ki.

Histoire de la crique.

1 scène.

— XLVIII, livre 2 (4387).

千 金 記
Tshien kin ki.

3 scènes. — Cf. n° 4357, art. XLI.

— XLIX, livre 2 (4387).

Eul soen fou.

1 scène. — Voir plus haut, art. XXXII.

— L, livre 3 (4387).

Tchhang cheng tien.

1 scène. — Voir plus haut, art. XXIX.

— LI, livre 3 (4387).

葛 衣 記
Ko yi ki.

Histoire du vêtement de toile légère.

1 scène.

— LII, livre 3 (4387).

繡 襦 記
Sieou jou ki.

1 scène. — Cf. n° 4354, art. XXXIII.

— LIII, livre 3 (4387).

香囊記

Hiang nang ki.

1 scène. — Cf. n° 4358, art. XLV.

— LIV, livre 3 (4387).

躍鯉記

Yo li ki.

Histoire de la carpe.

2 scènes (3 scènes à la table).

— LV, livre 3 (4387).

Mou yang ki.

2 scènes. — Voir plus haut, art. I.

— LVI, livre 3 (4387).

十五貫

Chi oou koan.

Quinze ligatures.

2 scènes.

— LVII, livre 4 (4387).

Tchạn hoa khoei.

1 scène. — Voir plus haut, art. V.

LVIII, livre 4 (4387).

療妒羹

Liao tou keng.

Le bouillon contre la jalousie.

1 scène.

— LIX, livre 4 (4387).

幽閨記

Yeou koei ki.

3 scènes. — Cf. n° 4347, art. XI.

— LX, livre 4 (4387).

Han tan mong.

4 scènes (5 scènes à la table). — Voir plus haut, art. IV.

In-12. 2 vol., demi-rel., au chiffre de Louis-Philippe.
Nouveau fonds 495.

———

4388. 桃花扇

Thao hoa chạn.

L'éventail à fleurs de pêcher.

Pièce par Yun-thing-chan jen, avec introduction de l'auteur (1699). Préface par Mong-ho kiu-chi, de Liang-khi. Avertissement; dissertation générale avec notes sur les personnages. Postface par Oou Mou King-'an, de Pẹ-phing. Gravé au Si-yuen.

4 livres (prologue + 40 scènes + épilogue).

In-18. Titre noir sur jaune. 1 vol., demi-rel., au chiffre de Louis-Philippe.
Nouveau fonds 789.

4389. 寒香亭傳奇

Han hiang thing tchoan khi.

Histoire du pavillon Han-hiang.

Par Li Khai, surnom Thou-ling, de Yin-kiang; annotations par Fan Oou Sou-yuen, de Yin-kiang. Préface par ce dernier (1731); préface par Lo Yeou-kao, surnom Thien-mou-chan jen (1777); postface par Tshien Oei-khiao, de Phi-ling (1785). Notes dans la marge supérieure. Édition du pavillon Yeou-yi (1797).

4 livres (40 scènes).

In-12. Papier blanc; titre noir sur jaune. 1 vol., demi-rel., au chiffre de Louis-Philippe.

Nouveau fonds 754.

4390. 繡像風箏誤傳

Sieou siang fong tcheng oou tchoan.

L'erreur de la harpe éolienne, avec illustrations.

Pièce parlée et chantée par Li-oong, de Hou-chang (avant 1750). Préface de Tchou-tchai tchou-jen (1810). Portraits avec légendes. Édition du pavillon Hoan-sieou (1811).

8 livres (32 hoei). — Comparer n° 4395, art. II.

In-12. Impression grossière; titre noir sur rose. 1 vol., demi-rel., au chiffre de Louis-Philippe.

Nouveau fonds 718.

4391-4393. 笠翁十種曲

Li oong chi tchong khiu.

Dix pièces de Li-oong.

Édition de la salle Tsiu-sieou (1827).

Titre général noir sur rouge.

— I (4391).

憐香伴傳奇

Lien hiang pan tchoan khi.

Histoire de la confrérie de l'encens.

Cf. n° 4394, art. I.

Titre noir sur papier teinté.

— II (4391).

慎鸞交傳奇

Chen loan kiao tchoan khi.

Histoire de l'amitié miraculeuse.

Cf. n° 4403, art. X.

Titre noir sur papier teinté.

— III (4391).

意中緣傳奇

Yi tchong yuen tchoan khi.

Histoire d'une destinée selon l'attente.

Cf. n° 4396, art. III.

Titre noir sur papier teinté.

— IV (4392).

風箏誤傳奇

Fong tcheng oou tchoan khi.

Histoire de l'erreur de la harpe éolienne.

Cf. n° 4395, art. II.

Titre noir sur papier teinté.

— V (4392).

巧團圓傳奇

Khiao thoan yuen tchoan khi.

Histoire de l'union ingénieuse.

Cf. n° 4402, art. IX.

Titre noir sur papier teinté.

— VI (4392).

凰求鳳傳奇

Hoang khieou fong tchoan khi.

Histoire du phénix femelle qui cherche son mâle.

Cf. n° 4398, art. V.

Titre noir sur papier teinté.

— VII (4393).

蜃中樓傳奇

Chen tchong leou tchoan khi.

Histoire du mirage.

Cf. n° 4397, art. IV.

Titre noir sur papier teinté.

— VIII (4393).

奈何天傳奇

Nai ho thien tchoan khi.

Par quel moyen le ciel?

Cf. n° 4399, art. VI.

Titre noir sur papier teinté.

— IX (4393).

比目魚傳奇

Pi mou yu tchoan khi.

Histoire de la sole.

Cf. n° 4400, art. VII.

Titre noir sur papier teinté.

— X (4393).

玉搔頭傳奇

Yu sao theou tchoan khi.

Histoire du grattoir en jade.

Cf. n° 4401, art. VIII.

Titre noir sur papier teinté.
In-18. 3 vol., demi-rel., au chiffre de Louis-Philippe.
Nouveau fonds 117.

4394-4405. 笠翁傳奇 十二種曲

Li oong tchoan khi chi eul tchong khiu.

Douze pièces de Li-oong.

Par Li-oong, de Hou-chang. Introduction, table générale divisée en 4 séries. Édition de la salle King-chou.

— I (4394).

憐香伴傳奇

Lien hiang pan tchoan khi.

Histoire de la confrérie de l'encens.

Par Li-oong. Préface non datée.

4 actes (tsi), 36 scènes (tchhou).

Titre noir sur blanc.
Nouveau fonds 1183.

— II (4395).

風箏誤傳奇

Fong tcheng oou tchoan khi.

Histoire de l'erreur de la harpe éolienne.

Par le même. Préface non datée, par Yu Lin Yi-seu, de Keou-oou.

4 actes (tsi), 3o scènes (tchhou). — Comparer n° 4390.

Titre noir sur blanc.
Nouveau fonds 1191.

— III (4396).

意中緣傳奇

Yi tchong yuen tchoan khi.

Histoire d'une destinée selon l'attente.

Par le même auteur. Préface non datée par Hoang Yuen, de Yuen-siang.

4 actes (tsi), 3o scènes (tchhou).

Titre noir sur blanc.
Nouveau fonds 1187.

— IV (4397).

蜃中樓傳奇

Chen tchong leou tchoan khi.

Histoire du mirage.

Par le même auteur. Préface non datée.

4 actes (tsi), 3o scènes (tchhou).

Titre noir sur blanc.
Nouveau fonds 1184.

— V (4398).

凰求鳳傳奇

Hoang khieou fong tchoan khi.

Histoire du phénix femelle qui cherche son mâle.

Par le même auteur. Préface par Tou Siun Yu-hoang.

4 actes (tsi), 3o scènes (tchhou).

Titre noir sur blanc.
Nouveau fonds 1186.

— VI (4399).

奈何天傳奇

Nai ho thien tchoan khi.

Par quel moyen le ciel?

Par le même auteur. Préface non datée.

4 actes (tsi), 3o scènes (tchhou).

Titre noir sur blanc.
Nouveau fonds 1194.

— VII (4400).

比目魚傳奇

Pi mou yu tchoan khi.

Histoire de la sole.

Par le même auteur. Préface sans date.

4 actes (tsi), 32 scènes (tchhou).

Titre noir sur blanc.
Nouveau fonds 1195.

— VIII (4401).

玉搔頭傳奇

Yu sao theou tchoan khi.

Histoire du grattoir en jade.

Par le même. Préface (1778?) par Hoang-ho-chan nong.

4 actes (tsi), 3o scènes (tchhou).

Titre noir sur blanc.
Nouveau fonds 1188.

— IX (4402).

巧團圓傳奇

Khiao thoan yuen tchoan khi.

Histoire de l'union ingénieuse.

Du même auteur. Préface par Tchhou-tao-jen.

4 actes (tsi), 33 scènes (tchhou).
Titre noir sur blanc.
Nouveau fonds 1189.

— X (4403).

愼鸞交傳奇

Chen loan kiao tchoan khi.

Histoire de l'amitié miraculeuse.

Par le même. Préface par Koo Fou-fang, de Yun-tchong.

4 actes (tsi), 36 scènes (tchhou).
Titre noir sur blanc.
Nouveau fonds 1192.

— XI (4404).

南柯記傳奇

Nan ko ki tchoan khi.

Le songe de Nan-ko.

4 actes (tsi), 35 scènes (tchhou).
Cf. nᵒˢ 4382-4383, art. III.
Titre noir sur blanc.
Nouveau fonds 1193.

— XII (4405).

邯鄲夢傳奇

Han tan mong tchoan khi.

Le songe de Han-tan.

4 actes (tsi), 3o scènes (tchhou). — Cf. nᵒ 4383, art. IV.

Titre noir sur blanc.
Nouveau fonds 1185.

In-24. Papier blanc ; titre général **noir** sur jaune. 12 vol., demi-rel., au **chiffre** de Napoléon III.

Nouveau fonds 1183 à 1189 et 1191 à 1195.

4406. — I.

西江祝嘏

Si kiang tchou kia.

Vœux de Si-kiang.

Pièces composées par Tsiang Chi-tshiuen, surnom Chen-yu, de Yuen-chan, à l'occasion de l'anniversaire de la mère de l'Empereur (1751). Publiées à la salle Ta-oen par Tchhen Cheou-tchheng, surnom Po-chang, de Sin-tchheng, et par Oang Hing-oou, surnom Chentchai, de Hoa-thing. Préface par ce dernier (1751). Le titre porte la date de 1750.

Pièces mythologiques et allégoriques en 4 scènes chacune.

1. ## 康衢樂

Khang khiu lo.

2. ## 忉利天

Tao li thien.

3. 長生籙

Tchhang cheng lou

4. 昇平瑞

Cheng phing choei.

Titre noir sur jaune.

— II.

一片石

Yi phien chi.

Une stèle.

Pièce par Tsiang Chi-tshiuen, surnom Thiao-cheng, avec préface de l'auteur postérieure à 1751; à propos d'une tombe de Nan-tchhang. Gravure représentant un paysage; notice; plusieurs introductions poétiques. Texte d'inscription pour la stèle, par Oang, de Hoa-thing. Édition du Tchi-tchai.

4 scènes.

Titre noir sur papier teinté. Grand in-8. Impression soignée. 1 vol., demi-rel., au chiffre de Louis-Philippe. *Nouveau fonds* 221.

4407. 綉像魚水緣傳奇

Sieou siang yu choei yuen tchoan khi.

La bonne fortune de l'eau et du poisson, avec illustrations.

Par Tan-liu kiu-chi, de Pao-chan; avec annotations par Tchou-hien tchou-jen, de Hai-chang. Pré-

faces par Oang Yong-hi (1760), par Tchhen Chi-hi, de Chan-yin (1760); autres préfaces de 1767 et 1770. Introductions poétiques. Illustrations représentant des scènes de la pièce. Texte avec notes dans la marge supérieure. Édition de la salle Tsiu-tchen, de Ki-yang (1824).

2 livres (32 scènes).

In-24. Bonne gravure sur papier blanc; titre noir sur rouge. 1 vol., demi-rel., au chiffre de Louis-Philippe. *Nouveau fonds* 860.

4408-4409. 藏園九種曲

Tshang yuen kieou tchong khiu.

Neuf pièces publiées par Tshang-yuen.

Préface de l'éditeur, Tshang-yuen kiu-chi, de 'O-hou (1774); autre préface par Tchhen Cheou-yi, surnom Tchong-mou kiu-chi, de Sin-tchheng (1774). Édition de la salle Ming-sin.

— I (4408).

香祖樓

Hiang tsou leou.

Le pavillon Hiang-tsou.

Par Tshang-yuen kiu-chi et Tchong-mou kiu-chi; annotations par Liang-fong oai-chi, de Thien-tou. Introduction.

2 livres (32 scènes).

— II (4408).

空谷香傳奇

Khong kou hiang tchoan khi.

Histoire de Khong-kou-hiang.

Par Tsiang Tchong-tseu Chi-tshiuen, nom littéraire Tshang-yuen kiu-chi, de Yuen-chan; annotations par Kao Tong-phien Oen-tchao, de Oou-khang. Introduction poétique.

2 livres (30 scènes).

Titre noir sur papier teinté.

— III (4408).

冬青樹

Tong tshing chou.

L'arbre vert en hiver.

Par Tsiang Chi-tshiuen, nom littéraire Li-keou kiu-chi. Préface de l'auteur (1781); préface par Tchang Hiuen-chi, de Oou (1781).

2 livres (38 scènes).

Titre noir sur papier teinté.

— IV (4409).

雪中人傳奇

Siue tchong jen tchoan khi.

L'homme dans la neige.

Par Li Chi-tchou Pao-yen, de Thaï-'an, et Tsiang Chi-tshiuen Tshing-yong. Annotations, par Tshien Chi-si Po-tshiuen, de Sieou-choei. Préface par Tshing-yong kiu-chi.

16 scènes.

Titre noir sur papier teinté.

— V (4409).

第二碑

Ti eul pei.

La seconde stèle.

Par Tsiang Chi-tshiuen et Hien-thing oaï-chi. Annotations par Tshang-yaï lao-jen. Préface de Tsiang Chi-tshiuen; préface par Oang Kiun, surnom Kiu-phing, de Chang-kou (1776). Introduction poétique.

6 scènes.

Titre noir sur papier teinté.

— VI (4409).

桂林霜傳奇

Koei lin choang tchoan khi.

La gelée blanche dans le bosquet de cannelliers.

Par Tsiang Chi-tshiuen et Yang Ying-ho Song-hien, de Fong-siang. Annotations par Tchang San-li Tchhoen-chan, de Ta-hing. Introduction poétique. Préface de Tsiang Chi-tshiuen (1771).

2 livres (24 scènes).

Titre noir sur papier teinté.

— VII (4409).

臨川夢

Lin tchhoan mong.

Le songe de Lin·tchhoan.

Par Ming-sin, surnom Tchhoẹn-tang, de Tchhang-po, et Tsiang Chi-tshiuen; annotations de Tshien Chi-si. Préface par Tsiang Chi-tshiuen (1774). Cette pièce a pour héros l'auteur dramatique Thang Hien-tsou (cf. n⁰ˢ 4380 à 4383); vie de ce personnage; rapport présenté par lui à l'Empereur (1591).

2 livres (20 scènes).

Titre noir sur papier teinté.

— VIII (4409).

四絃秋雜劇

Seu hien tshieou tsa ki.

L'automne avec quatre cordes sonores.

Par Ho-thing kiu-chi et Tshing-yong tchou-jen; annotations de Mong-leou kiu-chi. Introductions poétiques. Préface par Tsiang Chi-tshiuen; autre préface par Tchang King-tsong, de Tong-kao (1773).

4 scènes.

Titre noir sur papier teinté.

— IX (4409).

一片石

Yi phien chi.

Même pièce qu'au n⁰ 4406, art. II. Pas de feuille de titre.

In-12. Titre noir sur rose. 2 vol., demi-rel., au chiffre de Louis-Philippe.
Nouveau fonds 833.

4410. ## 石榴記傳奇

Chi lieou ki tchoan khi.

Histoire de la grenade.

Par Hoang Tchen Cheou-chi, de Jou-kao; avec préfaces de Tsiang Tsong et de Kou Yun Pẹ-chou. Introduction par Tchhai-oan-tshoẹn nong (1772). Introductions poétiques. Postface sans date. Édition de la maison de Tchhai-oan-tshoẹn, gravée de nouveau en 1799. Illustrations avec légendes.

4 livres (32 scènes).

Grand in-8. Titre noir sur jaune. 1 vol., demi-rel., au chiffre de Louis-Philippe.
Nouveau fonds 906.

4411. ## 砥石齋二種曲

Tchi chi tchai eul tchong khiu.

Deux pièces du pavillon Tchi-chi.

Collection gravée au pavillon Song-yue.

— I.

詩扇記傳奇

Chi chạn ki tchoan khi.

Histoire d'un éventail avec une ode.

Par Oang Tchou Chi-pho, nom littéraire Tong-yuen-chan kho, de Yuen-phou; composée en 1798 (?). Préface de l'auteur. Postface par

Yuen Hio-siun, de Kiang-tshoẹn.

2 livres (32 scènes, tchẹ).

— II.

夢裏緣傳奇

Mong li yuen tchoan khi.

La fortune en songe.

Par le même auteur, avec post-face de Oang Khoan-pou (1771?).

32 scènes.

— III.

砥石齋韻品雜齣

Tchi chi tchai yun phin tsa tchhou.

Scènes diverses avec poésies du pavillon Tchi-chi.

Par Oang Tchou, de Thie-lin.

— IV.

賞心幽品四種

Chang sin yeou phin seu tchong.

Quatre scènes pour réjouir le fond du cœur.

Par le même.

— V.

破牢愁

Pho lao tchheou.

Le chagrin de l'appui brisé.

Par le même.

4 scènes.

— VI.

砥石齋散 (*sic*) 曲

Tchi chi tchai san khiu.

Scènes diverses du pavillon Tchi-chi.

In-12. Papier blanc, titre noir sur jaune. 1 vol., demi-rel., au chiffre de Louis-Philippe.

Nouveau fonds 722.

___

4412. 繡像水晶球傳

Sieou siang choei tsing khieou tchoan.

La boule de cristal, avec illustrations.

Pièce parlée et chantée, avec préface par Yue-tchheng tchou-jen, de Yuen-hou (1805). Édition de 1820.

38 livres.

Petit in-8. Impression grossière; titre noir sur jaune. 1 vol., demi-rel., au chiffre de Louis-Philippe.

Nouveau fonds 828.

___

4413-4414. 繡像玉連環傳

Sieou siang yu lien hoan tchoan.

Les anneaux de jade, avec illustrations.

Pièce par une femme, Tchou Sou-sien, de Yun-kien. Préface par Liang-thing tchou-jen (1805); avertissement par Oou Kiun-thing,

de Yun-kien. Édition de la bibliothèque Li-yun (1805).

8 livres.

In-12. Impression commune, titre noir
sur blanc. 2 vol., demi-rel., au chiffre
de Louis-Philippe.

Nouveau fonds 499.

4415. 繪眞記

Hoei tchen ki.

Histoire du portrait.

Pièce par Yao-yue-leou tchou-
jen; revue par Sou-sien. Préface
par Sou-sien. Portraits et légendes. Édition de 1812.

40 livres.

In-12. Papier blanc; titre noir sur
rouge. 1 vol., demi-rel., au chiffre de
Louis-Philippe.

Nouveau fonds 724.

4416. 繡像百花臺全集

*Sieou siang po hoa thai tshiuen
tsi.*

Recueil illustré du Po-hoa-
thai.

Scènes populaires illustrées,
avec préface de 1816. Édition du
pavillon Oen-tchheng (1820).

4 livres (19 hoei).

In-12. Papier blanc, impression médiocre, titre noir sur jaune. 1 vol., demi-
rel., au chiffre de Louis-Philippe.

Nouveau fonds 830.

4417. 新刊時調百花臺全傳

*Sin khan chi tiao po hoa thai
tshiuen tchoan.*

Autre titre :

說唱花園會

Choe tchhang hoa yuen hoei.

Nouveau recueil du Po-hoa-
thai.

20 scènes populaires, parlées et
chantées; édition de la salle Yu-te.

In-12. Papier blanc, gravure grossière;
titre noir sur jaune. 1 vol., demi-rel.,
au chiffre de Louis-Philippe.

Nouveau fonds 755.

4418. 繡像蘊香九

Sieou siang yun hiang hoan.

La boulette de parfum, avec
illustrations.

Pièce sans nom d'auteur, avec
préface (1817). Portraits et scènes.
Édition du pavillon Lan-yu (1818).

4 livres (exemplaire complet; la
table marque 10 livres, 20 hoei).

In-12. Titre noir sur jaune. 1 vol.,
demi-rel., au chiffre de Louis-Philippe,
Nouveau fonds 832.

4419. 雙鴛祠傳奇

Choang yuen seu tchoan khi.

Histoire de la chapelle de
Choang yuen.

Par Khiun-yu-chan nong, de
Thai-tcheou. Préfaces par Kou

Yuen-hi, de Tchhang-tcheou (1820) et par Oang Yun-jen Yi-thang, de Hiu-yi (1820). Introduction poétique. Portraits avec légendes. Postfaces par Lieou Chi-fen Sin-hiang, de Heon-koan (1820) et par Lieou Hoa-tong, de Phan-yu. Édition de la salle Kiao-te-tshai-ken (1820).

8 scènes (tchhou).

In-12. Papier blanc, impression soignée; titre noir sur rose. 1 vol., demi-reliure.

Nouveau fonds 831.

4420. 繡像金如意

Sieou siang kin jou yi.

Le jou-yi d'or, avec illustrations.

Pièce chantée et parlée, sans nom d'auteur. Préface par Tseu-khong tchou-jen. Édition du pavillon Seou-fang (1822).

5 livres (22 hoei).

In-12. Papier blanc, gravure très commune; titre noir sur jaune. 1 vol., demi-rel., au chiffre de Louis-Philippe.

Nouveau fonds 829.

4421. 秋水堂雙翠圓傳奇

Tshieou choei thang choang tshoei yuen tchoan khi.

Histoire de deux martins-pêcheurs, édition de la salle Tshieou-choei.

Pièce par Hia Kou-hiang, de Hoa-thing; préface incomplète. Illustrations représentant des scènes avec légendes.

2 livres (19 scènes).

In-32. Papier blanc; titre noir sur jaune. 1 vol., demi-rel., au chiffre de Napoléon III.

Nouveau fonds 1190.

4422. 虎口餘生傳奇

Hou kheou yu cheng tchoan khi.

Histoire de l'homme qui a échappé à la gueule du tigre.

Par Yi-min oai-chi; préface non datée de l'auteur.

4 livres (44 scènes).

In-32. Papier blanc, titre noir sur jaune. 1 vol., demi-rel., au chiffre de Louis-Philippe.

Nouveau fonds 857.

4423. 全本康漢玉三鳳鸞

Tshiuen pen khang han yu san fong loan.

Collection de chansons populaires dialoguées.

Édition de la salle Kin-oen.

2 livres (intervertis à la reliure), contenant 4 chansons.

Petit in-8. Titre noir sur vermillon. 1 vol., cartonnage.

Nouveau fonds 3408.